Lewis Edwards

Golygydd Cyffredinol: Branwen Jarvis

Hen gwestiwn mewn beirniadaeth lenyddol yw mater annibyniaeth y gwaith a ddarllenir; ai creadigaeth unigryw yw cerdd neu ysgrif neu nofel, i'w dehongli o'r newydd gan bob darllenydd; neu i ba raddau mae'n gynnyrch awdur unigol ar adeg arbennig yn ei fywyd ac yn aelod o'r gymdeithas y mae'n byw ynddi? Yn y pen draw diau fod gweithiau llenyddol yn sefyll neu'n cwympo yn ôl yr hyn a gaiff darllenwyr unigol ohonynt, ond aelodau o'u cymdeithas ac o'u hoes yw'r darllenwyr hwythau, a'r gweithiau a brisir uchaf yw'r rheini y gellir ymateb iddynt a thynnu maeth ohonynt ymhob cenhedlaeth gyfnewidiol am fod yr oes yn clywed ei llais ynddynt. Ni all y darllenydd na'r awdur ymryddhau'n llwyr o amgylchiadau'r dydd.

Yn y gyfres hon o fywgraffiadau llenyddol yr hyn a geisir yw cyflwyno ymdriniaeth feirniadol o waith awdur nid yn unig o fewn fframwaith cronolegol ond gan ystyried yn arbennig ei bersonoliaeth, ei yrfa a hynt a helynt ei fywyd a'i ymateb i'r byd o'i gwmpas. Y bwriad, felly, yw dyfnhau dealltwriaeth y darllenydd o amgylchiadau creu gwaith llenyddol heb ymhonni fod hynny'n agos at ei esbonio'n llwyr.

Dyma'r gyfrol unfed ar ddeg yn y gyfres. Y gyfrol nesaf i ymddangos fydd bywgraffiad llenyddol o John Morris-Jones.

DAWN DWEUD

DAWN DWEUD

Lewis Edwards

gan
D. Densil Morgan

GWASG PRIFYSGOL CYMRU
CAERDYDD
2009

Mae cofnod catalogio'r gyfrol hon ar gael gan y Llyfrgell Brydeinig.

ISBN 978-0-7083-2194-2
e-ISBN 978-0-7083-2243-7

Hoffai'r cyhoeddwyr gydnabod cymorth ariannol Cyngor Cyllido Addysg
Uwch Cymru tuag at gyhoeddi'r gyfrol hon.

Argaffwyd yng Nghymru gan Wasg Dinefwr, Llandybïe

I
Derec a Jane

Cynnwys

Rhagair

Ymhlith fy nhasgau yn ystod y blynyddoedd diwethaf fu ymchwilio i agweddau ar hanes y meddwl Cymreig yn ystod y bedwaredd ganrif ar bymtheg, canrif y dysgodd yr Athro Hywel Teifi Edwards ni i'w hystyried fel 'y ganrif fawr'. Cefais gyfle i ddweud rhywbeth eisoes am Owen Thomas, Lerpwl, Llewelyn Ioan Evans, R. S. Thomas, Abercynon, ac eraill, ond nid oedd neb mwy na gwrthrych y gyfrol hon. Roedd Lewis Edwards yn rhannu holl fawredd a gwendidau Oes Victoria, ond nid oes modd deall hanes diwylliant, crefydd a dysg y cyfnod heb ddod yn gyfarwydd â'i waith. Ymgais i dafoli ei gyfraniad, ar achlysur daucanmlwyddiant ei eni, yw'r llyfr hwn.

Hoffwn ddiolch i'r Athro Branwen Jarvis, golygydd y gyfres Dawn Dweud, am fy ngwahodd i ymgymryd â'r dasg, ac am ei gofal wrth ddarllen a chywiro y deipysgrif. Fe'i darllenwyd gan fy nghyfaill a'm cydweithiwr Dr Robert Pope yn ogystal, ac mae'r awgrymiadau gwerthfawr a wnaed gan y ddau ohonynt wedi eu cynnwys yn y fersiwn brint. Pwysais hefyd ar wybodaeth helaeth Mr Einion Wyn Thomas o wasanaeth Archifau a Chasgliadau Arbennig Prifysgol Bangor ynghylch hanes gwleidyddol Meirionnydd a chyfraniad Lewis Edwards iddo. Dangosodd Dr Huw Walters o'r Llyfrgell Genedlaethol ei garedigrwydd arferol wrth fy nghynorthwyo i olrhain ambell drywydd, ac rwy'n ddyledus i'r Athro Thomas Charles-Edwards, athro Celteg Coleg Iesu, Rhydychen, am rannu gwybodaeth deuluol ynghylch ei hen, hen dadcu. Cefais oleuni gan yr Athro Ceri Davies o Brifysgol Abertawe ynghylch sut orau i sillafu rhai termau Lladin. Roedd staff y Llyfrgell Genedlaethol, Archifau Prifysgol Bangor a llyfrgell y Coleg Newydd, Caeredin, yn siriol ac amyneddgar tra bu Ennis Akpinar ac Elin Nesta Lewis o Wasg Prifysgol Cymru yn gymwynasgar, yn ofalus ac yn dra phroffesiynol trwy gydol y broses cyhoeddi.

Ymhlith y rhai a ysbardunodd fy niddordeb cynnar ym meddwl a dychymyg y Methodistiaid oedd un o'r mwyaf o'n hysgolheigion, sef yr Athro Derec Llwyd Morgan. Cefais fudd aruthrol o berthyn i'w ddosbarth ar lenyddiaeth y Diwygiad Mawr yn Adran y Gymraeg ym Mangor yn y 1970au, ac elwais ar bopeth a ysgrifennodd wedyn ar y pwnc. Bu'n hynod ei gefnogaeth i mi ar hyd y blynyddoedd, ac mae ei gyfeillgarwch, ac eiddo Jane Edwards, ei wraig, yn ysbrydiaeth barhaus. Pleser amheuthun yw cyflwyno'r gyfrol hon i'r ddau ohonynt.

D. Densil Morgan
Bangor
Mai 2009

1 ⊗ O Ben-llwyn i Sasiwn Wystog, 1809–1830

'Lewis, the son of Lewis and Margaret Edward, was born at Pwll-cenawon in the parish of Llanbadarnfawr in the county of Cardigan the 27 day of October, 1809 at 2 o'clock afternoon.' Felly y cofnoda Beibl y teulu, a'r cofnod yn llaw Lewis Edward, y tad,[1] er bod peth amheuaeth ynghylch y ffeithiau, ac i Lewis Edwards, y mab, dybied mai yn Rhiwarthen, y tyddyn a ffiniai ar Bwllcenawon gerllaw pentref Pen-llwyn ar yr fforddd rhwng Ponterwyd a Llanbadarn, y cafodd ei eni.[2] Os yw cofrestr y plwyf yn gywir, yn eglwys Llan-badarn y bedyddiwyd ef ddiwrnod yn ddiweddarach, ond tybir mai camgymeriad yw hynny, yn enwedig am i'w dad ysgrifennu 'Lewis was baptized by the curate of Llanbadarnfawr and registered at Llan-badarnfawr', gan awgrymu i'r ddeubeth ddigwydd ar wahân. Efallai fod rhywfaint o frys ynghylch ei fedydd, ond ni nodir hynny yng nghofnodion y teulu. 'Ymddengys yn debygol, gan hynny', meddai ei gofiannydd, ei fab hynaf Thomas Charles Edwards, 'mai yn y tŷ y bedyddiwyd ef, ac i'r curad gofrestru'r peth yn y cofrestr'.[3] Beth bynnag am y manylion, erbyn diwedd Hydref 1809 roedd cyntafanedig Lewis a Margaret Edward wedi dod i'r byd.

Y Dechreuadau

Mae'n debyg mai brodor o blwyf Llanbadarn Fawr oedd Lewis Edward yr hynaf (1783–1852), ac yn ôl Thomas Edwards, ei fab yntau, 'tynerwch duwiol ac arafwch doethineb a'i nodweddai'.[4] Ffermio tyddyn Pwll-cenawon ar lannau Afon Rheidol a wnâi, a'i dŷ yn adeilad muriau pridd 30 troedfedd o hyd, 15 troedfedd o led a 12 troedfedd o'r llawr i'w fargod. Mae'r ffaith mai un brif ystafell, sef cegin, 'gyda simnai eang y gallech weled y sêr drwyddi',[5] ac yna ystafell wely fechan ar gyfer gŵr y tŷ a'i wraig, ac ar y llofft ddwy ystafell arall, un yn ddiffenestr oherwydd treth y goleuni, sef y dreth annynol ar ffenestri a barhaodd mewn grym tan 1851, lle cysgai'r bechgyn, ac un ystafell wely arall ar gyfer y merched a oedd yn y tŷ, yn arwyddo nad cyfoethogion o fath yn y byd oedd teulu Pwllcenawon, ond pobl ddigon llwm eu hamgylchiadau. Roedd un ystafell fechan ychwanegol a ddefnyddid i letya pregethwyr a ddeuai i wasanaethu yng nghapel Pen-llwyn. Enw gwraig Lewis Edward oedd Margaret (1785–1854), ac iddi hi, o ran pryd a gwedd, yr ymdebygai Lewis y mab fwyaf. 'Cydwybodol a gwirioneddol gyda chrefydd' ydoedd yn ôl Thomas, ei mab, 'dyfal a chyson gyda phob moddion o ras, haelionus i'r tlodion, a hynod o ffyddlon yn ôl ei gallu gydag achos Duw yn ei holl rannau'.[6] Roedd y ddau yn aelodau gyda'r Methodistiaid Calfinaidd, a Lewis Edward yn flaenor yng nghapel Pen-llwyn am ran helaeth o'i oes.

Ar eu haelwyd fodlon os llwm ym Mhwllcenawon y ganed wyth o blant: Lewis, yr hynaf a aned, fel y nodwyd, yn 1809; Thomas (1812–1871) a ddaeth, fel ei frawd, yn bregethwr Methodist a ddefnyddiwyd yn helaeth yn sgil Diwygiad 1859; John (1815–24), a fu farw yn blentyn; James (1817–72), a oedd yn ddibriod ac a ofalai am y ffarm ynghyd â'i dad; Eliza (1819–94); Dafydd (1822–80) a arhosodd hefyd yn ddibriod; Margaret (1824–87) a briododd â William James, Penbryn oddi mewn i'r un plwyf; a Mary (1828–33), a fu hithau farw'n ifanc. 'Eu hymborth yn gyffredin oedd bara haidd, bara ceirch, caws cartref, ymenyn, llaeth a maidd . . . I ginio ceid digon o fwrdram, neu o gawl cenin, wedi ei ferwi yn y crochan mawr oedd yn crogi wrth gadwen oddi wrth y trawst yn y simnai . . . Gyda'r hwyr rhoddid i bawb bryd o lymru, a digonedd o fara a chaws.'[7] Os oedd yn ddigonol, plaen oedd yr ymborth hwn, ac yn arwyddo eto fod y teulu yn gorfod gweithio'n galed er mwyn sicrhau rheidiau mwyaf sylfaenol bywyd. Er hynny, ymddengys eu bod yn ddedwydd ac yn fodlon eu byd.

Duwioldeb y Diwygiad Efengylaidd a nodweddai fywyd Lewis Edward yr hynaf a Margaret ei wraig, ac yn unol â gofynion manylaf y ffydd Galfinaidd y magent eu plant. Yn neau Ceredigion y cydiodd y diwygiad gyntaf, a gweinidogaeth eirias Daniel Rowland yn ysbardun iddo. O 1735 ymlaen, ac yn fwy eto ar ôl 'Diwygiad Llangeitho' yn 1762, pentref Llangeitho a'i heglwys blwyf a fu'n ganolbwynt i'r cynyrfiadau diwygiadol oddi mewn i'r sir,[8] ond yn araf y bu i'r mudiad ymwreiddio tua'r gogledd. Symudiad adnewyddol oddi mewn i'r gyfundrefn Anglicanaidd oedd y diwygiad yn y cyfnod hwn heb fod ynddo nemor ddim tuedd at ymwahanu oddi wrth yr eglwys sefydledig. 'One gains the impression', meddai Geraint H. Jenkins, 'that at

least in Cardiganshire, Methodism was viewed as an organic part of
the established Church rather than some sort of Trojan horse.'[9] Roedd
pwysau'r sefydliad i'w teimlo'n fwy fyth yng ngogledd y sir gydag
eglwys hynafol Llanbadarn Fawr yn fath o is-gadeirlan yn y fro, a
dylanwad landlordiaid megis Pryse Gogerddan a Powell Nanteos yn
wrthbwynt grymus i enthiwsiastiaeth o unrhyw fath. Ond ni allai
hynafiaeth, ffurfioldeb na ffiwdaliaeth atal yr egnïon diwygiadol rhag
lledu, ac erbyn yr 1770au a'r 1780au – blynyddoedd ieuenctid rhieni
Lewis Edwards – Methodistio'n fwyfwy a wnâi'r plwyfi cylchynol.
Roedd seiat yng Nghwmystwyth mor gynnar â 1756, ond nid tan 1783
yr adeiladwyd capel yno. Sefydlwyd achosion ym Mhonterwyd yn
1765, yn Aberystwyth oddeutu 1770 ond nid tan 1785 yr adeiladwyd
capel y Tabernacl yn lluest iddo, yn Nhaliesin oddeutu 1773 a chapel
yn 1791, a Phen-llwyn yn 1779 gyda'r capel yn dilyn yn 1790. Byddai
achosion eraill yn prysur ymffurfio mewn mannau megis Llanafan,
Capel Dewi, y Garn (Bow Street) a Thal-y-bont yn y degawd a mwy
nesaf.[10] Tynnwyd Lewis a Margaret Edward i mewn i'r ymchwydd
hwn, ac erbyn marwolaeth Daniel Rowland yn 1790 roedd y mudiad
Methodistaidd yn prysur ddisodli'r 'Hen Fam' fel y dewis ysbrydol
mwyaf poblogaidd ar gyfer crefyddwyr y fro.

Pan aned Lewis Edwards yn 1809 roedd yr hen gysylltiad hanes-
yddol rhwng yr eglwys sefydledig a'r mudiad diwygiadol o dan straen
cynyddol a phob argoel y byddai'n torri'n derfynol maes o law. Ymhen
dwy flynedd byddai'r rhwyg wedi digwydd pan lywyddodd Thomas
Charles dros y sasiynau, y naill yn y Bala, Meirionnydd, ym Mehefin
1811 a'r llall yn Llandeilo Fawr, sir Gaerfyrddin, chwe wythnos yn
ddiweddarach, a ordeiniodd 21 o bregethwyr y corff i weinyddu bedydd
a Swper yr Arglwydd.[11] 'I once fondly hoped that the Welsh Calvinistic
Methodists would have continued in existence, as such, during your
days at least', meddai Thomas Jones, brodor o'r Hafod, Ceredigion, a
oedd bellach yn glerigwr yn Creaton, Swydd Northampton, wrth ei
gyfaill Thomas Charles. 'But they are no more, no such body of men
now exist in Wales, no, no, they are no more, and this I most deeply
lament.'[12] I Thomas Jones, Creaton, ac eraill o blith yr offeiriaid
efengylaidd, mudiad a aned oddi mewn i'r eglwys sefydledig oedd
Methodistiaeth Gymreig a'i bwrpas oedd diwygio'r eglwys honno
trwy ei chynysgaeddu hi â disgyblaeth foesol, egni ysbrydol a diwin-
yddiaeth iachus. 'You probably will attribute this to mistaken High
Church principles, but surely not very high when I so highly esteem
Methodism such as had existed long in Wales, and which I ardently

wished to exist till the whole Church had been illuminated and renovated . . . But lo! The bright prospect was clouded in a day.'[13] Ymhlith y rhai a ordeiniwyd yn Llandeilo ar 8 Awst 1811 yr oedd Ebenezer Morris (1769–1825) o Dŵr-gwyn, Lledrod, ac Ebenezer Richard (1781–1837) o Dregaron, y ddau yn bregethwyr grymus, yn ddynion o allu mawr a phenderfyniad di-ildio ac erbyn hynny yn arweinwyr diymwad Methodistiaid Ceredigion. Perthynent i'r to newydd a fyddai'n arwain cyfundeb y Methodistiaid Calfinaidd Cymreig yn ei gyfnod cychwynnol fel mudiad a oedd bellach yn rhydd o ddylanwad yr offeiriaid efengylaidd ac yn llwyr annibynnol ar yr 'Hen Fam'. Byddai'r ansicrwydd eglwysyddol hwn yn pwyso'n drwm ar Lewis Edwards maes o law, ac yn ei arwain, wedi iddo ddychwelyd o'r Alban, i hyrwyddo Presbyteriaeth ar batrwm John Knox a Thomas Chalmers ar ei gyd-Fethodistiaid Cymreig. Ond roedd hynny eto i ddod.

Addysg Gynnar

Gorchwyl cyntaf rhieni Edwards er lles y plant oedd sicrhau addysg ar eu cyfer. Fel amaethwr cyffredin mewn plwyf pellennig a oedd yn rhan o gymdeithas ddigyfnewid, unig uchelgais Lewis Edward yr hynaf oedd sicrhau fod yr etifeddiaeth yn cael ei throsglwyddo i'r genhedlaeth a ddeuai ar ei ôl. Addysg gyda'r fwyaf elfennol oedd yr unig addysg a fwriadai'r tad ei rhoi i'r mab, ar y cyntaf beth bynnag, gyda'r disgwyliad y deuai yn y man yn olynydd iddo ac yn benteulu ei hun. Ac roedd yr ysgol gyntaf yr aeth Edwards yr ieuaf iddi yn adlewyrchu'r ffaith hon. 'Yr ysgol gyntaf gafodd Lewis Edwards, pan nad oedd ond plentyn', meddai Thomas ei frawd,

> ydoedd gydag un Edward Jones, mewn lle a elwid Pwll-clai Bach . . . oddeutu milltir o'i gartref. Yr oedd Edward Jones yn berthynas i'r teulu, ac yn lletya gyda hwynt; felly 'ewyrth Edward' y byddai y plant yn ei alw. Prif gymhwyster yr ewythr hwn i fod yn ysgolfeistr oedd iddo fod yn trigo am ychydig yn Lloegr, a'i fod yn medru tipyn o Saesneg.[14]

Mewn tŷ to gwellt yng Nglanyrafon yr oedd yr ysgol hon, rhwng y Lasgrug a'r Bontbren, a law yn llaw ag ewythr Edward yr âi yno yn feunyddiol yn bedair a phum mlwydd oed. 'Yn yr ysgol hon', meddai ei fab, 'y dysgodd ddarllen Saesneg.'[15]

Os ychydig fedrusrwydd mewn Saesneg oedd unig gymhwyster ei ewythr i fod yn athro arno, nid felly yr oedd hi yn hanes ei athrawon diweddarach. Fe'i trosglwyddwyd o ysgol Pwll-clai i ysgol fechan arall, yr un mor ddi-nod, o'r enw Pen-y-banc nid nepell i ffwrdd, ac enw'r ysgolfeistr yno oedd John Davies. Hynodrwydd hwn oedd iddo gael ei addysgu, fel cymaint o ysgolfeistri'r sir, yn ysgol ramadeg nodedig Ystradmeurig. Beth bynnag am dlodi Ceredigion, bu hi'n gyfoethog er y ddeunawfed ganrif yn ei hysgolion. Roedd ysgol ramadeg yn Llanbedr Pont Steffan, yn bennaf ar gyfer eglwyswyr, ac yn ardal Llandysul roedd David Davis (1745–1827), Castellhywel, gweinidog Ariaidd Llwynrhyd-owen, wedi cynnig addysg glasurol gyda'r rhagoraf i feibion ffermydd Ymneilltuol ac i ddarpar offeiriaid y sir fel ei gilydd. Yn Neuadd-lwyd ger Aberaeron roedd Dr Thomas Phillips (1772–1842), yr Annibynnwr, wedi cyfuno'i weinidogaeth gydag addysgu ieuenctid yn ei athrofa, ond yng nghanol y sir ysgol Ystradmeurig oedd â'r flaenoriaeth. 'Ni fu i mi ond cysylltiad anuniongyrchol ag Ystradmeurig', meddai Lewis Edwards, 'trwy gael fy addysg glasurol gan rai oedd wedi bod yno.'[16] Sylfaenydd ysgol Ystradmeurig oedd Edward Richard (1714–77), ysgolhaig clasurol ardderchog a gyfunai'r safonau academaidd uchaf â ffyddlondeb di-wyro i fanylion y ffydd Anglicanaidd. Fe'i perchid gan bawb, nid yn gymaint ar sail ei eglwysyddiaeth, ond am iddo godi to ar ôl to o offeiriaid ac athrawon a lefeiniodd liaws o blwyfi ac ysgolion bychain Ceredigion â dysg.[17] Efallai nad oedd John Davies, ail athro Lewis Edwards, yn un o gynhyrchion disgleiriaf Ystradmeurig, ond roedd stamp y lle arno, ac ym Mhen-y-banc, '[d]ysgodd y bachgen gryn lawer o rifyddiaeth'.[18]

Roedd cartref y teulu ar ochr arall Afon Rheidol i gapel Pen-llwyn, ac yno yr oedd cyrchfan addysgol nesaf Lewis, a âi yno erbyn hyn yng nghwmni Thomas, ei frawd iau. Gan fod y bont bellter i ffwrdd rhydio'r afon ar ystudfachau a wnâi'r ddau ysgolhaig bach. 'Gorchwyl pwysig a difyr i'r plant oedd croesi'r afon yn y dull hwn, Thomas yn cario'r bwyd, a Lewis yn cario Thomas a'r bwyd. Nid peth bychan oedd croesi afon ar hen fachau coed gyda thaclau felly.'[19] Thomas ei hun a gofiodd yr anturiaeth o rydio dyfroedd y Rheidol, a'r troeon trwstan a fyddai'n dilyn ar adegau.

Un tro, digon siŵr i chwi, syrthiodd Lewis i'r dŵr, a thybiodd Thomas fod yn iawn iddo yntau ollwng ei afael yn ysgwyddau ei frawd a syrthio i'r dŵr gydag ef. Ond cafodd y bychan gerydd difrifol ganddo yn y fan am ei ffolineb. A gofynnodd hen gwestiwn pwysig a dyrys iddo, pan hyd ei benliniau mewn dŵr: 'A oedd yn rhaid i chwi fynd i'r dŵr oblegid i mi fynd i'r dŵr?'[20]

Ni wyddom a gafodd ateb ai peidio, ond pwrpas y croesi beunyddiol hwn oedd derbyn dogn bellach o addysg, yn ysgol Pen-llwyn y tro hwn, dan un arall o ysgolfeistri Ystradmeurig, sef gŵr o'r enw Lewis Lewis.

Mab Rhiwarthen-uchaf oddi mewn i'r plwyf oedd y Lewis Lewis hwn, ac olynwyd ef gan Dafydd Jones, brodor o Langwyryfon ac un arall o gyn-ddisgyblion ysgol Ystradmeurig.[21] 'Yno y darllenodd Lewis Edwards y llyfrau hawddaf yn Lladin, megis Caesar a Sallust, y dysgodd ramadeg yr iaith, ac y dechreuodd ar y Groeg yn y Testament Newydd, a Homer.'[22] Tuag un ar ddeg oed ydoedd pan ddechreuodd yno, ac arhosodd yn ysgol Pen-llwyn am tua dwy neu dair blynedd, hyd oddeutu 1823. Felly yn ogystal â'r Gymraeg a gafodd gartref, yn y capel ac yn yr Ysgol Sul, roedd ganddo afael ar y Saesneg, i ryw raddau beth bynnag, ac roedd bellach wedi dechrau ymgodymu â'r ieithoedd clasurol. Ond beiblaidd a Methodistaidd oedd hyd a lled ei ddarllen hyd yma, fel y gellid disgwyl. *Cofiant y Parch. Thomas Charles* (1816) gan Thomas Jones o Ddinbych oedd ei hoff lyfr:

> Hwn, ynghyd â'r *Geiriadur*, a'r *Merthyrdraith*, a *Taith y Pererin*, a'r *Rhyfel Ysbrydol* oedd y llyfrau a ddarllenid gennyf gyda mwyaf o flas. Yr oedd gan fy nhad rai lyfrau eraill, megis Gurnal, yr *Ysgerbwd Arminaidd*, ac Eliseus Cole, ond yr oedd y rhai hynny uwchlaw fy nghyrraedd. Ond am y lleill yr oeddent i mi yn ymborth beunyddiol, ac ohonynt oll ni wnaeth yr un gymaint o les ysbrydol i mi â hanes Charles o'r Bala.[23]

Roedd ef eisoes yn tyfu'n blentyn darllengar, a'r awch am ddysg yn feunyddiol yn dyfnhau.

Yn ôl trefn arferol pethau byddai Lewis a Margaret Edward wedi gwneud eu cyfiawn ddyletswydd tuag at eu mab hynaf trwy derfynu ei addysg wedi ychydig flynyddoedd yn ysgol Pen-llwyn, ond daeth yn amlwg iddynt fod ganddo alluoedd deallusol ymhell uwchlaw'r cyffredin. Roedd John Morgan, blaenor yng nghapel Aber-ffrwd, wedi sylwi ar hyn, a phwysodd yn drwm ar y rhieni i feithrin ei alluoedd academaidd hyd yr eithaf. 'Gŵr deallus iawn oedd hwn', meddai Lewis Edwards amdano,

> yn sicr o flaen ei oes. Yr oedd ganddo ddau fab yn ysgol Llanfihangel. O'r diwedd, perswadiodd ef fy nhad trwy hir grefu i fy anfon i'r un

ysgol, a chymerodd fi wrth ei ysgil ar gefn ei geffyl i dŷ ei gyfyrder, Richard Davies, aelod, os nad blaenor, ym Mhen-y-garn, a chydag ef y bûm yn lletya.[24]

Llanfihangel Genau'r-glyn oedd y Llanfihangel hon, ysgol uwch ei dysgeidiaeth nag ysgol Pen-llwyn, a gwŷr mewn urddau eglwysig a fyddai'n dysgu'r plant yno. Richard Jones oedd ei athro cyntaf, un arall o gynnyrch Ystradmeurig, a mab i'r pregethwr Methodist John Jones, Birch Hill, Llangeitho. 'Yr oedd yn un o'r athrawon gorau a gefais erioed. Meddai y gallu i ddenu y plant i'w hoffi', a dyn o'r enw Hughes, clerigwr arall, a'i dilynodd: 'Ysgolhaig gwych oedd yntau, ond ni wyddai y ffordd i galon y plant.'[25] Daeth hi'n amlwg erbyn hyn nad i drin y tir, bugeilio'r defaid na godro'r da y bwriadwyd Lewis Edwards mewn bywyd. 'Crefydd a dysgeidiaeth oedd y cwbl ganddo', cofnododd Thomas, ei frawd,

> ac yr oedd yn amlwg na ddelai o werth dim ar y fferm. Yr oedd Thomas, fel arall, yn weithiwr rhagorol, ac yn cynorthwyo ei rieni gyda phopeth. Mynych y dywedai ei rieni wrtho, 'Mae rhyw ddaioni ynot ti Thomas, ond ni wyddom beth ddaw o dy frawd Lewis!' Yr oedd yn hollol ufudd iddynt ym mhob peth, ond gwelent nad oedd y byd hwn ynddo o gwbl, ac nid oedd un glem arno wrth geisio ei drafod. Pan ofynnid iddo, er esiampl, am fynd â'r gwartheg i'r cae, elai yn union, a llyfr, ond odid, yn ei law. Cerddai ar ôl y da, a'i drwyn yn y llyfr. Yn y man elai heibio iddynt bob un, ac i'r cae wrtho ei hun, heb dynnu ei lygaid oddi ar y llyfr, a'r gwartheg wedi eu gadael ymhell ar ôl![26]

Nid oedd dim amdani ond i'r rhieni gynilo'n fwy er mwyn sicrhau addysg bellach ar ei gyfer yn y gobaith y câi ddilyn rhyw alwedigaeth a oedd yn nes at ei anian. Wedi blwyddyn yn Llanfihangel, ac wedi hir grefu drachefn, symudwyd ef i ysgol arall, yn Aberystwyth y tro hwn. Roedd Lewis Edwards bellach tuag un ar bymtheg oed.

Aberystwyth a Llangeitho

Roedd i academi John Evans yn Aberystwyth, *The Mathematical and Commercial Academy*, enw cystal ag unrhyw sefydliad addysgol o'i fath yn y wlad. Cafodd John Evans (1796–1861) ei hun ganmoliaeth hael gan gomisiynwyr adroddiad addysg 1847, 'y Llyfrau Gleision', fel dyn dysgedig ac addysgwr penigamp,[27] ac yn ôl Lewis Edwards, 'Dyma un o'r dynion a wnaeth fwyaf o'i ôl fel athro yn Sir Aberteifi, ac i ryw raddau ar siroedd eraill.'[28] Ganed ef ym Mlaen-plwyf rhwng Aberystwyth ac Aber-arth, ac ar ôl prentisiaeth fel gwehydd, cerddodd yn ddwy ar bymtheg oed i Lundain. Aeth i drybini yno, nid o'i achos ef ei hun, ond 'parodd [hyn] iddo hiraethu yn fynych am fara haidd a chawl cenin Blaenplwyf'.[29] Cafodd loches gyda'i gyd-Fethodistiaid Calfinaidd Cymraeg yng nghapel Jewin Crescent, ac ymrestrodd yn ysgol y mathemategydd athrylithgar Griffith Davies FRS, awdur y gyfrol *A Key to Bonnycastle's Trigonometry* a oedd hefyd yn flaenor yn Jewin.[30] Canfu Evans ei fod yntau hefyd, fel ei athro, yn fathemategydd greddfol, ac ar ôl dibennu ei gwrs dychwelodd i Gymru, i Faldwyn i ddechrau ac yna, o 1821 ymlaen, i Aberystwyth, lle bu'n cadw ysgol hyd ei farw. 'Yn raddol iawn', meddai Lewis Edwards amdano,

> y llwyddodd yno, er mai efe, os nad wyf yn camsynied yn fawr, oedd y rhifyddwr gorau yng Nghymru yn y dyddiau hynny tu hwnt i bob cymhariaeth . . . Pe buasai wedi mynd i Cambridge yn ieuanc, buasai yn sicr o fod yn uchel ar restr y *wranglers*, ac fe allai y *senior wrangler*.[31]

Roedd hi'n amlwg y byddai i bynciau gwyddonol a mathemategol le canolog yng nghwricwlwm yr ysgol yn Chalybeate Street, a llwyddodd yr athro i ennyn diddordeb ysol mab Pwllcenawon yn y pwnc yn fuan: 'Yr wyf yn cofio yn dda ei fod wedi creu y fath frwdfrydedd ynof, fel yr oedd ffigyrau yn ymrithio o flaen fy meddwl pa le bynnag yr awn.'[32] Byddai Lewis Edwards wrth ei fodd yn dyfeisio arbrofion, yn gwneud posau gwyddonol ac yn datrys clymau mathemategol, a cheir enghreifftiau o'i bosau mewn cyfres o lythyrau a yrrodd i ddiddanu darllenwyr y cylchgrawn *Goleuad yr Oes* rhwng 1825 ac 1826.[33]

Roedd atgof Edwards yn iraidd am yr hyn a gafodd gan John Evans ar hyd ei oes.

> Lletywn gydag ef. Cof gennyf fy mod yn arfer darllen *Bonnycastle's Astronomy* iddo yn y tŷ. Dysgais y cwbl oedd ganddo i gyfrannu i mi – yn agos – ac un peth nad oedd yn dewis fy nysgu ynddo. Arferai yr athro gynllunio *quadrants* i wahanol amcanion. Dangosai ei offeryn ef holl symudiadau yr haul a'r amser ar y dydd. Ond ni ddangosai i neb ohonom pa fodd i wneud ei debyg. Pa fodd bynnag, cefais allan y ffordd fy hun, a meddyliodd yr athro fy mod wedi gweld ei *quadrant* ef.[34]

Nid pob dyn dysgedig sy'n athro da, ac nid oes gan bawb a fedr ddeall pethau cymhleth y ddawn i drosglwyddo'r ddealltwriaeth ohonynt i bobl eraill, ond mae'n amlwg fod John Evans yn ddysgawdwr ysbrydol-edig ac yn athro tan gamp. 'Yr oedd y mater bob amser yn eglur iddo, ac nid ymfodlonai ar ddeall yr hyn a ddywedid gan awdur, ond mynnai olrhain ei ymresymiad hyd at eu gwreiddiau.'[35] Byddai hyn yn nod a osodai Edwards iddo'i hun yn ddiweddarach pan oedd yntau yn athro yn y Bala. 'Cefais lawer o les yn yr ysgol hon, ac yr wyf yn teimlo fy hun hyd heddiw yn dra rhwymedig i John Evans.'[36]

Tafolodd Lewis Edwards bersonoliaeth John Evans trwy ddweud 'nid oedd yn proffesu dim nad oedd yn ei wybod, ac yr oedd yn gwybod mwy nag oedd yn ei broffesu, ac yn ei wybod yn drwyadl'.[37] Nid oedd ffug yn perthyn iddo, boed yn falchder neu yn ostyngeiddrwydd, a phan synhwyrodd fod y llanc o Ben-llwyn wedi cyrraedd pen draw yr hyn a oedd ganddo i'w gyfrannu, dywedodd hynny ar ei ben. 'Un diwrnod dywedodd Mr Evans wrth ei dad, "Well i chwi fynd â Lewis ymaith bellach, nid oes gennyf ddim ychwaneg i'w ddysgu iddo."'[38] Nid oedd Edwards wedi setlo eto ar yrfa iddo'i hun, neu o leiaf nid oedd wedi fformwleiddio'i obeithion a'u rhannu gyda'i rieni. 'Ni wn beth i feddwl o'r bachgen Lewis acw', oedd ymateb y tad i sylw John Evans, 'na pheth sydd i ddŵad ohono, na buasai yn meddwl am rywbeth at ennill ei fywoliaeth'.[39] Pan awgrymodd i'w fab y dylai'r ddau ohonynt fynd at farchnatwr yn y dref i drefnu prentisiaeth ar ei gyfer, siomwyd y llanc yn enbyd. 'Wel nhad bach, mae'n ddyletswydd arnaf fi ufuddhau i chwi, mi wnaf unrhyw beth a ddywedwch chwi, ond os gwnewch chi hynny fe sbwyliwch fy mhlanie i i gyd.'[40] Gyda'r gair hwnnw, sylweddolodd Lewis yr hynaf gymaint roedd ei fab wedi rhoi ei fryd ar geisio galwedigaeth amgenach na bod yn farsiandïwr yn Aberystwyth, ac ni fynnai ei atal rhag dilyn ei freuddwyd. Er iddo wybod y byddai ariannu cynlluniau'r mab yn rhoi straen mawr ar y teulu – roedd chwech o blant eraill bellach yn gorfod cael eu bwydo ar enillion prin y tyddyn – ymatebodd yn synhwyrol ac yn raslon: 'Rhyngot ti a dy blanie; y nefoedd a'm cadwo rhag ymhel â nhw.'[41]

Yn ôl yr aeth, felly, am flwyddyn arall i Lanfihangel Genau'r-glyn. Roedd yr ysgol yn cael ei rhedeg bellach gan James Meredith a fu wedyn yn berson Abergele. 'Yr oedd yr athro yn ysgolhaig gweddol, ac yn dra hoff o Virgil, ac yn gallu cynhyrchu yr un hoffter yn y bechgyn.'[42] Yn ystod ei gyfnod yn Aberystwyth roedd Lewis Edwards wedi dod yn aelod rheolaidd o'r seiat yn y Tabernacl ble roedd John Evans yn flaenor. Doedd dim amheuaeth am ei ymrwymiad na'i ddiffuantrwydd. 'Daeth mor ymroddgar a difrifol gyda chrefydd', oedd atgof Thomas, ei frawd, 'ag ydoedd gyda chasglu gwybodaeth'.[43] Dechreuodd ychwanegu diwinyddiaeth at ei restr ddarllen: *De Oeconomia Foederum Dei cum Hominibus* ('Economi cyfamod Duw gyda'r ddynoliaeth') (1763), sef gwaith mawr yr Iseldirwr Herman Witsius ar athrawiaeth y cyfamod-au, a gwaith pum cyfrol y Calfinydd Americanaidd Timothy Dwight, *Theology Explained and Defended* (1818–19). Roedd y ddau yn weithiau trymion iawn ar gyfer dyn ifanc a oedd eto yn ei arddegau, ac yn argoel rhagorol o'r hyn a oedd eto i ddod.

Yr ysgol olaf i Lewis Edwards ei mynychu cyn ymorol am addysg golegol oedd athrofa John Jones (Glanleri), brodor o'r Borth i'r gogledd o Aberystwyth, yn Llangeitho.[44] Er mai eglwyswr oedd Jones i ddechrau, a addysgwyd yn Ystradmeurig, bwriodd ei goelbren gyda'r Methodistiaid Calfinaidd ac aeth yn bregethwr gyda hwynt. 'Yr oedd cael dyn gwir ddysgedig i fod yn bregethwr yn rhywbeth lled newydd ymysg y Methodistiaid yn Sir Aberteifi, a darfu i bobl dda Llangeitho weled yr adeg, a chodi adeilad i'r perwyl, a gwahodd Mr Jones i fyned yno i fod yn ysgolfeistr.'[45] Roedd Ebenezer Richard, a ymdebygai i esgob os nad i bab ymhlith Methodistiaid gogledd Ceredigion ar y pryd, yn benderfynol o wrthweithio dylanwad Anglicanaidd Ystrad-meurig yn y sir, a rhoes ei bwys o blaid yr athrofa newydd a gyrru ei ddau fab – Henry Richard, 'Apostol Heddwch' yn ddiweddarach, yn un ohonynt – yno. Yn wahanol i John Evans, Aberystwyth, y Beibl a diwinyddiaeth a gâi'r flaenoriaeth gan John Jones, ac nid gwyddon-iaeth, seryddiaeth a mathemateg. Ac roedd gwahaniaethau eraill rhyng-ddynt hefyd: 'Nid oedd cymaint o frwdfrydedd yn Mr Jones ag oedd yn John Evans, ond yr oedd yntau fel y llall yn peri i ni deimlo ei fod yn feistr ar ei waith.'[46] Gwendid y ddau, fel y daeth Lewis Edwards i deimlo'n ddiweddarach, oedd cyfyngder eu diwylliant cyffredinol. Er ei fod yn pori yn ei Feibl a'i fod yn feistr corn ar bynciau gwyddonol a mathemategol, ni ddarllenai John Evans braidd ddim ym meysydd athroniaeth a llên, ac er bod John Jones yn myfyrio yn yr athrawiaethau, cyfyng braidd oedd rhychwant ei gydymdeimlad. '[D]iwinyddion y Piwritaniaid oedd ganddo yntau, ynghyd â Hervey's *Theron and Aspasia*. Nid ymddangosai ei fod wedi clywed am enwau Bacon a Burke a Butler . . . [N]id wyf yn meddwl i mi erioed weled papur newydd yn ei law, ac nid wyf yn credu ei fod yn gwybod fod y fath gyhoeddiadau yn bod â'r *Edinburgh* neu'r *Quarterly Review*.'[47]

Cymwynas aruthrol Lewis Edwards erbyn canol y ganrif oedd adfer y pwyslais cyfannol i blith y Methodistiaid Calfinaidd a'u hargyhoeddi nad pechod oedd ymorol am ddysg. Roedd crebwyll Cristionogol cyt-bwys, â'i afael yn dynn yn naioni Duw yn ei fyd, yn cymell ehangder ac nid crebachu deallusol, a byddai'n mynnu fod duwioldeb yn gwbl gydnaws â diwylliant eang. Eithr pietistiaid oedd Methodistiaid Calfin-aidd rhan gyntaf y bedwaredd ganrif ar bymtheg, a ystyriai ddiwylliant seciwlar, athroniaeth a dysg ymhlith pethau'r byd hwn ac yn fygythiad i burdeb eu ffydd. 'Yr oedd hyn', meddai Edwards, 'yn anfantais di-amheuol, trwy ei fod yn cyfyngu ac yn caethiwo y meddwl'.[48] Roedd penderfyniad styfnig Edwards i geisio addysg brifysgol o'r radd flaenaf, ac i ymgydnabod i'r eithaf â phopeth dyrchafol a oedd gan y diwylliant seciwlar i'w gynnig, yn rhan o'i adwaith cynyddol ffyrnicach yn erbyn pietistiaeth ei fagwraeth. Ac i Lewis Edwards, Ebenezer Richard, ei *bête noire*, a ymgorfforai'r duedd hon. Fodd bynnag, elwodd o fod yn academi Llangeitho, nid lleiaf am iddo gael y cyfle i wrando ar John Jones yn y seiat ac ar y Suliau, ac roedd ganddo barch at ei athro hyd ei farw. 'Yr oedd efe yn un oedd yn gallu bod yn siriol heb nesu at ysgafnder. Ac er na cheid ganddo lawer o ddywediadau oedd yn aros yn y cof, yr oedd pawb ar ôl bod yn ei gymdeithas yn teimlo iddynt fod mewn awyrgylch iachus a dedwydd.'[49]

Yr Ysgolfeistr Ifanc

Pan ddaeth hi'n amser i Lewis Edwards benderfynu ar yrfa, doedd hi fawr o syndod i neb mai bod yn ysgolfeistr oedd ei ddewis. Felly yn 1827, ac yntau'n ddeunaw oed, agorodd ei ysgol ei hun yn Aber-ystwyth. 'Llogodd ystafell o dan swyddfa argraffu Mr Cox, y tu ôl i dafarn a elwid y pryd hwnnw *The White Lion*, yn agos i garchar y dref.'[50] Blwyddyn oedd hyd ei arhosiad yno, ac er nad oes fawr o dystiolaeth am natur ei waith, am gynnwys ei gwricwlwm na phwy oedd ei ddisgyblion, mae'n amlwg iddo wneud digon o enw iddo'i hun i gael ei wahodd i ofalu am ysgol Llangeitho pan symudodd John Jones (Glanleri) i agor ysgol arall yn Llanbadarn Fawr. Cryn dasg i ddyn ifanc oedd olynu clasurwr galluog fel John Jones, ac er i Edwards ymgymryd â'r gwaith a llwyddo ynddo i bob golwg, teimlai yn annigonol o hyd. Roedd yr hen gnofa am ddysg yn dal i'w gorddi ac roedd rhywbeth arall wedi digwydd yn ystod ei flwyddyn yn Aberystwyth, rhywbeth a fyddai'n cael effaith pellgyrhaeddol arno ef ac ar hanes diwylliannol Cymru maes o law. '[Y]n llyfrfa Cox gwelodd Mr Edwards bentwr o *Blackwood's Edinburgh Magazine* un diwrnod ar y bwrdd. Caniatawyd iddo gymryd ychydig rifynau i'w lety. Agorodd byd newydd o'i flaen. Ni chlywsai o'r blaen am Shakespeare. Clywsai am Milton, ond nid oedd erioed wedi darllen llinell ohono.'[51]

Roedd *Blackwood's Edinburgh Magazine*, a sefydlwyd yn 1817 i herio goruchafiaeth Chwigaidd yr *Edinburgh Review*, yn un o brif gylchgronau llenyddol y deyrnas. Cynrychiolai warineb dinesig Caeredin ar ei fwyaf soffistigedig ac anadlai o ysbryd yr Aroleuo. Yn ogystal â chyhoeddi gwaith llenyddol gan Thomas De Quincy, Syr William Hamilton, James Hogg yr 'Ettrick Shepherd', John Gibson Lockhart a 'Christopher North', cyfryngai'r ffasiynau diweddaraf ym myd diwylliant, beirniadaeth, athroniaeth a llên. Doedd dim byd tebyg iddo yn Gymraeg am nad oedd gan Gymru ddinasoedd heb sôn am brifddinas i fod yn gynhaliaeth i ddiwylliant bwrdeisiol, am ei bod yn amddifad o sefydliadau cenedlaethol, cyfundrefn gyfreithiol, addysgol a'i phrifysgolion ei hun, ac am nad oedd ganddi ddosbarth canol cyfoethog ac uchel ael. Yr hyn oedd gan Gymru oedd duwioldeb dwfn a chrefyddolder diamheuol, ond roedd ei diwylliant yn feiblaidd gyfyng, ei chydymdeimlad deallusol yn blwyfol a'i chrebwyll beirniadol yn gul. Heuwyd hedyn yn siop lyfrau Cox ar y diwrnod hwnnw a fyddai'n blodeuo yn ymgais Lewis Edwards, wedi ei ddyddiau ym Mhrifysgol Caeredin lle bu'n eistedd wrth draed Thomas Chalmers a John Wilson (a fyddai'n ysgrifennu yn *Blackwood's Edinburgh Magazine* o dan yr enw 'Christopher North'), i greu yng Nghymru ddiwylliant amgenach a fyddai'n cyfuno'i chrefydd efengylaidd â gwarineb Ewropeaidd ar ei fwyaf soffistigedig a modern. Roedd hi'n weledigaeth gynhyrfus a dweud y lleiaf, ac yn un a fyddai'n gynhaliaeth i'r ysgolfeistr ifanc am weddill ei oes.

Er ei fod bellach yn ysgolfeistr o ran ei alwedigaeth, roedd ei ymlyniad wrth grefydd yn ei gymell i'w gyflwyno'i hun yn bregethwr Methodist. Byth oddi ar yr ymraniad oddi wrth Eglwys Loegr a greodd y Methodistiaid Calfinaidd yn gyfundeb annibynnol, roedd amwysedd eglwysyddol wedi nodweddu'r mudiad. Ni allai honni bod yn fudiad adnewyddol oddi mewn i'r eglwys sefydledig mwyach, ac ni fynnai ymrestru gyda'r Ymneilltuwyr ychwaith. Yn wahanol i'r Hen Ymneilltuwyr, yr Annibynwyr a'r Bedyddwyr, nid cymunedau hunanreolus o gredinwyr wedi cyfamodi â'i gilydd i fod yn eglwysi cynnull, bob un gyda'i fugail, ei henuriaid a'i chyffes ffydd, oedd y Methodistiaid Calfinaidd, ond rhwydwaith o seiadau, yn cael eu cyfundrefnu'n sirol, gyda dwy gymdeithasfa ('sasiwn'), y naill yn y gogledd a'r llall yn y de, yn arolygu disgyblaeth a threfn. Gweinidogaeth deithiol oedd yr unig weinidogaeth a feddent, gyda phregethwyr yn cael eu codi'n lleol, eu hawdurdodi gan y cyfarfod misol sirol, eu cymeradwyo gan y sasiwn i wasanaethu'r eglwysi i gyd, ac yna, yn achos rhai ohonynt, eu hordeinio i weinyddu'r sacramentau. Disgwylid i'r pregethwyr ddilyn galwedigaeth seciwlar am eu cynhaliaeth, a gwasnaethu'r cynulleidfaoedd ar y Sul. Ni chafwyd y Cyffes Ffydd tan 1823. Cyn hynny y *Rheolau Disgyblaethol* (1801), a ddisgrifiai weithgareddau'r corff, 'ynghyd â'r modd y mynnem i aelodau ein cymdeithasau fucheddu', a'r *Golygiad Byr* (1811), sef disgrifiad o'r dull o neilltuo pregethwyr i weinyddu'r ordinhadau y penderfynwyd arno adeg yr ordeinio cyntaf, oedd yr unig ddogfennau a oedd yn datgan hunaniaeth y corff. Trwy bregethu y cafodd yr efengyl ei chyhoeddi, yr achos ei adeiladu a'r ffydd ei lledu, a chyfundrefn i hwyluso pregethu, i bob pwrpas, oedd y sasiynau. 'A chymeryd popeth o dan sylw', meddai cyfoeswr dawnus Lewis Edwards, Edward Matthews, Ewenni, 'gall Cymru ymffrostio eto, er yn amddifad o lawer o bethau, mai ynddi hi y mae y pregethwyr gorau yn y byd, ac ynddi hi hefyd y lletya y teimlad cryfaf at wrando pregeth'.[52] A chyda bod hynny'n wir, doedd dim mwy o anrhydedd na dim statws yn uwch na bod yn bregethwr. Meddai Thomas Edwards am ei frawd: 'Yr oedd *myned yn bregethwr* yn ei galon er ys cryn amser, a dywedodd bellach nad oedd dim a gyfarfyddai â'i ddymuniad ond myned yn bregethwr gyda'r Methodistiaid.'[53] Yn hynny o beth roedd yn gwbl nodweddiadol o'i genhedlaeth.

Dechreuodd bregethu yn ystod ei gyfnod yn Llangeitho, ac er nad oedd ei barabl yn rhwydd na'i ddawn lafar yn llachar, derbyniwyd ef yn gyntaf yng nghyfarfod misol Ceredigion, ac yna cafodd ei brofi a'i gymeradwyo yn sasiwn Llangeitho yn 1829. Os daeth Edward Matthews, Ewenni (1813–92), yn bregethwr Methodist mwyaf effeithiol y deheubarth yn ei genhedlaeth, Owen Thomas, Lerpwl (1812–91), a ddaeth yn bregethwr mwyaf poblogaidd y gogledd. Ac ef, yn ei gofiant i John Jones, Tal-y-sarn, a ddisgrifiodd achlysur derbyn Lewis Edwards yn bregethwr rheolaidd yn y corff ym mis Awst 1829:

Ymddiddanwyd ag ef am ei hanes crefyddol a'i brofiad gan Mr John Roberts, Llangwm, ac am ei olygiadau ar yr athrawiaeth gan Mr [John] Evans, Llwynfortun, ac am ei gymhelliadau at y weinidogaeth gan Mr [William] Roberts, Amlwch. Syrthiodd Mr John Jones, Tal-sarn, mewn hoffter mawr ohono wrth wrando ar yr ymddiddan hwnnw. Yr oedd yr olwg ddeallgar oedd arno, symledd a phriodoldeb ei atebion, ac yn arbennig yr ysbryd gostyngedig a gwylaidd a ymddangosai ynddo yn

ddigon ar unwaith . . . i beri iddo benderfynu mai nid dyn cyffredin
ydoedd . . . 'Nid yw y Creawdwr mawr', meddai, 'byth yn twyllo. Roes
o erioed ben a llygaid a gwyneb yna i ffŵl'.[54]

Dyna'r argraff, felly, a adawodd yr ysgolfeistr ugain oed o Ben-llwyn
ar y gŵr o Dal-y-sarn, pregethwr mwyaf y Methodistiaid Calfinaidd
wedi John Elias, a rhaid bod ei atebion yn ddigon sylweddol i fedru
bodloni John Roberts, Llangwm, John Evans, Llwynffortun, a William
Roberts, Amlwch,[55] sef rhai o arweinwyr trymaf y cyfundeb yn y
genhedlaeth a bontiai rhwng Charles o'r Bala a'i gyfoeswyr ac awr
anterth gwŷr megis Owen Thomas, Edward Matthews a Lewis Edwards
ei hun. 'Fel hyn cychwynodd y Dr. ei yrfa gyhoeddus', meddai Thomas,
ei frawd, 'yn llygad y gwres Methodistaidd, ac y mae argraff y tân hwnnw
arno hyd heddiw.'[56]

Wedi blwyddyn yn gofalu am athrofa Llangeitho daeth cyfle i Edwards
symud ymlaen. Clywodd fod bonheddwr cefnog, a oedd hefyd, yn groes
i arfer y cyfnod, yn Fethodist Calfinaidd, yn chwilio am diwtor preifat
i'w blant ac yn barod i dalu amdano. Roedd John Lloyd a'i wraig yn
byw mewn plasty o'r enw Pentowyn rhwng Meidrim a Sanclêr y tu allan
i Gaerfyrddin, a rhoesant wahoddiad i'r ysgolfeistr ifanc symud atynt.
'Nid oes un ddadl yn fy meddwl nad Efe a'm harweiniodd i'r lle hwn',
ysgrifennodd at ei rieni ar 11 Rhagfyr 1829.

> Nid oes posibl fod dyn mwy tirion na Mr Lloyd, ac, uwchlaw popeth,
> yr wyf yn credu ei fod yn ddyn hynod mewn duwioldeb, ac, fel y
> cyfryw y mae iddo barch cyffredinol ymhlith ei holl gydnabyddiaeth. Y
> mae Mrs Lloyd yn ymddangos yn fwy hynaws bob dydd . . . ac nis
> gallasai fy mam ei hunan fod yn fwy gofalus amdanaf.[57]

Dechreuasai Lewis Edwards ohebu â'i rieni o ganol ei arddegau pan
oedd yn ddisgybl yn academi John Jones yn Llangeitho. Mae ei lythyrau
yn dangos parch, anwyldeb a'r math o dduwioldeb Piwritanaidd a nod-
weddai'r traddodiad Methodistaidd ar ei fwyaf mewnblyg a melan-
colaidd. Dyddiad y llythyr cynharaf sydd ar glawr yw 28 Ebrill 1826, ac
roedd ef yn un ar bymtheg oed a newydd gyrraedd yr academi. 'Y mae
yma wledd o lyfrau a digonedd o win i'w gael mor gynted ag y gallaf
ei yfed, a'r unig ofn sydd arnaf ydyw y bydd i mi, trwy ormod awydd,
i feddwi arno cyn dyfod oddi yma.'[58] Byddai'n cadw mewn cysylltiad â
Lewis a Margaret Edward yn ddi-feth wedi hynny, yn pryderu am eu
hiechyd, yn mynnu cael ei gofio at ei berthnasau a'i gydnabod, yn fawr

ei ofal dros Thomas, ei frawd iau, yn holi am yr achos crefyddol ym Mhen-llwyn ac yn cydnabod gofal cyson yr Arglwydd drosto. Am ei noddwyr ym Mhentowyn, meddai ar 3 Ebrill 1830, 'Nis gwyddent fawr am y fath greadur gwael, pechadurus, gwrthnysig, truenus, ffiaidd ydwyf fi.'[59] Ac eto, ddeufis yn ddiweddarach, meddai, 'Yr wyf yn gwybod fy mod yn ymddangos yn wael iawn i eraill, ond yr wyf yn sicr fy mod yn ymddangos yn llawer gwaelach yn fy ngolwg fy hun . . . Wrth ystyried yr uffern sydd oddi fewn, mae'n rhyfeddod, ie, mae'n wyrth fy mod wedi'm cadw hyd yma.'[60]

Yn un peth, confensiwn oedd yn gyfrifol am y math o hunanffieiddiad hwn; fe'i meithrinwyd yn y seiat a thebygid ei fod yn brawf fod y sawl a'i profasai wedi'i lwyr argyhoeddi o'i natur drwyadl bechadurus dan y ddeddf ac felly yn wrthrych priodol ar gyfer yr achubiaeth yng Nghrist. Roedd y ffaith fod Lewis Edwards yn ddyn ifanc o sensitifrwydd moesol mawr, a bod blynyddoedd llencyndod yn peri i ddyn droi i mewn arno'i hun beth bynnag, wedi tueddu i ddwysáu'r mewnblygrwydd hwn. Ond beth bynnag am y confensiwn, mae'n amlwg nad oedd dim byd morbid ynghylch ei gyflwr oherwydd gallai fod yn bur siriol yn ei lythyrau hefyd. 'Yr wyf yn teimlo fy hun mor iached ag erioed', meddai yn Rhagfyr 1829, 'ac yn llawer mwy hapus nac y bûm erioed',[61] ac eto ym mis Ebrill, 'Ie, gallaf ddweud hefyd na bûm erioed mor gysurus, ac nid wyf yn disgwyl bod byth yn fwy cysurus nag yn bresennol',[62] a hynny yn yr un paragraff ag y cwynodd am ei natur wael, bechadurus, wrthnysig a ffiaidd. Gŵr ifanc cwbl normal a seicolegol iach oedd Lewis Edwards, ond yn ymagweddu at fywyd yn ôl y categorïau y magwyd ef i'w mawrygu. Ac roedd hi'n amlwg ei fod yn gannwyll llygaid ei dad a'i fam: 'Gallwch fod yn sicr yn hyn', ysgrifennent o fwthyn Pwllcenawon ar 4 Mawrth 1830, 'nad yw ein cariad a'n serchogrwydd ni yn oeri dim tuag atoch, ac y mae pob un ohonom fel teulu yn dymuno cael eu cofio atoch'.[63]

Thomas ac Ebenezer Richard

Erbyn canol 1830 roedd wedi hen ymdeimlo â chyfyngder ei am-gylchiadau fel tiwtor i blant teulu Pentowyn, ac yn dyheu am gyflawni breuddwyd a oedd wedi bod yn cyniwair ynddo ers tro. '[F]or the present here I am nearly starved to death for want of mental food', meddai wrth John Matthews ar 14 Medi, but if once I enter college, I warrant not a volume will be left un-ransacked. I'll ravage them like a hungry lion – or, rather like a boa-constrictor – I'll devour them one at a meal, Owen, Charnock, Goodwin, Witsius, Poole, Vitringa – in with them, flesh, bones, brain and all. I shall have six months to digest them afterwards during the vacations.[64]

Er mwyn boddhau'r dymuniad hwn roedd wedi cyflwyno cais gerbron sasiwn Wystog fis ynghynt, yn Hydref 1830, i ofyn bendith y cyfundeb ar ddilyn cwrs prifysgol. Tybiodd mai da o beth fyddai iddo, fel pregethwr Methodist, ymorol am ddysg: 'My motives are just, my intentions are upright, and therefore, if I am mistaken, you know it is not a *moral evil*'.[65] Ond siom a gafodd, a gadawodd y siom graith ddofn a pharhaol.

Prif arweinydd Methodistiaeth Ceredigion oedd Ebenezer Richard, Tregaron, a'i phennaf dyn yn neheudir Dyfed oedd Thomas Richard (1783–1856), Abergwaun, ei frawd. Roedd y ddau yn ddynion o allu a phenderfyniad, ac yn nodweddiadol o'r dosbarth a oedd wedi cyrraedd safle o awdurdod oddi mewn i'r corff yn dilyn ymraniad 1811. Yn ôl Owen Thomas, un craff ei farn, 'Yr oedd Mr [Ebenezer] Richard yn un o'r dynion gwerthfawrocaf a mwyaf defnyddiol a fu gan y Methodist-iaid yng Nghymru erioed',[66] tra dywedodd am ei frawd, Thomas, ei fod yn 'un . . . o feistriaid y gynulleidfa, ac o addurniadau pennaf y pulpud Cymreig'.[67] Penodwyd Ebenezer yn ysgrifennydd cyfarfod misol Ceredig-ion yn 1809, 'yr hon swydd a gyflawnodd hyd ddiwedd ei fywyd gyda gofal, deheurwydd a threfn nas cystedlir yn fynych'.[68] Credai Richard mewn trefn, yn fwy fyth ar ôl cael ei ddewis yn ysgrifennydd sasiwn y de yn 1813, a gwnaeth lawer nid yn unig i gynnal safonau moesol uchel oddi mewn i'r seiadau, ond i sicrhau fod y cyfarfodydd misol yn gwar-chod y ddisgyblaeth yn fanwl ac yn llym. Cafwyd enghraifft o'i sêl o blaid y ddisgyblaeth yn gynnar yn ei weinidogaeth. Symudodd i Dregaron yn 1809 a'r peth cyntaf a wnaeth yn ei gylch newydd oedd torri 'hen arferiad llygredig yn y rhan honno o'r wlad' o ganiatáu yfed cwrw cartref mewn gwleddoedd priodas. Roedd y confensiwn yn gwbl dderbyniol gan y gymdeithas a chan aelodau seiat Tregaron hwythau, gan gynnwys y blaenoriaid. Ond gwnaeth Richard y peth yn fater disgyblaeth:

Safodd i fyny yn wrol i ymofyn pwy oedd o du yr Arglwydd, ac ni chafodd ond un blaenor i'w gefnogi; er hynny aeth ymlaen gyda hwnnw yn unig i lanhau y tŷ. Cafwyd deuddeg o'r aelodau yn euog o'r trosedd, a diarddel-wyd hwynt oll yn yr un cyfarfod.[69]

Digwyddodd yr union beth yn Llangeitho wedyn gyda sêl bendith y cyfarfod misol, a chyn hir goruchwylio disgyblaeth yn fwy na chynnal cymdeithas a meithrin y bywyd ysbrydol a wneid yn y cyrddau misol.

Perygl y sêl eirias hon dros burdeb yr achos oedd troi yn ddeddfoldeb caeth, a dyna gyfeiriad pethau yn y blynyddoedd ar ôl yr ymwahanu yn 1811. Gwerinwyr oedd Richard a'i frawd, yn rymus a phoblogaidd fel pregethwyr ond, fel gweddill eu dosbarth, yn arw eu ffordd, eu golygon yn gyfyng a'u cydymdeimlad yn aml yn brin. Nid oeddent ychwaith yn amddifad o uchelgais a hunan dyb. 'You are not a superficial observer of mankind, nor ignorant of the various principles that influence human minds', meddai Thomas Jones, Creaton, wrth ei gyd-offeiriad Thomas Charles o'r Bala ddwy flynedd ar ôl yr ordeinio cyntaf yn 1811.

> I would ask you, do you, my brother, deem the two Ebenezers in Cardigan-shire [Ebenezer Morris ac Ebenezer Richard] . . . and other similar characters among their leaders in this business, to be men like yourself of moderation, of self denial, possessing singleness of eye and deep humility of spirit? On the old plan, you had their restless ambitious spirits under some control, but positively it will not be in your power long to restrain their vanity under the new plan when it is once matured.[70]

Erbyn 1830 roedd Thomas Charles yn ei fedd, yr ymraniad eglwysig yn hen hanes, a'r ddau frawd Richard wedi cael dau ddegawd i foldio sasiwn y de yn unol â'u hegwyddorion, eu gwerthoedd a'u barn. 'Ebenezer Richard a'i frawd *oedd* y Gymdeithasfa', meddai Lewis Edwards wrth ddwyn eu dylanwad i gof yn 1875.[71] Nid oedd modd amau eu poblogrwydd ymhlith y werin na chwestiynu eu dawn ysgubol yn y pulpud, ond roedd y naill fel y llall yn medru tra awdurdodi ar y ffyddloniaid. Roedd hyd yn oed Edward Matthews, Ewenni, edmygydd pennaf Richard, Abergwaun, yn gorfod cydnabod hyn:

> Fe allai fod arferiad tipyn o lywodraeth yn brofedigaeth iddo, ac yn gymaint fod ei allu a'i ddoniau mor fawr, hwyrach ei fod yn teimlo ei nerth gymaint nes gwasgu rai prydiau yn rhy dynn i'r cyfeiriad hwnnw, nes y byddai y gorchfygedig yn gweiddi yn enbyd.[72]

Roedd y ddau ohonynt hefyd yn medru bod, ar adegau, yn hynod lym.

> Nid oes neb yn gwadu nad allasai [Ebenezer] ddywedyd geiriau llymion pan fyddai achos am hynny. Yr oedd ganddo ddawn neilltuol i hynny . . .

[Un tro] daeth yr holl ffordd i Ben-llwyn i ddiarddel rhyw bersonau oedd wedi gweithio rhyw ran o'r saboth ar gynhaeaf gwlyb, a phregethodd yn yr un lle y Sul canlynol ar y pedwerydd gorchymyn.[73]

Brodor o Landdewibrefi oedd William Rowlands, ac erbyn 1830 yr oedd pob argoel y byddai ymhlith gweinidogion ifanc mwyaf addawol y cymoedd dwyreiniol ac yn ail i Morgan Howell, Casnewydd, ei hun. Trwy anffawd masnachol aeth yn fethdalwr, collodd ei eiddo, ei gartref a'i gynilon, bu farw ei wraig ac yn fuan iawn wedyn collodd ei unig blentyn. Ond cerydd a gafodd gan y sasiwn am fynd yn fethdalwr, er bod cyfarfod misol Mynwy o'i blaid, a doedd neb yn fwy penderfynol o'i amddifadu o'i statws gweinidogaethol na llywydd cymdeithasfa'r de a'r ysgrifennydd, Thomas Richard ac Ebenezer, ei frawd. Roedd gofyn i bregethwyr y corff fod yn ddiargyhoedd bob amser a gofalu am gyfiawnder yn ei fanylion, yn ôl Thomas Richard o gadair sasiwn Dowlais yn 1835. 'Yr ydych yn sôn am "gyfiawnder, cyfiawnder, cyfiawnder!"', meddai Morgan Howell wrth achub cam William Rowlands. 'Beth pe buasai y Duw mawr yn siarad â ni felly, gan ddweud "cyfiawnder, cyfiawnder, cyfiawnder!" Buasai cyfiawnder yn ein rhoddi ni i gyd yn uffern . . . Trugaredd, frodyr, trugaredd!'[74] 'Y mae'n amlwg erbyn hyn, fod rhyw bersonau ymhlith penaethiaid y Corff yn penderfynu fy rhwystro, bodd neu anfodd', ysgrifennodd Rowlands ym Mehefin 1835.[75] Ni fu'n hir cyn iddo adael Cymru am byth: 'Pan y'ch erlidiant mewn un ddinas, ffowch i un arall', meddai, ac fel y Parchedig William Rowlands DD, Utica, daeth yn bennaf arweinydd Methodistiaeth Gymraeg yr Unol Daleithiau genhedlaeth yn ddiweddarach. 'Ymddygiad anfrawdol a chyfyng hyd yn oed frodyr galluog ac enwog [a'u] hymgais at dra-arglwyddiaeth', meddai ei gofiannydd, 'yn bennaf a aeddfedodd ei feddwl i fyned i America'.[76] Er bod Ebenezer a Thomas Richard yn arweinwyr gwirioneddol alluog ac yn eu ffordd eu hunain yn ddynion arbennig iawn,[77] roedd y duedd awtocratig, ddidostur hon wedi troi'n arferiad ac yn norm ymhlith Methodistiaid Cymru yn yr 1820au a'r 1830au, a chafodd Lewis Edwards yr anffawd o'i blasu.

Sasiwn Wystog

Wrth fwrw golwg yn ôl bum mlynedd a deugain yn ddiweddarach, disgrifiodd Lewis Edwards fel yr oedd y byd Methodistaidd erbyn hynny wedi'i gwbl chwyldroi, ond er bod y blynyddoedd wedi lleddfu'r clwyf bron yn llwyr, roedd yr atgof am yr anesmwythyd yn parhau:

Mewn Cymdeithasfa yn Woodstock, Sir Benfro, yn y flwyddyn 1830, gofynais am ganiatâd i fyned i Lundain i'r ysgol. Yr achos fod yn rhaid gofyn oedd, fod pregethwr ieuanc wedi myned i athrofa yn Lloegr ac wedi gadael y Methodistiaid yn y canlyniad, yr hyn a barodd iddynt wneud deddf yn y Deheudir nad oedd un pregethwr i fyned allan o Gymru i unrhyw ysgol heb ganiatâd y Gymdeithasfa, ac yr oedd deddfau yn cael eu gwneuthur yn y dyddiau hynny i'w cadw, ac nid i'w torri. Ond gwelais yn fuan, nid yn unig fod yn rhaid gofyn am ganiatâd, ond nad oedd caniatâd i'w gael yn hawdd er gofyn, ac yr ystyrid fi yn haeddu cerydd am ofyn.[78]

Thomas Richard oedd yn y gadair, a chanddo ef y daeth y cerydd, a hynny yn y geiriau plaenaf posibl. Nid addysg oedd eisiau ar bregethwr ond ymgysegriad a ffydd, porthi balchder a wnâi unrhyw addysg gyffredinol heb sôn am addysg uwch, ac ni ddylai'r pregethwr ifanc o Ben-llwyn gael syniadau uwch na'i stâd. '[G]wnawd pob ymdrech i'w rwystro mewn cymdeithasfa yn Woodstock, gan y dynion blaenaf a mwyaf dylanwadol yn y Deheudir', meddai Thomas Edwards, ei frawd. 'Eu rheswm oedd ei fod wedi dysgu digon eisoes, nad oedd dim ond balchder yn ei gynhyrfu, ac y byddai yn sicr o adael y Methodistiaid.'[79] Yr hyn na ddywedwyd oedd y byddai cael pregethwyr a fyddai'n cyfuno grym ysbrydol, gallu ymenyddol, diwylliant eang a dysg ffurfiol yn fygythiad i awdurdod y to presennol o arweinwyr awtocratig. 'Yr oedd Ebenezer Richard a'i frawd yn benderfynol yn fy erbyn,' meddai Edwards, 'a gwyddai pawb mai hwy *oedd* y Gymdeithasfa'.[80] 'Y mae'n anodd credu mai gwawdiaeth oedd yn ei aros', oedd sylw Thomas Charles Edwards wrth adrodd hanes ei dad,

ond dyna'r gwir. Yr oedd geiriau miniog y Parch. Thomas Richard o Abergwaun, yr hwn a eisteddai yn y gadair lywyddol, yn torri fel cyllell, ac er fod ei frawd, y Parch. Ebenezer Richard o Dregaron yn fwy bonedd-igaidd, anffafriol iawn fu yntau i ganiatáu y cais.[81]

Clwyfwyd Edwards mor ddwfn nes dechrau wylo, a sylweddolodd y gyn-hadledd fod eu heilun, Thomas Richard, wedi mynd yn rhy bell y tro hwn. Camodd Edward Jones, gweinidog y Tabernacl, Aberystwyth, i mewn i'w amddiffyn, a chafodd gefnogaeth John Hughes, Pontrobert, a'r pregethwr William Williams, Tyddewi, a throes y sasiwn o'i blaid. Yn ôl y cofnodion: 'Caniatawyd i Mr Lewis Edwards, pregethwr ieuanc yn y Corff, o Sir Gaerfyrddin, gael myned dros ysbaid blwyddyn i'r Iwerddon i ysgol y *Seceders*, dan yr amod o ddychwelyd yn ôl i lafurio yn y Corff.'[82]

Coleg y Seceders oedd y coleg diwinyddol Presbyteraidd a sefydlwyd ym Melffast gan yr United Secession Church, cangen a ymwahanodd oddi wrth Eglwys yr Alban ar gyfrif ei chyswllt â'r wladwriaeth (roedd y cyswllt rhwng yr Alban a gogledd Iwerddon yn gryf). Roedd John Elias yn frwd o'i blaid am iddo fod yn gymeradwy gan efengyleiddwyr Lloegr ac Iwerddon. Yn wahanol i Brifysgol Llundain a oedd yn sefydliad seciwlar ei naws, coleg ceidwadol ei ddiwinyddiaeth a chyffesiadol ei natur oedd Belffast ac felly yn ddiogel yng ngolwg y sefydliad Methodistaidd. Ond roedd y drwg wedi'i wneud, a Lewis Edwards yn fwy penderfynol fyth o dorri ei gwys ei hun. 'I have now learned to look with high contempt on the malicious growls as well as the hypocritical fawnings of these pigmy curs', ysgrifennodd at John Matthews yn ei ddig, 'who know as much of the value of learning as this old surly spaniel, who sits before me, knows of Saturn and Georgium Sidus'.[83] Mesur llwyddiant Lewis Edwards a Choleg y Bala maes o law oedd i'r rhagfarn bietistig hon gael ei lladd yn farw gorn.

'I am old enough to remember', meddai George Williams, Clarbeston Road, sef mab y William Williams o Dyddewi a groesodd gleddyfau â Thomas Richard ar lawr sasiwn Wystog yn 1830, 'that a college preacher for the Welsh Methodists was considered to be quite unneccessary, and that anyone aiming at such a thing as collegiate education did so from pride and nothing else'.[84] Yr hyn oedd yn hynod, yn ôl Williams, oedd, ar yr union flwyddyn iddo wrthod caniatâd i Lewis Edwards gael addysg uwch, fod Ebenezer Richard wedi gyrru ei fab ei hun, sef Henry Richard, i Goleg Highbury, Llundain, sef coleg diwinyddol Annibynnol. Cafodd ei ordeinio wedyn gyda'r Annibynwyr Saesneg yn Marlborough Chapel ar yr Old Kent Road, heb air o gerydd gan na chwrdd misol na sasiwn, tra yn ddiweddarach sicrhaodd Thomas Richard fod ei fab yntau yn ymrestru yng Ngholeg Dewi Sant, Llanbedr Pont Steffan, i baratoi am urddau yn Eglwys Loegr. Doedd dim rhyfedd fod Lewis Edwards wedi cyhuddo ei wrthwynebwyr o ragrith yn ogystal â philistiaeth. 'My only object', meddai wrth ei gyfaill John Matthews, 'is the acquisition of learning . . . I am determined to sacrifice [all] at the shrine of learning, and to sacrifice learning again to the cause of my Redeemer.'[85] Roedd hi'n uchelgais nobl, ac yn un y byddai Edwards yn ei chyflawni i'r ymylon cyn pen dim.

2 ∽ O Lundain i Dalacharn, 1830–1833

Erbyn diwedd 1830 roedd Lewis Edwards wedi gadael Pentowyn am byth. Roedd yn un ar hugain oed, ei Saesneg yn loyw, roedd yn ddigon hyddysg mewn Lladin a Groeg i fedru gwerthfawrogi'r clasuron yn rhwydd, ac yn eirias yn ei awydd i'w gymhwyso'i hun i fod yn wir ysgolhaig. Roedd eisoes wedi ceisio lle fel ysgolfeistr yn Stoke Newington, fymryn i'r gogledd o Islington, ond ni ddaeth dim o hynny. Penderfynodd fynd i Lundain doed a ddelo ac ymrestru yn y brifysgol newydd yno. Roedd yr haearn yn ei waed erbyn hyn, ac roedd yn benderfynol o herio dyfarniad sasiwn Wystog gan hidio dim am y canlyniadau.

Os mai'r brodyr Richard, Ebenezer yn neilltuol, oedd prif arweinwyr y cyfundeb yn y de, personoliaeth rymusaf Methodistiaid y gogledd oedd John Elias (1774–1841) o Fôn. Fel 'our two archbishops' y cyfeiriodd at Ebenezer Richard a John Elias wrth ohebu â'i gyfaill John Matthews,[1] a thrwy wrthod derbyn gorchymyn y sasiwn i fynd i Belffast, digiodd y pendefig o Fôn hefyd. 'Tua dechrau y flwyddyn 1830 cododd awydd ynof i fyned i ryw ysgol drachefn, i gael ychydig o ddysg o natur uwch nag a roddid yng Nghymru y pryd hwnnw', meddai wrth ysgrifennu ei atgofion am John Elias.[2] Gan na wyddai am neb a allai ei gynghori ar ble i fynd, ysgrifennodd at Elias, gŵr yr oedd ganddo gryn edmygedd ohono, i ofyn ei gyngor. Ni chafodd ateb, ond cyfarfu'r ddau â'i gilydd mewn sasiwn yn Aberteifi yng ngwanwyn 1830, 'a diwedd yr ymddiddan oedd iddo fy nghynghori i fyned i Belfast, lle roedd *theological hall* gan gangen o'r Presbyteriaid'.[3] Ond nid mynychu coleg diwinyddol dieithr ac nid hwyrach eilradd ei safonau a fynnai Edwards, ond yn hytrach cael 'rhyw gyfle i gyrraedd dysgeidiaeth gyffredinol a mwy trwyadl. Yn fuan wedi hynny gwelais hysbysebiad mewn papur newydd am sefydliad dan yr enw *London University*, i roddi y ddysgeidiaeth orau i bob enwad yn ddiwahaniaeth, a phenderfynais fyned yno beth bynnag fyddai'r canlyniadau'.[4] Yr oedd mewn dirfawr berygl bellach o wneud gelynion o brif arweinwyr ei gyfundeb yn y de *ac* yn y gogledd, ac andwyo'i yrfa fel pregethwr, ond nid oedd yn hidio dim. Roedd ef wedi rhoi ei fryd ar fynd i Lundain a doedd dim yn mynd i'w rwystro rhag cyrraedd ei nod. Nid yn ddiachos y dywedodd Thomas Charles Edwards am ei dad: 'Yr oedd cryfder ewyllys a phenderfyniad anhyblyg yn un o nodweddion ei gymeriad.'[5]

Prifysgol Llundain

Trwy gyfrwng ei gyn-noddwr, John Lloyd, sgweier Pentowyn, cyflwyn-wyd Lewis Edwards i ryw Mr Bowen, eglwyswr cefnog o Fryste a gymerodd ddiddordeb ynddo a cheisio'i gynorthwyo yn ei yrfa. Soniodd y cymwynaswr newydd hwn am ymddiriedolaeth a oedd wedi'i ffurfio i noddi ymgeiswyr selog eu crefydd a theilwng eu buchedd i ymbaratoi am urddau yn Eglwys Loegr trwy ymrestru yn Rhydychen neu Gaer-grawnt. Petai Lewis Edwards yn dymuno manteisio ar y trefniant hwn, addawodd y byddai'n ei gefnogi a gwneud ei orau drosto. Nid yn unig hynny ond byddai'n rhoi deg punt y flwyddyn iddo, ar ben arian yr ymddiriedolaeth, er mwyn talu ei ffioedd ar hyd ei gwrs gradd. I ddyn ifanc uchelgeisiol, awyddus am ddysg, roedd y cynnig hwn yn ddeniadol dros ben. 'Hyd yma yr wyf wedi glynu wrth y Methodistiaid', meddai wrth ei rieni ym mis Rhagfyr 1830, 'ond weithiau lled-dueddir fi i feddwl y gallaf fod yn fwy defnyddiol o fewn cylch yr Eglwys Sefyd-ledig nag fel yr wyf yn bresennol'.[6] Er gwaethaf yr egni ysbrydol a nodweddai'r Methodistiaid Calfinaidd Cymraeg a'u poblogrwydd cynyddol ar hyd y wlad, corff dirmygedig ydoedd o hyd, yn amddifad o eglwysyddiaeth glasurol yr Hen Ymneilltuwyr ar y naill law ac o'r statws cymdeithasol diymdrech a feddai yr eglwys sefydledig ar y llall. Roedd y to olaf o'u harweinwyr dysgedig wedi darfod gyda marw Thomas Charles o'r Bala yn 1814 a Thomas Jones o Ddinbych yn 1820, a bellach grym poblogrwydd yn hytrach na sylwedd diwinyddol nac anrhydedd tras oedd eu nodwedd bennaf. 'Leave the poor Methodists? Not for the world!', meddai wrth ei gyfaill John Matthews ychydig fisoedd ynghynt. 'I was born a Methodist and I will die a Methodist . . . Yes, I am a Welsh Calvin-istic Methodist from my back-bone.'[7] Ond roedd rhywbeth rhy bendant yn yr ymateb hwn, fel petai Edwards eisoes wedi'i demtio gan ddeniadau diamheuol Eglwys Loegr ac yn arswydo rhag ei deimladau ei hun.

Roedd ei dad a'i fam yn hynod anesmwyth gyda'r posibilrwydd hwn. 'Nid wyf yn gweled un achos i chwi ymadael â'ch brodyr a'ch chwiorydd duwiol, filoedd ohonynt, ond yr ychydig sefyllfa yn y byd hwn ac esmwythdra i'ch cnawd', meddai Lewis Edward yr hynaf yn blaen.[8] Roedd Edward Jones, Aberystwyth, yn fwy realistig fodd bynnag, ac yn gweld eisoes fel y byddai cyfundeb y Methodistiaid Calfinaidd yn datblygu maes o law: 'Believe me, in the course of a few years you the *literati* will be the archbishops of our churches, and we, the illiterate will be thrown one side.'[9] Yn hytrach na chefnu ar ei bobl, ymddiried i ragluniaeth y dylai wneud, gan wybod i ba gyfeiriad yr oedd hanes eisoes yn symud. '[H]ath not divine providence provided for W[illiam] Williams, [Daniel] Rowlands, [Thomas] Charles etc., who have left the endowed church and joined the Methodists when they were few and poor?'[10] Erbyn y flwyddyn newydd roedd y temtasiwn wedi cilio a'r penderfyniad i aros gyda'i gyfundeb wedi'i wneud. 'Mewn perthynas i ymadael â'r Methodistiaid, yr oeddwn wedi penderfynu pa beth i'w wneud cyn derbyn eich llythyr chwi',[11] meddai wrth Lewis a Margaret Edward ar 8 Ionawr 1831, ond roedd ganddo ei gynlluniau ei hun, ei 'blanie' fel y soniasai wrth ei dad pan oedd yn llanc flynyddoedd ynghynt. Roedd angen adfer dysg i gorff y Methodistiaid, y math o ddysg a feddai Thomas Charles a Thomas Jones, ac i wneud hyn doedd dim dewis ond ceisio'r addysg orau yn y colegau gorau a oedd ar agor i Fethodist o'i fath. 'Yr wyf wedi dechrau yn y *London University* dydd Mawrth diwethaf, gyda'r Groeg a'r Hebraeg, ac nid wyf hyd yma wedi gweled un achos digalonni.'[12] Roedd cyflawni ei freuddwyd wedi dod un cam yn nes.

Sefydlwyd Prifysgol Llundain yn 1826 ond nid tan 1828 y dechreuodd fatricwleiddio'i myfyrwyr cyntaf. Fe'i sefydlwyd fel adwaith bwriadol a phendant yn erbyn monopoli'r eglwys sefydledig ar addysg uwch yn Lloegr a Chymru. Er 1662 gwrywod a fedyddiwyd ac a gonffyrmiwyd yn aelodau Eglwys Loegr oedd yr unig rai a gâi fynychu prifysgol Rhydychen a Choleg Dewi Sant, Llanbedr Pont Steffan, a hwy yn unig a gâi raddio o Brifysgol Caergrawnt. Nid Cristionogion Ymneilltuol oedd yr unig rai, na'r pennaf rai, a fynnai greu sefydliad addysg uwch a oedd yn rhydd o hualau'r eglwys wladol, ond Iddewon, Catholigion a phobl nad arddelent grefydd ffurfiol o gwbl. Fel 'the godless institution on Gower Street' y daethpwyd i adnabod yr adeilad trawiadol gyda'i bortico mawreddog a'i gromen hardd yn ymyl San Steffan, am i'r sefydliad fynnu datgysylltu darpariaeth addysgol oddi wrth ystyriaethau crefyddol yn llwyr. Yn wahanol i'r hen brifysgolion, dysgid pynciau newydd megis ieithoedd modern a iaith a llenyddiaeth Saesneg yno yn ogystal â'r pynciau clasurol, ac nid oedd diwinyddiaeth, o ran egwyddor, yn rhan o'r maes llafur. Seciwlariaeth iwtilitaraidd Jeremy Bentham oedd ei hideoleg sylfaenol, ac ymhen dim o dro roedd Coleg y Brenin (King's College) wedi'i sefydlu gan yr Anglicaniaid i wrthweithio effaith sgeptigaidd y brifysgol newydd a oedd mor agos i ganolbwynt grym y deyrnas. Sefydliad gwirfoddol oedd Prifysgol Llundain ar y cychwyn, heb ei siarter ei hun ac felly heb ganiatâd i ddyfarnu graddau. Nid tan 1836 y cafodd y caniatâd hwnnw.[13] Felly menter annisgwyl ar ran Cristion mor daer â Lewis Edwards oedd mynychu sefydliad mor seciwlaraidd a radical â hwn, ond ni fu'n edifar o gwbl. O'r diwedd cafodd ddrachtio o ffynhonnau dysg yn rhydd.

Bywyd spartaidd, asgetig a gafodd y myfyriwr newydd yn ystod y misoedd dilynol ond roedd yn wironeddol wrth ei fodd. Soniodd Thomas Charles Edwards fel y byddai ei dad yn dwyn i gof ei argraffiadau cychwynnol o'r lle. Wedi cyrraedd porth y brifysgol ar y diwrnod cyntaf,

> [d]aeth gŵr i'w gyfarfod o ymddangosiad awdurdodol mewn gwisg laes ac yn dwyn math o deyrnwialen yn ei law. Cymerodd y Cymro ieuanc yn ganiataol ar yr olwg arno mai hwn oedd y llywydd. Tynodd ei het ac ymgrymodd yn barchus iddo. Ond hysbysodd y gŵr iddo mai y dryswr oedd efe. Ychwanegodd hyn at bryder y llanc. Os oedd y dryswr yn gymaint gŵr, beth raid fod yr athrawon![14]

Talodd ddeuddeg punt i'r awdurdodau ar ddechrau'r sesiwn, chwe phunt ar gyfer dilyn cwrs Groeg, pum punt er mwyn gwersi Hebraeg a phunt fel tâl ar gyfer defnyddio'r llyfrgell a oedd ar agor rhwng naw y bore a phump yr hwyr. Disgrifiodd i'w rieni fel y byddai'n treulio ei ddydd:

> Yr wyf yn cymeryd tipyn o goffi yn y bore gyda'r teulu, ac yna yn myned i'r ysgol. Yno yr wyf yn treulio'r diwrnod, un ai wrth fy ngwersi neu yn y *library*. Pan ddaw pryd cinio, yr wyf yn myned allan ac yn myned i'r *cookshop*, ac yna yn myned i'r dafarn ac yn galw am hanner peint o ddiod. Fel yma yr wyf ar ychydig yn ciniawa mor gysurus ag un tywysog yn Ewrop. Nid oes gennyf ddim amser i feddwl am de, ond pan ddof adref yr wyf yn cymeryd tipyn o fara a chaws a phorter, neu gawl dŵr i swper, ac yn dysgu fy ngwers yn barod ar gyfer bore trannoeth. Yr wyf fel hyn yn byw yn eithaf boneddigaidd, gan nas gwyddant hwy yma nad wyf yn talu 2s. neu 3 y dydd am ginio a the. Ac yr wyf yn gwneud mor gysurus ac yn mwynhau cystal iechyd ag erioed.[15]

Capel Jewin

Yn ogystal â'r ysbarduno deallusol y bu ef yn dyheu amdano gyhyd, peth arall a barodd i'w arhosiad yn Llundain fod mor bleserus oedd y gymdeithas a fwynhaodd ymhlith ei gyd-Fethodistiaid Cymraeg yng nghapel Jewin Crescent. Roedd cryn dyrru gan Gymry i'r brifddinas ar y pryd, a'r bywyd crefyddol yno yn dra llewyrchus. Symudodd diadell y Methodistiaid Calfinaidd o'i hen drigfan yn Wilderness Row yn 1823 a mudo i gapel newydd, braf yn Jewin Crescent ar bwys Aldersgate Street.[16] Eu gweinidog oedd James Hughes (1779–1844), 'Iago Trichrug', brodor o Giliau Aeron, sir Aberteifi, a fu'n gweithio fel gof yn nociau Deptford er 1799. Fe'i hordeiniwyd yng nghymdeithasfa Llangeitho yn 1816, a chafodd gynhorthwy William Williams a ordeiniwyd eto gan sasiwn Llangeitho yn 1827. Ond Iago Trichrug oedd prif ysgogwr gweithgareddau'r Methodistiaid yn Llundain ar y pryd.[17] Roedd yn fardd ac yn emynydd ac yn bennaf oll yn esboniwr ysgrythurol. Dechreuodd gyhoeddi ei *Esboniad ar y Beibl* yn 1829, ychydig cyn i Lewis Edwards gyrraedd y lle. Cafodd y myfyriwr ifanc o Ben-llwyn eistedd dan ei weinidogaeth, ac eiddo y ddau bregethwr a anfonwyd i'r brifddinas gan y ddwy gymdeithasfa yn eu tro sef yr hybarch William Evans (1795–1891), Tonyrefail, ar ran sasiwn y de a fu yn Llundain rhwng Chwefror ac Ebrill 1831,[18] a John Elias a fu yno rhwng mis Ebrill a'r haf.

Lletyai Lewis Edwards yn nhŷ capel Jewin gan dalu pum swllt yr wythnos, pris a oedd braidd yn ddrud ym marn ei dad! Er iddo orfod byw oddi mewn i'w gyllideb nid oedd hi'n enbyd o fain arno, yn enwedig ar ôl cael pum punt yn ôl gan awdurdodau'r brifysgol am nad oedd digon o fyfyrwyr y flwyddyn honno i fedru cynnal dosbarth Hebraeg. Ond cafodd astudio'r iaith beth bynnag. 'Darllenais lythyr yn yr *Evangelical Magazine* oddi wrth un Mr Young', esboniodd wrth ei rieni ym Mehefin 1831,

> yn galw ar bawb oedd yn dewis astudio'r iaith Hebraeg i ymgynull yn ei dŷ ef ddwywaith yr wythnos i'r diben hynny. Yr oeddwn yn y cyfarfod cyntaf, a phob tro o hynny hyd yn awr. Mae dau Iddew crediniol . . . wedi ymuno â ni, ac un ohonynt yn ŵr tra dysgedig. Yma yr wyf yn cael cystal os nad gwell mantais i ddysgu yr iaith, a'r cwbl sydd arnaf i dalu yw deg swllt y chwarter tuag at [y] draul.[19]

Yn ogystal â dilyn ei wersi, gwrando pregethau a chymryd rhan yn seiadau Jewin ar noson waith, cafodd gyfle i bregethu yn y canghennau yn Denmark Street, Deptford a Woolwich, a rhwng popeth roedd hi'n gyfnod eithriadol o ddifyr, hapus a llawn. 'Yr wyf yn meddiannu iechyd perffaith er pan ddeuthum yno', meddai, 'Ni bûm erioed yn fwy cysurus. Mae arnaf rwymau anrhaethol i fod yn ddiolchgar i'r Arglwydd am Ei diriondeb di-ball.'[20]

Roedd eglwys Jewin wedi bod yn llygad storm fymryn yn gynharach. Ymhlith ei haelodau yr oedd Hugh Hughes yr artist, a'r llenor a'r geiriadurwr Thomas Edwards, 'Caerfallwch'. Yn wahanol i relyw Methodistiaid y cyfnod, tueddu at radicaliaeth wleidyddol a wnâi'r ddau, a hwy oedd yn gyfrifol am ddeisebu'r senedd yn 1829 o blaid rhydd-freinio'r Pabyddion. Wrth adrodd hanes ei dad-yng-nghyfraith, yr arweinydd Methodistaidd David Charles, Caerfyrddin, soniodd Hugh Hughes am 'the astonishing excitement that prevailed on the subject of Catholic emancipation' yn 1827, ac fel y bu i sasiwn y Methodistiaid Calfinaidd ddyfarnu y dylid deisebu'r senedd yn enw'r eglwysi yn erbyn newid y ddeddf.[21] Ond symud yn ei blaen a wnaeth yr ymgyrch er gwaethaf y gwrthwynebiad iddi. Gyda diddymu'r Deddfau Prawf a Chorfforaethol yn 1828 a ysgubodd ymaith lawer o'r cyfyngiadau ar hawliau sifil Ymneilltuwyr Protestannaidd, rhoddwyd pwysau pellach ar y llywodraeth i weithredu cyfres o newidiadau pellgyrhaeddol a fyddai, yn y pen draw, yn trosglwyddo grym oddi wrth hen ddosbarth y landlord-iaid etifeddol a'i roi yn nwylo'r dosbarth canol blaengar newydd. Er i'r Toriaid barhau i ddal mwyafrif yn y senedd, roedd y Chwigiaid yn dwyn pwysau cynyddol a'r Toriaid yn ymdeimlo â'r cyfyngder.

Bod yn ochelgar rhag newid dim oedd pennaf egwyddor wleidyddol y Toriaid, cadw pethau fel yr oeddent, peidio â chyffwrdd mewn dim, peidio ag ymyrryd mewn dim a gwarchod i'r eithaf holl fanylion y *status quo*. Iddynt hwy, roedd y frenhiniaeth o ddwyfol ordeiniad a strwythurau hierarchaidd cymdeithas ynghyd â'r eglwys sefydledig gyda'i chlerigwyr, ei hesgobion a'i harchesgobion, yn bod i warantu'r fendith ddwyfol a ganiatawyd i'r deyrnas yn sgil Chwyldro Gogoneddus 1688. Dyma'r gwrthglawdd yn erbyn y math o anarchiaeth a gafwyd yn y rhyfeloedd cartref, a oedd yn dal i godi arswyd ymhlith deiliad yr hen drefn. Hon, mewn gwirionedd, oedd yr *ancien régime*,[22] a gyda'r newidiadau peryglus a oedd yn mynd drwy'r senedd, roedd hi mewn dirfawr berygl o ymddatod yn llwyr. Roedd y Chwigiaid, ar y llaw arall, yn mynnu cwtogi ar hawliau yr hen foneddigion tirol, ymestyn hawliau mân amaethwyr a thenantiaid a llacio'r berthynas freiniol rhwng Eglwys Loegr a'r wladwriaeth. 'Progress', meddai Matthew Cragoe, 'was central to the Whig vision'.[23] Un cam pendant tuag at hyrwyddo'r weledigaeth hon oedd caniatáu hawliau pleidleisio i Babyddion y wlad, ac oherwydd sefyllfa argyfyngus Iwerddon, ildiodd hyd yn oed y Torïaid ar y mater. Ar 13 Ebrill 1829, wedi araith hirfaith gan Syr Robert Peel gerbron Tŷ'r Cyffredin, pasiwyd *An Act for the Relief of His Majesty's Roman Catholic Subjects*.[24] Roedd y radicaliaid wedi ennill y dydd.

Collodd John Elias ei bwyll yn lân. Fel Ebenezer Richard yn y de, ef a lywiai holl weithgareddau sasiwn y gogledd ac roedd ei afael arni yn haearnaidd. Roedd y sasiwn eisoes wedi deisebu'r senedd a'i hannog i beidio â chaniatáu unrhyw hawliau i ddeiliaid y Pab a hynny am resymau crefyddol yn ogystal â rhai gwleidyddol. Eglwys yr Anghrist oedd Rhufain, yn elyn i'r efengyl, yn groes i'r ysgrythur ac yn wrthbwynt i bopeth yr oedd y merthyron Protestannaidd wedi mynd i'r stanc drosto. Ar ben hynny, gan mai pennaeth tymhorol i'w ddeiliaid oedd Esgob Rhufain yn ogystal â phennaeth ysbrydol, roedd y Pabyddion Prydeinig yn gwadu eu teyrngarwch i goron Lloegr i bob pwrpas, a byddai unrhyw ddeddf yn cyfreithloni hynny. I'r Chwigiaid a'r radicaliaid, ar y llaw arall, mater o warchod hawliau dynol pob dinesydd Prydeinig oedd yn y fantol. Roedd gan y wladwriaeth ddyletswydd i sicrhau y mesur helaethaf posibl o ryddid sifil i'w deiliaid, ni waeth beth oedd eu hargyhoeddiadau crefyddol. I'r Ymneilltuwyr radical, a gynrychiolid yng Nghymru gan John Roberts, Llanbrynmair, ac eraill o blith dis-gynyddion ysbrydol Oliver Cromwell, mater rhwng yr enaid unigol a'i Dduw oedd crefydd, ac ni allai'r wladwriaeth orfodi gofynion crefydd ar neb; dyna fyddai gwraidd eu gwrthwynebiad i'r syniad o eglwys wladol, egwyddor yr oedd John Elias yn frwd o'i phlaid.[25]

Mae'n amlwg bod y math yma o radicaliaeth yn dechrau cyniwair ymhlith rhai o'r Methodistiaid hwythau, o leiaf y sawl a oedd bellaf oddi wrth ddylanwad John Elias, ac yn fwyaf parod, yn y brifddinas, i roi clust i'r dadleuon cyfoes ac i syniadau newydd. Credai Hugh Hughes fod John Elias yn tresmasu ar hawliau unigol pob Methodist Calfinaidd trwy ddeisebu'r senedd yn enw'r sasiwn, a mynnu fod y Methodistiaid fel corff yn erbyn ymestyn hawliau sifil dinasyddion. Hynny a barodd iddo ef, Caerfallwch a dau aelod arall yng nghapel Jewin ddeisebu o blaid y ddeddf newydd i ryddfreinio'r Pabyddion.

A few of the members of the Welsh church in London, viewing these mischievous proceedings with indignation, as great as it was just, became strongly disposed to assert the freedom of themselves, and those . . . who agreed with them, to make their own judgements on the rule of their conduct in political matters.[26]

Dyma Fethodistiaid Calfinaidd yn dechrau meddwl drostynt eu hunain yn lle gadael i'w harweinwyr crefyddol feddwl drostynt a chlymu'r corff wrth eu barn.

'A Sudden and Violent Storm'

Yn 'Archiad gostyngedig nifer o gynulleidfa y Trefnyddion Calfinaidd a gyfarfyddant i addoli yn . . . Cilgant Jewin' (a ysgrifennwyd yng Nghymraeg erchyll William Owen Pughe), gosododd Hugh Hughes a Chaerfallwch eu dadleuon gerbron mewn ffordd a oedd yn annisgwyl i Fethodistiaid Calfinaidd ond yn fwy nodweddiadol o resymu'r Hen Ymneilltuwyr. 'Tybia eich eirchiaid (*'petitioners'* yn y fersiwn Saesneg)', meddent,

> nad yw dynion, gan eu bod yn unigol gyfrifol i Dduw . . . yn atebol i un awdurdod arall, a chan hynny fod pob rhaith a theyrnymyrraeth â chrefydd (*'all legislative and magisterial interferences with religion'*) yn afresymol ac angyfiawn . . .
>
> Fod cynnal ffurf arbennig o grefydd trwy ddargynig breiniau a pharch ar un tu (*'by the tender of privileges and honour on one side'*), a gosod dirwy, cosb, a difrïath ar y tu arall, yn ddirdra ar yr holl wladwriaeth (*'is an insult to the whole community'*) . . .
>
> [Fod] . . . yr holl erledigaethau crefyddol a anurddai [*'that disgraced'*] ac a drallodai ddynoliaeth [yn ganlyniad] . . . nid i . . . ddaliadau crefyddol neb ond i . . . ormes llywodraethwyr gwladol . . .
>
> Y gorlona eich eirchiaid [*'That your petitioners sincerely rejoice'*] oherwydd y fuddugoliaeth ddiweddar yn achos rhyddid, a hyderant nad pell yr amser pan y mwynha y deyrnas y llwyddiant, y dedwyddwch a'r diogelwch a ddeillia yn unig o farn a chyfiawnder . . .
>
> Fod eich eirchiaid, gan hynny, yn deisyf yn ostyngedig ar fod y cyfryw warediaid [*'concessions'*] i gael yn fuan eu caniatáu i'w cyd-ddeiliaid y Cydolygion [= Catholigion] [*'their Roman Catholic fellow subjects'*], ag a ymddengys eich gwir anrhydeddus eisteddfod [*'your right honourable house'*] yn addas.[27]

At Ardalydd Eldon yr aeth Hugh Hughes a Chaerfallwch gyda'u petisiwn, a bu trafodaeth fywiog arno yn Nhŷ'r Cyffredin a Thŷ'r Arglwyddi yn y diwrnodau cyn pasio'r ddeddf. Cafwyd adroddiad arno yn *The Times* ar 10 Mehefin 1829 a'r *Morning Post* trannoeth, fore dydd Iau. O ddarllen yr adroddiad galwodd Iago Trichrug gyfarfod eglwys yn Jewin y noswaith honno, a dyna ddechrau gofidiau i Hugh Hughes, Caerfallwch a'r 'eirchiaid' eraill. 'A sudden and violent storm arose whose rage promptly caused the complete and *final* separation of *the humble asserters of political rights* against spiritual usurpation from the communion of brethren whom, in the aggregate, they did not cease to love and honour.'[28] Mewn geiriau eraill, eu diarddel o eglwys Jewin a gafodd Hugh Hughes, Caerfallwch a'r lleill.[29]

Dyn drwg yr hanes, ym marn bendant Hugh Hughes, oedd John Elias o Fôn.

> Y diben cyntaf a phennaf, a'r unig achos i'r peth gymryd lle, oedd gwrthwynebiad Mr John Elias yn ei waith yn ymyrraeth yn ei swydd â phethau gwladol, a phrofi y corff, pa un a oedd mewn gwirionedd yn ewyllysio rhwymo cydwybodau yr aelodau, trwy gymhwysiad disgyblaeth eglwysig ar y rhai a arferant eu rhyddid.[30]

Cafwyd cyfarfodydd stormus yn Jewin ar hyd y Sul canlynol, 14 Mehefin, y diwrnod ar ôl i'r senedd basio'r ddeddf. Cyhuddwyd llofnodwyr y petisiwn, yr 'eirchiaid', o bob math o ysgelerderau yn cynnwys penboethni, teyrnfradwraeth, pleidio Pabyddiaeth ac ysgrifennu yn enw'r eglwys heb ganiatâd. Arswydwyd o leiaf un o'r blaenoriaid, Thomas Jones y cyfrwywr, oherwydd eu bod wedi '[d]iystyru ein tad ni, tad yr eglwys yma, y Parch. John Elias, yr hwn a weddïodd lawer, ac a ddywedodd lawer am y perygl o ddwyn y Pab eto i Brydain'.[31] Roedd llythyr eisoes wedi'i yrru i'r Bala, man cyfarfod sasiwn y gogledd, yn dilyn y cyfarfod eglwys ar y nos Iau, yn esbonio'r sefyllfa ac yn gofyn cyngor ynghylch beth i'w wneud, ac erbyn diwedd y mis cafwyd ateb gan lywydd y sasiwn a 'thad' eglwys Jewin, os oedd Thomas Jones yn dweud y gwir, sef John Elias o Fôn. 'Cefais adysgrif o'r anerchiad yn y Bala', meddai,

> yr hwn a elwir yn *archiad ostyngedig* [sic] ond sydd, i'm tyb i, yn llawn o eiriau uchel, balchaidd a therfysglyd iawn. Ac y mae yr *eirchiaid*, fel y galwent eu hunain, yn debycach i rai yn ceisio dysgu y llywodraethwyr, ac yn eu beio yn drwm, nac i rai yn deisyf ffafr ganddynt . . . Tebygwn wrth eu geiriau nad ydynt yn caru yn ddiffuant ffurf ogoneddus llywodraeth Brydain Fawr, ond yn hytrach eu bod yn dirgel garu gwerinlywodraeth.[32]

Er na chafwyd dyfarniad uniongyrchol gan y sasiwn am fod y llythyr o Jewin wedi cyrraedd yn rhy hwyr, rhestrodd Elias gamweddau'r

llofnodwyr: eu bod wedi gweithredu'n groes i farn y cyfundeb a oedd
yn erbyn y ddeddf ryddfreinio ac nid o'i phlaid; iddynt yrru'r petisiwn
i'r senedd yn enw eglwys Jewin heb gael cydsyniad y gynulleidfa yn
gyntaf, 'ac nid oedd dywedyd *nifer o gynulleidfa y Trefnyddion* yn
gwellhau nemor ar eu hachos, na'u diben'; ac am eu bod, yn unol â'r
gwaharddiad apostolaidd yn Rhufeiniaid 16: 17 a 2 Thesaloniaid 3: 6,
'yn rhodio yn afreolus'. I Elias un ddedfryd oedd yn bosibl:

> [B]arnasom bod yn addas diarddel y rhai hynny a roddodd eu henwau
> wrth y fath archiad ag oedd yn aelodau o'r eglwys yn Jewin St. oblegid
> eu bod yn cydsynio â'r fath weithred anonest a thwyllodrus . . . [Wedi i
> hynny ddigwydd] na fydded i chwi wrando eu dadl . . . gan fod drygioni
> eu gweithred yn ddigon amlwg [i bawb] . . . Ar ôl eu diarddel, na bydd
> gennych ddim mwyach a wnelych â'r peth, na soniwch amdano . . . nac
> atebwch y ffyliaid yn ôl eu ffolineb.[33]

Barn chwerw Hugh Hughes am y llythyr oedd: 'Mwy o Babyddiaeth, ac
o *druth*, ac o anghyfiawnder, ni welwyd mewn iaith Gymraeg.'[34] Unwaith
yn rhagor roedd John Elias wedi treisio cydwybodau unigolion eraill a
gweithredu nid fel arweinydd cyfrifol ond fel teyrn. 'Nid fel gweinidog
Crist yr ysgrifennodd Mr Elias y llythyr', meddai Hughes, 'ond fel
politician'.[35]

Ar ddydd Llun 28 Mehefin y cyrhaeddodd llythyr John Elias y brif-
ddinas, a'r noson honno pleidleisiodd aelodau'r seiat i amddifadu
Hugh Hughes a'r lleill o freintiau eglwysig, 'a throwyd pob un i'r heol
heb ei oddef i ynghanu gair'.[36] Er i'r eirchiaid esbonio i sasiwn y Bala
pam y bu iddynt weithredu o blaid y ddeddf newydd, ac apelio yn
erbyn y diarddel i sasiwn y de yn Llanbedr Pont Steffan ym mis Awst,
yr un oedd yr ymateb: fod y diarddel wedi'i gymeradwyo, ac nid oedd
maddeuant i fod. Gadawodd Hugh Hughes a Chaerfallwch Fethodist-
iaeth Galfinaidd am byth ac ymaelodi gyda'r Annibynwyr Saesneg, lle
yr oedd gwell dealltwriaeth o egwyddor rhyddid crefyddol a lle nad
oedd rhaid arddel y syniad o eglwys sefydledig, peth yr oedd Hughes
bellach yn ei ffieiddio â chas perffaith. Byddai'r helynt, fodd bynnag,
yn parhau trwy gydol 1829 ac 1830 gyda chyfres hir o ysgrifau yn y
cylchgrawn rhyddfrydig *Seren Gomer*, ac enw John Elias yn cael ei
bardduo yn ddi-baid. Cyhoeddodd Hughes bamffled ymfflamychol yn
amlinellu camau'r frwydr ddiwedd yr haf 1829. Roedd Y *Trefnyddion
a'r Pabyddion: Rhyddid Gwladol ac Eglwysig cyfeiriedig at y Cymry,
y Trefnyddion Calvinaidd a Mr John Elias* yn llyfryn 60 tudalen, ei

dri-chwarter yn amddiffyn egwyddor rhyddid barn, a'i chwarter olaf yn disgrifio'r camau a gymerwyd ganddo ef a'i gyfeillion hyd yna. Rhoddwyd John Elias dan yr ordd yn enbyd:

Y cyhuddiadau ydynt drymion. Achwynir arno ei fod yn euog ers llawer o flynyddau o'r arferiad o dreulio amserau addoliad ac ordinhadau eglwysig a'i ddoniau ei hunan . . . yng ngwasanaeth ymrysoniadau gwladwriaethol, a'i fod felly yn anffyddlon yn ei swydd, ac yn gysegrysbeilydd – ei fod yn ei swydd yn orthrymydd creulon, ei fod yn euog o arfer, wrth ei ewyllys, i ddibenion trawsarglwyddiaethol, yr ysgrythyrau, a disgyblaeth, ac enw yr Arglwydd Iesu Grist.[37]

Ni wnaeth yr helynt ddim lles iddo, ac o'r cyfnod hwnnw y poblogeiddiwyd y llysenw 'y Pab o Fôn'. 'Tuedd reddfol John Elias y pregethwr', fel y dywedodd R. Tudur Jones, 'oedd mawrygu cyfrifoldeb aruthrol dyn gerbron Duw; tuedd Mr Elias y gwladweinydd eglwysig oedd trafod y werin fel plant . . . Nid oedd ganddo ddirnadaeth glir am yr eglwys fel teulu o blant cyfartal Duw, nac am Gristionogaeth fel ffydd oedd yn esgor ar ryddid cyfartal mewn cymdeithas'.[38] O ran effaith hir dymor y ddadl, gallodd hyd yn oed Hugh Hughes edrych yn ôl a chydnabod y lles a ddeilliodd ohoni: 'The principle of applying church discipline to the control, the suppression and the guidance of political sentiment became suspect and the unfairness accompanying its application in this case became the subject of much shame and regret.'[39] Ond erbyn llunio'r geiriau hynny roedd John Elias yn ei fedd a chenhedlaeth newydd o Fethodistiaid mwy blaengar wrth y llyw.

Ceidwadwyr a Radicaliaid

Roedd helynt Jewin Crescent yn gam pwysig yn y broses o radicaleiddio'r Methodistiaid Calfinaidd. Erbyn canol y ganrif roedd y cyfundeb wedi bwrw heibio'i hen dawelyddiaeth wleidyddol ac ymuno yn y consensws rhyddfrydol a radicalaidd a ddeilliodd o'r hen Chwigiaeth. Y cefndeuddwr oedd 1841 pan fu farw John Elias. Er i ambell arweinydd cyfundebol megis Edward Matthews, Ewenni a William Williams, gweinidog eglwys Saesneg Abertawe, barhau i gefnogi'r achos Torïaidd, eithriadau oeddent. Roedd y Methodistiaid Calfinaidd fel corff bellach yn eu hystyried eu hunain yn Ymneilltuwyr, a'u gwleidyddiaeth yn adlewyrchu hynny. Roedd yr hen ffyddlondeb i egwyddor yr eglwys

sefydledig yn prysur ballu. A gwelwyd y datblygiad yn hanes Lewis
Edwards ei hun. Yn rhifyn Hydref 1828 o'r cylchgrawn byrhoedlog
Lleuad yr Oes, cafwyd llythyr gan 'Llywelyn ab Llywelyn' yn amddiffyn
dyfarniad John Elias yn achos y diarddel yng nghapel Jewin:

> Dymunaf gennad i ofyn, heb sôn am dwyll ac anonestrwydd y weithred
> [sef deisebu'r senedd o blaid mesur rhyddfreinio'r Pabyddion yn enw capel
> Jewin] . . . onid oedd y weithred ynddi ei hun yn galw am y mesurau a
> fabwysiadwyd? . . . A oedd yr eirchiaid ddim yn euog o aflywodraeth
> wrth gefnogi dynion y rhai a fynnant osod y Pab o Rufain yn ben ar ein
> teyrnas? A oeddent ddim yn euog o drosedd dirfawr wrth gefnogi dynion
> y rhai a'n hamddifadent, pe gallent, o Air y Bywyd, ac a'i proffesant yn
> ddyletswydd arnynt farwolaeth pawb na chofleidient eu hathrawiaeth
> a'u defodau hwy?[40]

Deunaw oed oedd Edwards pan luniodd y llythyr hwn, yn ysgolfeistr
dibrofiad mewn plwyf gwledig a heb erioed gamu y tu allan i ffiniau ei
sir (byddai weithiau yn ei arwyddo'i hun yn 'Llywelyn' wrth ysgrifennu
at ei dad, Lewis Edward yr hynaf). 'Y mae yn ddiddadl fod Mr Edwards
yr amser hwn yn Geidwadwr', nododd ei fab.[41] Yn hynny o beth roedd
yn gwbl nodweddiadol o'i gyd-Fethodistiaid ac yn awyddus i gyd-
ymffurfio â'u hegwyddorion a'u barn. Roedd ei edmygedd o John Elias,
y pryd hynny, yn ddi-ball. Ond byddai ei awydd i ddarllen y tu hwnt i
ffiniau'r llenyddiaeth ddiogel, ei barodrwydd i feddwl drosto'i hun ac i
herio cwrdd misol a sasiwn er mwyn cael mynd i brifysgol gosmo-
politaidd, seciwlar, yn ei dynnu'n fuan tuag at y gorlan radicalaidd.
Cyn hir byddai ei gyfeillion pennaf – John Matthews a John Phillips o
Bontrhydfendigaid – yn cwyno'n enbyd yn erbyn 'tyrants' y sasiwn ac
yn gorfoleddu o weld bod ysbryd 'Toryism' yn cael ei ymlyd allan o'r
corff. Does dim amheuaeth ychwaith fod ei amser yn Llundain wedi
agor ei lygaid i fyd lletach ei orwelion, rhwyddach anadlu ynddo, na
therfynau cyfyng Methodistiaeth Ceredigion pan oedd Ebenezer Richard
yn ben. Mymryn o gywilydd a fyddai ganddo ymhen blynyddoedd o'r
juvenilia adweithiol a gyhoeddwyd dan lysenw pan oedd yn llanc.

Chwe mis oedd hyd ei arhosiad yn Llundain cyn i'r arian redeg
allan a gorfu iddo droi am yn ôl. 'Yr wyf yn bwriadu cynnig fy hun yn
genhadwr i lafurio yng nghororau Clawdd Offa wedi ychydig amser yn
rhagor yn Llundain', ysgrifennodd at ei rieni ym Mehefin 1831.[42]
Cyfuno'i bregethu gyda'i waith fel ysgolfeistr a ddymunai ei wneud, a
chan iddo bellach ddod i arfer â'r Saesneg teimlai y dylai ddefnyddio'r

iaith yn y ffordd fwyaf buddiol. Beth bynnag am ei uchelgais academaidd, doedd ganddo ddim uchelgais cymdeithasol o fath yn y byd ac roedd yn gwbl fodlon llafurio fel gwas distadlaf y genhadaeth gartref pe deuai lles o hynny. Cyn dychwelyd o Lundain ddiwedd Gorffennaf, cafodd ysbaid digon anghysurus yng nghwmni John Elias, gŵr yr oedd ei ddylanwad ar Jewin o hyd yn fawr. Roedd Elias, fel a nodwyd, yn gwasanaethu Jewin o fis Ebrill ymlaen, ac yn lletya, fel Lewis Edwards yntau, yn y tŷ capel. Y tro diwethaf i'r ddau gwrdd oedd yn sasiwn Aberteifi flwyddyn ynghynt pan gynghorodd arweinydd Môn ef i fynd i'r coleg diwinyddol ym Melffast. Yn y cyfamser roedd sasiwn Wystog wedi bod, a Lewis Edwards yn bryderus, braidd, o fod yng nghwmni'r dyn mawr.

> Gwyddwn fy mod wedi cyflawni yr hyn a ystyriai efe yn drosedd anfad, oblegid gwaith y *Record*, gan yr hwn yr oedd efe yn cymeryd ei arwain, oedd lladd ar y *London University* fel sefydliad annuwiol . . . Mae yn anodd dychmygu y rhagfarn a deimlid yn ei erbyn, ac nid gan neb yn fwy na chan Mr Elias.[43]

Roedd y dyddiau cyntaf yng nghwmni'r pregethwr enwog yn dra anesmwyth i'w gyd-letywr ifanc: 'Prin am rai diwrnodau y cymerodd sylw ohonof, er ein bod bob bore yn eistedd wrth yr un bwrdd.'[44] Ond cyn hir, dan ddylanwad tiriondeb ei wraig, toddodd yr iâ a dechreuasant sgwrsio â'i gilydd.

> Nid wyf yn meddwl iddo ef gyfeirio unwaith at yr ysgol yr oeddwn bob dydd yn myned iddi, ond ar bob mater arall daeth yn raddol i ymddiddan yn y modd mwyaf cyfeillgar, a goddefai i mi wahaniaethu yn gynnil oddi wrtho gyda golwg ar y Torïaid a'r Whigiaid, er fod yn amlwg ei fod ef yn barnu yn gydwybodol fod Grey a Russell a Brougham yn gyrru y wlad yn gyflym tua dinistr.[45]

Roedd Tori deunaw oed Llangeitho, wedi chwe mis yn Llundain, wedi troi yn Chwig, os nad eto yn radical, ei hun. Ond er gwaethaf y bwlch cynyddol rhyngddynt, roedd yn dal i fedru gwerthfawrogi rhinweddau y gŵr mawr o Fôn.

Talacharn

Nid i ororau Clawdd Offa yr aeth Lewis Edwards yn y pen draw ond i randir Saesneg sir Gaerfyrddin a thre Talacharn i'r de o Sanclêr. Tra oedd yn aros i gael ei leoli gan y sasiwn, cymerodd y cyfle i adnabod gogledd Cymru trwy fynd ar daith bregethu ar hyd y rhwydwaith o seiadau a oedd bellach yn britho'r wlad. 'Er nad oedd bywoliaeth i'w chael ynglŷn â'r weinidogaeth', meddid, 'yr oedd y fath syched am yr efengyl yn y dyddiau hynny, a'r fath gyfleusterau i'w chyhoeddi trwy deithio ac yn y cymdeithasfaoedd, fel ag i dynnu allan ddoniau gweinidogaethol, ac i wneud y defnydd helaethaf ohonynt'.[46] 'Yr wyf ambell waith yn cael llawer o hyfrytwch yn y gwaith', ysgrifennodd at ei rieni o Gaernarfon ar 13 Hydref 1831, 'a meddyliwn nad wyf yn materu beth a ddaw ohonof yn y byd hwn ond cael bod yn offeryn yn llaw yr Arglwydd i droi pechaduriaid o dywyllwch i oleuni ac o feddiant Satan i Dduw'.[47] Ond ysgolfeistr oedd Edwards o ran profiad, addysg a greddf, ac fel ysgolfeistr y disgwylid iddo ennill ei fywoliaeth. Felly, pan anfonwyd ef i ofalu am achos bach Talacharn yn gynnar yn 1832, agorodd ysgol yno yr un pryd.

Er bod yr achos Methodistaidd yn y dre yn dyddio yn ôl mor bell ag 1762 pan ymwelodd yr efengylydd George Whitefield â'r lle, fel y mwyafrif o eglwysi Saesneg y corff y pryd hynny, un eiddil, gwanllyd a thlawd ydoedd. 'Y mae yr achos yma yn hynod o isel a marwaidd, ac mewn angen neilltuol am ymweliad o'r uchelder', ysgrifennodd at Lewis a Margaret Edward ar 19 Ionawr 1832.[48] Roedd yn blaenach ei dafod wrth ei gyfaill John Matthews ymhen mis:

> The cause of Christ here is at a very low ebb indeed. The prospect is gloomy in the extreme. The inhabitants are involved in Egyptian darkness, and yet they all reckon themselves religious men, and good Christians forsooth. While they are as ignorant as Africans, they are as righteous in their conceit as the most pharasaical of the Pharisees. With this infernal plaster Satan contrives to burke their consciences.[49]

Profiad newydd i Lewis Edwards oedd trin y math yma o Gristionogaeth a phregethu heb weld ôl ei ymdrechion a'r efengyl yn methu, i bob golwg, ddwyn ffrwyth. Ond dyna fyddai ei hanes am y flwyddyn-a-thri-chwarter nesaf, gymaint felly nes ei yrru i ddigalondid mawr. '[Yr wyf] y rhan fwyaf o'r amser yn isel iawn fy meddyliau', oedd ei eiriau ar 26 Ebrill 1833.

Bûm lawer tro yn mynd [at orsedd gras] â fy meddwl wedi orchuddio
gan gymylau duon . . . Un achos o'r iselder ysbryd hwn oedd eisiau mwy
o arwyddion fod bendith ar fy llafur yn y lle hwn . . . [Y]chydig iawn
sydd o arwydd fod neb wedi ei argyhoeddi i fywyd. Y mae'r eglwys a'r
byd yma megis yn ceulo yn eu sorod.[50]

Fel adwaith yn erbyn y marweidd-dra hwn ac er mwyn sianelu'i
egnïon i gyfeiriad mwy cadarnhaol, rhoes gryn feddwl pellach i'w
'blanie'. Fel yr ysgol elfennol yn Llangeitho a gedwid gan John Jones,
Glanleri gynt, roedd ysgol fechan Lewis Edwards yn Nhalacharn yn
denu ieuenctid a oedd â'u bryd ar fynd yn bregethwyr Methodist.
Daeth hi'n fwyfwy amlwg i bawb erbyn hyn fod gweinidogaeth ddi-
ddysg yn milwrio yn erbyn cynnydd y corff, bod angen rhyw gwrs o
addysg ar bregethwyr y cyfundeb, ac roedd hi'n rheitiach eu gyrru at
Fethodistiaid o argyhoeddiad na'u bod yn mynychu ysgolion eraill a
gedwid gan yr offeiriaid plwyf. Ac er bod Edwards yn dal i gael ei
ddrwgdybio gan rai, Ebenezer Richard yn eu plith, roedd yn prysur
ennill enw i'w hun o fod yn ŵr ifanc disglair dros ben. Un o'r bobl a
gyrchodd i Dalacharn am fwy o ddysg oedd John Phillips (1810–67) o
Bontrhydfendigaid, un a oedd eisoes wedi'i ddysgu gan Edwards pan
oedd yn Llangeitho ac a oedd bellach yn gofalu am y ddiadell Fethodist-
aidd yn Rhaedr Gwy.

Pan oeddwn yn cadw ysgol yn Llangeitho, yn y flwyddyn 1829, daeth
gŵr ieuanc yno, tua deunaw oed, cryf a glandeg yr olwg arno a
dywedodd wrthyf ei fod yn meddwl dyfod i'r ysgol, a dyna y tro cyntaf
i mi gyfarfod â John Phillips . . . Dangosodd yn fuan ei fod wedi dyfod
i Langeitho nid i segura ond i ddysgu.[51]

Blwyddyn yn hŷn na'r disgybl oedd yr athro ei hunan, roedd y ddau
yn hanu o ardaloedd tebyg iawn yng nghefn gwlad Ceredigion, roedd
stamp yr un duwioldeb arnynt a daethant yn gyfeillion mawr. Ond os
oedd Edwards yn tueddu at y dwys, roedd rhywbeth allblyg, cell-
weirus a bostfawr yn y gŵr iau. 'Mi a fûm yr wythnos ddiwethaf yn
presenoli fy hun yn eisteddfod seneddol y Methodistiaid Calfinaidd yn
Sir Aberteifi, yr hon a gynhaliwyd yn Tregaron', hysbysodd Phillips
ei gyfaill ar 21 Chwefror 1832.[52] Fel y '*Prime Minister*' y disgrifiodd
Ebenezer Richard, a'i dafod yn dynn yn ei foch, ac fel y '*Lord High
Chancellor*' y darluniodd Edward Jones, gweinidog y Tabernacl, Aber-
ystwyth. Darluniodd ei hun fel troseddwr yn ymddangos gerbron llys

barn am iddo feiddio gofyn am gael gadael Rhaeadr Gwy er mwyn cael mwy o ddysg.

> Yna y dywedodd y *Prime Minister*: 'Yma y dywedir "i athrofa", ond ni ddywedir i ba le, pa un ai Lloegr, Scotland neu Italy, ond i ryw "athrofa"'. Yna dechreuodd y tŷ gynhyrfu, a gwedd amrywiol a newidiodd, a dywedodd rhai o'r Seneddwyr os oeddwn i wedi penderfynu myned i athrofa y gallasent hwy ganu ffarwel i mi, ac y gallwn innau ddywedyd 'Dydd da' i hwythau.[53]

Roedd y cof am helynt sasiwn Wystog yn fyw, a'r ffaith fod Lewis Edwards wedi torri'r gorchymyn a mynd i Lundain yn lle Belffast, yn cythruddo Ebenezer Richard o hyd. Roedd y ffaith fod John Phillips yn medru gwneud gwawd ar ben arweinwyr y cwrdd misol a herio eu hymhonni yn llefaru cyfrolau am y newid agwedd ymhlith y to iau. '[Y]n ganlynol gofynnodd ei Arglwyddiaeth i minnau i ba le yr oeddwn yn bwriadu myned o Gymru; atebais innau iddo nad oeddwn yn bwriadu myned o Gymru: gofynodd yntau ai i Athrofa Laugharne yr oeddwn ar fedr myned; atebais innau gan ddywedyd, "Yr ydych chwi yn dywedyd".'[54]

O wybod fod pregethwyr galluog, annibynnol eu meddwl yn dymuno dilyn ei arweiniad ac ymuno ag ef, crisialodd yr awydd i greu sefydliad mwy parhaol a fyddai'n ehangu diwylliant pregethwyr y corff a'u hyfforddi i fod yn weinidogion cymwys. 'It seems now generally allowed', meddai, 'that human learning, though not absolutely necessary, is yet a valuable handmaid to the ministry of the gospel'.[55] Bu gan yr Annibynwyr eu hacademïau yng Nghaerfyrddin a'r Drenewydd er cyfnod yr Adferiad a oedd yn cynnig addysg glasurol a gwyddonol yn ogystal â diwinyddol i'w myfyrwyr. Sefydlodd y Bedyddwyr eu coleg hwy yn y Fenni yn 1807 ac yn 1822 sicrhaodd Thomas Burgess, esgob Tyddewi, y byddai darpar glerigwyr yn cael eu haddysgu i safon gradd yng Ngholeg Dewi Sant, Llanbedr Pont Steffan. Y syndod oedd nad oedd gan y corff ei goleg ei hunan.

> It has long been a matter of wonder to many that a connexion so respectable and influential as that of the W[elsh] C[alvinistic] M[ethodists] should have no regular means whereby to assist such of the young ministers who thirst after knowlege, but, from their humble station in life, are unable to satisfy that laudable ambition.[56]

Roedd Edwards yn dal mewn cyswllt â'i hen noddwr, John Lloyd o Bentowyn, a thrwyddo ef y dygodd berswâd ar Fethodistiaid cefnog tre Caerfyrddin a'r cyffiniau i noddi coleg hyfforddi ar gyfer pregethwyr ifainc. Fe'i ceir ar 8 Mawrth yn cyrchu'r dre i gyfarfod lawnsio 'cymdeithas tuag at roi dysg i bregethwyr ieuainc y corff',[57] a thrwy gydol y misoedd nesaf roedd yn llawn cynlluniau sut orau i drefnu'r fenter a'i hariannu'n iawn. Gwyddai na fyddai'r dasg yn hawdd, 'Gwn hefyd fod rhai dynion mor ddrwgdybus fel y cymerent y fantais leiaf i'm drwgliwio pe gallent'[58] meddai, ond roedd y weledigaeth wedi gafael a'r bwriad yn ddi-droi-yn-ôl.

John Phillips

Trwy gydol ei gyfnod yn Nhalacharn roedd bywyd Edwards ynghlwm wrth yrfa John Phillips. Dysgu Groeg a Hebraeg yn bennaf oedd pwrpas Phillips wrth ddod i'r ysgol: 'Y mae y duedd sydd ynof am gael ychwaneg o ddysg wedi tyfu fel cedrwydden, ie, wedi cryfhau fel derwen Basan nes ydwyf wedi myned yn rhy galed i wrando ar eu cwynion.'[59] Ni wyddys am ba hyd yr arhosodd yno, ond mae'n amlwg bod y ddau yn rhannu syniadau a breuddwydion yn frwd. Yn wahanol i'r ysgolfeistr, roedd doniau pregethu'r disgybl yn tynnu sylw eang. 'Dr P[hillips] surpassed himself last night', ysgrifennodd Edwards at John Matthews ar 11 Gorffennaf 1832. 'He came with me to Blaenplwyf. It was well with me that I insisted on preaching first or else I would have jumped out through the window rather than venture to open my mouth after such a display of eloquence.'[60] Nid llai oedd effeithiolrwydd y gŵr o Bontrhydfendigaid pan aeth i Aberystwyth wedyn. 'Dr P[hillips] stayed here all week', atebodd John Matthews,

> and it was well that he did, for I don't remember such a meeting at Aberystwyth as that on the Sabbath evening . . . some of the wildest youths in the town were seen to be sobbing and heard groaning – yea, the whole congregation were astounded and seized with the utmost consternation as if the chapel were falling upon them, or as if nature herself was about to be dissolved.[61]

Cyn diwedd 1832 aeth Phillips, neu Doctor Phillips fel y byddai ei gyfeillion yn ei alw yn chwareus, 'ar ei daith fythgofiadwy trwy y gogledd' fel y cofiodd Lewis Edwards flynyddoedd yn ddiweddarach.

Mae yn debyg na fu un pregethwr erioed yn tynnu mwy o sylw, ac yn creu mwy o gynnwrf, na Mr Phillips yn y daith honno. Erbyn hyn yr oeddwn yn byw yn Lacharn, a mawr oedd fy llawenydd yn y gongl bellenig honno wrth glywed am lwyddiant fy nghyfaill.[62]

Aeth Phillips i siroedd Meirionnydd a Chaernarfon yng nghwmni John Morgan, gweinidog y Drenewydd, ddiwedd yr haf y flwyddyn honno, a chreu argraff annileadwy ar y tyrfaoedd. Cafodd oedfa arbennig rymus yn y Carneddi, Bethesda, pan bregethodd John Elias ar ei ôl. Aeth eilwaith i'r gogledd ddiwedd y flwyddyn, i Fôn i ddechrau, gan symud i'r Bala dros y Calan ac o'r fan honno pregethodd yn ysgubol yn sasiwn Llanrwst. 'Pregethai yng nghapelau Llandderfel a'r Bala', adroddodd Roger Edwards, 'ac yn amryw eraill o gapelau Penllyn ac Edeyrnion gydag effeithiolrwydd arbennig, ac yr oedd yr holl wlad yn cyrchu ar ei ôl'.[63] Erbyn hynny, roedd John Phillips ymhlith yr enwocaf o bregethwyr y genhedlaeth iau.[64]

Os oedd y Methodistiaid wrth eu bodd, nid felly grefyddwyr yr enwadau eraill. Yn rhifyn Ebrill 1833 o gylchgrawn yr Annibynwyr *Y Dysgedydd*, ysgrifennodd awdur a alwai ei hun yn 'Gwilym Glan Mawddach' yn lladd ar gwlt y pregethwr ifanc, poblogaidd, eilunod y sasiynau. Beiai y Methodistiaid Calfinaidd am '[g]anmol dynion ieuainc penchwiban ar draul esgeuluso eraill y cawsoch lawer eglurach prawf o'u duwioldeb . . . Wrth ymddwyn fel hyn byddwch yn dinistrio llawer bachgen yn ieuanc trwy beri iddo chwyddo mewn balchder nes cwympo i ffosydd aflendid.'[65] John Phillips oedd dan gabl, a phwy a ddaeth i'w amddiffyn yn rhifyn yr haf o'r cylchgrawn ond awdur a'i galwai ei hun yn 'Iorwerth'. Llythyrwr galluog, gwybodus a gwawdgar oedd yr Iorwerth hwn, a fedrai ddyfynnu Ffrangeg a Lladin yn ymhonnus dros ben. Mynnai mai rhagfarn enwadol oedd wrth wraidd y feirniadaeth ar John Phillips, ac ymfalchïodd fod gan ei gyfundeb bregethwyr ifainc mor wych.[66] Yn ôl arfer gohebiaethau'r cyfnod, atebwyd 'Iorwerth' yn y rhifyn nesaf gan ryw 'Adolygydd o Dretrafferth' a'i gyhuddo o fod 'yn llawn o wenwyn, balchder, ynfydrwydd ac anwybodaeth', a bod ei druth wedi'i andwyo gan 'gecraeth faleisus',[67] ac mae'n bur amlwg fod hynny'n wir. Ni wyddai neb pwy oedd yr 'Iorwerth' hwn, ond daethpwyd i wybod ymhen yrhawg mai ysgolfeistr Talacharn ydoedd, neb llai. 'Let me know if my letter has appeared in the *Dysgedydd* in defence of the celebrated Dr Phillips', dywedodd wrth John Matthews ar 11 Mehefin 1833.[68]

Nid yr 'Adolygydd o Dretrafferth' oedd yr unig feirniad, oherwydd yn y rhifyn dilynol aeth gŵr o gryn bwys, sef David Morgan, gweinidog y

Graig, Machynlleth, awdur *Hanes Ymneilltuaeth yng Nghymru*, i'r maes gyda llythyr rhesymol, teg. Byddai pawb call yn ystyried hynny yn ddiwedd y stori, ac felly, yn wir, y bu, ond nid heb i 'Iorwerth' fynnu ateb drachefn. 'Cyhoeddwyd ateb i minnau gan yr hen weinidog hybarch, Mr Morgan, y pryd hwnnw o Fachynlleth', meddai Lewis Edwards yr henwr yn edrych yn ôl yn hiraethus ar fyrbwylldra ieuenctid. 'Ysgrifennais lythyr arall fel atebiad iddo yntau, yr hwn a ymddangosodd i mi yn llawer galluocach na'r cyntaf, ond barnodd y golygydd mai gwell oedd peidio â'i gyhoeddi; ac nid wyf yn ei feio mewn un modd ond yn hytrach ei ganmol, am iddo wneud yn ddoeth!'[69] Do, fe fu Lewis Edwards yn ifanc unwaith, ac yn afieithus ffôl mae'n dda cael dweud.

Tua Chaeredin

Erbyn canol 1832 roedd yr ysgolfeistr yn dyheu am ddianc o Dalacharn. Roedd ei ddicter tuag at Ebenezer Richard wedi gwaethygu am fod y sasiwn wedi gwrthod estyn nawdd ariannol i'r achos yn Nhalacharn a bod yn well ganddynt ei weld yn cael ei ddirwyn i ben. 'I understand', meddai wrth John Matthews ar 9 Mehefin 1832, 'that this was carried principally through the thoromongering [*sic*] of a certain fat aristocrat from Tregaron'.[70] Credai erbyn hyn fod Richard, 'the dictator', 'him of the "fat round belly"', 'that milkdrinking aristocrat', 'He of Tregaron', yn cynnal ymgyrch bersonol yn ei erbyn, a bod y cyfarfod misol, yr hwn a alwodd yn 'this canting cabal', yn rhy llwfr i'w wrthwynebu. 'The impudent blockheads!', meddai. 'Do they think they can take me by the nose like an old woman? . . . Oh if I wished to indulge any feeling of revenge, I could expose them until the Devil himself would be ashamed of them.'[71] Ac yntau eisoes yn ddig oherwydd penderfyniad sasiwn Wystog, bellach nid oedd pall ar ei siom. 'Nid wyf yn meddwl yr arhosaf yma ddim yn rhagor', meddai mewn llythyr at ei rieni ar yr un diwrnod. '[Y] maent hwy yn penderfynu, mor gynted ag yr ymadawaf, i roi y capel i fyny a gadael i'r achos fynd i'r llawr.'[72]

Misoedd chwerw oedd y rhain i Lewis Edwards. Roedd yn argyhoeddedig fod hynafgwyr y sasiwn yn ei erbyn, bod y gwaith yn Nhalacharn wedi dod i ddim a bod y cyfundeb wedi ei drin yn siabi dros ben. Byddai dyfodol achos Talacharn yn fater yng nghyfarfod misol de Caerfyrddin yn yr hydref, ond roedd y syniad o fynd yno, a chael ei siomi eto, yn hunllefus ganddo. 'I am going tomorrow to the monthly meeting', meddai wrth John Matthews ar 11 Medi 1832, 'there to be stunned and stupefied with the bawling, drawling and caterwaulking [*sic*] of that blustering, thundering blockhead Dic Siôn Dafydd and his tribe. What a set of despicable fools!'[73] Dirmyg dyn ifanc a glwyfwyd oedd hwn, ond er mawr syndod, penderfynwyd herio penderfyniad y sasiwn a sicrhau nawdd i'r achos gael cario ymlaen. Siaradodd John Lloyd yn frwd o'i blaid a darganfu fod ganddo gyfeillion, ni waeth beth am ddylanwad y gŵr o Dregaron. 'Your victory over the bigoted and refractory "Court of Inquisition" has been most complete', meddai Matthews wrth ei longyfarch. '[A]ll the malignant attempts of certain selfish individuals have been frustrated, and their counsels have been brought to naught: the day for Toryism, thank heaven, is gone by. The Lord's name be praised!'[74] Er nad Torïaid ideolegol yn null John Elias oedd Ebenezer Richard a'i gydarweinwyr yng Ngheredigion, roeddent yn perthyn i'r un to ac yn arddel yr un agweddau, ac roedd eu haul yn prysur fachlud.

Symud Ymlaen

Wedi ennill ei fuddugoliaeth, roedd baich caledi gweinidogaeth Talacharn yn haws ei ddwyn ond gwyddai y byddai'n rhaid iddo symud ymlaen. Flwyddyn yn ddiweddarach byddai'n gadael y dre fach ddigalon yn sir Gaerfyrddin am byth, nid am fan arall yng Nghymru ond am Gaeredin ac addysg prifysgol o'r iawn ryw.

> Revd Sir,
>   As I intend to enter Edinburgh University soon, I hope you will be so kind as to direct some one to furnish me with the requisite instructions on the following subjects. I am sorry to give you the trouble but I have no other means of acquiring the desired information.
> 1   The times and rules of admittance
> 2   How long must I remain there before I can obtain any degrees
> 3   What will be the necessary expences [*sic*]
> I beg to subscribe myself, Revd Sir,
> Your very obt. Servt.
> Lewis Edwards[75]

Anfonwyd y llythyr o 'Gosport St, Laugharne, Carmarthenshire' ar 15 Ebrill 1833 at Thomas Chalmers, athro diwinyddiaeth Prifysgol Caeredin ac un o ffigyrau crefyddol mwyaf amlwg ei gyfnod. Chalmers ei

hun a atebodd gan ddweud fod y flwyddyn golegol yn ymestyn rhwng
Tachwedd a Mai, mai wyth bunt oedd y ffi am bob sesiwn a bod rhaid
aros pedair blynedd cyn cwblhau cwrs gradd. Rhannodd y newyddion
gyda John Matthews, ond roedd arno rywfaint o bryder o hyd: 'There
are many of my friends who advise me not to go, and I feel some mis-
givings myself, but I may be transgressing the will of divine Providence
by so doing . . . I must confess that on the whole I am rather inclined to
go.'[76] A dweud y gwir roedd yn gwbl benderfynol o fynd, yn neilltuol
pan glywodd fod ei gyfaill John Phillips wedi cael caniatâd y cyfarfod
misol i fynd hefyd. 'Last Saturday I made my appearance before the
Lord Chief Justice of the true blue's court at Tregaron with the afore-
mentioned case in my hand', ysgrifennodd Phillips gyda'i gellwair arferol,
ond yn Saesneg y tro hwn, yn Awst 1833.

> His Lordship . . . looked in my face rather more friendly than usual
> and said, that as I determined to go, he would not like to say anything
> against me, but that he was sure enough that I would never return back
> to settle in Wales, to which observation I replied saying that I was born a
> Methodist, that I am a Methodist, and that I intend to die a Methodist,
> hynyna ac unyna, etc etc.[77]

Daeth y gymeradwyaeth ysgrifenedig fis yn ddiweddarach o gyfarfod
misol Ponterwyd, ar 19 Medi, wedi'i llofnodi gan Ebenezer Richard.
Felly hefyd y bu yn hanes Lewis Edwards ei hun a gafodd yr un gym-
eradwyaeth nid gan y cwrdd misol ond gan sasiwn Aberteifi a gyfarfu
ddechrau mis Awst. 'I hope that the honourable Professor has carried
the trial at Cardigan's assizes, in spite of all his enemies', ysgrif-
ennodd Phillips at Matthews, '. . . if he will go to Edinburgh I will go
with him, for I am no scholar now, but I am to be a scholar . . . and
even the dominion of Tregaron shall not hinder me to reach the hill of
learning'.[78]

Rhwng y llythyr dechreuol at Thomas Chalmers yn Ebrill a llythyr
gollyngdod y cwrdd misol ym mis Medi, roedd Edwards wedi bod yn
ddifrifol wael. Erbyn hyn roedd yn 24 oed ac amryw flynyddoedd o
brofiad ganddo fel myfyriwr, pregethwr ac ysgolfeistr. Roedd ganddo
barch ac anwyldeb at ei rieni a rhannai ei brofiadau dwysaf gyda John
Matthews, ei gyfaill pennaf.[79] 'Nid oes un diwrnod yn myned drosodd
na byddaf yn bwriadu ac yn addunedu byw yn fwy duwiol, yn fwy
sanctaidd ac yn fwy eiddigeddus dros ogoniant Duw',[80] meddai wrth
Lewis a Margaret Edward ar 20 Mehefin, ac nid oes rhaid amau dim

ar ei air. Ond roedd mwy o gymhlethdod yn ei gymhellion fel y cyf-
addefodd wrth ei gyfoeswr Matthews, eto ym Mehefin 1833:

> I always think too highly or too humbly of myself. Oh I could wish not
> to think of myself at all . . . This letter is just like myself, a nondescript,
> a mass of contraries, a motley medley of seriousness and mirth, of wisdom
> and folly, of humility and pride, of bashfulness and recklessness.[81]

Roedd yr hunanarchwilio manwl oedd yn gymaint rhan o'r duwiol-
deb Methodistaidd yn porthi'r math yma o brofi cymhellion, ac yn
medru creu ansicrwydd ysbrydol dwys. Difrifolwyd ef, a'i gydnabod,
ymhellach gan y clefyd a gafodd ganol a diwedd Awst. 'Gyda gradd o
ofid yr wyf yn hysbysu i chwi mai nid llawer gwell yw fy mrawd y dydd
hwn nag oedd y dyddiau diwethaf, ond y mae llawer gwell nag y buodd
yn nechreuad y clefyd.'[82]

Roedd awdur y llythyr hwn, sef Thomas Edwards, y brawd iau,
erbyn hyn wedi'i dderbyn fel pregethwr rheolaidd gan gyfarfod misol
Ceredigion ac wedi ymrestru yn ysgol Talacharn fel disgybl. Roedd hi'n
dda ei fod ef yno, am y gallai ofalu am Lewis yn ei waeledd. Mawr oedd
gofid y rhieni a oedd bellach mewn oedran ac ynghlwm wrth y fferm
ym Mhwllcenawon, ond erbyn 4 Medi roedd y mab hynaf wedi cael
adferiad digonol i fedru gafael yn ei ysgrifbin: 'Trwy fawr diriondeb
yr Arglwydd yr wyf yn cael ysgrifennu yr ychydig linellau hyn. Yr wyf
wedi bod yn glaf iawn, nes oedd llawer yn meddwl na fuaswn byth yn
gwella, ond yn bresennol yr wyf yn teimlo fy hun yn cryfhau pob
dydd.'[83] Gyda'r llythyr at ei rieni, lluniodd nodyn at John Matthews
hefyd:

> I thought I should never see you, nor write to you again. Most of those
> who saw me in my illness did not expect me to live. Many a night it was
> thought I should be in eternity before morning. And O my dear friend,
> how awful it is to stand on the very brink of the invisible and unchange-
> able world.[84]

Roedd ei ffydd yn Nuw yn gadarn trwy gydol yr argyfwng hwn, ond
eto roedd yr aflwydd yn brawf mor anwadal y gallai bywyd fod, a bod
rhaid gafael ar bob cyfle i droi ei freuddwydion yn ffaith. Cyn hir
roedd yn ddigon iach i fedru mentro ar yr anturiaeth i'r Alban.

Yn ei atgofion am John Phillips a luniodd yn 1867, adroddodd fel yr
agorodd y ffordd iddynt fynd i'r brifysgol. 'Yn fuan wedi hyn daethom

ein dau i'r penderfyniad i fynd i Edinburgh.'[85] Roedd Edwards yn dal i ofalu am ysgol Talacharn ac yn bugeilio Methodistiaid difater y dre, a Phillips wedi ennill clod anarferol fel pregethwr teithiol. Ond roedd yr hinsawdd meddwl ymhlith arweinwyr y corff wedi newid, braidd, er gwell.

> Yr oedd y teimlad yn awr yn dra gwahanol i'r hyn oeddwn wedi ei weled ryw ddwy flynedd cyn hynny, a'r achos pennaf o wahaniaeth yn ddiau oedd dylanwad Mr Phillips. Addefid ei fod yn un werth rhoddi dysg iddo, ac nid oedd yr un rheswm cryf yn ymddangos paham nas gallaswn innau fyned gydag ef, os oeddwn yn dewis. Yr oedd enw Mr Phillips yn ddigon hysbys i greu brwdfrydedd cyffredinol o'n plaid.[86]

Doedd yr hunanddibrisio hwn ddim yn gwneud llawn gyfiawnder â'r sefyllfa. Roedd Lewis Edwards yntau yn hysbys yn y cwrdd misol a sasiwn y de fel gŵr ifanc penderfynol a diffuant, yn Fethodist cydwybodol a theyrngar a oedd yn awyddus i godi safonau addysgol y corff. Mae'n bur debyg y byddai wedi cael mynd i Gaeredin beth bynnag. Waeth beth am hynny, erbyn dechrau mis Hydref byddai'r ddau ar eu ffordd, chwedl John Phillips, 'to reach the hill of learning'.

3 ⊗ Prifysgol Caeredin, 1833–1836

Anelodd Lewis Edwards a John Phillips am Gaeredin yng nghwmni'i gilydd ganol mis Hydref 1833. Buont yn aros i ddechrau ym mhlasty Fronheulog, Llandderfel, ar aelwyd John Davies YH a'i wraig, a oedd, fel John Lloyd o Bentowyn, Meidrim, yn perthyn i un o'r ychydig deuloedd cefnog a feddai'r Methodistiaid Calfinaidd ar y pryd. Twrnai oedd Davies, yn fab i Gabriel Davies, blaenor o'r Bala, a fu am ysbaid yn uchel-siryf Meirionnydd.[1] Priododd â Miss Davies, Foty Gregin, Cefnddwysarn, Meirionnydd, a oedd hithau wedi etifeddu ffortiwn deuluol. Gyrrwyd hi, yn fonheddwraig ifanc, i Birmingham am ei haddysg, ac yng Nghapel Carr's Lane, o dan weinidogaeth y pregethwr adnabyddus John Angell James, y cafodd ei hargyhoeddi, a daeth yn ôl a phriodi mab y blaenor o'r Bala. Buont yn gefn i achos y Methodistiaid Calfinaidd ym Meirionnydd byth wedyn.[2] Bu ef farw yn 1848 a hithau yn 1875. Cafodd y ddau ddarpar-fyfyriwr eu hebrwng gan yr ynad heddwch a'i wraig i Gaer yn eu cerbyd. Gadawyd Mrs Davies yno, ac aeth y tri arall ymlaen i Lerpwl ac aros yno am ychydig ddyddiau.

Fe'u cyflwynwyd gan John Davies i'r Parchg Ddr Stewart, brodor o Dornoch yn Sutherland, gogledd yr Alban, a gweinidog yr United Secession Church. Ffurfiwyd y Secession Church neu Eglwys yr Ymwahanwyr yn 1820 yn undeb o ganghennau Presbyteraidd a oedd wedi gadael yr eglwys sefydledig yn y ddeunawfed ganrif, ac yn eu plith hwy y gwreiddiodd yr egwyddor wirfoddol, sef yr argyhoeddiad y dylai eglwys fod yn annibynnol ar nawdd y wladwriaeth ac yn rhydd i'w chynnal ei hun trwy ymroddiad ei haelodau yn unig. Cawsant groeso gan y Sgotyn a llythyrau cymeradwyaeth, un wedi'i gyfeirio at Thomas Chalmers, athro diwinyddiaeth Prifysgol Caeredin, a'r llall at Dr John Brown, gweinidog yr Ymwahanwyr yn eglwys Broughton Place yno: 'Yr ydym yn bwriadu ymuno â'i gynulleidfa yn Edinburgh', fel yr esboniodd Lewis Edwards i'w rieni ar 30 Hydref 1833.[3] Cipiodd draw i Fanceinion dros y Sul er mwyn cadw cyhoeddiad yn yr eglwys Gymraeg yno, ac ar y dydd

Mercher canlynol aethant hwy ill dau i harbwr Lerpwl i ddal llong i Glasgow. Cyraeddasant fore trannoeth, ac wedi ychydig oriau yn y ddinas teithiasant mewn coets fawr i'r brifddinas a chyrraedd erbyn yr hwyr. Er iddynt aros mewn gwesty'r noson honno, gwyddent fod llety parhaol ar eu cyfer trwy garedigrwydd rhwydwaith Eglwys yr Ymwahanwyr: 'Yr ydym yn lletya gyda gwraig grefyddol, yr hon sydd yn aelod yn un o eglwysi y *Seceders*'.[4] Gyda'i bod yn Sadwrn cyn y Sul cymundeb, achlysur na ddigwyddai ond unwaith y flwyddyn ymhlith Presbyteriaid yr Alban, yr oedd rhaid iddynt geisio tocynnau os dymunent gyfranogi o'r Swper Sanctaidd. Gwnaethant hynny, a chael croeso gan Dr John Brown ei hun: 'Derbyniodd ni yn serchiadol ac yn addfwyn', meddai Edwards yn ei lythyr gartref, 'Y mae oddeutu mil o gymunwyr, mi feddyliwn, yn perthyn i'w gapel . . . Y cymunwyr oll oeddent ar y llawr isaf, a phawb arall ar y *gallery*.'[5] Dyna flas cyntaf y ddau deithiwr ifanc ar fywyd crefyddol yr hyn y byddai Edwards yn ei alw yn 'Auld Reekie'[6] a'r hyn a alwodd ei gyfaill yn 'this modern Athens'.[7] Roedd y peth iddynt yn rhyfeddod syfrdan.

'Auld Reekie'

Mae gohebiaethau'r ddau Gymro ifanc yn ystod yr wythnosau nesaf yn datgelu holl gyffro a ffresni byd newydd. Parchus a gofalus yw llythyrau Lewis Edwards at ei rieni, ond mae ei epistolau at John Matthews, ac yn fwy fyth lythyrau John Phillips at yr un cyfaill, yn fwy lliwgar o lawer. Roedd eu llety, yn nhŷ Mrs Taylor yn Bristo Street, yn gysurus, a gwnaethant eu hunain yn gartrefol ar unwaith. 'In the middle of our room we have a large mahogany table on which there are two transparent glasses and a jug full of pure Adam's ale', oedd disgrifiad Edwards ohono ar 23 Tachwedd:

> On one side there is a chest of drawers on which there are various heaps of books, papers and pamphlets in the most romantic and sublime condition. On the chimney-piece I keep my smoking apparatus, which consists of the head of an old pipe without a tail, a tail without a head and another old Hottentot pipe with half a head and half a tail. By the bye I am inclined to believe that our room has now undergone sufficient purgation and therefore I intend to leave off my fumigating process next week.[8]

Mae'n amlwg nad oedd y cwrw na'r baco yn tramgwyddo unrhyw foesoldeb oherwydd yn eu hystafell hwy y cynhelid y ddyletswydd deuluol bob bore a hwyr. Ymhlith eu cydletywyr yr oedd gŵr llengar a fyddai'n gwneud ei enw fel beirniad maes o law. 'Yr oedd efrydwyr eraill yn lletya yn yr un tŷ', meddai Lewis Edwards wrth ddwyn yr atgof yn ôl ddegawdau yn ddiweddarach, 'ac yn yr ystafell nesaf atom oedd Gilfillan, yr hwn oedd wedi gorffen ei efrydiaeth, ac yn aros am alwad fel gweinidog, a'r hwn wedi hynny a ysgrifennodd *The Bards of the Bible* ac amryw lyfrau eraill'.[9] Tipyn o ramantydd oedd George Gilfillan (1813–78) fel y dengys ei hunangofiant byrlymus *The History of a Man* (1856), ac roedd newydd gwblhau ei hyfforddiant am y weinidogaeth nid yn y brifysgol ond yng ngholeg diwinyddol Eglwys yr Ymwahanwyr yn y ddinas. Ordeiniwyd ef yn Dundee yn 1836, a chyfunodd ei fugeiliaeth â diddordeb ysol mewn barddoniaeth Saesneg gan gyhoeddi cyfres o argraffiadau o waith beirdd fel Edmund Spenser, Samuel Butler a William Cowper. Ond pregethu a âi â'i fryd yn y llety, neu o leiaf areithio blodeuog ar gyfer y pulpud: 'Mynych y cawsom ein dau ein rhwystro ar ganol ein gwaith gan sŵn Gilfillan yn pregethu yn yr ystafell nesaf. Er hynny yr oedd yn hawdd maddau iddo, oblegid yr oedd yn berffaith ddiymhongar a dirodres.'[10]

Gyda'r ddau Gymro yn lletya mewn cartref Ymwahanol ac yn cyfeillachu gyda Gilfillan a oedd yn ymgeisydd am y weinidogaeth yn Eglwys yr Ymwahanwyr, roedd hi'n dra thebygol y byddai eu perthynas â John Brown, gweinidog yr Ymwahanwyr, yn un agos. Cawsent eisoes eu gwahodd i gymuno yn ei eglwys, ac roedd barn y ddau Gymro amdano yn uchel. Yn ôl John Phillips, yr oedd yn 'very amiable and condescending gentleman'.[11] Ŵyr oedd y John Brown hwn (1784–1858) i'r John Brown enwocaf o Haddington (1722–87), diwinydd polymathig o'r oes o'r blaen yr edmygid ei waith ddigon yng Nghymru i'w gyfieithu i'r Gymraeg. Bu cryn ddarllen ymhlith y Methodistiaid ar ei *Gorph o Dduwinyddiaeth* (arg. cyntaf 1812; yna 1822, 1840, 1860) o gyfieithiad John Parry, Caer, ac ar fersiwn Cymraeg ei gofiant a droswyd gan yr un awdur. *A Compendious View of Natural and Revealed Religion* (1782) gan Brown o Haddington oedd y llyfr Saesneg cyntaf i John Elias erioed ei ddarllen. Sefydlwyd John Brown yr ŵyr yn weinidog eglwys Broughton Place yn 1829, a byddai'n cyfuno ei fugeiliaeth yno â gwaith athro esboniadaeth feiblaidd yng ngholeg diwinyddol ei enwad o 1834 ymlaen. Yr unig wahaniaeth rhwng yr Ymwahanwyr a phlaid efengylaidd Eglwys yr Alban oedd eu hanghytundeb ynghylch terfynau hawl y wladwriaeth i ymyrryd yng ngweithgareddau'r eglwys. Roedd y ddau gorff yn drwyadl bresbyteraidd o ran llywodraeth eglwysig ac yn credu yn yr egwyddor o bartneriaeth rhwng y wladwriaeth a'r eglwys mewn gwlad Gristionogol. Ond oherwydd y pellhau cynyddol rhwng yr Ymwahanwyr a'r eglwys sefydledig er 1760, cafwyd mwy a mwy o gydymdeimlad â'r egwyddor wirfoddol o'i mewn, a phan gyhoeddodd Andrew Marshall o Glasgow ei draethawd *Ecclesiastical Establishments Considered* yn 1829, aeth yn fater dadlau brwd. Mynnodd Marshall y dylai Eglwys yr Ymwahanwyr ymwrthod â'r delfryd o eglwys sefydledig yn llwyr. Roedd Cristionogaeth yn wirfoddol yn ei hanfod, ac oherwydd hynny y wladwriaeth ac nid yr eglwys a ddylai ddarparu cyfundrefn addysg i bawb a chymorth i holl dlodion yn y wlad. Effaith yr uno rhwng eglwys a gwladwriaeth oedd seciwlareiddio crefydd ar y naill law a threisio cydwybod dinasyddion digrefydd ar y llall. Mewn gair, galw am ddatgysylltiad llwyr rhwng y ddau sefydliad a wnaeth. Yn wahanol i Hen Ymneilltuwyr Lloegr a Chymru, nid radicaliaid oedd deiliaid yr United Secession Church. Roeddent yn debyg i Fethodistiaid Calfinaidd Cymru cyn 1811, yn ymarhous iawn i beryglu partneriaeth rhwng y pŵer tymhorol a'r awdurdod ysbrydol. Ond fel y gwthiwyd yr Hen Gorff ymhellach i gyfeiriad Ymneilltuaeth, byddai'r math o resymeg ag a blediodd Andrew Marshall yn peri i Ymwahanwyr yr Alban goleddu achos datgysylltiad maes o law. Arweinydd tra chymedrol oedd John Brown, a'i holl reddfau yn erbyn diddymu egwyddor yr eglwys sefydledig. Ni fynnai, am y tro, ildio i bwysau'r datgysylltwyr. Ond roedd y dadleuon hyn yn mudlosgi trwy gydol cyfnod y ddau Gymro ifanc yn yr Alban.

Thomas Chalmers

Ynghyd â John Wilson, sef yr awdur 'Christopher North', yr hyn a ddenodd Lewis Edwards i Brifysgol Caeredin fwyaf oedd presenoldeb a dylanwad yr athro diwinyddiaeth Thomas Chalmers. Ni chafodd mo'i siomi o adnabod y dyn yn y cnawd. 'Dr Chalmers is indeed a wonderful man', ysgrifennodd at John Matthews ar 23 Tachwedd 1833. 'His eloquence is a boiling, foaming cataract which makes your head almost giddy to look at, and woe to the unhappy wight that happens to stand before the irresistible sweep of the mighty torrent.'[12] Yr un oedd ymateb John Phillips: 'We are highly pleased with Dr Chalmers' lectures and his conduct towards his class. He is really a great and good man, and no doubt the greatest preacher of the present age.'[13] Ganed Chalmers yn Anstruther, Fife, yn 1780 i deulu o farsiandïwyr sylweddol, a'i uchelgais cyntaf oedd rhagori mewn dysg. Wedi gyrfa ddisglair ym Mhrifysgol St Andrews, fe'i hordeiniwyd yn weinidog plwyf yn yr eglwys sefydledig am y rhoddai hynny iddo yr hamdden i ddilyn ei ddiddordebau mewn mathemateg, cemeg a'r gwyddorau naturiol. Ar fyw yn gysurus fel bonheddwr diwylliedig yr oedd ei fryd. Ond erbyn tua 1812 roedd yn graddol droi oddi wrth grefydd gonfensiynol, gysurus, at yr efengyleiddiaeth brofiadol a oedd yn ysgubo'r Alban ar y pryd, a chafodd ei hun yn arwain diwygiad oddi mewn i'w blwyf ei hun. Daeth plwyf Kilmay yn enghraifft ardderchog o sut y gallai adfywiad ysbrydol fywiocáu'r strwythurau plwyfol, sefydledig, a'u gwneud yn foddion dyrchafu bywyd crefyddol, addysgol a thymhorol y gymuned gyfan.

Pan symudodd o'i blwyf gwledig yn Fife yn 1815 i blwyf poblog Tron yn ninas Glasgow, roedd yn argyhoeddedig y gallai egnïon yr efengyleiddiaeth newydd, gyda chyfundrefn blwyfol yr eglwys genedlaethol yn gyfrwng iddi, droi'r Alban gyfan yn gymanwlad Gristionogol ac yn oleuni i'r byd. 'All the world wild about Dr Chalmers',[14] nododd William Wilberforce gydag edmygedd yn 1817, ac yn ôl y sylwebydd John Gordon Lockhart, 'Dr Chalmers has taken a station in the eye of the country above what is, or has been lately, occupied by any clergyman either of the English or the Scottish Church.'[15] 'Between 1815 and 1817', meddai ei gofiannydd, 'he reached the height of his power and influence as a preacher, attaining an eminence perhaps unsurpassed in the history of the Scottish pulpit'.[16] Cyfuniad o neges efengylaidd gref yn pwysleisio angen dyn fel pechadur a digonolrwydd Duw yng Nghrist a'i aberth i'w godi o'i drueni, a'i ymlyniad o hyd wrth soffistigeiddrwydd, gwareiddiad a dysg yr Aroleuo Albanaidd oedd cydiad ei apêl, ynghyd â gallu anghyffredin fel llefarwr: '[H]e was an Evangelical, but with strong ties to the Moderate traditions of the eighteenth century.'[17] Nid dibrisio dysg a wnaeth gwir grefydd yn ei dyb ef, ac nid tanseilio rheswm a wnaeth yr efengyl ond ei phuro a'i pherffeithio. Roedd hi'n gwbl briodol i'r ysgolhaig Cristionogol drwytho'i hun yn y celfyddydau a'r clasuron heb i hynny fygu ei dduwioldeb o gwbl. Cafodd gyfle i weithredu'r argyhoeddiad hwn pan alwyd ef o waith plwyf i'r gadair athroniaeth foesol ym Mhrifysgol St Andrews yn 1823, ac aeth ei symudiad pellach i gadair diwinyddiaeth ym Mhrifysgol Caeredin yn 1828 ag ef i ganol bywyd deallusol, cymdeithasol a gwleidyddol ei genedl ei hun. Dyma'r 'fulcrum upon which he would move the Christian nation'.[18] Pan gyrhaeddodd Lewis Edwards a John Phillips ei ddosbarth yn 1833, roedd yr athro a'r gwladweinydd eglwysig yn anterth uchaf ei ddylanwad a'i nerth.

O nodi'r pethau hyn, roedd hi'n gwbl amlwg y byddai synthesis pwerus Thomas Chalmers rhwng duwioldeb a dysg, ynghyd ag apêl personoliaeth ddengar a chref, yn cael effaith annileadwy ar feddwl a dychymyg y Cymro ifanc. Ond roedd cymhlethdodau ynghylch Chalmers na ddaethant i'r golwg ar unwaith. Dangosodd garedigrwydd anarferol wrth y ddau fyfyriwr o Gymru. Cawsant fynychu ei ddarlithoedd yn rhydd ac yn rhad, heb orfod talu'r ffi arferol, ac fe'u gwahoddwyd fwy nag unwaith i ymuno â'r teulu ar ei aelwyd. 'He received us with more amiableness than I am able to describe', cofnododd John Phillips, 'and immediately began to question us concerning the denomination to which we belong, and Mr Charles of Bala whose *Memoir* he had read. Then he conducted us to the breakfast room and introduced us to his two daughters, who bear the image of their father in many things.'[19] Ychydig wythnosau yn ddiweddarach daeth gwahoddiad i'r Cymry ymweld â'r teulu eto:

> And so we went, and found that he had a regular party of fine young ladies and several gentlemen. We never enjoyed ourselves better. It was difficult to determine who was the most condescending and cheerful, the great Dr, the amiable Doctoress [sef ei wraig], or their superangelic daughters. They are very intelligent, sweet and playful young creatures, and it is quite a treat to be in their company.[20]

Byddai wedi bod yn well gan Lewis Edwards farw na gwneud sylwadau fel hyn, ond roedd gan John Phillips lygaid am y merched ar y gorau, a thafod parotach na'i gyfaill i ddweud yn ddilyffethair yr hyn oedd ar ei feddwl. Pan adawsant y tŷ wedi eu hymweliad cyntaf a chael cwmni'r dyn mawr a gerddodd braich ym mraich â hwy yn ôl i'r brifysgol, seliwyd eu hedmygedd am byth: 'When we first started we thought we had the king between us, and that all the world was gazing at us with piercing long looks . . . He was so near and familiar in his conversation that we hardly believed that the wonder of the age was between our arms.'[21]

Cymhlethdodau

Ond un agwedd ar bersonoliaeth gymysg a chymhleth oedd hon. Gallai Chalmers fod yn styfnig, yn awtocratig ac yn annioddefol o sicr o gyfiawnder ei farn ei hun. Fel gwleidydd eglwysig roedd yn gyfrwys hyd at fod yn ddichellgar. Defnyddiodd ei boblogrwydd i ddringo i safle o awdurdod oddi mewn i'r eglwys, a thrwy ei dafod parod a'i ddeallusrwydd llym tyfodd i fod y llais mwyaf pwerus ar lawr y gymanfa gyffredinol, sef prif fforwm grym cenedl yr Alban ar y pryd. 'Our little world of Scotland', meddai'r newyddiadur *The Scotsman* yn 1826, 'is almost exclusively occupied with the proceedings of the General Assembly, and much of the interest of those proceedings has resulted from the genius and eloquence of one individual'.[22] Mater o amser ydoedd cyn iddo gael ei ethol yn gymedrolwr Eglwys yr Alban, yr hyn a ddigwyddodd yn 1832, cwta flwyddyn cyn i'r ddau Gymro gyrraedd y wlad. Nid amheuai neb ei athrylith, ond i rai athrylith gwyrgam a pheryglus ydoedd, a haerai eraill iddo ddefnyddio ei lithrigrwydd ymadrodd i fygu barn ddilys a gwthio, doed a ddelo, ei agenda ei hun. Er gwaethaf ei lwyddiant ysgubol fel pregethwr poblogaidd yn Glasgow, ym mhlwyf Tron rhwng 1815 ac 1819 ac yna ym mhlwyf tlodaidd Sant Ioan hyd 1823, gelyniaethodd ei gynulleidfa trwy fynnu gweithredu ei gynlluniau radical ynghylch cymorth plwyfol i'r tlodion, a bu'n wrthrych atgasedd gan ei gyd-athrawon ym Mhrifysgol St Andrews oherwydd ei feirniadaeth lem ar yr hyn a ystyriai ef yn feiau a gwendidau ynddynt. Nid oedd ei gyfodiad trwy rengoedd y sefydliad eglwysig yn amddifad o uchelgais personol a thrwy ystryw gwleidyddol yr etholwyd ef i gadair diwinyddiaeth Caeredin. Os gallai fesmereiddio'r tyrfaoedd a swyno'r dosbarth canol efengylaidd newydd, roedd yn atgas gan rai o'i gyd-weinidogion a'i gyd-academyddion, ac nid cenfigen yn unig oedd wrth wraidd eu drwgdeimlad. Gyda marwolaeth yr arweinydd hirben Andrew Thomson, gweinidog eglwys St George, Caeredin, yn 1831, etifeddodd Chalmers fantell pennaeth plaid efengylaidd yr eglwys sefydledig. Golygai hynny fod ei safle bellach yn ddi-sigl.

Celwyd y pethau hyn rhag y ddau Gymro eilunaddolgar ifanc, a rhag llawer o werin Gristionogol yr Alban a'i hystyriai yn un o arwyr mawr y ffydd. Peth arall na fyddai'r ddau Fethodist Calfinaidd wedi sylweddoli oedd gymaint oedd ei wrthwynebiad i'r egwyddor wirfoddol yr oeddent hwy bellach yn ei harddel. 'Chalmers', meddai Stewart J. Brown, 'had little real sympathy with Dissent'.[23] Iddo ef sectariaeth oedd ymneilltuaeth, neu'r ffaith fod cyrff crefyddol wedi ymwahanu oddi wrth yr eglwys sefydledig, boed yng Nghymru neu yn yr Alban. Ar wahân i ddarllen cofiant yr offeiriad Anglicanaidd Edward Morgan i Thomas Charles o'r Bala, *A Brief Memoir of the Life and Labour of the Rev. Thomas Charles* (1828), ychydig a wyddai am Fethodistiaeth Galfinaidd Cymru, ond roedd ei farn am ddilynwyr John Wesley yn yr Alban yn ddigon negyddol. Eu pechod mawr oedd ymwrthod â threfn blwyfol yr eglwys sefydledig ac felly tanseilio ei weledigaeth ynghylch y boblogaeth gyfan yn ffynnu dan nawdd y gymanwlad gynhwysfawr Gristionogol. 'When I urge Methodists and other sectarians to do their uttermost', ysgrifennodd at Thomas Malthus yn 1821, 'it is because I believe that the ultimate effect of a movement among Dissenters would be a similar movement on the part of the Church, which in the strength of its own inherent powers, would soon outstrip all other denomin- ations in our land'.[24] Bu rhaid i Lewis Edwards gelu'r ffaith mai gyda'r Ymwahanwyr neu'r United Secession Church y byddai'n addoli ar y Sul: 'Ni buom yn pregethu yn rheolaidd yn Edinburgh y tro hwn', meddai wrth ei rieni ar 2 Mai 1834, 'oblegid yr oeddem yn ofni na fuasai Dr Chalmers yn dangos cymaint o gyfeillgarwch i ni pe clywai ein bod yn pregethu gyda'r *Seceders*'.[25] Nid tan i Chalmers, yn eironig, droi yn ymneilltuwr ei hun, gyda chreu yr Eglwys Rydd yn 1843,[26] y gallodd y Cymro ddangos ei wir ymlyniad wrth yr egwyddor wirfoddol yr oedd y Sgotyn wedi bod mor ddrwgdybus ohoni gyhyd.

Peth arall a guddiwyd rhag y ddau Galfin Cymraeg oedd amwysedd athrawiaethol eu hathro diwinyddiaeth. Yn ôl yr argraff cychwynnol, Calfinydd trwyadl oedd Chalmers, yn llinach cyfamodwyr yr Alban ac yn driw i fanylion Cyffes Westminster, sef prif gyffes ffydd eglwysi diwygiedig ynysoedd Prydain. 'He has spoken more than once in terms of high commendation of the writings of Jonathan Edwards of America', nododd Lewis Edwards, 'and Bishop Butler, he says, was the Bacon of theology. He is rather a high Calvinist.'[27] Cyfres tair cyfrol *Lectures in Divinity* (1821), gan George Hill, diweddar athro diwinydd- iaeth Prifysgol St Andrews a'r gŵr a ddysgodd athrawiaeth i Thomas Chalmers ei hun, a ddefnyddid fel llyfr gosod yng Nghaeredin, ac er eu bod yn dilyn yn fras y schema ddiwygiedig, perthyn i'r blaid gymedrol (*The Moderate Party*) oddi mewn i Eglwys yr Alban yr oedd Hill, ac nid i'r blaid efengylaidd (*The Popular Party*). Erbyn i Edwards gyrraedd yr Alban, roedd Chalmers yn hysbys fel arweinydd y blaid efengylaidd yno, ac fel athro diwinyddiaeth Prifysgol Caeredin o dan rwymedigaeth i ddysgu cynnwys Cyffes Westminster, sef sylfaen diwinyddol yr eglwys sefydledig yr oedd ef mor frwd o'i phlaid.

Mewn gwirionedd pragmatydd mewn materion athrawiaethol oedd Chalmers, a'i brif bwyslais o hyd ar ymarferoldeb y grefydd Gristion- ogol yn hytrach na manylrwydd yn unol ag unrhyw gyfundrefn gaeth. Fe feddai, yn ôl un sylwebydd, 'a surprisingly liberal and selective attitude towards the Westminster Confession'.[28] Nid oes unrhyw dystiolaeth, ychwaith, ei fod yn gyfarwydd â chynnwys *Institutio* John Calvin. Yn sicr nid yw'n ei ddyfynnu mewn unman yn ei weithiau, ac nid oedd copi ohono yng nghatalog ei lyfrgell. 'Chalmers himself had never strictly adhered to the scholastic Calvinism of the Westminster Confession',[29] meddai Stewart J. Brown, ac roedd ei gydymdeimlad greddfol gyda diwygwyr athrawiaethol megis J. McLeod Campbell a chyfaill Chalmers a'i gydweithiwr cynt, Edward Irving. Ond pan gyhuddwyd Campbell o heresi gan henaduriaeth Dumbarton yn 1831 am wadu fod aberth Crist yn gyfyngedig i'r etholedigion yn hytrach na'i fod yn gyfled â'r byd cyfan, ni chododd ei lais i'w amddiffyn. Roedd yn annodweddiadol fud pan ddiarddelwyd Campbell o'r weinidogaeth gan gymanfa gyffredinol 1831, flwyddyn cyn ei ethol yn gymedrolwr arni, ac roedd y mudandod yn parhau pan dorrwyd Edward Irving allan o'r eglwys gan henaduriaeth Annan am yr un heresi ddwy flynedd yn ddiweddarach. Mewn gwirionedd, ni allai fforddio sefyll yn erbyn llythyren y gyffes ffydd rhag peryglu ei safle oddi mewn i'w eglwys a'i brifysgol. Roedd hyn eto yn rhan o awydd Chalmers i warchod ei fuddiannau ei hun yn hytrach na chymryd safbwynt amhoblogaidd a fyddai'n peryglu ei safle fel gwladweinydd eglwysig mwyaf pwerus yr Alban ar y pryd. Ond wedi dweud hyn i gyd, dyn aruthrol fawr oedd Thomas Chalmers a adawodd ei ôl ar holl hanes yr Alban am genedlaethau i ddod, ac roedd ei garedigrwydd tuag at y ddau Gymro, a llawer o rai tebyg, yn gwbl ddiffuant. Ni fyddai edmygedd Lewis Edwards ohono fyth yn pylu, er i'r gŵr ifanc o Geredigion dynnu casgliadau eglwysyddol ac athrawiaethol tra gwahanol i'w feistr maes o law.

Cynnyrch Cyntaf

Roedd awydd Lewis Edwards i gyfrannu at swm llenyddiaeth ei wlad eisoes wedi gafael ynddo, ac yn ystod ei dymor cyntaf yng Nghaeredin ymddangosodd ei ysgrifau sylweddol cyntaf yn y wasg. Er 1830 roedd *Y Drysorfa* o dan olygyddiaeth fedrus John Parry, gynt o Gaer, wedi bod yn fforwm cyfnewid gwybodaeth ar gyfer Methodistiaid Calfinaidd Cymru, ac un erthygl gan Edwards wedi ymddangos ar ei thudalennau eisoes. Cyfansoddodd 'Byr hanes o fywyd Robert Morgan, Aberyffrwd, Swydd Aberteifi',[30] sef gwerthfawrogiad byr o fywyd cyfoeswr o Fethodist a fu farw yn ifanc, yn ystod ei gyfnod yn Nhalacharn. Ond yn gynnar yn 1834 cyhoeddwyd dwy ysgrif fwy eu maint sef 'Ysbrydolrwydd gwŷr crefydd' yn rhifyn Ionawr, a 'Llygredigaeth y natur ddynol' fis yn ddiweddarach. Nid oedd y naill na'r llall yn arbennig o dreiddgar, ond gwnaethant lawer i godi ei broffil fel awdur ifanc o addewid mawr. Yr hyn sy'n drawiadol amdanynt, ar yr olwg gyntaf, yw eu harddull chwyddedig: 'Y gwrthgredwyr yn wir a grechwenent ac a ddawnsient mewn gorphwyllog lawenydd', meddai, 'wrth weled fflamiau ffyrnig-wyllt yn ymledu o dŷ i dŷ, a'u mwg caddugawl yn ymddyrchu hyd entrych yr wybren, ac yn tywyllu pelydr yr huan – llestri euraidd y cysegr wedi eu troi yn hylif toddedig, yn rhedeg yn afonydd gwreich-ionawg ar hyd ein heolydd . . . yr addurniadau gorwychaf a sancteiddiaf yn chwifio fel peiswyn o flaen y gwynt',[31] ac felly ymlaen am bara-graffau cyfain. Pan aeth Edwards ati yng nghyflawnder ei ddyddiau i olygu ei erthyglau pwysicaf yn y ddwy gyfrol gyfansawdd *Traethodau Llenyddol* (1867) a *Traethodau Duwinyddol* (1872), dyma a ysgrifennodd am y cynnyrch hwn:

> Ar ddymuniad cyfeillion yr wyf yn ail-argraffu y meddyliau hyn. Bûm unwaith ar fedr eu galw yn 'feddyliau rhamantus' ond bernais wedi hynny y byddai yr enw hwn . . . yn arwain y darllenydd i ddisgwyl mwy oddi wrthynt nag sydd ynddynt. Y mae yn rhaid addef eu bod yn hynod annosbarthus . . . Yr oeddwn yn ddigon hen pan ysgrifennais hwynt i wybod gwell, ond y mae rhai yn cymeryd amser maith i ddysgu![32]

Chwarae teg iddo. Y gwir yw fod y ddwy ysgrif hyn wedi creu cryn argraff ar ddarllenwyr y cylchgrawn. 'Nid wyf yn cofio i mi glywed mwy o ganmoliaeth i ddim a gyfansoddais erioed nag i'r meddyliau hyn.'[33] Roedd rhai, beth bynnag, o Fethodistiaid Calfinaidd Cymru yn dechrau sylweddoli fod ganddynt egin-feddyliwr o fri yn yr Alban, ac nad drwg o beth oedd i gyfarfod misol Ceredigion ganiatáu i'r ddau bregethwr ifanc ymorol am addysg ymhell o'u gwlad.

Erbyn iddo lunio ei ysgrif estynedig gyntaf, 'Pa ham? Pa fodd?' o dan y ffugenw 'Epsilon' ddiwedd 1834, roedd Lewis Edwards wedi dechrau ymysgwyd yn rhydd o'i arddull flodeuog gan fagu'r Gymraeg glir a fyddai'n ei nodweddu am weddill ei oes. Roedd ef hefyd wedi cael blwyddyn o addysg brifysgol, ac roedd ôl dysgeidiaeth ei athrawon arno, yn enwedig yr ysgol athronyddol a elwid yn Realaeth 'Synnwyr Cyffredin' yr Alban. Ymarferiad mewn rhesymu oedd yr ysgrif, yn waith gŵr ifanc pur sicr o'i bethau ac yn ymorchestu, braidd, wrth oleuo'i ddarllenwyr ynghylch materion o bwys. Ar wahân i ambell gyffyrddiad siwgwraidd fel 'Ond cymer bwyll, fy annwyl gyfaill' a '[dealla], gyfaill hawddgar',[34] mae'r arddull yn lân. Ymdriniaeth â therfynau gwybodaeth sydd ganddo, neu beth a all person ei wybod neu beidio â'i wybod o ran cyfansoddiad ei feddwl ei hun. Mae'r ysgrif wedi'i llunio o gwmpas chwe chwestiwn: sut mae corff yn effeithio ar gorff? Sut mae corff yn effeithio ar feddwl? Ac yna, fel arall, sut mae meddwl yn effeithio ar gorff? A sut mae meddwl yn effeithio ar feddwl? Mae rhai pethau yn amlwg i bawb, meddai, fel y ffaith fod i bob effaith ei achos, fod gan bawb y sicrwydd mai ef yw ef ei hun a neb arall, a bod y byd yn bod yn annibynnol ar dybiaethau unigolion amdano. Ond pam mae'r pethau hyn yn bod sy'n ddirgelwch, ar wahân i'r ffaith fod Duw yn eu hewyllysio. Er bod rheswm yn medru dangos sut mae pethau'n digwydd – 'pa fodd' – erys y cwestiwn 'paham': 'Y cysylltiad sydd rhwng achosion a'u heffeithiau priodol sydd i ni yn anweledig', meddai.[35]

Fel cynifer o feddylwyr y cyfnod, ac yn sicr fel holl ddeiliaid Realaeth neu athroniaeth 'Synnwyr Cyffredin' yr Alban, credai Edwards fod modd rhesymu'r ffordd tuag at Dduw trwy ddefnyddio'r profion traddodiadol am ei fodolaeth, y prawf cosmolegol yn arbennig, neu 'y prawf a gawsom o anghyfnewidioldeb deddf y greadigaeth'.[36] Fel ymateb i sgeptigiaeth yr athronydd David Hume, roedd meddylwyr eraill yr Alban, sef Thomas Reid (1710–96) o Aberdeen, ei ddisgybl Dugald Stewart (1753–1828), athro athroniaeth foesol Caeredin, a'i olynydd Thomas Brown (1778–1820) yn ei *Elements of the Philosophy of the Human Mind* (1802), wedi mynd ati i amddiffyn y dybiaeth fod deddfau gwrthrychol yn ymhlyg yn y greadigaeth ac y gallai pobl gyffredin, trwy ymarfer eu rheswm, ddod o hyd iddynt a thrwy hynny ddarganfod gwirionedd pethau.[37] Er i fetaffisegwyr gorgywrain geisio canfod y cyswllt rhwng sut mae pethau'n bod a pham y maent yn bod, methu a wnaethant: 'Paham y methasant oll heb wahaniaeth? Oblegid nad ymgynghorasant â llawer hen Gymro tlawd ac annysgedig; oblegid na wrandawsant ar gyfarwyddiadau synnwyr cyffredin.'[38] Gwendid sylfaenol Realaeth Synnwyr Cyffredin yr Alban fel cyfundrefn oedd iddi ragdybio'r hyn a fynnai ei brofi, sef bod deddfau'r greadigaeth yn adlewyrchu gwirionedd absoliwt ac yn sicrhau trefn, cynghanedd ac unoliaeth bywyd. Ond roedd hi'n cydweddu'n berffaith ag uniongrededd Gristionogol ac â'r argyhoeddiad beiblaidd ynghylch daioni Duw yn y greadigaeth, ac roedd hi'n clirio'r ffordd ar gyfer y datguddiad pellach yng Nghrist. Gallwn ganfod Duw trwy reswm, meddai Edwards, 'ond pa beth yw Duw nis gallwn amgyffred'.[39] Dyna pam roedd rhaid wrth y wybodaeth ddwyfol a gaed yn y Gair.

Ond hyd yn oed oddi mewn i derfynau'r datguddiad beiblaidd, roedd llawer o bethau'n guddiedig oddi wrthym. Yr honiad ysgrythurol oedd mai Duw a wnaeth y byd ond pa fodd y gwnaeth hynny, ni wyddom. Ac eto, y ddysgeidiaeth uniongred yw mai Ef sy'n cynnal y byd; ni ddatgelwyd i ni sut y gall wneud hynny: '*Pa fodd* y mae Gair y Goruchaf yn . . . [c]ynnal ei greadigaeth mewn bod ac mewn trefn, nis gwyddom.'[40] Nid datrys y dirgelion i gyd yw gwaith y diwinydd ond dysgu'r eglwys pa mor bell y gallai hi fynd cyn cyfeiliorni yn ei dealltwriaeth o'i Duw. Mewn geiriau eraill roedd math arbennig o agnosticiaeth – peidio â gwybod – yr un mor hanfodol i wir dduwioldeb â *gnosis* neu wybodaeth. Fel *via negativa* y traddodiad Catholig neu ddiwinyddiaeth apophatig Eglwys y Dwyrain, gwyddai Lewis Edwards, y Calfinydd, fod yr hyn na ellid ei ddweud am Dduw yr un mor bwysig â'r hyn y gellid ei ddweud amdano. 'Nis gallwn feddwl am fod ysbrydol fel y cyfryw ond mewn dull nacaol'[41] meddai, ac '[Y] cwbl a wyddom uwchlaw hyn, hyd yn oed trwy ddatguddiad, sydd o natur nacaol'.[42] Roedd Duw ei hun, yn ei ddatguddiad, wedi gosod terfynau i'r hyn y medrwn ei feddwl neu ei ddweud amdano. Ni thalai i neb fod yn rhy eofn na llafar wrth ymwneud â phethau dwysaf y ffydd.

Roedd y ddau gwestiwn olaf o'r chwech yn ymwneud yn uniongyrchol â'n gwybodaeth o Dduw: sut mae'r Creawdwr yn gweithredu yn ei greadigaeth? A sut mae Duw yn llywodraethu ar y meddwl? Prif argyhoeddiad y schema Galfinaidd yw bod Duw yn sofran yn ei fyd, trwy ragluniaeth neu ei lywodraeth ar hanes o ran pethau tymhorol, a thrwy alw'r etholedigion i fywyd o ran pethau ysbrydol. Gallai Calfiniaeth yn rhwydd iawn droi yn dynghediaeth ddall a nacáu i'r ewyllys ddynol unrhyw ystyr real. Y gamp, felly, i'r Calfinydd yw peidio ag ildio sofraniaeth Duw yn null y Pelagiaid neu'r Arminiaid, wrth ddarganfod rhyw ffordd i arddel rhyddid ewyllys dyn. Nid yw'n beth hawdd. Yn rhan olaf yr ysgrif fentrus a galluog hon, mae Edwards yn mynnu, fel Calfin da, fod Duw yn goruwchlywodraethu dros bob dim: '[yr ydym] yn barnu fod Duw yn llywodraethu meddyliau dynion yn y modd mwyaf manwl', meddai.[43] Ond mae'n mynnu, yn ogystal, fod dyn yn fod trwyadl gyfrifol a bod rheidrwydd arno i ddefnyddio moddion er mwyn gweithio allan ei iachawdwriaeth ei hun. Yn rhesymegol, dyma wrtheb na ellid byth mo'i ganiatáu, ond dyma hefyd dystiolaeth glir y deunydd ysgrythurol. 'Mae yn amhosibl fod gan ddyn yr hyn a ddëellir yn gyffredin wrth ewyllys rydd: ac y mae [yr un] mor amhosibl iddo beidio â bod yn greadur cyfrifol.'[44]

Un o gryfderau Edwards fel diwinydd maes o law oedd iddo dyfu i fod yn gysurus gyda'r cysyniad o baradocs; byddai'n gwrthod gwthio'r dystiolaeth feiblaidd i mewn i batrwm taclus, rhesymegol ac yn unol â chaethiwed trefn. 'Y farn a amddiffynnir yn yr ysgrif hon', meddai,[45] yw bod Duw yn sofran ym mhob dim a bod gofyn i ddyn weithredu fel pe bai'n gwbl rydd. 'Nid oes neb wedi ysgrifennu mor olau ar ryddid yr ewyllys â Jonathan Edwards, ac yr wyf yn cydnabod fy mod yn fwy dyledus iddo ef nag i neb arall am gymorth i ysgrifennu hyn o draethawd', meddai.[46] Ond eto, yr hyn a wnaeth y diwinydd American-aidd Jonathan Edwards oedd amodi rhyddid ewyllys dyn trwy fynnu fod y sofraniaeth ddwyfol yn absoliwt. Iddo ef, ac i Edwards y Cymro, roedd gofyn i ddyn weithredu fel pe bai'n gwbl rydd. Roedd cysgod tyng-hediaeth ar ei weithredoedd o hyd. Nid tan i Lewis Edwards ddarganfod yr hyn a alwodd ei ddisgybl Llewelyn Ioan Evans 'yr egwyddor fawr o wrthgyferbyniaeth ym myd y gwirioneddau',[47] neu, mewn geiriau eraill, bwysigrwydd paradocs wrth ddiwinydda, y bu iddo ymryddhau oddi wrth ormes y naill ai/neu. Ond o leiaf roedd yr ysgrif gynnar hon yn dangos ei fod eisoes yn ymdeimlo â'r ffordd briodol ymlaen. 'There are two articles by your humble servant to come out in the *Drysorfa* soon on the freedom of the will', meddai wrth ei gyfaill John Matthews ar 26 Ionawr 1835, 'and though I say it who shouldn't say it, I think they are both very good'.[48] Rhwng popeth roeddent yn ysgrifau aeddfed a galluog gan un a fyddai'n datblygu ymhen dim i fod yn ddiwinydd tra arbennig.

Yn Ôl yng Nghymru

Ac yntau'n yfed o ffynhonnau dysg yng Nghaeredin bell, roedd cyfeillion Lewis Edwards, nid lleiaf yn nhref Seisnigaidd Talacharn, yn meddwl yn aml amdano. Heb yn wybod iddo, roedd yr artaith ysbrydol a ddioddefodd yno fel pregethwr aflwyddiannus ar ddiadell anhydrin wedi dwyn ffrwyth, ac erbyn 1834 roedd arwyddion di-gamsyniol o adfywiad yno a ddeilliai o'i weinidogaeth ymroddgar yn yr eglwys ychydig ynghynt. Yn hytrach na chau'r capel yn ôl y bwriad gwreiddiol, roedd adeilad newydd wedi ei godi a'r achos bellach yn dra blodeuog. Ei olynydd yno fel cenhadwr cartrefol oedd ei gyfaill a'i gyfoeswr Richard Lumley (1810–84) o Aberystwyth, gŵr galluog ond sgrafellog a ddaeth, ymhen blynyddoedd, yn llywydd cymanfa gyff-redinol ei gyfundeb.[49] 'My greatest encouragement', meddai Lumley ar 14 Ionawr 1834, 'now arises from seeing such crowds coming to hear the gospel: the chapel is full up and downstairs every Sunday, and whatever their views may be in coming . . . they seem to listen with profound attention'.[50] Un o dröedigion Edwards yn Nhalacharn oedd James Williams y gof, a fu wedyn yn genhadwr yn Llydaw. Nid yn unig ei fod yn bersonol ddyledus i'w gyn-weinidog, ond sicrhaodd ef nad ofer fu ei ymdrechion yn eu plith: 'You have no need to repent your having been at Laugharne', meddai ar 29 Mawrth, 'as there is no doubt but the effect of your labours is now appearing. I hope the Lord will bless the gospel in this self-righteous town.'[51] Fel Edwards a John Phillips, roedd Richard Lumley yn dra awyddus i herio'r rhagfarn Fethodistaidd yn erbyn dysg ac ymuno â'i ddau gyfaill yng Nghaeredin: 'Let not Edinburgh be affrighted if I should accompany you on your return thither', meddai, '. . . in order to form a Welsh Calvinistic triumvirate who shall cast all the dull Scotch into the shade, and triumphantly to carry off all the laurels of the celebrated nursery of science and literature'.[52] Ond nid dyna a fu. Ni chafodd Lumley ganiatâd y cyfarfod misol i ymadael â'i le, ac oherwydd ei sefyllfa ariannol nid oedd ganddo'r modd i herio'r penderfyniad. Nid oedd y farn wrth-academaidd eto wedi darfod, a chynddaredd Lumley yn dangos maint y pegynu o hyd:

> [A]mong us here, as you very well know, the more illustrious and refined are a young man's attainments, so much the more is he trodden under foot of those *crachbregethwyr* . . . who know not the difference between black and white. Indeed, my friend, the very mention of the bawling un-charitable dogs, the mere thought of their barking, unmeaning scowls, makes me so impassioned as almost to imprecate an eternal curse on their throats.[53]

Byddai rhagfarn 'unruly blockheads' y genhedlaeth hŷn gyda'u 'doltish-ness' fel y taranai Lumley yn ffrom yn ildio cyn hir i egwyddor y weinid-ogaeth ddysgedig, yn bennaf trwy benderfyniad, esiampl a llwyddiant Lewis Edwards ei hun. Er na ddeuai cyfle i Lumley fanteisio ar y fraint a gafodd ei ddau gyfaill, roedd yn ddigon o ddyn i ymfalchïo yn eu llwyddiant a dymuno'r gorau iddynt, i Edwards yn arbennig. 'Well done Llewelyn', meddai, 'go on till you eclipse them all!'[54]

Erbyn dechrau Mai roedd y flwyddyn golegol wedi dod i ben a Lewis Edwards a John Phillips ar eu ffordd yn ôl i Gymru. Treuliasant gyfnod yn Lerpwl wedi hwylio o Glasgow yno, a chafodd Edwards draethu yng nghapel Pall Mall gyda William Roberts, Amlwch, un o'r rhai a'i holodd yn sasiwn Llangeitho yn 1829 pan dderbyniwyd ef yn bregethwr rheol-aidd gan y cyfundeb, yn y gynulleidfa. 'Yr ydym wedi gorffen ein tymor yn Edinburgh yn gysurus ac yn llwyddiannus', ysgrifennodd at ei rieni

ar 2 Mai 1834, 'ymhell tu hwnt i'n disgwyliad'.[55] Bwriadent fynd i sasiwn
y Bala ymhellach ymlaen yn y mis, ac yna anelu yn ôl am Geredigion.
Oherwydd ei fagwraeth, ei grefydd a'i ddiwylliant, nid oedd ymffrostio
yn ei gyraeddiadau ei hun yn dod yn rhwydd i Edwards, ond ni allai
beidio â hysbysu Lewis a Margaret Edward o'r llwyddiannau academ-
aidd a ddaeth i'w ran. Rhoddodd John Wilson, 'Christopher North',
wobr flynyddol am y traethawd gorau ar athroniaeth foesol. Cystad-
lodd Edwards amdani, a'i chael. 'Os dywedaf y gwir', meddai wrth ei
rieni, 'fe ddarllenwyd mwy ar draethawd rhyw Gymro o Sir Aberteifi, ac
fe ganmolwyd mwy arnynt na'r lleill gyda'i gilydd'.[56] Ac ystyried fod
mwy na hanner cant yn y dosbarth, roedd hyn yn gryn glod iddo. Doedd
dim rhyfedd fod y Cymro yn dawel ymfalchïo yn ei gamp. Rhwng
popeth roedd y flwyddyn wedi bod yn llwyddiant ysgubol iddo ac yn
argoeli'n ardderchog am bethau gwych i ddod.

Yr Ail Flwyddyn

Treuliodd y ddau fyfyriwr yr haf yn mynd o sasiwn i sasiwn. Oher-
wydd gwerth newydd-deb, a'r ffaith fod John Phillips eisoes yn hysbys
fel pregethwr nerthol a phoblogaidd, fe'u gwahoddwyd i gyfarch yn yr
uchel wyliau yn amlach nag arfer. Bu Edwards yn Rhosllannerchrugog
yn pregethu yng nghwmni John Hughes, Pontrobert, adeg y Sulgwyn.
Pregethodd yn Saesneg ar y cyd â'i hen nemesis, Ebenezer Richard, ar
ddechrau Gorffennaf, ac yna yn sasiwn Machynlleth yng nghwmni'r
mwyaf o bregethwyr ei genhedlaeth, sef Henry Rees, ddiwedd y mis.
Cafodd fynd wedyn i sasiwn Dolgellau lle bu'n traethu gyda'i frawd,
Thomas Edwards, ddechrau mis Hydref. 'Yr oedd mwy o sôn am ei
bregeth ef nag un o'r lleill yn Nolgellau', meddai Lewis wrth ei rieni
ar 2 Hydref, 'hyd yn oed gan yr hen bobl fwyaf ysbrydol yn y lle'.[57]
Dychwelodd ef a Phillips i Gaeredin erbyn dechrau Tachwedd, a digon
cynhyrfus oedd y daith. 'Nyni a fuom mewn storom ddigyffelyb rhwng
Liverpool a Glasgow', meddai.[58] Roedd taith llong a arferai gymryd
diwrnod wedi para deuddydd a mwy.

> Fe dorodd y *boiler* gyda ni hefyd, yr hyn a'n cadwodd gerllaw *Isle of Man*
> am ddeg awr i'w wella. Yr oedd yn amhosibl i ni sefyll ar y *deck* gan rym
> y gwynt, ac yn y cabin nis gallem sefyll chwaith nac eistedd na gorwedd gan
> fel yr oedd yr ystolion a'r byrddau a'r dynion yn cael eu bwrw yn erbyn
> ei gilydd.[59]

Ond cyrraedd a wnaethant yn ddianaf, heb ddim sôn am salwch môr, a lletya eto yng nghartref Mrs Taylor yn Bristo Street.

Ceir y disgrifiad mwyaf manwl o lafur Lewis Edwards ym Mhrifysgol Caeredin mewn llythyr at un o ffyddloniaid y Methodistiaid Calfinaidd yn Lerpwl, sef David Davies, Paradise Gardens, dyddiedig 11 Chwefror 1835. Er mai diwinyddiaeth oedd ei brif efrydiaeth, câi ei drwytho mewn amryw o bynciau yn ogystal. Mynychodd dri dosbarth o Roeg, a'r Athro Dunbar, 'a profound Greek scholar',[60] a'i tywysai trwy Xenophon, Homer, Demosthenes a'r trasiedïau. Un o gefndir digon tlawd oedd George Dunbar (1777–1851) a fu am amryw flynyddoedd yn arddwr cyn cael cyfle i ymrestru ym Mhrifysgol Caeredin. Cydnabuwyd ei allu yn syth, a phenodwyd ef i'r gadair llenyddiaeth Roeg yn 1807. Fel geiradurwr y gwnaeth ei enw gyda'i *Greek-English Lexicon* yn ymddangos yn 1832. Roedd tri dosbarth eto o Ladin, gyda'r Athro James Pillans (1778–1864) yn tywys y dosbarth ar hyd llwybrau Fyrsil, Ofydd, Horas, Livy, Cicero a Tacitus. Yn wahanol i'r rhan fwyaf o'i gydathrawon, Chwig oedd Pillans, yn gyn-athro ysgol a oedd un mor hysbys fel addysgwr blaengar ag ydoedd fel ysgolhaig clasurol. Penodwyd ef i'r gadair mewn llên Rufeinig yn 1820 ar ôl cyfnod fel prifathro ysgol uwchradd y ddinas. Cymerai ofal manwl o'i fyfyrwyr a dangosodd diddordeb arbennig ynddynt, a daeth Edwards i brofi o'i garedigrwydd neilltuol maes o law. Roedd yr Athro William Wallace FRS (1768–1843), a fu'n dal y gadair mewn mathemateg er 1809, ymhlith gwyddonwyr disgleiriaf ei genhedlaeth. Byddai'n tywys ei ddosbarth, y Cymro yn eu plith, ym meysydd geometreg trwch ac arwyneb, trigonometreg, algebra, calcwlws a phethau eraill. Un dosbarth yr un oedd mewn athroniaeth naturiol a rhesymeg, y naill yn cael ei ddysgu gan yr Athro James David Forbes (1809–68), 'a clever man'[61] heb fod fawr hŷn na'i fyfyrwyr, a'r llall gan Dr David Ritchie. Byddai Ritchie yn dod i ystyried Edwards ymhlith y gorau o'i fyfyrwyr erioed, ond 'no great shakes'[62] oedd ei farn am ei athro, ar y pryd beth bynnag! Roedd barn y Cymro am Thomas Chalmers, ei athro diwinyddiaeth, yr un peth ag o'r blaen: 'He is one of the kindest and most warm-hearted men on the face of the earth.'[63] Ond hyd yn oed yn uwch na Chalmers, yn yr ystafell ddosbarth beth bynnag, yr oedd John Wilson (1785–1854), ei athro mewn athroniaeth foesol. Disgrifiad Edwards ohono oedd, 'the editor of *Blackwood's Magazine*, a splendid lecturer and confessedly one of the first geniuses of the day'.[64] Ef, ynghyd â Chalmers, oedd y bersonoliaeth fwyaf pwerus ymhlith yr athrawon, ac fel ei gyd-athro mewn diwinyddiaeth, yn ffigur dadleuol dros ben.

'Christopher North'

Ganed John Wilson yn Paisley yn 1784, ei dad yn farsiandïwr a'i fam yn un o ddisgynyddion ardalydd Montrose. Cafodd fagwraeth freintiedig, a phrofodd ei hun yn fyfyriwr hynod ddisglair, yn Glasgow i ddechrau gan ddysgu rhesymeg, rhethreg a'r clasuron, ac yna yng Ngholeg Magdalen, Rhydychen, ble yr enillodd y wobr Newdigate mewn barddoniaeth. Wedi etifeddu ffortiwn sylweddol, aeth i fyw wedi graddio i Ardal y Llynnoedd, gan fwriadu ei gynnal ei hun ar ei waddol deuluol. Bu'n gohebu eisoes â William Wordsworth yn sgil cyhoeddi'r *Lyrical Ballads* (1798), ac fel un o feirdd rhamantaidd y llynnoedd yr ystyriai ei hun. Priododd â Jane Penny o Lerpwl yn 1811, ond nid oedd hi'n rhy fodlon ar weld ei gŵr heb yrfa broffesiynol, felly yn 1813 symudasant i Gaeredin ble y dechreuodd Wilson hyfforddi yn y gyfraith cyn ei alw i'r bar ddwy flynedd yn ddiweddarach. Sylweddolodd yn fuan mai fel gŵr llên yn hytrach nag fel bargyfreithiwr yr oedd natur wedi ei gymhwyso, a dechreuodd ysgrifennu i'r *Edinburgh Review* a chael ei dalu yn hael am wneud. Cylchgrawn y Chwigiaid oedd yr *Edinburgh Review*, ond roedd y cyhoeddwr William Blackwood yn awyddus iawn i greu cylchgrawn cyfatebol yng Nghaeredin fel llwyfan i'r farn Dorïaidd, a chan mai Tori oedd Wilson, gwahoddwyd ef i ymuno â'r fenter. Lawnsiwyd *Blackwood's Edinburgh Magazine* yn Ebrill 1817 ac yn rhifyn mis Hydref cafwyd ymosodiad chwyrn gan feirniad o'r enw 'Christopher North' ar farddoniaeth Samuel Taylor Coleridge, cyd-awdur y *Lyrical Ballads*. Ffugenw Wilson oedd 'Christopher North', a'r hyn a barodd syndod oedd mai cyfaill personol i'r bardd oedd y beirniad llym. Bid a fo am hynny, mewn toreth o ysgrifau llenyddol, gwnaeth 'Christopher North' enw iddo'i hun fel beirniad llenyddol mwyaf dadleuol ei oes ac, ynghyd â James Gordon Lockhart a James Hogg, yn un o brif golofnau'r cylchgrawn.

Os na fwriadwyd Wilson i fod yn ŵr y gyfraith, nid oedd ganddo'r cymwysterau chwaith i fod yn athronydd moesol. Gyda marwolaeth Thomas Brown, athro athroniaeth foesol Prifysgol Caeredin yn 1820, ymgeisiodd am y swydd wag yn erbyn y dysgawdwr William Hamilton, a'i chael. Ymhen blynyddoedd gallodd Lewis Edwards ddweud: 'Nid oedd un gradd o gymhariaeth rhwng Wilson a Hamilton . . . [ond] yr oedd Wilson, er nad yn feddyliwr dwfn, yn meddu dawn neilltuol i wisgo pynciau moesol â phrydferthwch.'[65] Ond am Hamilton, '[e]fe oedd y beirniad mwyaf yn yr oes hon'.[66] Chwig oedd Hamilton, a chyngor y ddinas, a oedd yn filwriaethus o Dorïaidd, oedd â'r hawl i benodi i gadeiriau'r brifysgol, felly nid ef ond Wilson a gafodd y gadair. Cododd y penodi hwn ddrewdod enbyd yn ffroenau llawer, oherwydd gwyddai pawb na wyddai Wilson y peth lleiaf am y pwnc, fel y cyf-addefodd ei gofiannydd, sef ei ferch ei hun.[67] Cymaint oedd ei an-wybodaeth o hanfodion athroniaeth foesol fel y bu rhaid iddo bwyso ar gyfaill iddo, ei gyd-Dori Alexander Blair a oedd yn athro ym Mhrif-ysgol Llundain, i lunio cwrs cyfan ar ei gyfer. A'r cwrs hwnnw fu'n gynhaliaeth iddo am ddeng mlynedd ar hugain, tan ei ymddeoliad yn 1851. 'Certainly, but for the stuffing Alexander Blair put into him, John Wilson would have been a hollow man', meddai cofiannydd diwedd-arach. 'Therefore, taking him on his merits he *was* a hollow man, and he knew it.'[68]

Gwir ddiddordeb yr athro newydd oedd llenyddiaeth, a bu cryn ddarllen ar ei nofelau, megis *The Trials of Margaret Lyndsay* (1823) a *The Foresters* (1825), ar y pryd. Dywedwyd am George Gilfillan, y llenor diniwed a gydletyodd â Lewis Edwards, 'From the hour of his first introduction to Wilson's writings, Gilfillan was caught in their splendid snare.'[69] Sentimental, braidd, oedd y nofelau hyn, ond nid felly ei gyfres 'Noctes Ambrosianae' a redodd yn *Blackwood's Edinburgh Magazine* rhwng 1825 ac 1835. Darlun dychanol a miniog o gyfarfodydd literati Caeredin yn nhafarn yr Ambrose oedd cynnwys y gyfres, gyda 'Christopher North' yn sylwebydd ffraeth ar ffolinebau a phechodau cyd-lenorion megis 'y Bwytawr Opiwm' (*the Opium Eater*), sef Thomas De Quincey, er na enwyd mohono, y gwladwr llabystaidd 'Bugail Ettrick' (*the Ettrick Shepherd*), a oedd yn ddarlun creulon o'r nofelydd a'r bardd James Hogg, ynghyd ag eraill.[70] Chwyddodd y golofn hon ddarllenwyr *Blackwood's*, ond prin y bu iddo wneud Wilson yn rhy boblogaidd ymhlith ei gydysgrifenwyr. Er ei fod yn athronydd yn ôl ei alwed-igaeth, nid oedd ganddo'r rhuddin cymeriad na'r difrifoldeb moesol a feddai Thomas Chalmers, ac roedd ei Doriaeth ymwybodol yn rhwym o ddieithrio'r Cymro Methodistaidd disglair a oedd yn ei ddosbarth. Yn groes i hanes ei gyd-letywr rhamantaidd Gilfillan, a ddaliwyd gan 'a glimpse of the yellow-haired demigod driving through the streets of Comrie', ni chafodd Edwards mo'i orgyfareddu ganddo. 'The glamour of Christopher North fell upon the young student and was certainly one of the less happy influences of his life.'[71] Nid felly y bu yn hanes Edwards. Yr hyn a edmygai'r Cymro amdano oedd arddull cain ei ysgrifennu, ond tyfodd ei fydolrwydd a'i soffistigeiddrwydd yn ddiflas ganddo. Fodd bynnag, roedd cael eistedd wrth draed un o'r awduron a afaelodd yn ei ddychymyg pan ddaeth o hyd i *Blackwood's Edinburgh*

Magazine gyntaf yn swyddfa argraffu Cox yn Aberystwyth flynyddoedd ynghynt, yn dal i beri cryn foddhad.

Beth bynnag am y blas a gâi Lewis Edwards ar fywyd prifysgol a'r ffaith fod ei yrfa yno yn mynd o nerth i nerth, roedd olion yr hen ddrwgdybiaeth tuag ato yn dal i fudlosgi ymhlith rhai o Fethodistiaid hŷn siroedd Ceredigion a Chaerfyrddin. Roedd rhywbeth tebyg i ing i'w glywed yn ei lythyr at John Matthews, 'my dearest friend', o Gaeredin ar 26 Ionawr 1835: 'I am obliged to you for letting me know what new mischief is brewing for me in the black cauldron. Oh! They will surely drive me mad one of these days.'[72] Roedd y sôn wedi lledu fod Edwards wedi siarad yn amharchus am John Elias rywbryd yn ystod yr haf blaenorol, er i'r dyn iau wadu fod unrhyw falais nac annhegwch yn ei sylwadau. Mewn rhai cylchoedd roedd yr awgrym lleiaf o feirniadaeth yn erbyn prif arweinydd Methodistiaeth y gogledd yn ddigon i dduo ei enw am byth: 'I can't think what makes those scurvy scamps to be always nibbling at my reputation', meddai.[73] Ac yntau ymhell oddi cartref teimlai yn hynod ddiymgeledd: 'I have now hardly a friend upon earth beside yourself.'[74]

Os drwg oedd pethau yng nghyfarfod misol Ceredigion, roeddent yn waeth, os rhywbeth, yng nghyfarfod misol Caerfyrddin. Roedd yn parhau i ddisgwyl cefnogaeth ariannol a hir addawyd o Dalacharn, ond dysgodd bellach na fyddai'r arian yn debygol o gyrraedd. 'I wrote to Mr Lumley a long time ago for the money that is due for me from Laugharne', ysgrifennodd at George Hughes, un o flaenoriaid yr eglwys ar 27 Ionawr 1835.[75] Yn ôl yr ateb, cafodd wybod na fwriadai'r eglwys gadw at y fargen: 'I received a reply at last from my brother informing me that the honourable body has resolved that I ought to remain unpaid'.[76] Gan ymdeimlo ag anghyfiawnder y sefyllfa, cododd Richard Lumley yr achos yn y cwrdd misol, ond i ddim diben, a beth bynnag, arswydai Edwards rhag i'r mater fynd yn destun trafod y tu hwnt i'r eglwys ei hun: 'I would rather stand in a pillory here in Edinburgh to be pelted with rotten eggs than have my name bandied about in your monthly conclave', protestiodd.[77] Er gwaethaf caredigrwydd Thomas Chalmers a wrthododd eto godi ei ffi am ei ddarlithoedd, roedd gofyn i Edwards dalu ei athrawon eraill am gael dilyn eu cyrsiau hwy, ac roedd Mrs Taylor yn disgwyl ei thâl am y llety, heb sôn am yr angen oedd arno i ymorol am angenrheidiau bywyd bob dydd. 'This, I must confess, was not very pleasant, as I had been obliged before to borrow some money from my friend Mr Phillips.'[78] Roedd ef yn berwi o feddwl am y fath 'set of ignorant quacks', sef aelodau'r cwrdd misol, 'as they are treating me everywhere so scurvily', meddai.[79] '[O]ur friend Lumley has exposed himself to the invidious remarks of the Carmarthenshire nincompoops', meddai Thomas Edwards, mewn cydymdeimlad â'i frawd ac â Richard Lumley wrth ysgrifennu at John Matthews ar 11 Mawrth 1835. '[H]e has been the common butt of their batterings in private and in public', meddai.[80] Roedd hi'n amlwg fod y cylch hwn o gyfeillion iau wedi syrffedu hyd yr eithaf ar ystumiau cynllwyngar deiliaid y *status quo* cyfundebol. Fel Phillips, Lumley ac eraill, deuai yr Edwards ieuaf i ffieiddio '[the] ignorant blockheads who hardly know the difference between black and white'.[81]

Rhwng Dau Feddwl

Erbyn cyfnod y Pasg 1835 roedd Lewis Edwards a John Phillips wedi gorffen dwy flynedd ym Mhrifysgol Caeredin gan gwblhau hanner y cwrs a fyddai'n eu harwain at dderbyn gradd. 'Mae yn ddiamau y bydd yn dda gennych glywed fod Mr Phillips wedi ennill *prize* ym mhrifathrofa Edinburgh', ysgrifennodd Edwards at ei deulu ym Mhwllcenawon ar 18 Ebrill 1835. 'Dyma glod nid bychan i holl Gymru yn gyffredinol, ac i'r Methodistiaid yn neilltuol.'[82] Y gwir yw fod Edwards yntau wedi ennill tair gwobr y flwyddyn honno, mewn clasuron, rhesymeg ac athroniaeth foesol gan brofi ei hun yn fyfyriwr ymhell uwchlaw'r cyffredin. Ni fu gymaint o sôn amdano yn pregethu yn ystod yr haf canlynol, er iddo dderbyn gwahoddiad i draethu yn sasiwn Llanfair-ym-Muallt ym mis Awst 1835 'o flaen ei hen fflangellydd, y Parch. Thomas Richard Abergwaun', fel y cofnododd Thomas Charles Edwards, ei fab.[83] Parhaodd y coel am flynyddoedd fod Edwards wedi gwrthod gwneud dim â'r arweinydd o sir Benfro wedi'r clwyfo mawr yn sasiwn Wystog yn 1830: 'Dywedwyd i mi fwy nag unwaith', meddai J. Cynddylan Jones, 'na phresenolodd [Lewis Edwards] ei hun byth wedyn yng Nghymdeithasfa'r Deheudir tra bu Thomas Richard byw. Llawer gwahoddiad taer a gafodd, ond yr oedd y dolur heb wella.'[84] Er bod yr wybodaeth a gafodd Cynddylan yn dechnegol yn anghywir, roedd ysbryd ei sylw yn wir. Wedi profiad annymunol Wystog, ni fedrai Edwards ddygymod â'r gŵr o Abergwaun fyth mwy.

Ond os oedd rhai o hen do Methodistiaid y de yn dal i'w erlid, nid felly yr oedd hi ym mhobman. Roedd blaenoriaid yr eglwys gref a gyfarfyddai yn Pall Mall, Lerpwl, wedi eu swyno gymaint ganddo nes ei wahodd i ddod atynt yn weinidog. 'Yr ydym yn deall nad ydych yn bwriadu dychwelyd i *Scotland* ar ôl y tro hwn', meddent wrtho ddiwedd Hydref, ac yntau wedi bod yn pregethu yno ar ei daith yn ôl i Gaeredin. '[Y]r ydym wedi bod yn cynghori â'n gilydd ac yn ymddiddan â llawer o'r aelodau, ac y mae pawb ohonom yn unfryd yn dymuno ac yn gobeithio y tueddir eich meddwl chwi i fwrw eich coelbren yn ein plith ni ar ôl hynny.'[85] Roedd hyn yn hwb aruthrol iddo, ac er iddo fod yn wirioneddol werthfawrogol o'r cais, ni fynnai addo dim byd eto. Roedd John Williams, golygydd y cylchgrawn newydd *Y Pregethwr*, ymhlith blaenoriaid Lerpwl, a phwysodd arno i yrru sgript ei bregeth ato i'w chyhoeddi. 'Yr oeddwn wedi addo danfon pregeth i Liverpool erbyn y rhifyn nesaf o'r *Pregethwr*', meddai wrth ei rieni ychydig yn ddiweddarach. 'Ni chymerent ddim pall oddi wrthyf, ac am hynny gorfu arnaf lafurio wrth hynny yr wythnos ddiwethaf bob dydd.'[86] Ymddangosodd y bregeth 'Y Mab yn hysbysu y Tad' yn seiliedig ar Ioan 1: 18 yn rhifyn cyntaf y cylchgrawn,[87] a phregeth arall, mewn dwy ran, o dan y teitl 'Y gorchymyn cyntaf', yn esbonio Marc 12: 30, mewn rhifynnau dilynol.[88] Traethiad ar yr iawn oedd y cyntaf, a'r rhesymu yn debyg i'r hyn y byddai yn ei ddilyn yn ei gyfrol enwog *Athrawiaeth yr Iawn* chwarter canrif yn ddiweddarach.

Trafod cariad y credadun at Dduw a wnaeth yn yr ail. Hirfaith ac aneffeithiol ydoedd, yn fwy o ddarlith nac o bregeth, a'r nodyn efengylaidd yn floesg. 'Yr oeddwn wedi cymeryd yn ganiataol', meddai Edwards wrth adolygu'r gwaith hwn ddegawdau yn ddiweddarach,

> fod yn rhaid i ddyn gael ei ail-eni, a meddu ar egwyddor o gariad yn ei galon, *cyn* y dichon iddo gredu yng Nghrist . . . [N]id yw gywilydd gennyf gyfaddef fy mod wedi fy argyhoeddi ers blynyddoedd fod y golygiad yma yn gyfeiliornus, a bod yn rhaid i ddyn fynd at Grist *heb ddim* er mwyn derbyn y gras o gariad.[89]

Heb yn wybod iddo'i hun, roedd y myfyriwr diwinyddol wedi traethu'r athrawiaeth Gatholig Rufeinig o ffydd yn gweithredu trwy gariad yn hytrach na'r athrawiaeth efengylaidd o gyfiawnhad trwy ffydd yn unig. 'Ond gan nad wyf erioed wedi proffesu anffaeledigrwydd',[90] meddai, roedd yn hapus i ailgyhoeddi'r gwaith cynnar hwn fel enghraifft o *juvenilia*. Fodd bynnag, roedd gan Lewis Edwards yn ôl yng Nghaeredin ddwy flynedd arall cyn cwblhau ei radd, ac roedd ystyriaethau ymarferol eraill i'w gwneud, nid y lleiaf yn rhai a oedd yn ymwneud â'r bywyd priodasol.

Er ei gyfnod yn Nhalacharn roedd Lewis Edwards wedi dod yn gyfeillgar â Jane Charles o'r Bala, hithau'n ferch i'r diweddar Thomas Rice Charles ac yn wyres, felly, i Thomas Charles ei hun. Ni ddaeth dim pellach o'r cyfeillgarwch tan yn ddiweddarach, ond mae'n bur debyg i Edwards ymweld â hi yn y Bala yn ystod haf 1835. O hynny ymlaen buont yn gohebu â'i gilydd yn gyson. Nawr bod priodi yn ymddangos yn bosibilrwydd, roedd y syniad o dreulio dwy flynedd arall yng Nghaeredin yn gryn fwrn, ac roedd arian yn dynn beth bynnag. Un ffordd o gwtogi'r amser fyddai trosglwyddo i brifysgol Glasgow ar gyfer blwyddyn olaf ei astudiaethau am fod hyd y cwrs gradd yno yn dair blynedd yn hytrach na phedair. Wedi archwilio'r posibiliadau, cwblhau'r trefniadau a dod o hyd i lety hyd yn oed, dyna a fwriadodd ei wneud. Roedd John Phillips wedi mynd gydag ef i Glasgow gan aros yno ddeu-ddydd cyn mynd ymlaen i Gaeredin, ond dyma dro digon dramatig yn digwydd:

> [A]s I was walking with Mr P[hillips] to the coach such a crowd of remembrances of Dr Chalmers and the rest of Edinburgh friends rushed upon me all at once, and hung and clung so tenaciously about the neck of my soul that I was obliged to yield and cry mercy . . . So turning abruptly to my friend, 'I am off with you,' said I, 'to Auld Reekie.' No sooner said than done. Poor Phillips thought I was going to bamboozle him; but he little knew my decision of character.[91]

Gradd neu beidio, roedd blwyddyn arall yng Nghaeredin yn well na blwyddyn mewn prifysgol arall na wyddai fawr ddim amdani heb na chyfaill na chydnabod na châr. 'I am very glad that I was induced to come here', meddai wrth Jane Charles, 'though I shall not have the honour of tagging an A.M. to my name'.[92] Fel y digwyddodd, cawsant gwmni dau Gymro arall y flwyddyn olaf honno, sef Thomas Nicholas o Drecastell, Brycheiniog, a Robert Humphreys o Gaergybi: Methodist-iaid Calfinaidd oedd y ddau. 'Y mae Mr Nicholas yn lletya mewn *room* arall yn yr un tŷ a ninnau', meddai wrth ei rieni. 'Mae yn fachgen hynod o hoff a chariadus.'[93] Artist oedd y gogleddwr, a dynnodd sgets o Edwards er na wyddys beth a ddaeth ohono. Roedd yn fwy swil o lawer na'i gyd-fyfyriwr o gyffiniau Aberhonddu. 'He is', meddai wrth Miss Charles, 'rather bashful and reserved'.[94] Ond y cwlwm rhyngddo a Phillips oedd y tynnaf o'r cwbl. 'O'm rhan fy hun', meddai ymhen blynyddoedd, 'nid wyf yn gwybod am ddim a wnaeth fwy o les i mi na'r ymddiddanion beunyddiol a fu rhyngom yn y dolydd y tu deheuol i

Edinburgh'.[95] Roedd y ddau yn gyfoeswyr ac o'r un sir, roedd eu rhawd wedi ymgordeddu'n un ers blynyddoedd bellach, ac roeddent yn rhannu'r un ysfa i dorri'r rhagfarn wrth-ddeallusol ymhlith eu cyd-grefyddwyr. Er bod Edwards ar y blaen i Phillips o ran deallusrwydd, roedd Phillips yn well pregethwr nag ef ac ymhell o fod yn academaidd ddiallu ei hun. Deuai, yn y man, yn brif ladmerydd Cymdeithas yr Ysgolion Britanaidd yng ngogledd Cymru, yn fugail dylanwadol eglwys y Tabernacl, Bangor, ac yn brifathro cyntaf y Coleg Normal. Roedd yn un o'r disgleiriaf o'r to cwbl anghyffredin o arweinwyr Methodistaidd a ddaeth i'r brig yng nghanol y ganrif ac yr oedd ar fin pob symudiad blaengar oddi mewn i'r Gymru Ymneilltuol Fictoraidd.[96] Mewn gwirionedd roedd yn hynod debyg o ran ei weledigaeth i Lewis Edwards ei hun. Roedd gan Edwards atgofion cyfoethog amdano ddeg-awdau yn ddiweddarach:

> Nid oedd un pwnc mewn athroniaeth na diwinyddiaeth yn rhy ddwfn i ni gynnig ei benderfynu, ac yr oedd y cynnig yn gwneud rhyw les, er ei fod yn troi allan y rhan amlaf yn aflwyddiannus . . . Weithiau, ar ôl tybied fod gennym gyfundrefn gadarn, bydd yn syrthio i'r llawr wrth geisio ei godi i fyny, a phryd arall, er i ni lwyddo i'w gosod i fyny yn drefnus, bydd un ddadl o eiddo ein cyfaill yn dinistrio yr holl adeilad. Fel hyn y bu arnaf yn fynych ar ddolydd Edinburgh.[97]

Felly, er gwaethaf y cwbl, roedd y flwyddyn olaf honno ym Mhrifysgol Caeredin, sef 1835–6, yn un nodedig iawn.

Llwyddiant

Y gwir yw, ac yn gwbl annisgwyl, y deuai yn fwy nodedig fyth. Roedd galluoedd uwchraddol Edwards yn destun cryn drafodaeth ymysg ei athrawon. Roedd James Pillans, yr athro Lladin, wedi closio fwyfwy ato, ac yn ei wahodd yn gyson bellach i gylchoedd cymdeithasol academyddion y brifysgol. 'The Latin professor has treated me this year with particular kindness', meddai Edwards wrth John Matthews ar 26 Chwefror 1836.[98] Pillans, y flwyddyn honno, oedd deon cyfadran y celfyddydau. Roedd y Cymro ifanc wedi dod i delerau â'r ffaith y byddai'n gadael y brifysgol heb radd. Nid oedd ganddo'r modd i aros yng Nghaeredin am bedwaredd flwyddyn, ond roedd y cynnig i wein-idogaethu yn Lerpwl yn bosibilrwydd a gwyddai y byddai Jane Charles yn barod i fynd yno gydag ef yn wraig iddo. Ond roedd ef mewn cyfyng gyngor o hyd oherwydd fod yr hen freuddwyd o agor ysgol i bregethwyr Methodistaidd yn dal i'w ysbrydoli, a'r awydd i dorri'r rhagfarn ffug-dduwiol yn erbyn dysg yn genhadaeth ganddo fyth. Yna, yn gwbl annisgwyl, daeth cynnig rhyfeddol. 'Yn fuan wedi i mi ddyfod yma', meddai wrth ei rieni ar 26 Ebrill,

> heb i mi yngan gair ynghylch y mater, gofynnodd Professor Pillans i mi a oedd gennyf un bwriad i gymryd *degree*? Atebais nid oedd gennyf un gwrthwynebiad i hynny, ond nad oedd yn debyg y gallaswn dreulio hanner blwyddyn yma eto. 'Wel', meddai yntau, 'mae yn groes i'n rheolau ni i roi *degree* i neb heb fod yma bedair blynedd o leiaf, ac nid wyf yn cofio am un esiampl lle y darfu i ni dorri y rheolau hynny, ond er hynny, mi ymdrechaf wneud rhywbeth drosoch'. Yna efe a siaradodd â'r *professors* eraill sydd yn perthyn i'r *Faculty of Arts*, a chafodd eu cydsyniad hwy yn lled rwydd. Ond nis gellid penderfynu'r peth heb ei roddi gerbron y *Senatus*, neu y senedd, yr hon sydd yn cynnwys holl athrawon y brifysgol, sef rhai diwinyddiaeth, ffisigwraeth a'r celfyddydau. Yno y buont yn eistedd ar fy achos, *poor fellow*. Yr oedd rhai o'r athrawon ffisigwraeth braidd yn anfodlon i gyflawni y fath drosedd yn erbyn rheolau. Beth bynnag, penderfynwyd o'r diwedd fod i mi gael cynnig ar ddiwedd y tymor hwn ar yr amod na fyddai hynny i gael ei ystyried yn *precedent* neu siampl yn ôl llaw.[99]

Pe na bai hynny'n ddigon, roedd y darn nesaf o newyddion a rannodd gyda'i rieni yn fwy rhyfeddol fyth. Nid yn unig y bu iddo gael caniatâd i sefyll ei arholiadau flwyddyn ymlaen llaw, ond bod yr arholiadau eisoes wedi'u cynnal a'r canlyniadau wedi eu cyhoeddi. 'Beth bynnag, yr wyf o'r diwedd wedi *pasio*, ac os oes rhywbeth yn hynny gallaf ddweud yn awr fy mod yn Athro yn y Celfyddydau (*Master of Arts*) . . . Dydd Sadwrn diwethaf cefais fy mod wedi *pasio* yn y modd mwyaf llwyddiannus.'[100]

Wedi tair blynedd, felly, yn hytrach na'r pedair arferol, roedd y Cymro ifanc o Ben-llwyn wedi graddio *magna cum laude*. Roedd hi'n gamp ryfeddol a dweud y lleiaf. 'You cannot imagine what sensation was created in South Wales', meddai wrth Jane Charles fis yn ddiweddarach, 'by my obtaining my degree. I don't think there is a human being in Cardiganshire, Carmarthenshire or Pembrokeshire that has not heard of it. I find it very difficult to convince some of them that I am not the most learned man in the world!'[101] Yn fwy hyd yn oed na'r bodlonrwydd o dderbyn ei radd, roedd y llwyddiant yn goron ar ei ymdrechion hirfaith i brofi i'w gyd-Fethodistiaid fod duwioldeb a dysg yn bartneriaid yn hytrach na gelynion, a bod addysg uwch yn fanteisiol onid yn angenrheidiol er llwyddiant y genhadaeth Gristionogol yn y Gymru oedd yn prysur ddatblygu ar y pryd. Roedd y ffordd yn glir bellach i droi ei freuddwyd o sefydlu ysgol a fyddai'n hyfforddi pregethwyr yn y celfyddydau yn ogystal ag mewn gwybodaeth o'r Beibl yn ffaith. O'r diwedd roedd rhagfarn arweinwyr y de ar fin cael ei threchu. 'Y mae pobl Sir Aberteifi yn honni', meddai Thomas Edwards, ei frawd, 'mai yno, mewn cyfarfod misol ym Mhen-garn, y dechreuodd yr athrofa, a dywedant i Mr Richard o Dregaron roddi ei gymeradwyaeth uchaf yn y cyfarfod hwnnw i'r gŵr ieuanc oedd newydd ddychwelyd o Edinburgh oblegid iddo ddyfod o'r ffwrn heb fod sawr y tân arno.'[102]

4 ∞ *Blynyddoedd Cyntaf y Bala, 1837–1842*

Ar 30 Rhagfyr 1836 yn eglwys Llanycil ar lannau Llyn Tegid, a'r haul yn tywynnu a'r eira yn drwch dan draed, y priodwyd Lewis Edwards â Jane Charles. Roedd ef yn 27 oed a hithau'n 22. Roedd Thomas Rice Charles, ei thad, yn fab hynaf i Thomas Charles o'r Bala. Fe'i ganed yn 1785 ac etifeddodd y siop a redwyd gan Sali, ei fam, ac a fu'n gynhaliaeth i'w gŵr ar hyd ei weinidogaeth. Un gwanllyd ei iechyd oedd Thomas Rice, a bu farw yn 34 oed yn 1819 pan oedd Jane yn bum mlwydd oed. Bu ganddi ddwy chwaer, sef Sarah a Maria, ond erbyn hyn roedd y ddwy wedi marw, y naill dair blynedd ynghynt a'r llall yn Chwefror y flwyddyn honno. 'Yr oedd Miss Charles wedi ymuno â'r Methodistiaid, ond yn fynych, yn ôl arfer y dyddiau hynny, yn mynd i eglwys y plwyf ar ôl oedfa bore Sul yn y capel.'[1] Er bod yr ymwahanu rhwng y Methodistiaid ac Eglwys Loegr wedi digwydd chwarter canrif ynghynt, a Thomas Charles yn ei fedd er 1814, roedd hen ymlyniad y teulu wrth yr eglwys sefydledig yn dal yn gryf. Fel ei brawd David, a raddiodd o Goleg Iesu, Rhydychen, y flwyddyn cyn i Lewis Edwards raddio yng Nghaeredin, roedd stamp Methodistiaeth eglwysig y ddeunawfed ganrif ar y teulu oll.

Roedd y cyfyng gyngor a fu'n gwasgu Edwards hyd at y gwanwyn blaenorol bellach wedi llacio. Ac yntau'n ŵr gradd ac yn meddu ar yr hunan hyder a ddaeth yn sgil ei lwyddiant academaidd anarferol, penderfynodd beidio â derbyn gwahoddiad blaenoriaid Lerpwl i fynd yno yn weinidog ond yn hytrach wireddu'r freuddwyd a fu ganddo o sefydlu ei ysgol ei hunan. Fel y digwyddodd, y pregethwr mawr Henry Rees a wahoddwyd i gymryd ei le ac yn yr un mis ag y priododd Lewis Edwards, dechreuodd Rees ar weinidogaeth a gyplysodd ei enw â dinas Lerpwl am weddill ei oes.[2] Pan ddaeth Edwards i adnabod Jane Charles, sylweddolodd y gŵr ifanc o Ben-llwyn ei bod hi a David Charles (1812–78), ei brawd galluog, yn meddu trwy enedigaeth fraint lawer o'r gwerthoedd roedd ef wedi ymdrechu i'w harddel trwy waith caled. Os oedd cefndir

Edwards yn gyffredin a llwm, cysurus onid mân-uchelwrol oedd cefndir y teulu Charles. Bu taid Thomas Charles yr hynaf, sef David Bowen Pibwrlwyd, yn siryf sir Gaerfyrddin ganol y ddeunawfed ganrif. Os oedd rhaid i Edwards ddysgu crefft arwain, roedd blaenoriaeth gymdeithasol yn ail natur i'r teulu hwn; fel y dywedodd R. Tudur Jones, 'Yr oedd yn fater syndod i Howel Harris a John Elias fod Rhagluniaeth wedi gwneud arweinwyr ohonynt. Cymerai Charles y peth yn ganiataol.'[3] Felly, yn ogystal â phriodi i mewn i'r mwyaf nodedig o deuluoedd Methodistaidd yn y wlad, ymgysylltodd â diwylliant, statws cymdeithasol a dysg.

Roedd David Charles wedi dilyn llwybr ei daid gan fwriadu cymryd urddau eglwysig: 'Yr amcan o'i febyd oedd ei baratoi i'r weinidogaeth yn Eglwys Loegr, ac yn 1831 aeth i Goleg Iesu, Rhydychen, lle hefyd y graddiodd yn 1835.'[4] Golygai hynny ei fod yn y brifysgol yn 1833 pan draethodd John Keble ei bregeth enwog ar 'wrthgiliad cenedlaethol' a roes gychwyn ar Fudiad Rhydychen, ac roedd yn fyfyriwr pan oedd John Henry Newman, o'i bulpud yn Eglwys Fair, yn creu'r fath effaith ar yr is-raddedigion trwy ei bregethau ysblennydd a'i athrawiaeth ddadleuol yn y *Tracts for the Times*. Felly eglwyswr oedd David Charles, er gwaethaf cyfraniad aruthrol y teulu i hanes Methodistiaeth Gymreig. Addysgwyd ef yn drwyadl cyn hynny gan glerigwyr Anglicanaidd megis Edward Bickersteth, person y Waun, a John Lloyd, offeiriad Llanycil a berchid gan bawb ar gyfrif ei dduwioldeb yn ogystal â'i ddysg. 'Yr oedd ei ddygiad i fyny wedi ei foldio'n glerigwr efengylaidd, ac er iddo wrthod y gŵn, fe gadwodd yr ysbryd.'[5] Roedd y gynhysgaeth Anglicanaidd yn rhywbeth na fyddai'n ymwadu â hi fyth. Ond nid brawd-yng-nghyfraith yn unig oedd David Charles, ond un a ddaeth yn gyfaill agos ac yn un y gallai Lewis Edwards rannu ei weledigaethau mwyaf cysygredig gydag ef. Ac yr oedd David, yr ŵyr, wedi etifeddu 'personoliaeth [y] gŵr a oedd, ymhlith ei gyflawniadau eraill, yn dad i foneddigeiddrwydd y werin Gristionogol Gymraeg'.[6]

Sefydlu Ysgol y Bala

Ar yr un pryd ag yr oedd y rhagfarn gyfundebol yn erbyn addysg i bregethwyr yn cael ei gorchfygu gan lwyddiannau Lewis Edwards, a John Phillips i raddau, roedd y teimlad yn aeddfedu o blaid y symudiad addysgol beth bynnag. Crybwyllwyd y posibilrwydd o sefydlu academi uwch yn sasiwn Llanfair Caereinion yn Ebrill 1836 ac ysgrifennodd

David Morgan, gweinidog y Trallwng, at Edwards ganol Mai gan fynnu: 'I have, in my own mind, fixed on you to be the tutor of this academy.'[7] Roedd Edward Jones yn Aberystwyth wedi cael yr un syniad ac yng nghyfarfod misol Pen-y-garn ym Mehefin rhoes y cynnig gerbron a chyhoeddi cynllun yn sasiwn Twr-gwyn, 6 Gorffennaf, i godi arian trwy eglwysi'r de er mwyn talu treuliau'r sefydlu a chyflogi'r athrawon. Erbyn hynny roedd David Charles wedi penderfynu peidio ag ymgeisio am urddau Anglicanaidd ond yn hytrach fwrw ei goelbren yn llwyr gyda'r Methodistiaid a mynegodd ei fwriad i ymuno â'i frawd-yng-nghyfraith yn y fenter addysgol.[8] Yng nghyfarfod misol Pen-y-garn y daeth Ebenezer Richard allan o blaid y syniad o sefydlu athrofa ac o blaid penodi Edwards yn bennaeth. Wrth fwrw golwg yn ôl ar yr achlysur yn ei henaint gallodd Edwards fforddio bod yn fawrfrydig. '[C]yfeiriodd Mr Richard ataf mewn geiriau o diriondeb ac anwyldeb oedd yn gwneud i fyny, a mwy na gwneud i fyny am y gwrthwynebiad blaenorol.'[9] Erbyn sasiwn Pontypridd ym mis Awst, cafwyd penderfyniad a gadarnhawyd gan sasiwn Caernarfon fis yn ddiweddarach i fwrw ymlaen â'r cynllun: mai athrofa genedlaethol fyddai'r sefydliad arfaethedig, mai Lewis Edwards a David Charles fyddai'r athrawon, ond nid oedd sicrwydd eto ymhle y byddai'r athrofa yn cael ei lleoli.[10] Mewn llythyr at ei hen athro Thomas Chalmers, 20 Hydref 1836, meddai Edwards:

> You will be glad to hear that the Calvinistic Methodists in Wales are going to have a seminary of their own to give their young ministers a little preparatory education before they are sent to Edinburgh or elsewhere. A grandson of Mr Charles of Bala, an Oxford graduate, is to be one of the tutors.[11]

Roedd yn rhy swil i ddweud mai ef fyddai'r tiwtor arall ac mai ei syniad ef oedd y fenter o'r dechrau.

Unwaith y dyfarnwyd ar y ffaith, roedd angen penderfynu ar y lle. Crybwyllwyd amryw fannau yn cynnwys Aberystwyth, Trefeca (a oedd yn ffefryn cyfarfodydd misol y de), heb sôn am y Bala ei hun. Parhaodd y drafodaeth trwy'r gaeaf ac i mewn i'r gwanwyn canlynol. 'All the North Wales people with the exception of Morgans of Welshpool and Mr Jones of Llanidloes were for Bala. Thomas Richard, Evans Llwyn-ffortun and all the Breconshire people were quite obstinate for Trefecca', meddai wrth Jane ar 8 Ebrill 1837.[12] Crybwyllwyd lleoedd eraill fel Rhaeadr Gwy, Croesoswallt, y Trallwng a'r Drenewydd, ond beth bynnag a fyddai'n digwydd, meddai, 'I shall not go to Trefecca, and that is flat.'[13] Tra bod y drafodaeth, a oedd yn prysur droi yn gecru, yn parhau, torrwyd y ddadl gan John Elias, neb llai. Roedd arweinydd mawr y gogledd eisoes wedi datgan ei gymeradwyaeth i'r syniad o greu athrofa a chytuno mai Edwards a ddylai fod yn brifathro arni. Ef a anogodd y ddau athro i agor ysgol breifat yn y Bala ble roeddent eisoes yn byw a thrwy hynny greu *fait accompli*. Byddai'r cyfundeb o dan orfodaeth, i bob pwrpas, i gydymddwyn â'r ffaith ac arddel yr ysgol fel eu sefydliad hwy. 'We have made up our minds to commence the school here on the 1st of August and to go on ourselves until they determine something for us', meddai Edwards wrth ei gyfaill John Matthews ar 1 Gorffennaf.[14] Roedd y llythyrwr wedi bod yn byw ar drugaredd ei wraig a'i fam-yng-nghyfraith ers misoedd a'i unig incwm ers blwyddyn a hanner oedd y gydnabyddiaeth fechan o'i gyhoeddiadau pregethu. Doedd dim rhyfedd ei fod yn ddiamynedd gyda thindroi parhaus y sasiynau a'r cyfarfodydd misol. Roedd hi'n anghenraid o ran bywoliaeth y ddau athro fod yr ysgol yn cael ei sefydlu a bod y myfyrwyr cyntaf yn cael eu cofrestru ac yn dechrau talu eu ffioedd. Llwyddodd y bwriad y tu hwnt i bob disgwyl. Ni chafwyd fawr edliw yn eu herbyn am fwrw ymlaen heb sêl bendith y sasiynau, ac erbyn yr hydref mabwysiadodd sasiynau'r de a'r gogledd ysgol y Bala yn athrofa swyddogol iddynt gan ei noddi i'r swm o £200 y flwyddyn. Rhoddwyd caniatâd i'r athrawon gymryd disgyblion preifat er mwyn ychwanegu at eu hincwm tra byddai pregethwyr cydnabyddedig yn cael eu hariannu gan eu cyfundebau lleol. Ordeiniwyd Edwards i gyflawn waith y weinidogaeth gan sasiwn Castellnewydd Emlyn ym mis Awst yr un flwyddyn. Ac yntau wedi bod yn bregethwr cydnabyddedig er 1829, bellach gallai weinyddu'r sacramentau o fedydd a Swper yr Arglwydd. Trwy'r weithred hon dangosodd y Methodistiaid fel corff eu bod, o'r diwedd, yn cymeradwyo ei waith ac yn arddel ei weledigaeth fel ei heiddo eu hunain.

'The school', meddai Edwards wrth John Matthews ar 17 Mawrth 1838, 'is going on gloriously'.[15] Roedd 21 myfyriwr wedi cofrestru yn ystod y flwyddyn gyntaf, eu hanner yn bregethwyr, a disgwylid y byddai eraill yn ymuno ar fyrder. 'I believe some of them will make a figure, among whom I may name John Jones of Capel Dewi and James Williams of Laugharne.'[16] Ni soniodd Edwards am Thomas, ei frawd ei hun, a oedd ymhlith y to cyntaf o fyfyrwyr, nac am David Charles Davies, ŵyr i David Charles, Caerfyrddin, sef brawd i Thomas Charles o'r Bala a oedd hefyd, er yn ifanc iawn, yn yr un dosbarth. Gwnaeth John Jones ei gyfraniad fel gweinidog ymroddgar yn sir Aberteifi gan ymgartrefu yng Ngheinewydd. Roedd James Williams (1812–93), fel a nodwyd, wedi ei ddwyn at grefydd trwy weinidogaeth Lewis Edwards yn ystod ei gyfnod yn Nhalacharn, ac fel cenhadwr yn Llydaw y treuliodd ei yrfa cyn ymddeol i Gaer yn 1869. Wedi cwblhau ei gwrs yn y Bala, graddiodd David Charles Davies (1826–91) ym Mhrifysgol Llundain ac yna, wedi blynyddoedd fel gweinidog eglwys Jewin Crescent, fe'i penodwyd yn brifathro Coleg Trefeca.[17] Yn 1838 derbyniwyd 12 myfyriwr newydd ac yn eu plith Owen Thomas o Fangor a John Parry, Manceinion. Deuai'r naill, fel y Dr Owen Thomas, Lerpwl (1812–91), yn un o bennaf cyfeillion Lewis Edwards, yn bregethwr mwyaf dylanwadol y gogledd a thrwy ei gofiannu i John Jones, Tal-y-sarn (1874) a Henry Rees, Lerpwl (1891), yn brif gofnodydd Methodistiaeth yn ei hoes aur.[18] Byddai John Parry (1812–74) yn ymuno â Lewis Edwards ar staff Coleg y Bala yn 1843 a threuliodd weddill ei fywyd yn athro mawr ei barch yno. Ei brif gyfraniad y tu allan i'r ystafell ddosbarth oedd golygu'r rhyfeddod llenyddol Fictoraidd hwnnw, *Y Gwyddoniadur Cymreig*. Arwydd o addewid a gallu John Jones, Capel Dewi, Owen Thomas a John Parry oedd iddynt ddilyn y llwybr i Brifysgol Caeredin yn 1840 ac eistedd wrth draed yr ysgolheigion y clywsant gymaint sôn amdanynt gan eu prifathro yn y Bala.

Cwrs cyflawn yn y clasuron, mathemateg a changhennau eraill addysg ryddfrydig oedd y nod yn yr athrofa, ynghyd â thrwytho'r myfyrwyr mewn gwybodaeth ddiwinyddol a Saesneg. 'Let its chief object to be to give a solid, thorough education to the few who may be anxious to obtain it', meddai, 'and not a mere smattering to all'.[19] Saesneg oedd cyfrwng y dysgu, fel ym mhob coleg yng Nghymru ar y pryd, er bod disgwyl i'r dynion ifainc, a oedd yn Gymry uniaith lawer ohonynt, drosi testunau o'r Saesneg i'r Gymraeg. Lewis Edwards a fyddai'n goruchwylio'r dosbarthiadau cyfieithu o'r Saesneg i'r Gymraeg, ac ef hefyd fyddai'n dysgu llên Saesneg gyda phwyslais mawr ar y clasuron, Shakespeare a Milton yn arbennig. David Charles oedd yn dysgu athrawiaeth Gristionogol gan dywys y myfyrwyr hŷn trwy *Analogy of Religion* yr esgob Joseph Butler a thraethawd dylanwadol y Calfinydd Americanaidd Jonathan Edwards, *Freedom of the Will*. Ef hefyd fyddai'n cyflwyno'r myfyrwyr i gyfrinion mathemateg, algebra a geometreg. Edwards oedd yn dysgu *literae humaniores*, Homer, Fyrsil, Horas a'r awduron eraill. Cafodd gyfle yn y dosbarthiadau hyn i drosglwyddo i eraill y wefr a gafodd yng Nghaeredin pan agorwyd byd newydd iddo gan athrawon ysbrydoledig fel Thomas Chalmers, John Wilson, James Pillans a George Dunbar, a dechrau ar y dasg o ledu gorwelion diwylliannol ei gyd-Fethodistiaid Cymreig. Mewn lloft uwchben warws yng nghefn tŷ Thomas Charles y cychwynnwyd yr ysgol nes symud i ddau dŷ annedd yn ymyl capel y Methodistiaid Calfinaidd yn 1839. Y dechreuwyr a fyddai'n cael eu hyfforddi ar y llawr gyda'r myfyrwyr yn graddio i'r llawr cyntaf erbyn yr ail a'r drydedd flwyddyn. Roedd y llyfrgell, a ddaeth maes o law i gynnwys casgliad ardderchog o ddeunyddiau, hefyd ar y llawr cyntaf. Erbyn 1839 roedd y sefydliad yn wironeddol ar ei draed.

Y *Ddadl Eglwysig*

Gyda hynny daeth Lewis Edwards o'r diwedd yn ffigur derbyniol, a chyn hir yn un tra dylanwadol, ymhlith ei gyd-grefyddwyr. Deuai bellach yn un o brif addurniadau tref y Bala, yn ŵr disglair a diwylliedig, yn raddedig mewn prifysgol, a thrwy briodas yn etifedd holl athrylith a statws llinach Thomas Charles. Cymerodd y cyfle yn sasiwn y Bala 1839 i draethu ar bwnc natur yr eglwys a chyn pen dim aeth yn fater trafodaeth frwd drwy'r fro. 'Awn i'r lle y mynnwn', meddai un sylwebydd, sef 'Huwco Meirion', Hugh Evan Thomas (1830–89), Pittsburg yn ddiweddarach, 'ar frig yr hwyr, ar ben tomen, ar y bont, ac wedi iddi oeri a nosi, yn siop Mr Griffith Jones, *bookseller*, a Mr Joseph Hughes, *nailor*, dadlau oedd ym mhob man, mewn gair, yr oedd pum plwy Penllyn yn un ffwrnes ddadleuol'.[20] Mudiad cenhadol syml oedd y Fethodistiaeth wreiddiol, a'i nod oedd achub eneidiau. Nid oedd ganddo yr un eglwysyddiaeth ar wahân i eiddo'r eglwys wladol y tarddodd ohoni, na'r un sylfaen athrawiaethol heblaw 39 Erthygl Eglwys Loegr. Pan dorrodd Thomas Charles yn ddigon anfoddog â'r fam eglwys yn 1811, defnyddio ffurf ordeinio'r Llyfr Gweddi Cyffredin a wnaeth wrth neilltuo'r to cyntaf o weinidogion Methodistaidd, a gwrthododd Thomas Jones o Ddinbych ildio i'r pwysau i lunio cyffes ffydd i'r mudiad newydd gan fod erthyglau Eglwys Loegr yn crynhoi ei safon athrawiaethol o hyd.

Gwyddai'r arweinwyr a ddaeth ar eu hôl na allai'r sefyllfa hon barhau am byth. Wedi'r cwbl, nid Anglicaniaid oedd Methodistiaid Calfinaidd Cymru mwyach ond yn aelodau o gorff grymus, annibynnol gyda'i hun-aniaeth a'i strwythurau gweinyddol ei hun. Ond nid oeddent ychwaith o ran traddodiad, ymdeimlad na naws yn Ymneilltuwyr fel yr oedd yr Annibynwyr a'r Bedyddwyr, o ran cydwybod, yn Ymneilltuwyr. Mewn gwirionedd, yr oeddent mewn tir neb o ran eu heglwysyddiaeth, ac

wedi marw Thomas Charles a Thomas Jones, yn amddifad o ddiwin-
yddion o'r radd flaenaf a allai ddiffinio'u hunaniaeth mewn modd
boddhaol. '[N]otwithstanding this', meddai Lewis Edwards yn 1833,
cyn mentro i'r Alban,

> I am constrained to believe there is something among them (the Methodists)
> from above which, as far as my observation reaches is not to be found in
> any other denomination under heaven. Besides, they are weak, reviled and
> persecuted, and there is something chivalrous and heroic in espousing
> the cause of the weakest party.[21]

Y dasg a roddodd Edwards iddo'i hun oedd llunio eglwysyddiaeth
gymwys i'r blaid ddirmygedig hon a'i throi yn gangen urddasol a
phraff o eglwys gatholig Crist.

Yr un model hwylus wrth law oedd yr hyn a geid yn yr Alban.
Buasai'n dyst yn ystod ei gyfnod yng Nghaeredin i weithgareddau'r
eglwys sefydledig, yr eglwys yr oedd Thomas Chalmers yn gymaint
arweinydd ynddi, a bu'n addolwr cyson yn yr United Secession Church,
sef Eglwys yr Ymwahanwyr. Presbyteraidd oedd ffurflywodraeth y
ddwy ohonynt, a braidd y gallai'r Albanwyr ddirnad ffenomen eglwys
onid oedd yn un Bresbyteraidd ei threfn. 'Wrth Henaduriaeth, neu
Bresbyteriaeth', meddai yn ei draethawd *Am Natur Eglwys*,

> y meddylir y drefn honno pan y mae lliaws o eglwysi wedi ymgorffoli
> mewn cymundeb â'i gilydd, ac yn cael eu llywodraethu gan gymdeithas-
> faoedd. Dyma gyfansoddiad yr eglwys sefydledig a'r *Secession* yn Sgotland,
> y Wesleaid yn Lloegr, a'r rhan fwyaf o'r eglwysi Protestannaidd ar y
> cyfandir. Y mae yn amlwg hefyd mai hyn yw trefn y Methodistiaid yng
> Nghymru.[22]

Er mai Anglican gyda'r mwyaf pybyr oedd Howell Harris, pensaer y
gyfundrefn Fethodistaidd Gymreig, wrth lunio rhwydwaith cened-
laethol o seiadau lleol, yr oll wedi eu cysylltu ynghyd gan y cyfarfodydd
sirol ac yn ddarostyngedig i farn y ddwy gymdeithasfa (sef, fel y datblyg-
odd pethau yn ddiweddarach, sasiwn y gogledd a sasiwn y de), creodd
er ei waethaf gyfundrefn Bresbyteraidd ei natur a oedd yn rhwym o
dyfu ar wahân i'r eglwys wladol yr oedd ef mor deyrngar iddi. Roedd
gan bob un seiat yr hawl i alw ei stiward neu ei henuriad ei hun gyda
phob henuriad yn aelod o'r sasiwn. Os y seiat oedd yr uned graidd o
Gristionogion lleol a'r hawl ganddi i fedyddio, derbyn a diarddel

aelodau os oedd rhaid, y sasiwn yn unig a feddai'r hawl i benderfynu polisi yn enw'r corff cyfan, ac wedi'r rhwyg ag Eglwys Loegr yn 1811, y sasiwn ac nid yr eglwys leol (y seiat) a fyddai'n ordeinio gweinidogion. Mae'n amlwg, felly, nad cynulleidfaolwyr oedd y Methodistiaid Cymreig, er i'r gynulleidfa leol feddu mwy o hawliau nag a feddai eglwysi Presbyteraidd gwledydd eraill. Roedd hi yr un mor amlwg nad esgobaethwyr oeddent. Trwy ymwrthod â gweinidogaeth driphlyg esgob, offeiriad a diacon, ni allent gyfranogi mwyach o fendithion yr olyniaeth apostolaidd fel yr oedd y traddodiad Anglicanaidd yn ei deall. Fel y cynyddodd yr ymdeimlad catholig oddi mewn i Eglwys Loegr yn sgil dylanwad Mudiad Rhydychen a'r Tractariaid ar ôl 1833,[23] daeth hi'n fwyfwy angenrheidiol i'r Methodistiaid ddiffinio natur eu heglwysoleg yn foddhaol ac yn eglur. Lewis Edwards yn anad neb a geisiodd wneud hynny ar eu cyfer.

Sylfaenodd Edwards ei eglwysyddiaeth ar yr argyhoeddiad Protestannaidd a etifeddodd gan Thomas Jones o Ddinbych, yr un o blith y Tadau Methodistiaid yn anad neb a gyfiawnhaodd yr ymrannu rhwng y corff a'r Eglwys Anglicanaidd yn 1811. 'I do not recollect seeing a visible church described by any writer but as a congregation of people, having the Word truly preached and the sacraments duly administered among them', meddai Jones wrth Thomas Charles yn 1810, '[C]ompelling any of our members to seek for either of the sacraments from without the pale of our own connection is a thing we ought not to be guilty of, being contrary to the Word of God and to the universal custom of the churches of God.'[24] Awdurdod terfynol Gair Duw yn yr ysgrythur ynghyd ag arfer catholig yr eglwys ar hyd y canrifoedd oedd y safon a gymhwysodd Thomas Jones at ei gyfundeb ei hun a dyfarnu bod yn rhaid i'r corff droi yn gymuned annibynnol ar Eglwys Loegr ac ordeinio ei weinidogion ei hun.

Fel yn achos Thomas Jones, y Beibl, i Lewis Edwards, oedd y safon i benderfynu ar ddilysrwydd cyfansoddiad unrhyw eglwys. 'Un o egwyddorion mwyaf sylfaenol yr holl eglwysi Protestannaidd yw hawl pob dyn i farnu drosto ei hun, yn ôl y datguddiad a roddwyd i ni o feddwl Duw yn ei Air' (t. 248). Y gydwybod oleuedig, wedi ei hyfforddi gan bwyll, doethineb a pharch at eraill 'yn enwedig y rhai sydd yn rhagori mewn gwybodaeth a phrofiad' (ibid.), oedd i benderfynu beth yn union oedd yn unol â gair Duw. Roedd hi'n eglur o'r datguddiad hwnnw nad peth preifat oedd ffydd ond peth cymunedol: 'Nid yw crefydd bersonol neb yn gyflawn oni bydd yn grefydd gyhoeddus, ac y mae pob crefydd gyhoeddus yn rhwym o fod yn grefydd gymdeithasgar' (t. 249). Gan mai bod cymdeithasol yw dyn, a'i fod yn dod o hyd i gyflawnder ei fywyd mewn perthynas ag eraill, roedd gofyn iddo amlygu ei ffydd nid fel unigolyn ond fel aelod o gorff, sef yr eglwys. 'A pha le bynnag y mae dau neu dri wedi ymgynull fel hyn yn enw yr Arglwydd Iesu Grist, dyma eglwys – eglwys weledig Crist' (t. 250). Nid sefydliad gwladol mo eglwys na chymuned naturiol ond corff ysbrydol sy'n proffesu ffydd yng Nghrist a'i haelodau 'wedi ymrwymo yn wirfoddol fel cyd-ddeiliaid y naill i'r llall . . . [ac] yn ymgyfarfod . . . mewn cyfrifoldeb amodol i'w gilydd' (ibid.).

Dyma Lewis Edwards, yn ôl y diffiniad hwn, yn sefyll ar yr un tir yn union â'r cynulleidfaolwyr: cydgyfarfod gwirfoddol o Gristionogion, yn ôl Gair Duw a than gymhelliad yr Ysbryd Glân, oedd yn gwneud eglwys. Ond er mwyn bod yn eglwys yn ystyr y Testament Newydd, roedd gofyn i'r corff hwn wrth ei weinidogion. Dau ddosbarth o weini-dogion oedd gan eglwys yn ôl y dystiolaeth apostolaidd, sef henuriaid (neu esgobion: roedd y ddau derm yn gyfystyr) a diaconiaid. 'Oblegid y rhesymau hyn', meddai, 'tybiaf y gellir casglu mai y swyddogion o ddwyfol osodiad yn ein dyddiau ni yw esgobion, neu weinidogion y Gair, ynghyd a diaconiaid, neu flaenoriaid eglwysig' (t. 251). Fel Thomas Jones gynt, ni chredai fod y weinidogaeth driphlyg o esgob, offeiriad a diacon yn hanfodol i natur eglwys nac yn unol â manylion trefn y Testament Newydd, a thrwy hynny roedd y gwahaniaeth rhwng corff y Methodistiaid Calfinaidd ac esgobaethwyr y gyfundrefn Anglicanaidd yn un amlwg dros ben.

Os oedd mwy o dir cyffredin rhwng y syniad hwn ac eiddo'r cynull-eidfaolwyr, yr Annibynwyr yn arbennig, nag ydoedd rhwng y farn hon ac eiddo'r Anglicaniaid, mynnodd Edwards wahaniaethu rhwng ei eglwysyddiaeth ef ac eiddo'r cynulleidfaolwyr hefyd. Nid oedd eglwys leol yn gyflawn, meddai, onid oedd mewn cyswllt cyfamodol â chymuned ehangach na hi ei hun. '[N]is gallaf lai na meddwl ei bod yn ddyletswydd ar eglwysi neilltuol, mor belled ag y byddo yn gyfleus o ran agosrwydd lle, o ran iaith, ac o ran tebygrwydd mewn athraw-iaeth a disgyblaeth, i ymuno mewn un cyfundeb' (t. 251). Nid mater o hwylustod fyddai ymgysylltiad o'r fath, ond rhywbeth a berthynai i hanfod natur eglwys Crist: '[O]s yw undeb ysbryd yn un o'r pethau mwyaf hanfodol yn yr eglwys ddirgeledig, y mae yn rhaid fod undeb corfforiaethol, undeb cymdeithasiad a chydweithrediad yn anhepgorol yng nghyfansoddiad yr eglwys weledig' (ibid.).

I Edwards roedd ystyriaethau ymarferol ynghlwm wrth yr ar-gyhoeddiadau diwinyddol hyn: yn gyntaf, fod cynghreirio yn fodd i atal sectariaeth: 'Os na fydd aelodau pob eglwys yn ddarostyngedig i farn cymdeithasfa, pa fodd y cedwir hwy heb ymrannu yn ddosbarthiadau, a hynny yn hollol ddiachos?' (t. 252). Yn ail, ei bod hi'n amddiffyn cynulleidfaoedd rhag gormes clymbleidiau lleiafrifol neu unigolion pwerus o'u mewn: 'Wrth wneud pob eglwys yn ddarostyngedig i farn y cyfundeb y mae gofal a gallu yr holl gyfundeb yn eiddo i bob eglwys, ac i bob aelod ym mhob eglwys' (t. 253). Ac yn drydydd, bod cynghreirio yn wrthglawdd yn erbyn unigolyddiaeth: y sail ysgrythurol dros y farn hon oedd Actau 15, hanes y cyngor yn Jerwsalem pan gynullwyd yr holl gynulleidfaoedd ynghyd trwy eu cynrychiolwyr er mwyn penderfynu'r farn apostolaidd a'i chymhwyso at fywyd yr eglwys gyfan: 'Yn y gynhadledd yma yr oedd yr henuriaid yn ogystal â'r apostolion yn cydweithredu ac yn cydbenderfynu' (ibid.). Tua diwedd ei draethawd mae Edwards yn ategu'r rhesymau diwinyddol, ymarferol ac ysgrythurol uchod trwy fynnu fod gan y corff hawl i lunio cyffes ffydd er mwyn hysbysu ei aelodau ei hun a'r sawl sydd y tu allan iddo beth yn union yw ei farn ynghylch materion athrawiaethol, ac yna mae'n tynnu cydbwysedd rhwng awdurdod yr aelodau ar y naill law ac awdurdod y gweinidogion ar y llall: '[Y]n ôl y dull sydd gennym yn bresennol nid corff o weinidogion sydd yn penderfynu materion aelodau nad ydynt yn perthyn iddo, ond yr holl eglwysi yn cydgyfarfod i drin eu materion eu hunain, trwy gyfrwng cynrychiolwyr o'u dewisiad eu hunain, ac wedi eu hawdurdodi ganddynt hwy eu hunain' (t. 258). Er iddo ddymuno gwarantu hawliau'r aelod unigol oddi mewn i eglwys leol, a rhyddid yr eglwys leol i weithredu fel y gwelai hi orau yn ei chyd-destun ei hun, eto nid yw'r eglwys leol namyn rhan o uned fwy, sef yr Eglwys gyda phrif lythyren:

> Fe ddylai pob eglwys gael rhyddid i ymgynnull, i dderbyn aelodau, i weinyddu disgyblaeth, ac i ymarfer â holl ordinhadau y Testament Newydd. Ond eto, y mae yr holl eglwysi sydd yn cydfynd mewn athrawiaeth a dysgeidiaeth dan rwymau i ymuno fel un gymdeithas ac i gydweithio fel un Eglwys. (t. 259)

Prin y gellir haeru fod y traethawd byr hwn yn ymdriniaeth gyflawn â chwestiynau eglwysyddol. Ar wahân i ambell sylw ar briodoldeb bedydd plant does dim byd ynddo ar ystyr bedydd a'i arwyddocâd nac am Swper yr Arglwydd. Mae'r nodau clasurol a gysylltir ag athrawiaeth yr eglwys, undod yr eglwys, ei sancteiddrwydd, ei chatholigrwydd a'i natur apostolaidd, yn cael eu crybwyll wrth fynd heibio megis yn hytrach na'u bod yn fater myfyrdod dwys. Ei bwysigrwydd, yn hytrach, oedd iddo godi hyder y Methodistiaid Calfinaidd yn eu tras eu hunain a'u hargyhoeddi fod y drefn a ddatblygasai yn eu plith yn un an-rhydeddus, ysgrythurol ac yn unol ag arfer un o ganghennau mwyaf sylweddol y byd Protestannaidd. 'Many of our people read only the *Evangelical Magazine*', meddai wrth ohebydd anhysbys ar 24 Medi 1842, 'therefore they think there are no great men in the world beside the Independent doctors with their Yankee titles and insufferable arrogance. The consequence is that they despise their own people and think them a small contemptible sect confined to the mountains of Wales.'[25] I brifathro Coleg y Bala, yr Annibynwyr gyda'u traha a'u hunan-ddigonolrwydd oedd y gwir sectyddion. Fel Presbyteriaid gallai ei gyd-Fethodistiaid fod yn gwbl gysurus eu bod yn perthyn i brif ffrwd eglwys gatholig Duw.

Ymateb 'S.R.'

Yr hyn a sbardunodd ddadl ac a gythruddodd ei wrthwynebwyr oedd nid ei amddiffyniad o Bresbyteriaeth fel y cyfryw ond ei sylwadau miniog ar gynulleidfaoliaeth a'r modd y dyfynnodd yr Annibynwyr yn eu herbyn eu hunain. 'Y mae y dymer a'r arferion a genhedlir gan Annibyniaeth yn tueddu yn fawr i gymylu gogoniant yr efengyl fel egwyddor gymdeithasgar.'[26] Nid Edwards oedd biau'r geiriau hynny ond yr Annibynnwr Isaac Taylor yn ei gyfrol *Spiritual Despotism*. Un o wendidau'r drefn, yn ôl y beirniad, oedd natur statig ei gweinidog-aeth a'i hanallu i atal yr eglwys rhag plygu i mewn arni hi ei hun. 'Annibyniaeth', meddai ymhellach,

oedd y drefn lle roedd Cristionogaeth yn cael ei chau i fyny ar bob llaw . . . Y mae gadael i gynulleidfa i yfed o hyd o'r un pydew sefydlog am hanner can mlynedd yn hollol anghyson â'i chynnydd mewn gwybodaeth ac â'i bywiogrwydd. Nid oes dim, fe allai, wedi bod yn fwy niweidiol i Gristionogaeth ac wedi rhwystro mwy ar ei llwyddiant.[27]

Yr Annibynnwr cyntaf i ymateb i her y sylwadau hyn oedd Thomas Parry, Rhuthun, yn ei *Llythyr at y Parch. L. Edwards a achlysurwyd gan ei sylwadau ar 'Natur Eglwys'* (1840), ond cafodd wrthwynebydd mwy sylweddol o'r hanner yn 'S.R.'. 'It seems that Samuel Roberts is to answer my pamphlet', meddai wrth John Phillips ar 5 Rhagfyr 1839:

I am very glad it fell into the hands of one who can write like a gentleman. But I am not afraid of him. The discussion can do no harm to the Calvinistic Methodists, for whatever could be said against us has been alleged again and again by the Independents, whilst nothing has been said in defence of us, so that if the controversy has any effect, it must be for our advantage.[28]

Roedd Samuel Roberts (1800–85), gweinidog yr Hen Gapel, Llanbrynmair, eisoes yn dod i'r brig fel llenor medrus a lladmerydd mwyaf pybyr radicaliaeth gymdeithasol yng Nghymru. Ordeiniwyd ef yn gyd-weinidog â'i dad, John Roberts, yn 1827, ond yn wahanol i'r tad nid diwinyddiaeth oedd prif ddiddordeb y mab ond yr awydd i warchod hawliau'r unigolyn ym mhob dim. Gogoniant y drefn gynulleidfaol iddo oedd y ffaith fod pob eglwys yn hunanreolus a phob aelod yn gyfartal o'i mewn. Fel egalitarydd milwriaethus ni allai ddygymod â gormes mewn eglwys na byd. Roedd y syniad o gynulleidfa yn ildio'i hawdurdod i gymanfa, neu aelod crefyddol yn trosglwyddo'i hawl i farnu trosto'i hun i flaenor, neu'n waeth byth i esgob neu henuriad, yn anathema ganddo:

> Yr wyf yn credu fod y Testament Newydd yn awdurdodi pob eglwys Gristionogol i ethol ei swyddogion ac i drefnu ei gorchwylion yn annibynnol ar, ac heb fod yn gyfrifol i, unrhyw awdurdod ond yn unig eiddo Crist Iesu yr Arglwydd, ac nad oes gan unrhyw lys eglwysig na gwladol ddim hawl mewn un modd i ymyrryd dim â'i hamgylchiadau. Yr wyf yn barnu y byddai gorfodi cynulleidfa o grefyddwyr i dderbyn athro o benodiad brenin neu frenhines, o anfoniad archesgob neu ganghellydd, o ddewisiad henaduriaeth neu senedd, yn drosedd o iawnderau cydwybod ac yn ddirmyg ar awdurdod Crist.[29]

'Egwyddor fawr y drefn gynulleidfaol', meddai ymhellach, 'ydyw, fod hawl ysgrythurol gan bob eglwys i drefnu ei holl achosion heb fod yn gyfrifol i neb ond i Grist. Dyma yr egwyddor sydd mewn dadl rhyngom.'[30] Beth bynnag am farn Lewis Edwards am foneddigeiddrwydd 'S.R.', ergydiodd yr Annibynnwr yn galed ac ar adegau yn bersonol iawn. Ond cydnabu ar y dechrau mai dadl rhwng cyd-Gristionogion oedd hon er mwyn taflu goleuni ar wirioneddau a oedd o bwys iddynt hwy ill dau. '[Yr wyf] yn edrych ar Mr Edwards fel un o wybodaeth eang ac o ddawn ragorol i osod allan ei feddwl, fel un o effeithiolaeth mawr ymysg ei frodyr crefyddol', meddai, 'ac fel un

awyddus i ledaenu egwyddorion a diddanwch efengyl y gwirionedd'.[31]
Er gwaethaf gorawydd y gŵr hyn i sgorio pwyntiau, aeth i'r afael â
sylwadau'r Methodist fesul un a llunio apologia hynod bwerus o blaid
y safbwynt Annibynnol cyntefig.[32]

Tynnwyd awduron eraill i mewn i'r drafodaeth gan gynnwys John
Mills,[33] Gweirydd ap Rhys[34] a Chaledfryn,[35] ac ymatebodd Lewis
Edwards yntau yn 1841 gydag ail gyfrol *Ar Undeb Eglwysig*. Ail-
adroddodd ei brif bwyntiau mewn ysbryd pwyllog a diwenwyn. Rhan
o *bene esse* yr eglwys oedd y drefn henaduriaethol yn hytrach na'i
esse, 'yr ydym yn addef nad yw y drefn ag y dadleuwn drosti yn an-
hepgorol angenrheidiol i gyfansoddiad eglwys Gristionogol',[36] ond
gan i'r Methodistiaid Calfinaidd gredu fod y drefn yn unol ag egwyddor
yr ysgrythur, mynnent fod ganddynt hawl i'w harddel a'i chymeradwyo
i eraill. Ni fynnai Edwards fod yn ddadleuol, a phrin y gellir dweud i'r
gyfrol fod yn ymfflamychol o gwbl. 'Wrth gyhoeddi hyn o draethawd',
meddai, 'yr wyf yn gwybod na fydd yn cyd-daro ag archwaeth y rhan
fwyaf o'm cydwladwyr. Nid oes ynddo ymosodiadau personol, nid yw
yn collfarnu cyflyrau duwiolion ac nid yw yn apelio at nwydau llyg-
redig y natur ddynol.'[37] Apelio at reswm ac nid at ragfarn a wnaeth.
'Y mae yn gysur gennyf feddwl fod nifer mawr ymhlith pob enwad
crefyddol yn alluog i farnu yn bwyllog a diragfarn. I'r cyfryw yr wyf
yn ei gyflwyno.'[38] Un rheswm pam nad oedd rhaid i Edwards gyffroi
teimladau oedd am ei fod yn credu fod y ddadl, i bob pwrpas, bellach
wedi'i hennill. Os tybid fod y farn o blaid annibyniaeth eglwysig yn
anatebadwy ynghynt, nid felly yr oedd y sefyllfa mwyach. 'Nid oes un
achos celu mai hyn oedd agwedd llawer o ddynion ieuainc ymhlith y
Methodistiaid Calfinaidd oddeutu dwy flynedd yn ôl', meddai.

> Nid oeddent wedi cael mantais i glywed na gweled ond un ochr i'r
> ddadl, sef yr ochr Annibynnol. Ac o ganlyniad, cymerent yn ganiataol
> fod rhyw ddrwg mewn cymdeithasfaoedd, er nas medrent ddweud pa
> beth ydoedd. Pa fodd bynnag, mae yn wirionedd sicr fod ugeiniau
> ohonynt erbyn hyn, os nad ydynt oll, wedi newid yn hollol.[39]

Y gwir yw fod Lewis Edwards wedi llwyddo i foldio barn ei gyd-
grefyddwyr a chynnig arweiniad hynod effeithiol i'w gyfundeb. Câi ei
gydnabod bellach yn brif amddiffynydd eu system a'u lladmerydd
huotlaf ar y llwyfan cenedlaethol. 'Pwysigrwydd pennaf y ddadl', yn ôl
un sylwebydd modern, 'oedd datguddio bod gan y Methodistiaid Calfin-
aidd yng Nghymru bellach saer ac adeiladydd i'w cyfundrefn eglwysig,

math o Richard Hooker ei gyfundeb, a bod hefyd Annibynnwr o waed coch cyfa' yn Llanbryn-mair o hyd.'[40] Nododd y ddadl hefyd fod cenhadaeth Edwards i wareiddio'i gydwladwyr ac i godi eu chwaeth mewn dadl wedi dechrau gadael ei hôl. 'Daeth y Parch. S. Roberts i'r Bala tua diwedd y ddadl, os cofiaf yn iawn', meddai Huwco Meirion, 'a cherddai Dr Edwards ac yntau fraich ym mraich tua'r capel newydd, ac nis gwnai gweled Grant a Greeley yn myned ym mreichiau ei gilydd drwy ddinas Pittsburg greu mwy o *sensation* nag a wnaeth yr ymdaith frawdol yma tu thŷ Dduw yn nhre fach y Bala y pryd hwnnw'.[41] 'Respecting our recent *dadl*', meddai 'S.R.' wrth Edwards ychydig yn ddiweddarach, 'I feel just as you do – I look upon it as little better than a dream – but every semblance of unpleasantness has quite vanished from my mind.'[42] Hyd yn oed gydag ergydiwr mor galed â Samuel Roberts, cafodd brawdgarwch rhyngenwadol ei gynnal, a chan ystyried pa mor gecrus y gallai'r dadleuon diwinyddol fod, roedd hyn yn gryn newydd-deb ar y pryd.

Anesmwythyd yn yr Alban

Un o'r arwyddion cyntaf fod polisi Lewis Edwards o uniaethu ei gyfundeb â'r traddodiad Presbyteraidd yn llwyddo oedd ymweliad arweinwyr eglwysi Presbyteraidd Lloegr ac Iwerddon â'r ddwy sasiwn Gymreig yn 1842. Er mai enwad Seisnig oedd Eglwys Bresbyteraidd Lloegr, plentyn yr Alban ydoedd mewn gwirionedd ac nid tan yr ymraniad eglwysig a gysylltir ag enw Thomas Chalmers yn 1843 y torrodd ei chysylltiad yn derfynol ag eglwys genedlaethol yr Alban a dod yn gorff ar wahân.[43] Ei phrif arweinydd oedd James Hamilton (1814–67), gweinidog yr Eglwys Albanaidd ('the Scotch Church'), Regent Square, Llundain, a gyrhaeddodd Brifysgol Caeredin yn fyfyriwr yr un flwyddyn ag yr ymadawodd Lewis Edwards â hi. Ef a arweiniodd ddirprwyaeth Bresbyteraidd bwerus i sasiwn y Bala, Mehefin 1842. Roedd tebygrwydd y ddwy eglwys o ran eu cyffesion ffydd, eu ffurflywodraeth a'r traddodiad o ddiwygiadau nerthol a fu'n eu cynysgaeddu yn eu clymu ynghyd ac oherwydd hynny doedd dim rheswm pam na ddylent geisio undeb closiach fyth: 'Yr ydym yn credu y gallem fod o les y naill i'r llall, pe byddai rhyw rwymyn undeb rhyngom.'[44] Yn ogystal â Hamilton cynhwysai'r ddirprwyaeth y Parchg Peter Sawyer o Newcastle-upon-Tyne, Dr John Brown o Belffast a lleygwr mwyaf dylanwadol yr enwad yn Lloegr, sef George Barbour o Fanceinion. Aeth Hamilton i sasiwn y de yn Nhalgarth yn y mis Hydref pan agorwyd Coleg Trefeca, gan adrodd yr un neges yno a chael croeso yr un mor frwd. Ond tra oedd y berthynas rhwng Presbyteriaid y tair gwlad arall yn dyfnhau, yr oedd y sefyllfa y tu hwnt i Afon Tweed yn troi'n fwyfwy argyfyngus, ac ni allai Lewis Edwards o bawb fod yn ddifater yn ei chylch.

'The Disruption of the Church of Scotland', meddai cofiannydd Thomas Chalmers, 'was the most important event in nineteenth century Scotland'.[45] Roedd gwreiddiau'r ymraniad yn ymestyn yn ôl ddegawd i 1833. Roedd y newidiadau cyfansoddiadol fel diddymu'r Deddfau Prawf a Chorffolaethau (1828) a rhyddfreinio'r Pabyddion (1829) a gyrhaeddodd uchafbwynt gyda'r Ddeddf Ddiwygio yn 1832 wedi estyn y bleidlais i gyfran helaethach o'r boblogaeth nag erioed o'r blaen gan ddechrau'r broses o danseilio monopoli cymdeithasol dosbarth yr uchelwyr a lledu dylanwad mân dirfeddianwyr, rhydd-ddeiliaid ac amaethwyr cyffredin. Golygai hyn fod grym y Torïaid bellach dan fygythiad gan y blaid a fynnai hyrwyddo'r newidiadau, sef y Chwigiaid. Roedd hyn yr un mor wir yng Nghymru ag ydoedd yn Lloegr ac yn yr Alban.[46] I'r Torïaid roedd llwyddiant y deyrnas gyfunol yn dibynnu ar y clymblaid sanctaidd rhwng y goron, y llywodraeth a'r eglwys sefydledig, ac er i'r Ymneilltuwyr gael eu goddef, ni ellid caniatáu iddynt hawliau cyfartal. Gyda'r atgof am y rhyfeloedd cartref yn rhan o'r seice Prydeinig o hyd, roedd unrhyw duedd i herio'r cyfuniad cyfansoddiadol sefydlog hwn yn creu anesmwythyd mawr. I'r Chwigiaid ar y llaw arall, ac i'r radicaliaid yn fwy fyth, sefydliad seciwlar oedd y wladwriaeth, a dyletswydd y goron a'r llywodraeth oedd gwarchod hawliau pawb o'u deiliaid ni waeth beth oedd eu hymlyniad crefyddol, neu eu diffyg crefydd o ran hynny. Oherwydd eu gwreiddiau yn yr Eglwys Anglicanaidd, eu hofnusrwydd gwleidyddol a grym dylanwad John Elias yn anad neb, roedd y Methodistiaid Calfinaidd yn dal i ochri gyda'r *status quo*, ond fel y gwelsom ym mhennod dau, roedd symudiad o blith y pregethwyr iau i ymysgwyd yn rhydd oddi wrth y dawelyddiaeth hon.

Pan oedd yn iau roedd Lewis Edwards, fel edmygydd mawr o John Elias, yn arddel y farn Dorïaidd. Ysgrifennodd yn erbyn rhyddfreinio'r Pabyddion ac amddiffynnodd ei eilun o Fôn yn achos diarddel radicaliaid Capel Jewin yn 1828. Ond oherwydd ei brofiadau yn Llundain ac, yn fwy fyth, ei flynyddoedd yn yr Alban, symudodd yn fwyfwy tuag at y farn Ryddfrydol. 'Erbyn hyn', meddai Thomas Charles Edwards am ei dad, 'yr oedd dylanwadau mwy eang yn cael eu teimlo ganddo . . . [Y]n Edinburgh daeth y duedd ymneilltuol a rhyddfrydig yn fwy i'r golwg.'[47] Yr un mater a nododd yr hollt rhwng yr hen Dorïaeth Fethodistaidd a'r Rhyddfrydiaeth newydd oedd dilysrwydd y syniad o eglwys sefyd-ledig. 'Yr oedd y Methodistiaid Calfinaidd', meddai Roger Edwards o'r Wyddgrug, 'er eu bod erbyn hyn wedi torri pob cyfathrach ag Eglwys Loegr trwy ordeinio pregethwyr i weinyddu y sacramentau, eto yn gyffredin yn teimlo rhywbeth fel serch carenydd tuag at yr Hen Eglwys'.[48] Ni fynnent am eiliad beryglu'r cytgord sanctaidd rhwng y goron, y llywodraeth a'r eglwys sefydledig a warantai fendith Duw a ffyniant y deyrnas. Roedd hi'n well ganddynt barhau yr anomali o fod yn gorff ar wahân i'r sefydliad, er yn esgymun ac yn ddirmygedig ganddo, nag uniaethu eu hunain â disgynyddion pengryniaid peryglus yr Annibynwyr a'r Bedyddwyr a gefnodd ar Eglwys Loegr am iddynt ymwrthod â delfryd yr eglwys sefydledig o ran egwyddor. Felly, pan alwyd cyfarfod yn y Bala yn gynnar yn 1839 i drafod mater datgysyllu, dychrynwyd John Elias yn ddirfawr. '[Y mae] gennyf feddwl mawr am eich synnwyr a'ch gras a'ch meddwl heddychol', meddai wrth Lewis Edwards ar 8 Chwefror 1839, 'gwn i chwi gael eich magu ym mynwes y Methodistiaid llonydd tawel, ac nad ydych ddieithr i egwyddorion y Dr Chalmers dysgedig a synwyrlawn am y pethau hyn'.[49] Yn nhyb yr hynafgwr o Fôn, ni fyddai'r achlysur yn y Bala yn ddim namyn 'cyfarfod i feio cyfreithiau Prydain, cyfarfod i geisio dadymchwelyd cyfansoddiad gwlad lywyddol y deyrnas hon! – i geisio tynnu yr enw Cristionogol a Phrotestannaidd oddi arnom fel cenedl'.[50] Am ei drefnwyr, 'y cynhyrf-wyr hyn' a'u 'dichell Jesuitaidd', 'nid oes ganddynt . . . ddysgeidiaeth Crist', meddai, 'am hynny "na dderbyniwch hwy i dŷ, ac na ddywedwch Dduw yn rhwydd iddynt"'.[51] Mewn geiriau eraill, mynnai i Edwards ddefnyddio'i ddylanwad i ddiarddel y trefnwyr. Ond i ddim pwrpas. Roedd Lewis Edwards, heb yn wybod i'r hen ŵr, wedi ymwrthod â Thorïaeth ers tro byd ac yn fwy na hynny yn gefnogol i'r cyfarfod a'i holl amcanion. Roedd Elias bellach yn perthyn i oes a oedd yn prysur fynd heibio.

Yr Alban a droes Lewis Edwards, yn ddigon petrus bid siŵr, i gyfeiriad Ymneilltuaeth, ac er gwaethaf ei edmygedd mawr o Thomas Chalmers, ni lwyddodd carisma'r Sgotyn na'i resymu rhaeadraidd i gadw'r Cymro ymhlith deiliaid y sefydliad. 'Now with regard to the young man that you mention', ysgrifennodd Edwards at ohebydd yn 1836, 'I feel for him very sincerely. Has he studied the question of Church and State?'[52] Roedd y gŵr ifanc dan sylw yn pendroni (fel y gwnaeth Lewis Edwards yntau am ennyd yn 1830) p'un ai y dylai gefnu ar y Methodistiaid a cheisio urddau yn yr eglwys wladol. Erbyn 1836 roedd ei farn yn ddibetrus ddigyfaddawd: 'Should he be able to persuade his conscience to gulp down all the oaths and undergo all the tyranny imposed upon him by the Church of England, yet he will feel himself shackled and all his efforts cramped and circumscribed.'[53] Fe ddichon fod y geiriau hyn yn adleisio'r sgyrsiau a gafodd gyda'i frawd-yng-nghyfraith, David Charles, a benderfynodd yntau tua'r un pryd, nid heb lawer o ing a phoen meddwl, gefnu ar y sefydliad ac ymrwymo'n derfynol gyda'r Methodistiaid. Ond y frawddeg ganlynol sy'n wir arwydd-ocaol: 'On the other hand, if he be a dissenter on principle the best place for him, in my humble opinion, is among the Welsh Calvinistic Methodists.'[54] Roedd y Rubicon wedi'i chroesi. Bellach ystyriai'r Methodist Calfinaidd hwn ei hun nid yn rhyw fath o fab gordderch i'r sefydliad Anglicanaidd, ond yn Ymneilltuwr teyrngar ac ymroddedig. Roedd eraill hefyd wedi dod i rannu ei farn.

I fyny yng Nghaeredin bell roedd Thomas Chalmers yn gweld pethau mewn goleuni gwahanol iawn. Roedd ef a'r blaid efengylaidd oddi mewn i Eglwys yr Alban yn gefnogwyr brwd i'r egwyddor blwyfol. Credent mewn sefydliad eglwysig egnïol a chryf a byddent yn atgoffa'r wladwriaeth yn gyson o'i dyletswydd i noddi Cristionogaeth fel ffydd genedlaethol, o bwrs y wlad pe bai rhaid. Ond nid Erastiaid oeddent ychwaith, yn credu yn narostyngiad yr eglwys i'r wladwriaeth, yn wir roedd eu barn am natur y cyfamod sanctaidd rhwng gwerin yr Alban a'i gwladwriaeth Gristionogol yn drawiadol o wahanol i egwyddor yr eglwys wladol a dderbynid i'r de o Afon Tweed. Yn ôl argyhoeddiad hanesyddol Eglwys yr Alban, roedd yr eglwys mewn partneriaeth gyf-amodol â'r wladwriaeth, a'r ddwy yn ddarostyngedig i ewyllys Duw yn ei Air. Fel corff ysbrydol roedd yr eglwys yn rhydd i gyfundrefnu ei bywyd ei hun heb ymyrraeth na iarll, dug, arglwydd na phendefig, na chyngor tref ychwaith. Roedd ganddi, fodd bynnag, yr hawl i ddisgwyl i'r uchelwyr a'r gwleidyddion lleol noddi gweinidogaeth ei phlwyfi, ei chyfundrefn addysg a gynhwysai ysgol elfennol ac ysgolfeistr ym mhob plwyf, a'r system o ddosbarthu cymorth ariannol i'r tlodion. Disgwylid i'r cynulleidfaoedd hwythau gyfrannu tuag at wasanaethau'r plwyfi, ond ar ysgwyddau'r uchelwyr, ac yn yr ardaloedd poblog y cynghorau dinesig, yr oedd y prif gyfrifoldeb cyllidol yn gorwedd. Hon oedd y gymanwlad Gristionogol, 'the unified godly common-wealth', roedd Thomas Chalmers wedi gwneud cymaint i'w phoblog-eiddio fel offeryn effeithiol er efengyleiddio, gwareiddio a dyrchafu ei gydwladwyr.[55]

Ymraniad 1843

Er 1834, pan gipiodd yr efengyleiddwyr rym oddi wrth blaid y cymedrolwyr (*The Moderate Party*) yn y llysoedd eglwysig, cafwyd symudiad yn y gymanfa gyffredinol i ddiwygio'r gyfundrefn i gydweddu â'r adfywiad ysbrydol a oedd eisoes wedi cerdded trwy'r wlad. Er mwyn ehangu hawliau'r cynulleidfaoedd pasiwyd yn 1834 y Ddeddf Gwaharddiad (*the Veto Act*) a oedd yn caniatáu i bob penteulu, trwy bleidlais, naill ai gymeradwyo neu wrthod sefydlu pob gweinidog newydd yn ei blwyf. Ers yr Oesoedd Canol y pendefig (y 'laird') neu, yn ddiweddarach yn y dinasoedd a'r trefi mawrion, y cyngor lleol, oedd â'r hawl i ddewis gweinidog i'r plwyfi yr oeddent yn noddwyr arnynt. Trwy'r ddeddf hon y cafwyd cyfle, am y tro cyntaf, i'r cynulleidfaoedd, trwy bleidlais eu penteuluoedd, leisio'u barn ar addasrwydd y gweision a fyddai'n cael eu galw i'w bugeilio yn yr efengyl. Yn dilyn hyn, yn yr un flwyddyn, pasiodd y gymanfa gyffredinol Ddeddf y Capeli (*the Chapels' Act*) a oedd yn sicrhau hawliau plwyfol cyflawn ynghyd ag annibyniaeth gyllidol i'r ugeiniau o achosion newydd, llawer ohonynt yn gapeli anwes a godwyd yn y dinasoedd er mwyn gwasanaethu'r boblogaeth ddiwydiannol gynyddol. Ac yn olaf sefydlodd y gymanfa Bwyllgor Ymestyniad Eglwysig (*Church Extension Committee*), o dan lywyddiaeth Thomas Chalmers, i greu rhwydwaith o gannoedd o blwyfi ychwanegol a fyddai'n adlewyrchu realiti demograffig yr Alban newydd. Y ddelfryd oedd eglwys ac ysgol i bob dwy fil o blwyfolion ynghyd â gweinidog ac ysgolfeistr, gyda system elusennol genedlaethol, wedi'i sylfaenu ar y plwyfi, er mwyn sicrhau gofal cymdeithasol i bawb. Cydiodd y weledigaeth uchelgeisiol hon yn nychymyg y werin, a rhwng 1834 ac 1841 crewyd dros ddau gant o blwyfi newydd, y rhan fwyaf trwy roddion gwirfoddol y cyfoethog a'r tlawd. Law yn llaw â hyn roedd holl genhadaeth ysbrydol, addysgol a dyngarol yr eglwys sefydledig yn ffynnu. 'In 1838, as the Evangelicals celebrated the two-hundredth anniversary of the signing of the National Covenant', meddai Stewart J. Brown, 'it seemed that Scotland was returning to the seventeenth-century ideal of the covenanted nation. The upwardly mobile middle classes – small manufacturers, retailers, commission agents – particularly embraced this revival of puritan idealism.'[56] Doedd y ddelfrydiaeth fodd bynnag, na'r rhoddion gwirfoddol, ddim yn ddigon i beri i'r cynllun lwyddo. Bu rhaid i'r Eglwys apelio i'r llywodraeth am grant sylweddol gan y Trysorlys.

A dyna pryd y dechreuodd pethau fynd o chwith. Erbyn hynny, ac er gwaethaf ei lwyddiannau mawr, roedd gwrthwynebiad i'r ymchwydd diwygiadol wedi codi o gyfeiriad yr hen ddosbarth tirol a'u cynghreiriaid eglwysig o blith plaid y cymedrolwyr. Hefyd, roedd toreth o Gristionogion selog y tu allan i ffiniau'r eglwys genedlaethol, yn Bresbyteriaid, yn Annibynwyr ac yn Fedyddwyr, yn ymwrthod o argyhoeddiad â'r syniad o sefydliad eglwysig. Roedd yr egwyddor wirfoddol wedi cydio yn dynn ym meddwl arweinwyr yr United Secession Church, Eglwys yr Ymwahanwyr yr oedd gan Lewis Edwards feddwl mor uchel ohoni. Fel ymneilltuwyr oddi wrth y gymanwlad eglwysig, teimlodd y rhain fod pob symudiad i ymestyn dylanwad Eglwys yr Alban yn fygythiad i'w hawliau sifil a chrefyddol ac roedd y syniad o noddi cynllun yr Eglwys o bwrs y wlad yn wrthun ganddynt. Chwigaidd oedd y llywodraeth a ddaeth i rym yn 1837, ac wedi cryn ganfasio barn a thafoli dewisiadau, penderfynwyd gwrthod cais Eglwys yr Alban am nawdd ariannol. Roedd hyn yn ergyd lem yn erbyn monopoli ysbrydol yr eglwys wladol a'i dymuniad i gynrychioli holl bobl y wlad. Siomwyd Thomas Chalmers yn ddirfawr a chredodd fod y llywodraeth wedi'i fradychu'n enbyd.

Fel yr oedd yr argyfwng hwn yn dwysáu, cynyddodd yr anesmwythyd ymhlith llawer o weinidogion y cymedrolwyr fod y Ddeddf Gwaharddiad, er ei phasio gan y gymanfa gyffredinol, yn annilys yng ngolwg deddf gwlad, a chafwyd cyfres o achosion i'w herio. Yn Hydref 1834 pallodd plwyfolion Auchterarder, Swydd Perth, gymeradwyo yn weinidog arnynt ymgeisydd o'r enw Robert Young a enwyd i'r plwyf gan y noddwr, Iarll Kinnoull. O dan amodau'r Ddeddf Gwaharddiad, gwrthododd yr henaduriaeth ei ordeinio er gwaethaf y ffaith ei fod yn ddiargyhoedd o ran ei foesau ac yn uniongred o ran ei ffydd. Apeliodd Young i'r llys sifil, ac wedi proses hir iawn, dyfarnwyd fod yr Eglwys wedi treisio hawliau'r darpar-weinidog a'i noddwr yn yr achos hwn. Mynnodd cymanfa gyffredinol 1839 apelio yn erbyn dyfarniad y llys ac aeth â'r achos i Dŷ'r Arglwyddi, prif lys y deyrnas. Dyfarniad unfrydol yr Arglwyddi oedd fod y llys sifil wedi gweithredu'n gywir. Yn unol ag egwyddor eglwys sefydledig, roedd pob deddf eglwysig nad oedd yn ymwneud yn uniongyrchol â hanfodion ffydd yn ddarostyngedig i'r llysoedd sifil. Mater tymhorol, nid ysbrydol, oedd cwestiwn nawdd, ac felly roedd y gymanfa gyffredinol wedi mynd y tu hwnt i'w hawliau trwy basio'r Ddeddf Gwaharddiad yn y lle cyntaf. Erbyn hynny, roedd achosion eraill wedi codi, ym mhlwyf Lethendy, Swydd Perth, ac yn Strathbogie, Swydd Aberdeen, ymhlith mannau eraill, a'r gynnen yn dyfnhau yn feunyddiol. I gefnogwyr y symudiadau diwygiadol, mater i'r Eglwys oedd penderfynu pwy a ddylai gael ei ordeinio; nid oedd a wnelo hawliau noddwr â'r peth ac nid oedd gan lys sifil ddim awdurdod yn y mater o gwbl. Ond i'r cymedrolwyr, roedd hi'n gwbl briodol mewn gwladwriaeth Gristionogol ddisgwyl i'r llys sifil gael y gair olaf mewn materion a oedd yn ymwneud â materion eglwysig tymhorol. Roedd efengyleiddwyr, rhai ohonynt, a thrwch y cymedrolwyr yn credu fod rhyddid ysbrydol yr Eglwys yn cael ei warantu gan y sefydliad gwladol, ond roedd mwy a mwy o selogion iau y blaid efengylaidd yn credu fod egwyddor hanfodol yn y fantol. Naill ai roedd Eglwys yr Alban yn rhydd yn ei gweinyddiaeth fewnol neu yr oedd hi'n ddar-ostyngedig i awdurdod estron, gwladwriaethol. Erbyn 1842 roedd mwy a mwy o'i deiliaid yn sôn yn agored am ymwahanu â hi.

Roedd Thomas Chalmers mewn cyfyng gyngor difrifol. Ar y naill law, roedd yn cytuno â selogion iau fel Robert Candlish a William Cunningham fod egwyddor ysbrydol bwysig wedi cael ei threisio ac nad oedd gan y wladwriaeth hawl i ymyrryd mewn gweithgareddau eglwysig: roedd Eglwys yr Alban, o dan Grist, yn sofran yn ei theyrnas ei hun. Ond, ar y llaw arall, ni wnaeth neb fwy i adfywio'r hen gytgord rhwng y goron, y wladwriaeth a'r eglwys sefydledig a'i droi yn rym gwirioneddol ym mywyd y wlad. Roedd Owen Thomas, Bangor (Lerpwl yn ddiweddarach), a John Parry yn fyfyrwyr yng Nghaeredin tra oedd y ddrama hon yn cael ei chwarae, ac fel Lewis Edwards ddegawd ynghynt, roedd eu hedmygedd o Chalmers yn ddi-ball. 'I rejoice in the spirit of your denomination', ysgrifennodd Chalmers at Owen Thomas yng Ngorffennaf 1842, 'and there are few things which would delight me more than a union between the Calvinistic Methodists of Wales and the Presbyterians of Scotland, Ireland and England'.[57] Roedd llygaid y byd ar yr hyn a fyddai'n digwydd yn yr Alban. 'I am convinced', meddai Lewis Edwards wrth Roger Edwards, yr Wyddgrug, ar 3 Rhagfyr 1842, 'that the present movements of the Church of Scotland are the most important on the face of the earth'.[58]

Erbyn hynny roedd yr ysgrifen ar y mur. Er cymaint oedd ymlyniad Chalmers wrth y sefydliad, gwyddai fod ei ddyddiau ef fel aelod ohono wedi'u rhifo. Roedd y gymanfa gyffredinol ym Mai 1842 wedi llunio dogfen hawliau (*Claim of Rights*) yn ysbryd yr hen gyfamodwyr gynt yn mynnu mai Crist ei hun oedd pen yr Eglwys ac nid y wladwriaeth, a chyfrifoldeb statudol y goron, yn ôl telerau deddf uno y ddwy deyrnas yn 1707, oedd gwarchod hawl absoliwt yr eglwys genedlaethol i'w rheoli ei hun. Gyrrwyd y ddogfen i'r senedd, ac am weddill y flwyddyn, mawr oedd y disgwyl. Ymtebodd San Steffan ar 4 Ionawr 1843: ni allai'r goron ar unryw delerau dderbyn rhagdybiaethau'r ddogfen. Yn y ddwy deyrnas y ddeddf sifil oedd â blaenoriaeth ar unrhyw ddeddf eglwysig. Yn gyfochrog â hyn, eto yn Ionawr 1843, heriwyd yn llwyddiannus awdurdod Deddf y Capeli, a chyda hynny daeth goruchafiaeth y blaid efengylaidd i bob pwrpas i ben. Deddf y Capeli a roes hawliau pleidleisio cyflawn yn y gymanfa gyffredinol i liaws o weinidogion efengylaidd, bugeiliaid selog y cannoedd o blwyfi newydd a grewyd yn sgil yr ymgyrch genedlaethol a ddechreuodd yn 1834. Yn ôl y *status quo ante*, dim ond gweinidogion y gyfundrefn blwyfol a oedd yn bod cyn 1834 a feddai hawliau pleidleisio mwyach, ac roedd eu mwyafrif llethol yn gymedrolwyr. Mewn geiriau eraill, collodd yr efengyleiddwyr eu mwyafrif yn y gymanfa gyffredinol, a chollodd Thomas Chalmers ei ddylanwad a'i rym. Hyd yn oed petai dyfarniad y senedd yn mynd i bleidlais ar lawr y gymanfa, colli a wnâi'r efengyleiddwyr a byddai'r mwyafrif yn dyfarnu o blaid safbwynt y llywodraeth. Roedd Owen Thomas, fel y dywedwyd, yn dyst i'r cynnwrf. 'They are going on here at a rapid rate in their preparations for the ensuing disruption', meddai wrth Lewis Edwards ar 3 Ebrill 1843.

> Drs Chalmers, Gordon, Candlish and Cunningham are very sanguine in their expectations . . . Though they deplore the disruption they do not dread it and are quite confident that depending on the free-will offerings of the Christian people they will be enabled not only to support all the seceding ministers but to extend the usefulness of the church throughout the length and breadth of Scotland.[59]

Ar 18 Mai 1843, wrth i sesiwn agoriadol cymanfa gyffredinol Eglwys yr Alban gael ei galw i drefn, cododd David Welsh, cydweithiwr Chalmers fel athro hanes yr eglwys Prifysgol Caeredin a chymedrolwr y gymanfa gyffredinol y flwyddyn gynt, a darllenodd ddatganiad. Wrth fynegi amharodrwydd trwch y blaid efengylaidd i gydymddwyn â dyfarniad y senedd, cododd dros ddau gant o'r cynrychiolwyr a cherddodd ar hyd llawr eglwys St Andrews, Caeredin, ac allan i'r stryd. Roedd Welsh a Chalmers yn y blaen. Ymunwyd â hwy gan gannoedd o weinidogion a henuriaid o bob cwr o'r wlad, a gorymdeithiwyd yn dawel y chwarter milltir i Neuadd Tanfield yn Cannonmills ac yno torrodd 450 o weinidogion eu henwau ar weithred ffurfiannol Eglwys Rydd yr Alban. Erbyn diwedd y dydd roedd 474 allan o gyfanswm o 1,195 o holl weinidogion y sefydliad wedi torri eu cyswllt ag eglwys eu magwraeth ac ymuno â'r Eglwys Rydd. Trwy wneud hyn collent eu bywoliaeth, eu statws a'u cartrefi. P'un ai bod pobl yn cytuno â'u hargyhoeddiadau ai peidio, nid amheuodd neb eu dewrder. Amcangyfrifwyd i tua hanner aelodau cynulleidfaoedd yr eglwys wladol gefnogi'r gweinidogion hyn ac ymuno â'r eglwys newydd. 'Nid oes yr un digwyddiad yn yr oesoedd diwethaf', meddai Lewis Edwards, 'wedi tynnu cymaint o sylw Cristionogion ym mhob gwlad ag ymneilltuad yr Eglwys Rydd yn Sgotland'.[60] Gan wybod beth oedd yn debygol o ddigwydd, roedd Chalmers er y mis Tachwedd blaenorol wedi tynnu allan gynllun i greu eglwys genedlaethol newydd, yn gyfochrog â'r hen, a fyddai'n ymgorffori holl ddyheadau'r gymanwlad Gristionogol trwy addysgu'r bobl, trwy weini i'w rheidiau ysbrydol a thrwy ofalu am y tlodion. Byddai'n Bresbyteraidd ei ffurflywodraeth, yn arddel Cyffes Westminster fel safon ei chred a byddai'n cynnwys pawb, mewn egwyddor, o drigolion y wlad. Yr unig wahaniaeth oedd na fyddai'n ddarostyngedig i fympwy y wladwriaeth. 'Though we quit the establishment', meddai Chalmers, 'we go out on the establishment principle. We quit a vitiated establishment, but would rejoice in returning to a pure one. To express it otherwise, we are advocates for a national recognition and national support of religion, and we are not voluntaries.'[61]

Parodd llwyddiant yr Eglwys Rydd ryfeddod syfrdanol. Erbyn 1844, flwyddyn ar ôl yr ymraniad, roedd 470 o addoldai newydd wedi eu hadeiladu ac erbyn 1847 cododd y rhif i 730. Sefydlodd Chalmers gronfa gynnal a thrwy roddion gwirfoddol cafwyd digon ynddi ymhen y flwyddyn i sicrhau cyflog o £120 i bob gweinidog – £150 oedd cyflog gweinidogion y sefydliad. Yn ogystal â chodi eglwys newydd a mans ym mhob plwyf, crewyd cronfa addysg ac erbyn 1847 roedd 500 ysgol elfennol newydd wedi eu codi ar draws y wlad a thros 650 o athrawon yn eu gwasanaethu. Sefydlwyd dau goleg hyfforddi, y naill yng Nghaeredin a'r llall yn Glasgow, ac yn 1846 agorwyd y Coleg Newydd ar y 'Mound', y llechwedd a oedd yn arwain at Gastell Caeredin a safle llys Mynyddog Mwynfawr, brenin y Gododdin, fileniwm a thri chan mlynedd ynghynt. Yn ogystal â bod yn athro diwinyddiaeth y coleg hwn, Chalmers a etholwyd yn brifathro. 'Behind these achievements', meddai Stewart Brown, 'stood Chalmers' organizational and financial genius'.[62] Yn union fel y sianelodd egnïon yr efengyleiddiaeth newydd i mewn i'r ymgyrch ymestyniad eglwysig yn 1834, defnyddiodd y strwythurau cenhadol i godi brwdfrydedd o blaid a nawdd ariannol i'r fenter gynhyrfus newydd. Yr unig wahaniaeth oedd bod y cwbl, bellach, wedi dod o bocedi'r bobl. Ni chafwyd dimai o bwrs y wlad. 'In reference

to the address that I had the honour of forwarding to you yesterday',
meddai Lewis Edwards wrth Chalmers ar 7 Hydref 1843,

> we intend to collect from eight to nine hundred pounds without putting
> the Free Church to any expense in sending deputations to Wales. Her
> cause has been explained in all our pulpits, and I have no doubt that
> every congregation belonging to the Welsh Methodists have contributed
> something, or will do very soon.[63]

Wrth dafoli arwyddocâd y weithred yn 1845, tymherwyd edmygedd
Lewis Edwards â pheth anghytundeb. '[O] ddarllen am eu diwyd-
rwydd, eu hegni, eu hunanymwadiad a'u haelioni digyffelyb [rhaid
cydnabod] yn ddiolchgar fod llaw Duw gyda hwynt', meddai.[64] Ond
eto, roedd y weledigaeth am y gymanwlad Gristionogol, am eglwys
diriogaethol a gynhwysai bawb ar broffes foel o ffydd yn hytrach
nag o brawf o grefydd y galon, ac yn fwy byth, ddrwgdybiaeth barhaol
Chalmers o'r egwyddor wirfoddol – er gwaethaf y ffaith mai trwy roddion
gwirfoddol y llwyddasai'r Eglwys Rydd gymaint – yn ei bellhau rywfaint
oddi wrtho. 'Nid oes rhaid i ni gondemnio y Rhydd-eglwyswyr am nad
ydynt yn hollol yr un farn â ni am ddyletswydd y wladwriaeth tuag at
grefydd Crist.'[65] Eu gwir mawredd, fodd bynnag, oedd 'bod neb er
dyddiau yr apostolion wedi galw sylw y byd at ysbrydolrwydd teyrnas
y Meseia, ac i brofi digonolrwydd, ac effeithiolrwydd yr egwyddor
wirfoddol'.[66] Byddai yr Alban yn parhau yn ysbrydiaeth iddo, a phatrwm
Chalmers a gweithgareddau yr Eglwys Rydd yn bwysig wrth i Edwards
osod ei awdurdod yn drymach ar ei gyfundeb yn ystod y blynyddoedd
i ddod.

Yn Ôl yn y Bala

Yn 1837 y galwyd Ebenezer Richard at ei dadau a phedair blynedd yn
ddiweddarach y bu farw John Elias. Dyna'r ddwy ddolen gadarnaf
a glymai Methodistiaid y ddeunawfed ganrif wrth Fethodistiaid y
cyfnod wedi 1811 wedi eu torri. Yr arweinwyr bellach oedd y pregeth-
wyr medrus, pwerus John Jones, Tal-y-sarn (1796–1857), a Henry Rees
(1798–1869), ac yn y de yr hynafgwr hirhoedlog William Evans,
Tonyrefail (1795–1891). Ond ildio a wnaent cyn hir i'r genhedlaeth
nid llai eu duwioldeb, eu poblogrwydd na'u dylanwad pregethwrol,
ond a fyddai'n cyfuno gwerthoedd yr hen ac ehangder, diwylliant a

dysg y newydd: Lewis Edwards a'i gyfaill John Phillips, Owen Thomas, Roger Edwards yr Wyddgrug (1811–86), a disgynnydd ysbrydol 'cloch arian Tonyrefail', sef Edward Matthews, Ewenni (1813–92). Os disglair oedd y to cynt, nid llai eu llewych oedd y rhain. A chymryd popeth i ystyriaeth, prin y gwelodd Methodistiaeth Galfinaidd, na Christion-ogaeth Cymru, genhedlaeth gyfoethocach eu doniau na hon.

'Yr wyf yn cofio amser pan oedd yr enw John Elias yn dwyn rhyw syniad aneglur i fy meddwl am y dyn mwyaf yn yr holl fyd', meddai Lewis Edwards wrth fwrw golwg yn ôl yn 1875, 'ac er i mi orfod credu yn raddol y gallai fod eraill yn gymaint dynion . . . wrth gymryd popeth i ystyriaeth, yr oedd yn ei le ei hun, fel pregethwr, yn cymryd y blaen yn fy ngolwg hyd y diwedd'.[67] Ni allai Edwards wadu gwerth ei etifedd-iaeth, ac ni fynnai chwaith. Fel 'y gŵr mawr hwnnw'[68] y cyfeiriodd at Ebenezer Richard yn fuan ar ôl ei farw, a hynny er gwaethaf y tensiynau poenus a fu rhyngddynt: 'Yn Llangeitho clywais ef liaws o weithiau, gan y byddai yn dyfod yno yn fynych i bregethu . . . ac os nad oeddwn yn well ar ôl ei wrando, yr oeddwn yn teimlo dymuniad am fod yn well.'[69] Er i Edwards symud ymhell oddi wrth Dorïaeth Elias a chulni di-fenter ei ddiwinyddiaeth, ni chollodd fyth mo'i barch ato. 'Er ei fod wedi cyfyngu ei hun at awdwyr efengylaidd hen a diweddar, heb gyffwrdd â diwinyddiaeth y tu allan i'r cylch hwnnw, a llai fyth â llenyddiaeth gyffredin, yr oedd er hynny yn ddarllenwr mawr.'[70] Gwendid Elias oedd ei gulni deallusol a'r rhagfarnau llymion a gydweddai â phersonoliaeth gref. Ond eto, un o seiri'r Gymru Ymneilltuol ydoedd ac fel yn achos Thomas Chalmers, er na allai Edwards gytuno ag ef ym mhob dim, roedd ei edmygedd ohono yn ddifesur.

Gan fod ynddo y fath barch i'r Piwritaniaid, y mae yn canlyn fel casgliad naturiol mai eu golygiadau diwinyddol hwy oedd ei olygiadau yntau . . . Ac nid yn unig yr oedd efe yn credu yr athrawiaeth Biwritanaidd, ond yr oedd yn myned ymhellach ac yn credu nad oedd yr un gwirionedd yn bod nad oedd wedi ei ddysgu yn gyflawn ganddynt hwy.[71]

Sylweddolodd Edwards yn ddyn ifanc fod Protestaniaeth yn lletach na'r ffydd Biwritanaidd, a Christionogaeth yn lletach na Phrotestaniaeth, ac ni allai'r meddwl duwiol, diwylliedig gael ei gyfyngu gan ofnau pietist-iaeth. Meithrin catholigrwydd barn oedd ei nod a dysgu'r Methodistiaid nad oedd ganddynt ddim byd i'w ofni gan Richard Hooker, diwin-yddion yr Oesoedd Canol na'r tadau eglwysig cynnar. Roedd hi'n hawdd iddo yntau, David Charles a John Phillips wneud hynny. Rhyfeddod

Ebenezer Richard a John Elias oedd iddynt wneud cymaint er gwaethaf eu hanfanteision dybryd. 'Y mae yn wirionedd amlwg fod cymhwysderau eraill yn angenrheidiol tuag at fod yn bregethwr poblogaidd, ac yr oedd Mr Elias yn meddu ar y cymhwysterau hynny yn gymaint, os nad yn fwy na neb yn ei oes.'[72]

Yn ôl yn y Bala roedd yr ysgol yn ffynnu a bywyd teuluol Lewis a Jane Edwards yn ymgyfoethogi yn feunyddiol. Ganed Thomas Charles, y cyntaf o wyth o blant, ar 22 Medi 1837, a'i ddilyn gan Sarah Maria ar 6 Mehefin y flwyddyn ddilynol. Dilynwyd hi gan Margaret Jane ar 16 Ebrill 1841. 'Y mae daioni yr Arglwydd tuag atom yn fwy nag y gallwn byth ei draethu', ysgrifennodd at ei rieni yn y mis Tachwedd hwnnw. 'Y mae y tri bach a roddes Efe i ni yn gweini llawer o ddiddanwch a sirioldeb i'n meddyliau bob dydd. Enw yr ieuengaf yw Margaret ac y mae yn debyg o fod mor hoffus ag un o'r lleill. Galwyd hi felly yn ôl ei nain.'[73] Rhwng hynny a 1855 deuai i'r aelwyd Lewelyn (1843), Celia (1845), Mary (1847), Leta (1849), David Charles (1851) a James (1855). Byddai'r cwbl yn goroesi'u plentyndod, er i Sarah Maria a Margaret Jane farw yn eu harddegau a Leta yn ei hugeiniau.

Er i egnïon eu tad gael eu sianelu i weithgareddau'r athrofa yn bennaf ac i'w ddyletswyddau cynyddol fel arweinydd enwadol, tyfasai i fod yn bregethwr grymus gartref ac oddi cartref, ac yn ddyn poblogaidd ymhlith ei gyfoeswyr. Clywodd Eben Fardd ef am y tro cyntaf yn y Capel Uchaf, Eifionydd, ar 15 Ionawr 1843, a meddai fod ei ddull yn 'unassuming . . . [while] his delivery was accomplished with a proper gesticulation . . . in what might be justly styled a neat and decent manner'. Yn ôl y bardd o Glynnog, 'on the whole, he claimed rank with our first preachers. I shook hands with him in the chapel house, and here I liked him greatly, he was open, affable and friendly. I may say I never liked a preacher so well in a *tête-à-tête* conversation.'[74] Er iddo ddal i fynd ymhell o Benllyn ar deithiau pregethu, chwaraeodd ei ran yn gyflawn ym mywyd seiat y Bala. Dafydd Rolant a Chadwaladr Owen oedd y blaenwyr ymhlith y pregethwyr lleol. 'Am ymadroddion cryfion yn nhafodiaith gyffredin y bobl, ni fu neb tebyg i Gadwaladr Owen, a byddai ganddo yn fynych feddyliau disglair oedd yn taenu boddhad trwy y gynulleidfa.'[75] Ond Edwards a Lewis Jones a fyddai'n bugeilio'r bobl, arwain y seiat a holi'r pwnc. Un o Dywyn, Meirionnydd oedd Jones a ddaeth i'r Bala yn ŵr ifanc i ddilyn ei grefft fel llyfr-rwymwr gyda'r argraffydd Robert Saunderson, Sgotyn ac un o gyfeillion pennaf Thomas Charles. 'Dr Edwards a Mr Lewis Jones fyddai yn arwain yn y *societies*, a rhyfedd fel yr oeddent yn cydweithio a chydlafurio' oedd atgof John Jones, Ceinewydd, o'i ddyddiau yn fyfyriwr yn niwedd yr 1830au. 'Yr oedd y cyfarfodydd hyn mor lewyrchus ac adeiladol ag un cyfarfod a gynhaliwyd'.[76] Yn ôl George Williams o Dyddewi, un o'i gyf-oeswyr, 'byddai arnom flys i fynd i'r cyfarfodydd – yr oeddent yn fendigedig'.[77]

Cymaint oedd llwyddiant yr ysgol, a droes yn swyddogol yn goleg, 'The Theological Institution of the Welsh Calvinistic Methodists', yn 1839, nes i symudiad gychwyn i gael sefydliad cyfatebol yn y de. Pan fu farw yr olaf o ddisgynyddion 'Teulu' Howell Harris yn Nhrefeca, trosglwyddwyd yr eiddo i gyfarfod misol Brycheiniog ac oddi yno i sasiwn y de. Gyda'r heolydd yn dwmpathog a chyn dyfod y rheilffyrdd roedd cyrraedd y Bala o Fôn a phen draw Llŷn heb sôn am bellafoedd y de, yn anodd. Roedd rhai yn tybied y dylai'r coleg symud i'r canol-barth, a bu'r drafodaeth yn wresog a chynhennus. 'If we fail to agree in a matter of such slight importance', ysgrifennodd Edwards at Griffith Harries, un o flaenoriaid Caerfyrddin yn Awst 1839, 'it is useless to talk any more that we are one Connexion'. Roedd yn fodlon rhoi heibio ei farn negyddol am Drefeca hyd yn oed petai modd cael cytundeb barn: 'I beg to assure you that I would a thousand times prefer going to Trevecca or anywhere else if the whole Connexion would agree.'[78]

Daeth hi'n fwyfwy amlwg, am resymau ymarferol heb sôn am deyrn-garwch taleithiol, mai creu dau goleg fyddai orau, y naill yn y gogledd a'r llall yn y de, gydag un o athrawon y Bala yn trosglwyddo i Drefeca er mwyn hyrwyddo'r gwaith. Er mai deheuwr ydoedd, doedd gan Edwards ddim mymryn o awydd mynd. Roedd yn gysurus yn y Bala, cartref ei wraig a'i fam-yng-nghyfraith, ac roedd ganddo bellach deulu ifanc. Roedd David Charles ei gydweithiwr, fodd bynnag, yn fwy parod i ystyried symud. Y gŵr mwynaidd a hirben Henry Rees a'i cynghorodd yn y mater hwn. 'Wrth ystyried popeth', meddai Rees ym Mai 1842,

> nis gallaf lai na meddwl os bydd y de yn parhau yn eu cais, nad doethineb y gogledd a fyddai cydsynio, yn enwedig os bydd meddwl Mr a Mrs Charles eu hunain yn aeddfed i hynny . . . [O]'m rhan fy hun, a dweud y gwir yn onest i chwi, yr wyf yn meddwl y gwnâi ef yn well yn y de na chwi – a hwyrach y gwnaech chwi yn well yn y gogledd nag yntau.[79]

Er i sasiwn y de dybied mai Edwards, fel y deheuwr, fyddai'r un priodol i ddod i Drefeca, gwrthododd sasiwn y Bala ym Mehefin 1842 ei ryddhau. 'Anesmwyth wyf', meddai Henry Rees gan siglo'i ben, 'a

methu gwybod beth a ddaw o'r Methodistiaid hefo'u tlodi, eu hanghyd-
fod a'u hanturiaethau'.[80] Fodd bynnag, achubodd David Charles y dydd.
'Yn ôl dymuniad a phenderfyniad y bwrdd yng nghymdeithasfa y Bala',
cyhoeddodd ar 3 Medi 1842, 'yr ydwyf wedi dyfod i gytundeb â'r
cyfeillion yn y dehau i fod yn athro yr ysgol yn Nhrefecca'.[81]

Cynhaliwyd y sefydlu yn Nhalgarth ar 7 Hydref 1842 fel rhan o'r
sasiwn yno. 'Cofus gennym yn dda am yr amgylchiad', meddai Joseph
Evans, Dinbych, cofiannydd David Charles. 'Yr oeddym ymhlith y dorf
yn gwrando ar y pregethwyr grymus ar y cae o flaen y coleg. Nid ydym
yn cofio dim am y pregethau, ond yr ydym yn cofio am y pregethwyr:
y Parchedigion Henry Rees, Thomas Richard a Lewis Edwards, a James
Hamilton, Llundain.'[82] Roedd Edwards, a bregethodd yn Saesneg, yn
gymaint ffigur erbyn hyn fel nad oedd rhaid iddo deimlo unrhyw
anesmwythdra o gyd-bregethu â Thomas Richard, yr un a fu mor
wrthwynebol iddo ar un adeg. A dweud y gwir eiddo ef oedd y fuddug-
oliaeth: nid yn unig roedd ef wedi llwyddo yn ei ymchwil am ddysg,
roedd y cyfundeb wedi arddel ei syniad a dyma'r ail goleg, â gŵr gradd
wrth y llyw, wedi ei sefydlu er mwyn taenu ei weledigaeth ar led. Cafodd
y cysylltiad Presbyteraidd ac Albanaidd ei gryfhau trwy bresenoldeb
James Hamilton, gweinidog Eglwys Regent Square. 'Yr oedd y diwrnod
yn ddiwrnod braf, a'r haul yn llewyrchu yn ddymunol, gan greu llawen-
ydd ym mhob calon. Yr oedd brwdfrydedd ym mynwes pawb, ac
edrychid ymlaen gyda gobaith sicr am ddyfodol bendigedig i'r cyfundeb
trwy y sefydliad oeddid yn cychwyn y pryd hwnnw.'[83] Dychwelodd
Edwards i'r gogledd gan wybod y byddai angen penodi athro newydd,
ar fyrder, yn ei goleg ei hun.

5 ❧ *Tuag at* Y Traethodydd, *1842–1845*

Wrth ddychwelyd o'r sasiwn roedd Lewis Edwards eisoes yn tafoli ei opsiynau ynghylch olynydd i David Charles fel cyd-athro yn y Bala. Gwyddai am alluoedd uwchraddol John Phillips, ei hen gyfaill o ddyddiau Caeredin, ac am ei uchelgais academaidd. Ymsefydlodd Phillips yn weinidog yn Nhreffynnon yn 1835, ac er sawl ymgais i fwrw ymlaen ag addysg uwch – gan gynnwys dychwelyd am dymor nid i Gaeredin ond i Brifysgol Glasgow – roedd yr atynfa i aros yng Nghymru a chyflawni gwaith pregethwr wedi dod rhyngddo a chwblhau ei gwrs gradd. Ordeiniwyd ef gan sasiwn y gogledd yn 1837 a chafodd lwyddiant ysgubol fel efengylydd yn sir Fflint. Ceir argraff am natur ei lafur yno mewn llythyr ganddo at Lewis Edwards ar 11 Mawrth 1840 yn dilyn diwygiad lleol. 'Before the close of the last discourse many had lost every control over their feelings and were heard crying in agony "what shall I do to be saved", "Can my sins be pardoned" etc. The arm of the Lord was evidently made bare there, and stretched out to save.'[1] Un o'i dröedigion tua'r adeg yma oedd Gwen Tomos, merch y Wernddu, ac er mai ffrwyth dychymyg Daniel Owen oedd achlysur ei thröedigaeth, fel hanes Gwen Tomos ei hun, nid oes amheuaeth i'r nofelydd o'r Wyddgrug ddarlunio'r effaith a gafodd Phillips ar ei wrandawyr yn drawiadol dros ben. '[M]eistr y gynulleidfa' ydoedd, '. . . yr oedd diwyg, ystum ac ymddangosiad cyffredinol Mr. Phillips yn goreuro popeth yn ei golwg'.[2] Harddwch corfforol y pregethwr a drawodd Gwen gyntaf, 'oblegid credai yn fwyfwy mai efe oedd y dyn mwyaf golygus a welodd erioed',[3] ond roedd iddo sylwedd ysbrydol hefyd: 'Hawdd ydyw i'r neb a fu yn gwrando ar Mr. Phillips yn anterth ei nerth a'i boblogrwydd, gyda'i lais treiddgar, peroraidd, yn ymdonni ac yn ymdonni, ac yn acenu pob gair mor hysain a hyfryd i'r glust, – hawdd ydyw iddo ddychmygu am yr effaith a gaffai ar eneth synhwyrgall fel Gwen Tomos.'[4]

Nid pawb, ysywaeth, oedd mor werthfawrogol, yn enwedig o blith y dynion. 'That cold and distant and haughty Phillips',[5] meddai Ebenezer

Thomas, 'Eben Fardd', amdano, ac mewn gwirionedd yr oedd yn atgas gan rai. Er gwaethaf ei effeithiolrwydd hynod fel pregethwr, barn John Hughes, Pontrobert, oedd bod Lewis Edwards yn fwy sylweddol nag ef. 'Do, mi'u clywais nhw rai droeon', meddai unwaith, 'John Phillips pia'u ffenestr, ond Lewis Edwards piau'r nwyddau!'.[6] Priododd Phillips yn nechrau 1842, ac fel yr oedd materion y Bala yn datblygu, symudodd i gartref ei wraig yn sir Fôn. Ond *activist* oedd Phillips, a gŵr tra hoff o'r llwyfan poblogaidd. Prin y byddai gyrfa ddigynnwrf yn dysgu gramadeg Lladin ac elfennau diwinyddiaeth i fechgyn tlawd yn dygymod â'i anian, heb sôn am y ffaith fod perygl i dyndra a chenfigen ddatblygu rhwng dau oedd â'u doniau yn rhy debyg i'w gilydd. Harneisiwyd egnïon Phillips gan yr addysgwr Hugh Owen, Syr Hugh Owen yn ddiweddarach, a'i penododd yn Rhagfyr 1843 yn gynrychiolydd cyntaf y Gymdeithas Frutanaidd yng ngogledd Cymru. Fel y Dr John Phillips, Bangor, gweinidog y Tabernacl ac yna sylfaenydd y Coleg Normal, y byddai'r gŵr o Bontrhydfendigaid yn gwneud ei gyfraniad arhosol i fywyd ei genedl.[7]

John Parry

Ond roedd gan Lewis Edwards ddewisiadau eraill, nid lleiaf o blith ei fyfyrwyr ei hun. Roedd John Jones o Gapel Dewi, Morgan Lloyd o Drawsfynydd, a ddeuai'n fargyfreithiwr ac yn aelod seneddol yn y man, ac Owen Thomas eisoes wedi'u gyrru i Brifysgol Caeredin i elwa ar y ddysgeidiaeth a gaent yno. Ond yr un y rhoes Edwards ei lygaid arno oedd gŵr ifanc ymroddgar, tlawd o blith Cymry Manceinion o'r enw John Parry.

Ar yr olwg gyntaf, un cwbl anaddawol i fod yn athro coleg oedd John Parry. Yn saer coed anfoddog wrth ei grefft, roedd yn fab i Edward Parry, gweithiwr haearn, a Mary, ei wraig. Nid oedd dim yn eu codi uwchlaw cyffredinedd onid dwyster eu duwioldeb Methodistaidd. Yn Bersham, ger Wrecsam, y ganed John a'i dair chwaer, ac er mai Cymry trwyadl oedd y rhieni, Saesneg y gymdogaeth oedd iaith y plant. Yn 1824, pan oedd John yn ddeuddeg oed, symudodd y teulu i Fanceinion. Roedd y plant mewn dirfawr berygl o golli yr ychydig o Gymraeg oedd ganddynt, ond trwy lafur yr Ysgol Sul ac ymdrech deuluol i atgyfnerthu yr hyn a glywyd o bulpud y capel Cymraeg, adferwyd yr iaith yn eu plith. Anystwyth oedd Cymraeg John Parry ar y dechrau, ac nid tan ymsefydlu yn y Bala y meistrolodd genedl enwau yn drylwyr a dysgu treiglo'n gywir. Gweithio mewn ffowndri a wnaeth i ddechrau, ond gan i hynny andwyo ei iechyd, aeth yn saer coed. Ei wir ddiléit, fodd bynnag, oedd ymddiwyllio. 'Rhoddes ei holl fryd ar gasglu gwybodaeth – a gwybodaeth o bob math . . . [Y]r oedd yn parhau i gael y diddordeb mwyaf yn ei lyfrau, ac yn mynnu cael rhai oriau pob dydd, pa beth bynnag a ddigwyddai, tuag at ddarllen.'[8] Yr unig addysg elfennol a gafodd oedd ychydig fisoedd yn Wrecsam cyn bod yn ddeuddeg oed, ond pan oedd ym Manceinion dilynodd gyrsiau nos yn y Mechanics Institute yn y ddinas a daeth yn hyddysg mewn gramadeg Saesneg, rhifyddeg a mwy nag un o'r canghennau gwyddonol. Roedd ef eisoes yn aelod eglwysig ac yn selog yn yr Ysgol Sul a oedd yn gysylltiedig â'r capel Cymraeg yn Cooper Street, a bu ymhlith y fintai o'r fam eglwys a ffurfiodd achos newydd yn Ancoats Lane. Ni fu'n hir cyn ei godi yn flaenor yno, a thrwy ei gyfrifoldebau yno daeth i gysylltiad ag un a fyddai'n allweddol yn ei dyfiant maes o law, sef Owen Thomas. 'Yng Nghymanfa Manchester 1837 . . . yn cael ymddiddan ag ef, a'i dderbyn i'r frawdoliaeth megis blaenor, y gwelsom ni ef gyntaf erioed . . . a daethom ein dau, ar unwaith, yn nodedig o hoff o'n gilydd.'[9]

Roedd Thomas, a oedd ar y pryd yn saer maen ar stad yr Arglwydd Penrhyn ym Mangor, eisoes yn ennill bri fel pregethwr, a dechreuodd ymweld yn rheolaidd ag eglwysi Manceinion ar ran y sasiwn. Pan ddaeth i wybod fod Lewis Edwards wedi agor ysgol yn y Bala, penderfynodd ef a Parry wneud cais i fynd yno ac roedd y ddau ohonynt ymhlith newydd-ddyfodiaid dosbarth 1838. Cafodd Thomas rwyddach hynt na'i gyfaill. Roedd cryn wrthwynebiad i Parry ymhlith rhai o flaenoriaid hŷn Manceinion, ond ni wyddom pam, ac oherwydd hyn gwrthodent roi unrhyw nawdd ariannol iddo. Pan hysbyswyd Lewis Edwards, gan Richard Humphreys, Dyffryn, fod dyn ifanc anarferol eang ei wybodaeth a oedd yn awchu am ddysg yn cael ei lesteirio'n annheg gan flaenoriaid Manceinion, ysgrifennodd ato gan gynnig ei addysgu'n rhydd ac yn rhad. Dyma'r cyfle yn dod i Edwards wneud â rhywun arall y gymwynas a gafodd gan Thomas Chalmers bum mlynedd ynghynt. Derbyniodd Parry y cynnig yn eiddgar, ac o hynny ymlaen, y Bala, i bob pwrpas, a ddaeth yn gartref iddo. Eglwys y Bala a'i cododd yn bregethwr a chyfarfod misol y Bala a'i cymeradwyodd i'r gwaith, gyda sasiwn y Bala yn 1841 y rhoi sêl ei bendith ar y cwbl. Erbyn hynny, roedd Parry, Thomas a Jones, Capel Dewi, yn parhau â'u hastudiaethau yn yr Alban. Dywedwyd amdano, ac am ei gyfaill Owen Thomas, 'Yr oeddent yn wŷr tra anghyffredin, a dichon nad oedd unrhyw ddau eraill llawer mwy dysgedig a diwylliedig yn cydoesi â hwynt yn y Dywys-ogaeth.'[10]

Cafodd Lewis Edwards ganiatâd sasiwn Llanrwst, Mawrth 1843, i wahodd Parry i ddod ato yn gyd-athro. Roedd Parry yn 31 ar y pryd ac Edwards yn 34. Roedd y myfyriwr eisoes wedi derbyn gwahoddiad gan yr eglwys yn Runcorn i fynd yno yn weinidog, ond dymuniad Edwards oedd iddo ddod i'r Bala. 'I had hoped to have you here as a colleague', ysgrifennodd ar 4 Ebrill. 'I am not sure but that a little preaching in Welsh would do you good . . . and you could not have a better opportunity to acquire the Welsh *acen* than at Bala. The Welsh spirit you have already.'[11] Wedi dwys ystyriaeth, cydsyniodd Parry, a dechreuodd ar yr hyn a ddaeth yn waith mawr ei fywyd yn Awst 1843.

O'r foment gyntaf aeth ati i'w gymhwyso'i hun yn y modd trylwyraf posibl i gyflawni ei dasg. Lladin oedd ei bwnc i ddechrau, elfennau gramadeg i fyfyrwyr y flwyddyn gyntaf, anerchiadau Cesar i'r ail a Fyrsil a Sallust i'r drydedd. Ef, wedyn, a fyddai'n gyfrifol am y dosbarthiadau ar resymeg ac athroniaeth, gan ddysgu, ymhen blynyddoedd, gyrsiau ar Locke, Kant, Fichte ac eraill, er mai athronwyr yr Alban, William Hamilton, Thomas Reid a Dugald Stewart a gâi'r flaenoriaeth.[12] Mewn athrawiaeth, diwinyddion y traddodiad Diwygiedig, Calvin, Melanchthon a Turretin, yr oll mewn Lladin, a fyddai'n llenwi'r cwricwlwm, er mai Lewis Edwards a fyddai'n arwain y myfyrwyr hŷn yn y tadau cynnar a sgolastigiaid yr Oesoedd Canol. Erbyn y prynhawn, mathemateg a fyddai ar waith, rhifyddeg ac ychydig algebra i'r dechreuwyr, ac yna fwy o algebra, geometreg a thrigonometreg i'r ail a'r drydedd flwyddyn.

Er mwyn trwytho eraill yn y materion hyn roedd gofyn i Parry ei drwytho'i hunan ynddynt yn gyntaf. Bu'n ddiwyd yn casglu gwybodaeth er ei arddegau, o'i ddyddiau yn y Mechanics Institute ym Manceinion hyd at ei dymhorau wrth draed Chalmers, Pillans a Dunbar yng Nghaeredin. Nid oedd nemor ddim gwreiddioldeb yn ei gyfansoddiad; nid oedd ganddo gof eliffantaidd Owen Thomas ac, yn wahanol i Edwards, nid oedd yn graffdreiddgar nac yn chwim ei feddwl. Gwybodaeth wyddoniadurol am bob math o bethau – roedd yn ddelfrydol ar gyfer y gwaith o olygu'r *Gwyddoniadur Cymreig* – a'r gallu i roi trefn a thaclusrwydd ar ei ddeunyddiau oedd ei gryfder, a'r un mor bwysig, y gallu i drosglwyddo'r cwbl yn grisialaidd o eglur i'w fyfyrwyr. 'Byddai yr olwg arno gyda'r dosbarth', fel y dywedodd Griffith Ellis, Bootle, yn ddiweddarach, 'naill ai yn eistedd yn ei gadair, neu yn cerdded yn arafaidd yn ôl ac ymlaen ar hyd yr ystafell rhwng y gwahanol fyrddau, gan sefyll yn awr ac yn y man i edrych ym myw llygad ambell i efrydydd, yn llanw y lle â sirioldeb a hapusrwydd'.[13] Mewn gair, roedd John Parry wedi ei eni i fod yn athro. 'Gyda Dr Parry', meddai Evan Davies, Tregeiriog, 'teimlem ein bod ym mhresenoldeb bonheddwr o'r fath fwyaf urddasol ac anrhydeddus . . . Nid oedd ei uwchafiaeth yn ein darostwng, ond yn hytrach ein dyrchafu.'[14]

Os dyn cenedl oedd Lewis Edwards, dyn ei goleg, a'i filltir sgwâr, oedd John Parry. Er iddo gael ei ethol yn llywydd sasiwn y gogledd unwaith, yn 1866, ni fu erioed yn arweinydd cyfundebol. Roedd yn bregethwr cymeradwy, ond ni chwenychodd fod yn bregethwr poblogaidd fyth. 'Diau mai ar adegau cyffredin, ac yn y mân gapelau oddeutu y Bala y gwnaeth ei orchestion mwyaf fel pregethwr', meddai Benjamin Hughes, Llanelwy. 'Mewn trefn i'w weld yn ei ogoniant yn y pulpud, buasai raid i chwi fyned i gapel bach y Glyn ar brynhawn sabbath tawel, neu i gapel y Parc, neu Cefnddwysarn, neu y Sarnau.'[15] Rhoes o'i orau i Ysgolion Sul Penllyn ac Edeirnion, ond ni fynnai fentro ymhellach: 'Y gwirionedd yw ei fod yn gwbl argyhoeddedig mai fel athro y gallai efe wneuthur mwyaf o ddaioni.'[16] Yn Rhagfyr 1844 priododd â Sarah, chwaer hynaf Thomas Gee o Ddinbych, a chafodd ei ordeinio i weinyddu'r sacramentau, yn briodol ddigon, yn sasiwn y Bala yn 1845, pan bregethodd Henry Rees siars gofiadwy ar 'Paul a Timotheus'.[17] Ac am y deng mlynedd ar hugain nesaf bu'n ddedwydd yn ei waith yn addysgu cenedlaethau o ddynion ifainc, yn eu cymell i ddarllen yn eang, i ledu eu gorwelion ac i beidio ag ofni her ddeallusol y ffydd. Rhannai i'r blewyn weledigaeth Lewis Edwards ynghylch y weinidogaeth ddysgedig. 'Dywedwch wrth y bechgyn ieuainc am wneud y gorau o'u hamser i gasglu gwybodaeth', oedd cyngor Henry Rees. 'Peth annioddefol yw hen bregethwr dwl'.[18] 'Yr oedd fel hyn', meddai Owen Thomas, 'fel pob dyn gwir fawr, yn un o'r meddylwyr mwyaf rhyddfrydig, yng ngwir ystyr y gair, a adnabûm erioed'.[19] O 1853 ymlaen, ymgymerodd â'r dasg herewleaidd o olygu cyhoeddiad mwyaf uchelgeisiol Cymru Oes Victoria, sef y *Gwyddoniadur Cymreig*. Meddai Owen Thomas ymhellach: 'Yr oedd ei holl galon yn rhwym wrth yr athrofa, a'r hyfrydwch mwyaf y cyflawnodd o'r dyletswyddau a ddisgynnent arno yn ei berthynas â hi.'[20] Rhwng popeth, gwnaeth Lewis Edwards ddewis doeth wrth wahodd Parry i ymuno ag ef, ac roedd y coleg, a'i gyfundeb, ar eu helw o'i gael yno. Cafodd ran hefyd yn y fenter fawr nesaf a ddaeth i brifathro'r coleg, sef cychwyn nid hwyrach cylchgrawn mwyaf allweddol y ganrif sef Y *Traethodydd*.

Dechreuadau Y Traethodydd

'The first of January 1845 was an epoch-making date in the progress of Welsh literature, and it was a fresh starting point in the history of Welsh theology.'[21] Felly y dywedodd William Evans, Doc Penfro (1838–1921), gŵr gradd o Brifysgol Glasgow ac un o weinidogion mwyaf dysgedig ei genhedlaeth. Roedd yn adlewyrchu barn a oedd wedi'i mynegi yn ei ffurf glasurol gan Thomas Charles Edwards wrth olrhain hanes crefydd efengylaidd Cymru gerbron cynulleidfa ryngwladol yn 1888. 'The period of awakening and illumination in the Principality may be dated approximately from the beginning of the year 1845, when the first Welsh quarterly periodical made its appearance'.[22] Cyfeirio a wnaent at gyhoeddi *Y Traethodydd*, cylchgrawn trimisol ar batrwm cylchgronau dysgedig yr Alban, y bu ei sefydlu yn rhan o freuddwyd Lewis Edwards i greu y Gymru newydd. 'This is my devoutest aspiration, this is one of the inmost wishes of my heart of hearts', meddai wrth ei gyfaill Thomas Jones, 'Glan Alun', yn 1841, 'to see my beloved Wales restored to her proper place among the nations of the earth as the land of intellect and virtue'.[23]

Byth er iddo bledio â'i dad yn ei arddegau i beidio â'i orfodi i fynd yn brentis fasnachwr rhag tarfu ar ei 'blanie', aeth Lewis Edwards ati, yn haearnaidd ei ewyllys, i ehangu ei orwelion, i ymorol am ddysg ac i weithredu cyhyd ag yr oedd yn bosibl y weledigaeth ysblennydd o droi cwrs hanes deallusol ei wlad. Golygai hyn, ar un llaw, droi sect ddiwygiadol gulfarn a dirmygedig yn un o ganghennau praffaf yr Eglwys Ddiwygiedig, ac ar y llall godi holl olygon diwylliannol y genedl Galfinaidd Gymreig. 'Beth bynnag arall oedd y llanc Lewis Edwards', meddai un sylwebydd, 'yr oedd yn dra uchelgeisiol'.[24] Roedd creu cylchgrawn llenyddol blaengar a soffistigedig ar batrwn *The Edinburgh Review* a *Blackwood's Edinburgh Magazine* yn rhan anhepgor o'r cynllun. Arwydd o'i lwyddiant oedd i eraill, ganrif a mwy yn ddiweddarach, edrych yn ôl ar Ionawr 1845 fel toriad gwawr cyfnod newydd. 'Lewis Edwards', meddai'r diwinydd Glyn Richards, yng nghanol yr ugeinfed ganrif, 'performed a signal service for Wales by establishing the non-denominational periodical *Y Traethodydd* in 1845, and that date has been regarded as inaugurating a literary and philosophic renaissance in Wales'.[25]

'When is the famed magazine to make its appearance? Let us come to some agreement?'[26] Felly yr ysgrifennodd Lewis Edwards at Roger Edwards ar 29 Hydref 1842. Er gwaethaf ei gyfenw nid oedd dim perthynas rhyngddynt, ond ef, ynghyd ag Edwards a Thomas Gee, a fyddai'n allweddol yn lawnsiad a llwyddiant y fenter newydd. Roedd Roger ddwy flwydd yn iau na Lewis; fe'i ganed yn y Bala yn 1811 yn fab i bobydd, ac yn fuan wedyn symudodd y teulu i Ddolgellau ac yno y'i magwyd. Fel Lewis, athro ysgol ydoedd yn ôl ei hyfforddiant, ond yn wahanol iddo, addysg elfennol a gafodd, yn Wrecsam ac yn Lerpwl, heb fynd ymlaen at addysg uwch. Bu'n pregethu gyda'r Methodistiaid er 1832, ac yn 1835, pan oedd yn 24 oed, rhoes y gorau i gadw ysgol yn nhref ei fagwraeth i ymuno ag Owen Jones, 'Meudwy Môn', fel rhan o'i fusnes cyhoeddi yn yr Wyddgrug. Bu'n gyfarwydd â Lewis er 1831 pan ddechreuodd oedfa iddo yn Nolgellau a'r gŵr o Geredigion ar ei ffordd i'r Alban, a daethant yn gyfeillion tynn wedi hynny: yn ôl ei ddyddiadur treuliodd y dydd gydag ef ym Mhen-llwyn ym Medi 1834.[27] Roedd cryn dipyn yn debyg rhyngddynt: eu profiad fel ysgolfeistri, y ddau yn bregethwyr Methodist a chanddynt ddiddordeb mawr yn y wasg, ond os oedd tymheredd Lewis yn wastad, 'tymer naturiol danbaid, hawdd ei chyffroi' a feddai Roger.[28]

O'r cychwyn mynnai Lewis i Roger fod yn olygydd ar y cylchgrawn, a hynny, mae'n debyg, am iddo eisoes gael profiad o olygu'r papur *Cronicl yr Oes* (1835–9). Roedd y ffaith mai cyhoeddiad Chwigaidd, radicalaidd a huawdl wrth-Dorïaidd oedd *Cronicl yr Oes* yn dangos pa mor bell roedd pethau yn symud ymhlith to iau y Methodistiaid yn ystod blynyddoedd olaf teyrnasiad John Elias. 'I have many schemes in my head', meddai Lewis wrtho ar 2 Rhagfyr 1842, 'which I am exceedingly anxious to put into execution'.[29] Penderfynwyd mai menter gydweithredol fyddai'r cylchgrawn, gyda thua dwsin o gyfranwyr o'r un anian â'i gilydd, a hwy a fyddai'n gweithredu fel bwrdd rheoli ac yn gyhoeddwyr ar y cyd. Byddai angen dod o hyd i argraffwr a rhywun i ofalu am yr ochr fusnes a'r dosbarthu. Dyna pryd y camodd Thomas Gee i'r darlun. 'Last week Mr Gee was here', meddai wrth Roger ar 21 Mawrth 1844, 'and I took the opportunity of speaking to him about publishing a Welsh quarterly review. To my great joy I found that he had thought of it himself, and I believe he said he had been talking to you about it.'[30] Yn ôl awgrym T. Gwynn Jones, Gee ei hun oedd y cyntaf i feddwl am gyhoeddi cylchgrawn Cymraeg o'r natur hwn, ond ni wyddys pryd: 'Casglwn fod Mr. Gee a Dr. Edwards wedi meddwl am y peth heb yn wybod y naill i'r llall, ac mai trwy gyfarfod o'r ddau yn y Bala ym mis Mawrth, 1844, y rhoed cychwyniad i'r gwaith.'[31] Yn ôl John Phillips fodd bynnag, roedd y syniad wedi tarddu o sgwrs rhwng Roger Edwards ac yntau, Phillips, gymaint â saith mlynedd ynghynt. 'I happened to be at Mold last Friday', ysgrifennodd at Lewis Edwards ar 12 Rhagfyr 1837. 'Mr R[oger] Edwards and your humble servant came to the conclusion that something is greatly wanting in our beloved country in the shape of a literary periodical, in order to raise the taste and elevate the sentiments of our most noble race, the Cymru [*sic*].'[32] Buont yn sôn am awduron a golygyddion posibl: 'In our consultation in Mold the following mighty ones were fixed upon, your honourable self, your brother-in-law . . . Edwards of Mold, and in order to make an even number, myself of Holywell was named.'[33]

Beth bynnag am ddymuniad ymffrostgar Phillips, ymddengys mai y ddau Edwards a fu wrth wraidd y symudiad o'r dechrau, gyda Lewis ar y blaen. 'As for the *Traethodydd*, or whatever will its name be, I am ready to give myself in your hand, to be governed by your leadership as you think most proper', meddai Roger wrth Lewis ar 2 Tachwedd 1842. 'Let me, my dear friend, hear from you again on this subject for, in sober truth, we all look up to you as our mastermind.'[34] Ddeng mlynedd ar hugain yn ddiweddarach, wrth ddwyn yr achlysur i gof, meddai'r gŵr o'r Wyddgrug am brifathro'r Bala: 'Yr oedd efe fel cawr yn rhedeg gyrfa, yn ddiymdroi a diflino yn ei lafur cariad ar ran ein cylchgrawn chwarterol.'[35] Yn sgil ymweliad Gee â'r Bala ym mis Mawrth 1844, dechreuwyd casglu enwau cyfranwyr posibl a chael addewid ganddynt i ysgrifennu: Glan Alun, John Parry, Lewis Jones, sef cyd-weinidog Edwards ar eglwys y Bala, Henry Rees, John Hughes, Lerpwl, ac eraill. 'Mr Gee takes the whole responsibility. If it should not pay it will be his loss',[36] ond mynnai ef yr hawl i argraffu, i ddosbarthu ac i dalu'r cyfranwyr, a chasglu'r elw: 'All this, of course, will be on the understanding that the work will never be thrown out of my hand as printer and publisher.'[37]

Byth er pan agorodd byd newydd o flaen Lewis Edwards pan afaelodd mewn pentwr o *Blackwood's Edinburgh Magazine* yn siop argraffdy Cox yn Aberystwyth yn 1827, cyfareddwyd ef nid yn unig gan gynnwys y cylchgronau llenyddol ond gan y cyfrwng yn ogystal. Mewn cyfres o erthyglau yn Y *Traethodydd* yn 1848–9 dangosodd ei feistrolaeth ar hanes cynharaf y cylchgrawn Cymraeg trwy ysgrifennu yn helaeth ar ddwy o'r esiamplau cynharaf, sef *Trysorfa Gwybodaeth, neu['r] Eurgrawn Cymraeg* (1770) a chyhoeddiad radicalaidd Morgan John Rhys, y *Cylchgrawn Cyn-mraeg* (1793).[38] Oes aur y cylchgrawn yng Nghymru oedd chwarter cyntaf y bedwaredd ganrif ar bymtheg, ond y duedd erbyn y 1830au oedd i'r cylchgronau ddirywio i fod yn sectyddol eu naws, yn gyfyng eu cynnwys, yn gecrus ac yn philistaidd. Roedd hi'n amlwg fod yr awduron a'r cyhoeddwyr cynharaf, Evan Jones o Amwythig,

Ieuan Brydydd Hir a Morgan John Rhys, wedi anelu'n uchel, a bwriad *Y Traethodydd* oedd codi'r safon drachefn. 'Gochelwch y geiriog, y gwyntog, y cecrus, y diddrwg-didda', meddai Henry Rees wrth Lewis Edwards ar 29 Awst 1843, 'y geiriau heb fater, y mater heb ysbryd, ac ysbryd heb foneddigeiddrwydd, y cyfansoddiad na bydd dim ynddo, dim byd ond bustl a phapur. Mae digon o lymru ac o gawl wermod ar hyd y wlad eisoes.'[39]

Erbyn i'r gyfres 'Cyhoeddiadau cyfnodol y Cymry' ymddangos, roedd *Y Traethodydd* wedi hen gael ei draed dano, ond nid atgynhyrchu ansawdd y cylchgronau Cymraeg cynharaf oedd y nod, ond creu yn Gymraeg rywbeth tebyg i gylchgronau gorau yr Alban a Lloegr. 'Y mae yn hen sylw fod y rhan fwyaf o ddawn awdurol yr oes hon yn rhedeg i'r cyhoeddiadau cyfnodol. Felly y mae wedi bod yn Lloegr er pan sefydlwyd yr *Edinburgh Review*.'[40] Sefydlwyd yr *Edinburgh Review* yn 1805, ac yna, yn 1807, y dechreuwyd cyhoeddi y *Quarterly Review* yn Llundain i wrthbwyso dylanwad llenyddol Caeredin. Bu'r ddau ohonynt yn llwyfan i ysgrifenwyr galluog a phoblogaidd fel Sydney Smith, Thomas Macaulay, Thomas Carlyle a Syr Walter Scott. Gan mai cylchgrawn â naws Chwigaidd oedd yr *Edinburgh Review*, mynnodd y cyhoeddwr William Blackwood, a oedd yn Dori, lawnsio ei gylchgrawn ei hun ac o 1817 ymlaen *Blackwood's Edinburgh Magazine* a ddaeth i'r brig, nid ar sail ei wleidyddiaeth fel y cyfryw ond oherwydd doniau ei gyfranwyr, yn fwyaf arbennig 'Christopher North': 'Yn *Blackwood's Magazine* yr ymddangosodd cyfansoddiadau campus y Proffesor Wilson, (sef 'Christopher North') y rhai a wnaethant y cylchgrawn hwnnw y mwyaf poblogaidd o'r holl fisolion.'[41] Byddai Thomas De Quincey yn ysgrifennu i *Tait's Edinburgh Magazine*, gwaith Thomas Carlyle yn ymddangos ar dudalennau *Fraser's Magazine* (Llundain), gyda'r llenorion Ymneilltuol John Foster a Robert Hall yn gwneud eu henw trwy gyfrannu i'r *Eclectic Review* a oedd yn fwy penodol grefyddol ei gynnwys. 'Yn y gofrestr hon nid ydym wedi sôn am neb ond y rhai ydynt neu oeddent yr ysgrifenwyr blaenaf yn Lloegr a'r Alban, a gwelir eu bod oll wedi cysylltu eu henwau wrth ryw gyhoeddiadau cyfnodol.'[42] Creu yng Nghymru, ac i'r Cymry, rywbeth tebyg i'r uchod oedd y nod.

'Our Great Maga'

'Are you going on, as you desired me, with preparations for our great *Maga*?', gofynnodd Roger Edwards ar 11 Mai 1844.[43] Y '*Maga*' oedd y glas enw a roddwyd ar *Blackwood's*, ac mae'n amlwg mai hwnnw, yn fwy nag unrhyw gylchgrawn arall, oedd y safon i'w chyrraedd a'r esiampl i'w hefelychu. 'We shall imitate *Blackwood*', meddai Lewis wrth Eben Fardd, 7 Rhagfyr 1844, trwy gyhoeddi deunyddiau diddorol, dyrchafol ynghyd ag adolygiadau ar y llyfrau diweddaraf, '[b]ut we shall not give any names. We intend every article to appear with the authority of the whole body of contributors.'[44] Cyfrifoldeb ar y cyd oedd y ddelfryd, gydag unoliaeth amcan yn rhwymo'r awduron ac yn gosod stamp arbennig ar y gwaith fel cyhoeddiad cyfan. Cyfrinach agored oedd pwy oedd yr awduron, ond am flynyddoedd ni ddatgelwyd eu henwau ar ddalennau'r *Traethodydd*. 'All the articles are to be written in the editorial capacity', esboniodd Lewis wrth Owen Thomas ar 27 Mawrth 1844, 'and of course, no contributor will be allowed to advance any opinions but those in which the majority of his colleagues can be expected to coincide'.[45] Erbyn hynny roedd eraill, o gyffelyb anian, wedi eu gwahodd i ymuno â'r cwmni dethol: Owen Thomas ei hun, Eben Fardd, John Phillips, John Mills o Ruthun, David Charles, Trefeca, a David Charles, Caerfyrddin, a Dr Edward Richard, sef brawd Henry Richard, a oedd yn feddyg yn Llundain, yn flaenor yng nghapel Jewin ac yn ŵr a ddeuai i gryn rysedd cyn bo hir.[46] Unig amod aelodaeth y cylch oedd teyrngarwch i'r weledigaeth o buro chwaeth y Cymry, o ledu eu gorwelion diwylliannol ac o helpu i greu cyfrwng llenyddol na fu ei fath yng Nghymru o'r blaen. Yn ôl y flaen-hysbyseb a ymddangosodd yn y wasg yn Nhachwedd 1844:

> Ni amcenir i'r cyhoeddiad hwn fod ar ffordd yr un o gylch-gyhoeddiadau presennol Cymru, gan y bydd, o ran ei gynllun a'i ddygiad ymlaen, yn hollol wahanol i bob cylchgrawn a ymddangosodd eto yn yr iaith Gymraeg . . . Trwy ddyfod allan yn chwarterol ac nid yn fisol, bydd yn rhoddi amser a mantais i'r ysgrifenwyr i gwblhau cyfansoddiadau teilwng, a bydd y rhifyn yn ddigon helaeth i roddi lle i bob traethawd yn gyflawn ar unwaith.[47]

Ymhlith y cynnwys arfaethedig byddai 'gwybodaeth gyffredinol, ad-olygiadau di-duedd a manwl ar lyfrau Cymraeg' ynghyd â golwg 'ar lyfrau o bwys ym mysg y Saeson', heb sôn am farddoniaeth, beirniadaeth lenyddol a materion y dydd mewn byd ac eglwys, gartref a thramor.[48] 'It is to contain original compositions in prose and poetry by the ablest men we can find',[49] meddid wrth Eben Fardd ar 19 Hydref 1844, a sicrhawyd gŵr abl arall, sef Morris Davies o Borthmadog (Bangor yn ddiweddarach, cofiannydd Daniel Rowland ac Ann Griffiths), mai 'articles full of life and spirit, and at the same time without spleen or malice' fyddai'r unig rai i gael eu derbyn: 'Neither fear nor favour will ever induce us to publish anything second rate.'[50] Swllt a chwech fyddai'r pris, byddai'r rhwymiad, er yn blaen, yn gadarn, ac yn wahanol i'r misolion enwadol, ni chaniateid ynddo ohebiaeth na hysbysebion am feddyginiaethau *quack*, '[that] we shall leave to the *Drysorfa*'![51] Er gwaethaf hyn i gyd bu rhaid i Lewis Edwards bwyso'n daer ar rai o'i gyfeillion i ymuno â'r anturiaeth. 'Exert yourself, my dear friend', meddai wrth Owen Thomas ar 10 Ionawr 1845: 'Let your name go down to posterity identified with the *Traethodydd*.'[52]

Rhwng 1845 ac 1854, pan drosglwyddodd ei gysylltiad â'r *Traethodydd* i eraill, lluniodd Lewis Edwards bron i ddeugain ysgrif ar gyfer y cylchgrawn gan sefydlu ei enw fel un o awduron mwyaf cynhyrchiol a meddylgar ei genhedlaeth. Nid dyna'r unig lwyfan i'w gynnyrch oherwydd bu'n ddiwyd gyda'r *Pregethwr*, Y *Geiniogwerth* a oedd yn gylchgrawn i'r Ysgolion Sul, heb esgeuluso ychwaith fisolyn swyddogol ei enwad sef Y *Drysorfa*. Ar wahân i ysgrifennu ar bynciau diwinyddol, bu'n ymdrin â llenyddiaeth Gymraeg, rhyddiaith yn arbennig, llenyddiaeth Saesneg a thramor, gan gynnwys Shakespeare, Milton a Goethe, y clasuron Lladin a Groeg, athroniaeth yr hen fyd ac athronwyr modern megis Coleridge a Kant, ac amrywiaeth eang o ysgrifau ar faterion cyfoes. 'Yn y dyddiau hyn o gyffroad llenyddol, pan y mae y wasg Gymreig yn fwy cynhyrchiol nag erioed', ysgrifennodd yn 1852, 'y mae yn rhaid i bawb addef nad oes tebygolrwydd lleiaf fod yr iaith Gymraeg mewn perygl . . . nac ychwaith fod athrylith y Cymry wedi gwanhau'.[53] Roedd y diwygiadau crefyddol wedi bwydo i mewn i'r diwygiadau gwladol a diwylliannol, a chenhadaeth Edwards yn cyddaro i'r dim â'r ysbryd o ddeffroad a chynnydd a oedd yn cyniwair ar bob tu. Gwelodd 1851 gyhoeddi y cyfrifiad mawr ar grefydd a brofodd yn ystadegol yr hyn yr oedd llawer wedi ei deimlo yn eu hesgyrn ers cenhedlaeth, fod Cymru bellach nid yn unig yn fwy crefyddol na nemor yr un rhan arall o'r deyrnas, ond mai Ymneilltuaeth efengylaidd oedd prif fynegiant crefyddol y bobl. '[Ein] barn ddi-duedd ydyw, fod y cyfnod hwn yn rhagori ar bob un a fu o'i flaen yn hanes y genedl, ac yn rhagarwyddo oes euraidd mewn llenyddiaeth Gymreig.'[54] Braint Y *Traethodydd* oedd bod yn rhan o'r ymchwydd cynhyrfus hwn, ac nid y lleiaf o gymwynasau Lewis Edwards oedd synhwyro'r hyn oedd ar droed a chyfrannu mewn modd allweddol iddo.

Adlewyrchwyd bwrlwm y misoedd cyntaf yn ei ohebiaeth: 'I can scarcely think of anything besides the *Traethodydd*', meddai wrth Owen Thomas ar 12 Ebrill 1845.[55] Aeth comisiynu erthyglau, denu mwy o awduron a rhannu'r weledigaeth â'i fryd yn llwyr heb sôn am lenydda ei hun. Er iddo droi at ei gydnabod, ei gyfoeswyr a'i gyd-Fethodistiaid, mynnai daenu'r rhwyd mor eang ag oedd yn bosibl: 'Do you think we had better ask ministers of other denominations for an occasional article?', gofynnodd i Roger Edwards ar 2 Awst 1845. 'I should be glad to ask William Rees to write on Williams Pantycelyn. I should also be happy to ask Samuel Roberts for an article.'[56] Cysylltodd Evan Jones, 'Ieuan Gwynedd', gan gynnig ei wasanaeth. 'Hyderaf, syr, y cewch bob rhwyddineb i ddwyn y cynllun i weithrediad, ac y deillia lles mawr oddi wrtho i'n gwlad a'n cenedl.'[57] Roedd ef wrth ei fodd i dderbyn cynnig Ieuan a rhannodd y newyddion ag Owen Thomas: 'Evan Jones, the Independent minister at Tredegar [has contributed]. He is one of the best men they have.'[58] Cyn hir byddai John Rhys 'Kilsby' Jones ac eraill o blith yr Annibynwyr, y gweinidog Wesleaidd William Rowlands, 'Gwilym Lleyn', a David Rhys Stephen y Bedyddiwr wedi ymuno â'r rhengoedd, ac awydd mawr Edwards oedd denu llenor o Eglwyswr. Byddai Morris Williams, 'Nicander', yn un naturiol i droi ato, ond yn anffodus roedd Morris Davies wedi llunio adolygiad polemig ar gyfrol emynau uchel eglwysig Nicander *Y Flwyddyn Eglwysig* (1845) yn rhifyn Ebrill 1846. Byddai Nicander, a oedd yn gurad yn Amlwch, yn dod yn un o arweinwyr Mudiad Rhydychen yn esgobaeth Bangor. 'I am rather anxious that you should make it apparent that we have great regard for all good men in the Church of England',[59] meddai wrth yr adolygydd ar 22 Ionawr 1846, er na fynnai Edwards roi unrhyw swcwr i ddiwinyddiaeth Dractaraidd ychwaith. Roedd yn fwy esmwyth gyda'r isel eglwyswyr a'r llydan eglwyswyr na gyda'r catholigwyr Anglicanaidd, ac roedd hi'n fater o ymffrost ganddo eu bod hwy ymhlith selogion y cylchgrawn: 'It is read by liberal Churchmen as well as Dissenters. The Bishop of St David's [Connop Thirlwell] is a constant reader of the *Traethodydd*.'[60] 'It is a curious fact', meddai chwe blynedd yn ddiweddarach, 'that the *Traethodydd* is more generally circulated among the clergy than among the ministers of any other denomination except the Methodists'.[61] Roedd yr ecwmeniaeth lydan galon hon yn rhan o amcan *Y Traethodydd* o'r cychwyn.

Safonau Beirniadaeth

Nid oes amheuaeth mai dymuniad Lewis Edwards oedd rhoi lle blaen-
llaw yn Y *Traethodydd* i lenyddiaeth Gymraeg. 'We ought to have
something in the mesurau caethion occasionally', meddai wrth Eben
Fardd ar 3 Ebrill 1847, 'and I do not know of any other living poet
that can manage it better than you'.[62] Wrth siarad â Morris Davies yn
1849, meddai: 'Nid oes dim yn fwy dewisol gennyf ei gael na hanes
enwogion Cymru, ac adolygiadau ar lyfrau Cymraeg, hen neu ddiweddar
. . . Yr wyf yn teimlo y dylem roddi mwy o le yn Y *Traethodydd* i
lenyddiaeth Gymreig.'[63] Er i Edwards droi ei law at farddoniaeth o
bryd i'w gilydd – cyfieithodd emyn gan William Cowper 'Trwy ddirgel
ffyrdd mae'r uchel Iôr/yn dwyn ei waith i ben', emyn H. F. Lyte 'O
aros gyda mi, y mae'n hwyrhau', *Ein Feste Burg* godidog Martin Luther
fel 'Ein nerth a'n cadarn dŵr yw Duw', yn ogystal â llunio ambell
emyn gwreiddiol[64] – nid bardd mohono. Roedd ganddo glust at fardd-
oniaeth ac ymdeimlad ag estheteg, er bod hynny yn Saesneg yn fwy nag
yn Gymraeg. Yn wir roedd mewn dirfawr berygl mewn un cyfnod o
gael ei draflyncu yn llwyr gan y beirdd: 'Yr oedd yn hoff o'r beirdd
Seisnig, ond teimlodd yn aml mai anodd oedd gadael Shakespeare a
Milton a mynd yn ôl at y bregeth.'[65] Ond fel awdur a beirniad pros y
gwnaeth ei enw, gan ddefnyddio tudalennau'r *Traethodydd* i ddwyn
rhai o'r clasuron Cymraeg anghofiedig i sylw ei ddarllenwyr. 'O angen-
rheidrwydd fe ddylai pob dyn feddu rhyw fesur o wybodaeth am len-
yddiaeth ei wlad ei hun', meddai. 'Y mae gennym yn yr iaith Gymraeg
rai llyfrau y dylai pob Cymro eu hefrydu.'[66] Yn eu plith roedd *Llyfr y
Tri Aderyn* gan Morgan Llwyd, *Y Ffydd Ddi-ffuant* gan Charles
Edwards a rhai o gyfiethiadau mawreddog yr ail ganrif ar bymtheg
megis *Yr Ymarfer o Dduwioldeb*, sef trosiad Rowland Vaughan, Caer-
gai, o lawlyfr Anglicanaidd poblogaidd Lewis Bayly, *The Practice of
Piety.*

   O ran y Piwritan o Gynfal, meddai Edwards: 'Dyma ysgrifeniadau
Morgan Llwyd yn llawn o athrylith wreiddiol a gwirioneddol, ond nid
oes un o bob cant o'r Cymry yn gwybod dim amdanynt. Nid oes, am a
wyddom ni, mewn bod, ond ychydig iawn o goffadwraeth amdano.'[67]
Sylweddolodd ei arwyddocâd yn syth gan nodi natur feistrolgar arddull
ei Gymraeg yn ogystal â chynnwys ei feddwl. Gellid, meddai, ei
ddosbarthu gyda llenorion mawr Piwritaniaeth Lloegr megis Milton,
John Owen, John Howe a Richard Baxter: '[Y] mae yr un naturiaeth
yn rhedeg trwy ei holl waith yntau, ac nis gallwn lai na thybied ei fod,

o ran gwreiddiolder, yn sefyll mor uchel â neb o'i gyfoeswyr.'[68] Fel
Morgan Llwyd, ychydig a wyddai y bedwaredd ganrif ar bymtheg am
Charles Edwards, y Piwritan o'r gororau a fu'n fawr ei ddioddefaint
yn dilyn adferiad y brenin yn 1662: 'Wel, ddarllenydd mwyn, yr oedd
Charles Edwards . . . yn awdur Cymreig, ac nid yw yn ormod dywedyd
ei fod yn rhagori ar hanner yr ysgrifenwyr a gyfiethiwyd i'r Gymraeg
gyda mawr ddiwydrwydd, o'i amser ef hyd yn awr.'[69] Fel gyda'i ysgrif
ar Morgan Llwyd, dyfynnu a wna Lewis Edwards o'i waith i brofi i'w
ddarllenwyr ansawdd ei ddefnydd o'r Gymraeg: 'Yn awr, ddarllenydd,
onid yw y dyfyniad hwn yn profi mai nid dyn cyffredin oedd Charles
Edwards? Nid ydym yn tybied fod un sylw mwy dwfn-dreiddiol, na
chyffelybiaeth brydferthach yn holl waith Bacon.'[70] Os na chyrhaedd-
odd cyfieithiad Rowland Vaughan yr un tir â'r ddau arall, eto, roedd yn
werth ei drysori:

> Mewn perthynas i ansawdd yr *Ymarfer o Dduwioldeb*, yr ydym yn ei
> ystyried yn lyfr da, defnyddiol, ond nid ar yr un cyfrif yn gydradd ag
> amryw a ysgrifenwyd yn wreiddiol yn yr iaith Gymraeg, megis *Hanes y
> Ffydd* gan Charles Edwards a *Llyfr y Tri Aderyn* gan Morgan Llwyd.
> Nid oes ynddo ychydig neu ddim o'r hyn a elwir *athrylith*. Ofer yw
> chwilio o'i fewn am un ymadrodd yn taro y meddwl gyda grym trydanol,
> ac yn treiddio trwy bob nwyd a chynneddf, nes gwneud yr enaid yn
> danllwyth o deimlad.[71]

Pwysigrwydd y sylwadau hyn oedd dangos fod Edwards wedi synhwyro
gwerth ac arbenigrwydd gwaith llenorion lled-anghofiedig y byddai
ysgolheictod oes ddiweddarach yn eu rhestru ymhlith clasuron pennaf
rhyddiaith Gymraeg.

'Barddoniaeth y Cymry'

Cafodd craffter Lewis Edwards fel beirniad a'i uchelgais i ddysgu
disgyblaeth i'w gydwladwyr eu harddangos ar eu gorau yn yr ysgrif
'Barddoniaeth y Cymry'. Adolygiad ar *Gwaith Dafydd Ionawr* (David
Richards (1751–1827)) gan Nicander (1851) oedd yr ysgrif mewn
enw, ond rhoes gyfle i Edwards draethu ar gyflwr barddoniaeth gyfoes
Gymraeg yng ngoleuni y safonau uchaf posibl mewn gwirionedd. 'Ei
amcan yn yr ysgif hon', meddid, 'megis bob amser, oedd gwneuthur a
allai tuag at ddysgu ei gydgenedl i barchu gwir athrylith, ac yn enwedig

athrylith Gymreig'.[72] 'Ar ôl yr holl floeddio mewn eisteddfodau, yr holl ddadlau mewn papurau a'r holl foli ar ddoniau awenyddol y Cymry, a oes gennym yn y diwedd rai beirdd wedi cyrraedd y fainc uchaf yn llenyddiaeth yr oesoedd?'[73] Y meincnodau a fynnai Edwards eu defnyddio i fesur athrylith pob barddoniaeth aruchel oedd Shakespeare a Milton, ond er mor anaddas oedd hyn o ran ei fanylion, roedd yn adlewyrchu greddf ddiogel i gymhwyso'r safonau Ewropeaidd uchaf at farddoniaeth ei wlad. Os oedd yr iaith Gymraeg yn ennill tir yn feunyddiol a'r boblogaeth ddarllengar yn cynyddu'n ddirfawr, dyletswydd y Cymry oedd meithrin safonau a fyddai'n adlewyrchu urddas, statws a deallusrwydd a oedd yn gweddu i genedl fodern, iach. Ni wnâi safonau eilradd, taleithiol a phlwyfol bellach mo'r tro.

> Beth yw Thomas Edwards o'r Nant, yr hwn a elwir weithiau yn *Welsh Shakespeare*? *Welsh Shakespeare* yn wir! Rhodder pob parch dyledus i awen Thomas o'r Nant, ac nid ychydig sydd yn ddyledus iddo: ond rhy brin y gellir ei gymharu, ar dir cyfiawnder, i Burns, na Cowper, na Wordsworth chwaethach i Shakespeare.[74]

Yr hyn sy'n drawiadol yn yr ysgrif hon ac mewn amrywiaeth o ysgrifau eraill, yw cyfarwydd-der Lewis Edwards â phrif gynnyrch y beirdd o ddyddiau Lewis Morris a Goronwy Owen ymlaen: Ieuan Brydydd Hir, Dafydd Ddu Eryri, Dewi Wyn o Eifion, William Wynn o Langynhafal ac eraill. Er na wyddai Edwards fawr ddim am arwyddocâd y cynfeirdd, y gogynfeirdd a beirdd yr uchelwyr, ac er nad oedd ganddo'r gynhysgaeth dechnegol i fedru gwerthfawrogi Dafydd ap Gwilym a'i gyfoeswyr, gwyddai y gallai barddoniaeth Gymraeg gystadlu â'r gorau yn y byd pe ehengid gorwelion y beirdd a phe codid safon beirniadaeth. Roedd darllen helaeth Edwards yn y clasuron, ei wybodaeth drylwyr o lenyddiaeth Saesneg a'i feistrolaeth gynyddol ar lên y cyfandir, yr awen Almaeneg yn arbennig, wedi ei argyhoeddi o'r angen i gymhwyso'r safonau uchaf at lenyddiaeth ei wlad ei hun. 'Wrth gymhwyso'r etifeddiaeth hon i Gymru', meddai Alun Llywelyn-Williams, 'ac yn enwedig wrth ei chymhwyso i Gymru werinaidd a oedd yn y ganrif ddiwethaf [sef y bedwaredd ganrif ar bymtheg] wedi ei hynysu a'i neilltuo yn fwy effeithiol nag erioed, yr oedd Lewis Edwards yn chwyldroadwr'.[75] Mewn cenedl ddiwladwriaeth a oedd yn amddifad o sefydliadau gwladol, cenedl ddifwrdais, wledig heb fod ganddi ddiwylliant dinesig heb sôn am brifddinas, roedd uchelgais Edwards yn syfrdanol. Roedd y Cymry yn werinaidd ac yn dlawd, ond nid hynny oedd wrth wraidd eu problem. 'Nid ar dlodi yr ydym yn beio, oblegid nid tlodi ynddo ei hun yw yr achos o hyn, ond diffyg meddwl coethedig . . . Nid yw ddim gwahaniaeth p'un ai tlawd ai cyfoethog os disgyblir y meddwl.'[76] Roedd manteision Lloegr a'r Alban o'u cymharu â Chymru yn enfawr. Roedd ganddynt eu dinasoedd, eu prifysgolion, poblogaeth ehangach, dosbarth canol helaeth ynghyd â strwythurau gwladwriaethol o'r iawn ryw, ond hyd yn oed yno, ychydig a feddai'r gallu i werthfawrogi barddoniaeth aruchel. '[O]s hyn yw cyflwr y beirdd mwyaf yn Lloegr, pa faint mwy anodd yw i neb goleddu y meddwl am fod yn fardd o'r fath orau yng Nghymru?'[77] Ond i Edwards nid problem oedd hyn ond her: 'Er hynny, na lwfrhaed ac na ddigaloned y beirdd Cymreig.'[78] Gydag ymroddiad a disgyblaeth roedd modd creu yng Nghymru ddiwylliant Ewropeaidd cyn uched ei safon â'r un.

Beth, felly, oedd 'yr hanfodion sy'n perthyn i wir farddoniaeth ym mhob oes a gwlad'?[79] Yr ateb, yn ôl Lewis Edwards, oedd bywyd, crebwyll a chydymdeimlad. Yr un yn anad neb o blith y beirdd a fynegai fywyd, meddai, oedd Pantycelyn: 'Ni fu neb yn meddu mwy ar yr elfen hon na Williams Pantycelyn.'[80] Edwards oedd y cyntaf i sylweddoli mawredd Williams fel bardd rhagor nag fel emynydd.[81] Dychymyg afieithus ynghyd ag athrylith i ddefnyddio cyffelybiaeth wreiddiol a oedd yn taro i'w fater i'r dim a feddai Pantycelyn: 'Yr oedd yr hen Williams yn meddu llygad i weled anian, a glewder hefyd i gydfyned ag anian.'[82] Ef, yn anad neb o blith y beirdd modern, a fynegai fywyd yn ei gyflawnder. Bywyd, yn ôl Edwards, oedd 'teimlad o brydferthwch anian, teimlad sydd yn myned i mewn i helynt dynoliaeth, yn ei mawredd a'i thrueni, ei llawenydd a'i galar, ei chariad a'i chas'.[83] Esthetig a dyneiddiol oedd y categori hwn ac yn groes i'r safonau moeswersol arferol a geid ymhlith crefyddwyr y cyfnod. 'Y rheol anffaeledig', meddai Edwards, 'yw "cydfyned ag anian", oblegid pa beth bynnag sydd annaturiol, y mae hefyd yn anawenyddol'.[84] O ran crebwyll, newydd-deb a threiddgarwch oddi mewn i ffiniau traddodiad a rheol oedd y nod: 'Er nad yw [y gwir fardd] yn medru creu deddfau, y mae yn creu bydoedd newyddion.'[85] Camp 'crebwyll', un o dermau poblogaidd y cyfnod, oedd symud o'r neilltuol at y cyffredinol a dweud rhywbeth a oedd o werth arhosol am y cyflwr dynol: 'Y mae crebwyll yn esgyn uwchlaw pob teimladau personol, ac uwchlaw pob gwrthrychau neilltuol sy'n bod, i dir gwirionedd cyffredinol.'[86] Ymarfer deallusol oedd hyn, gwaith y rheswm a'r dychymyg yn dod o hyd i ddeddfau cyffredinol bywyd. '[Y] mae y beirdd gorau yn esgyn uwchlaw yr hyn sydd wir mewn rhyw amgylchiadau at yr hyn sydd wirionedd cyffredinol, yr hyn o ganlyniad y mae pob darllenydd yn teimlo ei fod yn dwyn perthynas ag ef ei hun.'[87]Y trydydd hanfod mewn gwir farddoniaeth, yn ôl Lewis Edwards, oedd cydymdeimlad. 'Cyn y gellir deall barddoniaeth, rhaid i ni drafod mewn tymer ddisgyblaidd, ostyngedig, i yfed o ysbryd y bardd . . . Y mae bardd mewn awr o gynhyrfiad hapus yn alluog i gyflawni gorchwyl na fedr yr holl fyd ei ddiwygio, na gwneud ei gyffelyb.'[88]

Yn ogystal â meddu crebwyll beirniadol o ran cynnwys llenyddiaeth Gymraeg, roedd greddf Edwards ynghylch ansawdd yr iaith yn ddiogel hefyd. Yn wahanol i rai a ystyriai eu hunain yn Gymreigwyr da, arswydai rhag cwyrciau orgraff ac arddull William Owen Pughe: 'Ni ddigwyddodd i ni erioed gyfarfod â neb a fedrai hysbysu pa le y cafodd yr athro hybarch ei Gymraeg.'[89] Nid iaith y clasuron oedd ganddo, iaith y *Mabinogi* na'r *Bardd Cwsg*, nac ychwaith iaith gref, idiomatig y werin bobl. 'Cymraeg ddiledryw [*sic*] pob oes ydyw yr iaith a arferid gan y Cymry yn yr oes honno.'[90] Cymraeg gwneud oedd iaith Pughe, yn annaturiol am fod ei rhythmau yn ffals. '[D]adlau yr ydym yn bennaf yn erbyn ei ddull ef o ffurfio ymadroddion . . . Y mae ei gystrawen yn anghymreigaidd.'[91] Roedd mawr angen i rywun ddweud hynny ar ei ben.

Dyneiddiaeth

Roedd y ddyneiddiaeth Gristionogol a befriai o dudalennau y *Traethodau Llenyddol* ac a oedd yn gymaint rhan o weledigaeth Lewis Edwards ynglŷn â'r *Traethodydd* wedi mynd dan gwmwl yn y Gymru Galfinaidd ac Ymneilltuol: 'The old Methodists were good men, but they could not do less than they did in the way of lasting benefit to their native country', meddai Edwards wrth ei gyfaill John Matthews, 27 Chwefror 1847.

> One may almost say that they left everything undone. They were the means, it is true, of saving thousands who came to hear them . . . but they laboured as if the world was to be blotted out of existence at the end of that age. We now suffer the consequences, but we must not despair.[92]

Gwangalondid oedd y peth olaf ym meddwl Edwards am fod ganddo weledigaeth ehangach, egni dihysbyddol a diwinyddiaeth amgenach na'r genhedlaeth o'i flaen. I Edwards heresi oedd pietistiaeth, gwadiad o sofraniaeth daioni Duw yn ei fyd a chamddehongliad o'r ysgrythurau.

Fel dyneiddwyr Protestannaidd Cymraeg yr ail ganrif ar bymtheg a'r goreuon o'r tadau eglwysig cynnar, mynnai Edwards gyfuno dysg glasurol a'r datguddiad beiblaidd er mwyn i fywyd yn ei gyfanrwydd fedru ffynnu dan y Gair. 'Wrth lenyddiaeth' meddai, 'y golygwn yr efrydiaethau hynny sydd yn dwyn perthynas yn fwyaf neilltuol â dyn fel dyn. Y rhai oblegid hynny a adnabyddir yn y prifysgolion wrth yr enw *literae humaniores*'.[93] Dagrau pethau oedd fod rhaid iddo ddadlau ei achos, hyd yn oed yn 1845, yn erbyn philistiaeth a fynnai ymguddio dan gochl crefydd a duwioldeb. Nid bydolrwydd na phwyso ar fraich o gnawd oedd yr awydd i ymddiwyllio a chael ei gyd-Galfiniaid Cymraeg i gymryd llenyddiaeth, athroniaeth a choethi'r meddwl o ddifrif drachefn, ond rhan o broses sancteiddhad. 'Dyma yr efrydiaethau sydd yn cyfarfod â gofynion dyn fel bod moesol, ac yn tueddu i ddiwyllio a choethi ei holl feddwl.'[94]

Y tri maes a restrodd dan bennawd *literae humaniores* oedd y clasuron (gan gynnwys rhethreg), hanes ac athroniaeth. Dro ar ôl tro bu rhaid i Edwards danlinellu'r achos o blaid dysgu Lladin a Groeg. 'Un o arwyddion yr amserau yn y dyddiau hyn', meddai, 'yw y rhagfarn cynyddol a ddangosir yn erbyn yr ieithoedd clasurol'.[95] Ond yr union ieithoedd a'r diwylliannau a oedd ynghlwm â hynny oedd sylfaen holl wareiddiad y Gorllewin. O geisio dysg, felly, nid oedd dewis ond eu meistroli. 'Nid oes neb yn meddu hawl i sôn am ei ddysgeidiaeth os na fydd yn alluog i gyfieithu unrhyw lyfr Lladin neu Groeg *heb gymorth gramadeg na geirlyfr . . .* Dyma i chwi waith, lanciau Cymru, a gwaith y mae yn rhaid i chwi ymaflyd ynddo o ddifrif, os ewyllysiwch fod yn ddynion dysgedig.'[96] Rhag bod hynny yn eu dychryn, meddai, dyna'r union ddisgyblaeth y gorfu i genedlaethau o'r Cymry fod oddi tani yn yr ysgolion gramadeg taleithiol fel Caerfyrddin a'r Bont-faen, yn ysgolion enwog Ceredigion fel Ystradmeurig a Chastellhywel, ac yn yr ysgolion llai y bu i Edwards a llawer llanc duwiol arall ddysgu elfennau'r clasuron ynddynt, megis ysgol John Evans yn Aberystwyth ac eiddo John Jones, Glanleri, yn Llangeitho gynt. Ond am ryw reswm roedd rhagfarn pietistig wedi mynnu dibrisio'r gwaith mawr a wnaed yn y sefydliadau hyn. 'Y rhwystr mawr sydd ar y ffordd yw syniad isel y Cymry am ansawdd a gwerth dysgeidiaeth', meddai. 'Dyma lle mae gwraidd yr afiechyd, a dyma lle mae eisiau cymhwyso y feddyginiaeth.'[97]

Ond pam meistroli'r ieithoedd clasurol, yn fwy nag elfennau'r Gymraeg na'r Saesneg hyd yn oed? '[Y] pwnc mawr mewn llenyddiaeth yw disgyblu y meddwl, a'i gymhwyso i weithredu drosto'i hun, ac nid oes ysgrifeniadau gwell i'w cael i'r perwyl hwn na'r rhai a

adawyd i ni gan y Groegiaid a'r Rhufeiniaid.'[98] Nod amgen clasur
mewn unrhyw iaith oedd y gallu i oroesi neilltuolion ei gyfnod ei hun
er mwyn siarad yn huawdl ag amgylchiadau pob cyfnod. 'Y mae rhai
llyfrau uwchlaw effeithio arnynt gan amser, ac yn myned yn fwy
gwerthfawr trwy bob prawf a wneir ohonynt. Ac yn eu plith y mae yr
hen lyfrau Groegaidd a Lladinaidd y buom yn poeni amdanynt yn ein
hieuenctid.'[99] Hanfod gwarineb i Edwards oedd gostyngeiddrwydd
gerbron barn nid un genhedlaeth ond llawer cenhedlaeth, a gogoniant
y llên glasurol oedd iddi hi lwyddo i ddal pwys a gwres y canrifoedd.

> Os nad ydym yn tybied ein hunain yn ddoethach na'r holl ddoethion a
> fu yn y byd ers mwy na deunaw cant o flynyddau, y mae yn rhaid i ni
> gredu mai yr areithiwr gorau yw y tebycaf i Demosthenes neu Cicero,
> mai y bardd gorau yw y tebycaf i Homer neu Sophocles neu Virgil, mai
> yr hanesydd gorau yw y tebycaf i Herodotus neu Thucydides neu Livy neu
> Tacitus, ac nid oes cynlluniau rhagorach i'w cael o barth y dull gorau o
> ymresymu na Plato ac Aristotle.[100]

Y broblem, wrth gwrs, i ddyn duwiol oedd mai paganiaid a chyn-
Gristnogion oedd y mawrion uchod i gyd. A oedd hi'n weddus i gredin-
iwr dreulio amser mawr yn meistroli'r iaith Roeg er mwyn ymborthi
ar awen Homer neu Ladin er mwyn cael darllen Fyrsil? I Edwards roedd
yr agwedd hon yn bradychu culni a oedd yn sarhau daioni rhagluni-
aethol Duw tuag at ei fyd. Roedd goleuni natur ar ei orau yn medru
llewyrchu'n danbeitiach na goleuni crefydd ar ei salaf, '[Y]n lle eu di-
ystyru y mae yn perthyn i ni gywilyddio wrth ystyried fod amryw
ohonynt yn rhagori mewn moesoldeb, o ran eu hathrawiaethau a'u
bucheddau, ar liaws mawr a gyfrifir yn Gristionogion', meddai.

> Os na wyddent ddim am wir grefydd, gwyddent beth oedd ymddygiad
> anrhydeddus, yr hyn na ŵyr llawer o'r Cymry. Yr oeddent yn ddynion
> trwyadl, ac y mae y digrefydd, *os bydd yn ddyn,* yn rhagori fil o
> weithiau ar y crefyddwr mewn enw, *os bydd yn llai na dyn.*[101]

Beth bynnag am effaith pechod ac anghrediniaeth, roedd cyswllt
annatod rhwng y dyn anianol, diailanedig ar y naill law, a'r crefyddwr
diffuant neu ffuantus, ar y llaw arall. Dynion oeddent hwy ill dau. Ac
roedd yr un peth yn wir am y byd. Byd Duw ydoedd p'un ai bod pobl
yn cydnabod y ffaith ai peidio. Roedd Duw, felly, trwy ei ragluniaeth
wedi gadael ei ôl ar fywyd dyn fel dyn, ac roedd hyn yn arbennig wir

am y byd clasurol. 'Ni ellir amau', meddai Edwards, 'na ddarfu i'r Arglwydd yn ei ragluniaeth godi y Groegiaid i wneud gwaith mawr fel rhagbaratoad i ddyfodiad Cristionogaeth'.[102] Fel y dywed Ceri Davies, 'I Lewis Edwards yr oedd i'r clasuron Groeg a Lladin le cwbl unigryw yn y *preparatio evangelica*, y paratoad ar gyfer dyfodiad a derbyniad yr efengyl.'[103] Nid dim ond syniadau'r Groegiaid a gafodd eu defnyddio i gyfleu ystyr yr efengyl ond hefyd eu hiaith: 'Nid peth bychan oedd paratoi iaith i drosglwyddo syniadau y Testament Newydd, ac er mai iaith y Groegiaid oedd yr iaith berffeithiaf yn yr holl fyd, yr oedd wedi hynny yn analluog i gynnwys gwirioneddau y grefydd Gristionogol heb roddi meddwl newydd i lawer o hen eiriau.'[104] Roedd hi'n gwbl briodol, felly, i astudio'r clasuron, gan gynnwys y clasuron cyn-Gristionogol, er mwyn gwerthfawrogi byd Duw yn ei gyflawnder. '[Y]r oedd . . . Lewis Edwards', meddai Ceri Davies, 'yn llinach y Tadau Eglwysig hynny a fu'n chwilio am ffordd i gydasio'r datguddiad Iddewig-Gristnogol â'r gorau yn y traddodiad Groeg-Rufeinig'.[105] Dywed Edwards:

> Dyma y cynlluniau yr oedd Ioan Aurenau ac Awstin o Hippo, Erasmus a Melanchthon a Calvin a Milton a Taylor a Howe yn ei chyfrif yn ddyletswydd arnynt ymdrechu i'w hefelychu, ac oni raid fod hunanoldeb y dyn hwnnw yn anfesurol sydd yn methu credu er y cwbl eu bod yn werth eu darllen?[106]

Trwy hyn y mynnai Edwards i'r Gymru Ymneilltuol ymuno â'r traddodiad catholig ar hyd yr oesoedd a dod i gredu, fel Awstin Fawr a John Calvin ei hun, fod yr ymgais i geisio dysg yn ddilys ynddi'i hun heblaw ei bod yn llawforwyn i'r efengyl. Nid heb achos y mynnodd Saunders Lewis fod sylwadau Edwards ar y pwnc yn un o'r darnau pwysicaf o feirniadaeth lenyddol a ysgrifennwyd yn Gymraeg yn y bedwaredd ganrif ar bymtheg: 'Yr oedd mawredd gwelediigaeth y Dadeni yn ysgrif Lewis Edwards.'[107] Dyma enghraifft o ddyneiddiaeth Gristionogol ar ei mwyaf mawreddog, ac Edwards ei hun oedd yn gyfrifol amdani.

Nid dros nos yr enillodd Lewis Edwards y frwydr i gael gan ei gyd-Ymneilltuwyr agor 'y mwyngloddiau o gyfoeth, a'r bydoedd o brydferthwch, sydd yn ysgrifeniadau y Groegiaid a'r Rhufeiniaid yn yr hen oesoedd, a llawer o'r Saeson mewn oesoedd diweddarach'.[108] Roedd olion yr hen ragfarn a geisiodd ei rwystro yn ŵr ifanc rhag mynd i'r brif-ysgol yn bod o hyd. 'Y mae hen reswm "pysgotwyr môr Galilea" heb ddarfod o'r byd eto', meddai yn 1850, ugain mlynedd ar ôl i Thomas ac Ebenezer Richard ladd arno am falchder yn Wystog pan geisiodd ganiatâd y sasiwn i fynd i'r coleg gyntaf. 'Os pregethwyr annysgedig a ddewisodd Crist ar y cyntaf, pa angen am ddysgeidiaeth yn yr oes hon? Mae y bobl sy'n ymresymu fel hyn yn gofalu am adael disgybl Gamaliel allan o restr yr apostolion.'[109] Ond, o hepgor Paul hyd yn oed, roedd yr apostolion eraill, pysgotwyr neu beidio, yn hyddysg mewn tair iaith o leiaf, Hebraeg, Aramaeg a Groeg, a dynion dysgedig oedd cewri Protestaniaeth yng Nghymru'r gorffennol. 'Gallem ddwyn ar gof . . . mai dynion dysgedig oedd Dr Morgan, ac Edmund Prys, a Ficer Pritchard, a Griffith Jones o Landdowror, ac mai dynion dysgedig oedd Harris, a Rowlands, a Williams o Bantycelyn, a Dr Lewis, a Charles o'r Bala.'[110] Ond gweddillion yr hen ragfarn oedd hyn. Beth bynnag am ambell achwynwr fan hyn a fan draw, roedd consensws newydd wedi'i greu, a'r egwyddor o ddysg ryddfrydol fel gwedd ar y ddisgyblaeth Gristionogol bellach yn bod. I Lewis Edwards yr oedd y diolch am hynny.

Athroniaeth

O ran elfennau eraill *literae humaniores*, talodd Edwards sylw arbennig i hanes ac athroniaeth. Penllanw ei efrydiau hanesyddol oedd ei gampwaith *Traethawd ar Hanes Duwinyddiaeth y Gwahanol Oesoedd* a gyhoeddwyd fel rhaglith i'w argraffiad newydd o *Drych Ysgrythurol, neu Gorph o Dduwinyddiaeth* George Lewis, Llanuwchllyn, oddeutu degawd a hanner yn ddiweddarach. Ond gwelodd tudalennau'r *Traethodydd* gyfres o ysgrifau ganddo ar bynciau athronyddol: '[Y]styr y gair [athroniaeth] ydyw awydd ac ymchwiliad am ddoethineb . . . Diben athroniaeth ydyw dysgu dyn pa fodd i fyw fel bod moesol.'[111] Er mai athroniaeth yr Alban fel y'i harddelwyd gan Thomas Reid, Dugald Stewart, Thomas Brown ac eraill oedd sylfaen ei fetaffiseg, ac yn hynny o beth ei fod yn cydymffurfio â mwyafrif y Calfiniaid meddylgar rhwng Aberdeen a Princeton ar y pryd,[112] eto roedd yn agored i dderbyn dylanwadau eraill os teimlai fod y gwirionedd yn cael ei oleuo. Gwelwyd hynny yn ei ysgrifau hynod flaengar, yn Gymraeg, ar Coleridge ac ar Kant. Cyfraniad mawr y bardd a'r athronydd Samuel Taylor Coleridge (1772–1834) i ddatblygiad y meddwl Cristionogol ym Mhrydain oedd iddo gyfuno'r pwyslais rhamantaidd ar angerdd, teimlad a dychymyg â chrediniaeth yn y dogmâu Cristionogol traddodiadol megis Person Crist a'r Drindod.[113] Teimlai Lewis Edwards yn reddfol fod y Galfiniaeth draddodiadol wedi'i handwyo gan elfen o resymoliaeth fecanyddol a darddodd nid o'r efengyl ei hun ond o ragdybiaethau'r Aroleuo. Roedd angen chwystrelliad o brofiadaeth, teimladrwydd a'r dirgelaidd ynddi er mwyn ei rhyddhau o ormes deddf, rheol ac oerni rhesymegol. Cymwynas *Aids to Reflection* Coleridge (1825) oedd ei argyhoeddi fod i reddf, teimlad a dychymyg eu lle ochr yn ochr â rhesymeg lem yng nghyflawnder ymateb y credadun i'r datguddiad yng Nghrist.

Ymhen rhai blynyddau wedi i ni agor ein llygaid ar y byd llenyddol, cododd awydd cryf ynom am ddyfod yn gydnabyddus â'r awdur hyglod hwn [Coleridge] trwy weled crybwylliadau parchus am ei alluoedd mewn rhai cyhoeddiadau cyfnodol, yn enwedig *Blackwood's* a *Fraser's Magazine*. Ond yn y fangre lle yr oedd rhagluniaeth wedi trefnu ein preswylfod y pryd hwnnw . . . yr un peth oedd holi am lyfrau o'r fath hyn a phe gofynasid pa weithiau awdurol oeddent wedi eu cyhoeddi y flwyddyn honno yn y lleuad.[114]

Cyfeirio a wnâi, wrth gwrs, at ei flynyddoedd fel ysgolfeistr ifanc yn Aberystwyth a Llangeitho yn niwedd y 1820au pan blannwyd ynddo'r awydd i fynd i'r brifysgol yn y lle cyntaf. Bu rhaid iddo gyrraedd yr Alban yn 1833 cyn cael cyfle i bori yn y llyfrau diweddaraf yn ôl ei ddymuniad: '[R]ywbryd ar ôl hyn yr oeddem mewn man yr oedd cyfle i gael gweld faint a fynnem o lyfrau ar bob cangen o wybodaeth. Am rai wythnosau nis gwyddem gan lawenydd ar ba un i ddechrau.'[115] Er gwaethaf ei barch at yr athronwyr Albanaidd derbyniol, a'i werthfawrogiad o'r ffaith fod eu syniadaeth hwy mewn cytgord â'r Galfiniaeth na allai ef beidio â'i harddel, roedd darganfod Coleridge yn ei anesmwytho ac yn ei gynhyrfu ar yr un pryd. 'Yr oeddem wedi darllen Locke, a Reid, a Stewart, a Brown, ac yn tybied ein bod yn deall pob gair',[116] ond roedd y categorïau a ddefnyddiodd Coleridge – greddf, teimlad, angerdd – yn beryglus ddieithr ond yn hynod atyniadol er mwyn dirnad yn well natur y ffydd efengylaidd. Er na throes Edwards yn idealydd fyth, eto cafodd olwg ar y gwirionedd na allai sgolastigiaeth resymoliaethol fyth wneud cyfiawnder ag ef. 'Coleridge yn ddiamau oedd un o'r meddylwyr mwyaf a ymddangosodd ers rhai oesoedd. Ac heblaw ei fod yn ddyn mawr, yr oedd hefyd yn ddyn da.'[117]

Roedd Immanuel Kant (1724–1804), ar y llaw arall, mewn dosbarth cwbl ar wahân. Yr hyn sy'n ddiddorol am ddwy ysgrif Edwards ar Kant oedd iddo ddarlunio cyfundrefn yr Almaenwr fel un a allai amddiffyn y ffydd rhag y sgeptigiaeth a oedd yn dod yn gynyddol fwy amlwg mewn cylchoedd deallusol Ewropeaidd. 'Y cyffro a barodd Hume oedd yr achos i Kant wneuthur ymchwiliad newydd i edrych pa beth sydd sicr a pha beth sydd ansicr, a gosod y prawf am y bod o Dduw ar sylfaen arall, sef yr egwyddorion moesol.'[118] Roedd y Calfinydd Albanaidd Thomas Reid wedi ceisio herio sgeptigiaeth trwy fynnu bod synnwyr cyffredin yn hawlio bodolaeth Duw fel acsiom. 'Er fod Dr Reid yn llawer gwannach dyn [na Kant], eto safodd yn fwy diysgog, a dadleuodd yn nerthol dros yr hyn a alwai yn wirionedd synnwyr cyffredin y rhai nis gellir eu profi am eu bod yn wreiddyn pob prawf.'[119] Ond ymdrech lew oedd eiddo Reid yn hytrach na llwyddiant: 'Yn y cyfyngder hwn cymer-odd Reid afael yn yr egwyddor o "synnwyr cyffredin", ond gyda phob parch i Reid, ac i'w amddiffynnwr Syr William Hamilton, nis gallwn lai na meddwl fod yr egwyddor hon ei hun yn lled ansicr . . . i feddwl adeiladu arni.'[120] Yn hytrach na hawlio gwirionedd terfynol fel acsiom, yr hyn a wnaeth Kant yn ei *Kritik der reinen Vernuft* ('Beirniadaeth y Rheswm Pur') (1781) oedd dadlau, ar sail cyfansoddiad y meddwl dynol, nad trwy synhwyrau noeth y gellid dod o hyd i wirionedd gwrth-rychol. 'Er nad ydym ond ar gyffiniau y byd mawr sydd o'n mewn, yr ydym eisoes wedi cyfarfod â rhywbeth yn ein natur nad yw'n tarddu o'r byd bach oddi allan, ond sydd ar yr un pryd yn sylfaen i holl ym-ddangosiadau y byd allanol.'[121] Roedd hynny yn sail cadarnach i hawlio fod yna'r fath beth â sicrwydd yn ein hymwneud â realiti eithaf, a thrwy hynny yn ymwneud y credadun â Duw.

Ni chafwyd dim fel hyn yn Gymraeg o'r blaen. Cymerodd Edwards y byddai darllenwyr *Y Traethodydd* nid yn unig yn medru dilyn ei resymu, ond bod ganddynt ddiddordeb, a diddordeb ysol, mewn dad-leuon astrus a threiddgar o'r fath. Roedd ymestyn terfynau deallusol, ehangu gorwelion diwylliannol a gorseddu'r safonau Ewropeaidd uchaf i fod yn norm, a hynny yn Gymraeg, yn gymwynas gawraidd gan brif-athro Coleg y Bala. Ac iddo ef roedd y cwbl yn agwedd ar ei ddisgyb-laethdod Cristionogol. Erbyn 1845 roedd hi'n dod yn gynyddol fwy amlwg y byddai Lewis Edwards yn tyfu i fod yn un o Gymry mwyaf ei genhedlaeth ac yn un o ffigyrau allweddol y bedwaredd ganrif ar bymtheg.

6 ∽ *Rhwng* Y Traethodydd *ac*
Athrawiaeth yr Iawn I, *1845–1860*

Yn ogystal ag ysgrifennu ar lenyddiaeth, y clasuron, athroniaeth a diwinyddiaeth, cyfrannodd Lewis Edwards ysgrifau i'r *Traethodydd* ar faterion y dydd. Rhwng 1845 ac 1847 cyfansoddodd tua dwsin erthygl ar agweddau ar fywyd eglwysig yng Nghymru a'r tu hwnt, yn eu plith 'Hanes Eglwys Genefa', 'Dadleuon diwinyddol yn Sgotland', 'Yr Eglwys Rydd' ac 'Yr Undeb Efengylaidd',[1] ar faterion yn ymwneud ag addysg megis 'Bywyd a barnau Dr Arnold'[2] ac ar wleidyddiaeth, 'Maynooth' a 'Deddf yr yd'.[3] Erbyn hyn mae'n gwbl amlwg fod Edwards, er yn Fethodist, yn ei ystyried ei hun yn Ymneilltuwr, bod pob olion o Doriaeth wedi diflannu o'i gyfansoddiad a bod yr egwyddor wirfoddol mewn crefydd yn ganolog i'w olwg ar y byd. 'Yr ydym ein hunain yn Ymneilltuwyr o gydwybod', meddai yn 1845, 'Y mae undeb rhwng yr eglwys a'r wladwriaeth yn ymddangos i ni yn anysgrythurol.'[4] '[B]uasai crefydd yn burach yn ei natur ac yn helaethach yn ei llwyddiant pe gweithredasid yn ôl yr egwyddor wirfoddol', meddai ddwy flynedd yn ddiweddarach, '[a bod] gwaddoliad rhyw gyfundrefn grefyddol trwy gyfraith yn gamwedd o'r fath wrthunaf yn erbyn cydwybod ac o ganlyniad yn gwrthdaro yn erbyn awdurdod benarglwyddiaethol Duw ei hun'.[5] Cymerodd yn hir i'r Methodistiaid Calfinaidd ymddihatru oddi wrth ethos a meddylfryd Eglwys Loegr ac iddynt symud tuag at y Chwigiaid o ran gwleidyddiaeth, ond roedd hi'n amlwg erbyn hyn fod y broses wedi'i chwblhau: 'Y mae holl wir grefydd y deyrnas yn ymdaflu ar yr egwyddor wirfoddol.'[6] Ar y cefndir hwn mae'n rhaid deall ymateb Lewis Edwards i un o'r digwyddiadau mwyaf pwysfawr i seice'r Gymru Fictoraidd, sef 'Brad y Llyfrau Gleision'.

Brad y Llyfrau Gleision

Ar 1 Hydref 1846 sefydlodd llywodraeth yr Arglwydd John Russell gomisiwn i ystyried cyflwr addysg yng Nghymru. Y diweddaraf o gyfres o ymgeisiadau oedd hwn i archwilio anghenion gwerin y deyrnas ac i ymateb i'r newidiadau economaidd a chymdeithasol mawr a oedd yn digwydd yn y bedwaredd ganrif ar bymtheg. Gan William Williams, Aelod Seneddol Coventry, y daeth yr argymhelliad, ac yn dilyn dadl yn y senedd ar 10 Mawrth 1846 penderfynwyd sefydlu 'an Inquiry into the State of Education in the Principality of Wales, especially into the means afforded to the labouring classes of acquiring a knowledge of the English language'.[7] Brodor o Lanpumsaint, sir Gaerfyrddin, oedd Williams, a oedd wedi mynd i fyny yn y byd. Gwnaeth ei ffortiwn fel masnachwr yn Llundain a bellach roedd yn Aelod Seneddol blaengar, radicalaidd yng nghanolbarth Lloegr a fynnai ymestyn y bleidlais, tocio ar hawliau'r eglwys sefydledig ond, yn fwyaf arbennig, gynyddu dylanwad y blaid Chwigaidd yn y wlad. I wneud hynny yng Nghymru tybiodd fod angen goleuo'r werin trwy ddysgu Saesneg iddynt er mwyn eu rheoli'n fwy trwyadl a'u llywodraethu'n well. 'An educated people could be governed easier and much cheaper than an uneducated, ignorant people, beside the vast social and moral power it conferred in a national point of view.'[8]

Yng nghefn meddwl Williams ac eraill a oedd yn frwd o blaid 'gwareiddio' y Cymry yr oedd protestiadau'r Siartwyr ym Mynwy yn 1839 a therfysg y Beca yn y de-orllewin rhwng 1839 ac 1843. Roedd yr anwybodaeth a'r anfoesoldeb a oedd yn nodweddu'r Cymry yn llesteirio cynnydd cymdeithasol ac yn fygythiad i ddiogelwch gwladol. Teimlwyd bod Cymru yn wlad wyllt yr oedd angen ei gwastrodi, a thrwy ddiddyfnu'r bobl oddi wrth eu Cymraeg y gellid gwneud hynny orau: 'If the Welsh had the same advantages . . . as the Scotch, they would, instead of appearing a distinct people, in no respect differ from the English: would it not therefore be wisdom and sound policy to send the English schoolmaster among them?'[9] Gorchwyl Syr James Kay-Shuttleworth, ysgrifennydd bwrdd addysg y Cyfrin Gyngor, oedd penodi arbenigwyr i wneud archwiliad manwl o gyflwr addysg yng Nghymru er mwyn ateb yn ôl i'r bwrdd. Dewiswyd tri chomisiynydd: y bargyfreithwyr R. R. W. Lingen, cymrawd o Goleg Balliol, Rhydychen, a Jelinger C. Symons, ac H. R. Vaughan Johnson a fyddai'n cael ei alw i'r bar flwyddyn yn ddiweddarach. Ni wyddai yr un ohonynt ddim am Gymru; credent, yn unol â rhagdybiaethau eu dosbarth, mai sectyddiaeth beryglus oedd Ymneilltuaeth grefyddol a derbynient yn ddigwestiwn y dybiaeth fod y Gymraeg yn iaith gyntefig, ddiurddas a oedd yn cadw'r werin mewn tywyllwch. Meddai'r hanesydd Ieuan Gwynedd Jones am adroddiadau eu rhagflaenwyr: 'Some of their reports read like voyages of discovery, journeys into unknown regions and communities among people as remote socially from the world of Oxford colleges and well-endowed rural livings as the kralls of darkest Africa.'[10] Yr un oedd rhagdybiaethau adroddiadau 1847: mai Lloegr oedd y norm, bod pob gwarineb wedi ei gyfyngu i golegau Rhydychen a choridorau grym San Steffan ac mai bodau cynhenid isradd oedd y Cymry. Byddai'n gamp iddynt beidio â dod i gasgliadau pur negyddol wrth wynebu eu tasg.

Bu'r tri chomisiynydd a'u llu o is-gomisiynwyr, offeiriaid Anglican-aidd gan mwyaf, yn dra diwyd, Lingen yn gofalu am Forgannwg, sir Gaerfyrddin a Phenfro, Symons am Geredigion, Brycheiniog, Maesyfed a Mynwy, a Vaughan Johnson am y cwbl o ogledd Cymru, gan gwbl-hau eu gorchwyl erbyn haf 1847. Cyhoeddwyd eu hadroddiadau mewn tair cyfrol ffolio clawr glas o 1,200 tudalen erbyn yr hydref gyda chrynodeb Cymraeg, *Adroddiadau Dirprwywyr i Gyflwr Addysg yn Nghymru*, yn gynnar yn 1848. Pery y *Reports of the Commissioners of Inquiry into the State of Education in Wales, in Three Parts* (1847) yn fwynglawdd hynod o ffeithiau am bob math o agweddau ar yr ysgolion dyddiol a'r Ysgolion Sul yng Nghymru. Nid y ffeithiau oedd y tram-gwydd, fodd bynnag, ond yr agweddau a amlygwyd gan y comisynwyr ac, yn waeth byth, gan yr is-gomisiynwyr a llawer o'r tystion, a'r hawl a gymerent i bardduo moesoldeb y bobl.

Ymatebodd Lewis Edwards i'r adroddiadau gyntaf yn rhifyn Ionawr o'r *Traethodydd* ac eilwaith, yn fwy cryno ond yn fwy chwyrn, yn rhifyn Ebrill 1848. Nid ef oedd yr unig ymatebydd. Roedd David Rees, gweinidog Capel Als, Llanelli, eisoes wedi protestio'n groch ar dudalen-nau *Y Dysgedydd*, y cylchgrawn Annibynnol radicalaidd yr oedd yn olygydd arno, a byddai'n parhau i brotestio trwy gydol y flwyddyn ac i mewn i 1849.[11] Daeth llythyr agored miniog Evan Jones, 'Ieuan Gwynedd', at William Williams AS, *A Vindication of the Educational and Moral Conditions of Wales*, o'r wasg yn ddiweddarach yn y flwyddyn a byddai anerchiad grymus Henry Richard gerbron An-nibynwyr Crosby Hall, *The Progress and Efficiency of Voluntary Education, as exemplified in Wales*, a lawnsiodd ei yrfa fel prif ladmer-ydd y Cymry Ymneilltuol yn Llundain, yn dod o'r wasg eto yn 1848. 'Afresymol . . . oedd disgwyl dealltwriaeth cywir am ansawdd ein gwlad mewn tri mis neu bedwar oddi wrth ddynion oedd ychydig cyn hynny mor anwybodus ohonom â neb o drigolion y blaned newydd Neptune',[12] meddai Edwards yn Ionawr, a'r syndod, o dan yr amgylchiadau, oedd iddynt wneud cystal. Gan fod addysg yn agos at ei galon, a'r angen i addysgu'r Cymry yn rhan o'i genhadaeth, gallai gytuno â llawer o'r beirniadaethau a ddaeth i'r golwg: fod safon yr ysgolion eilradd yn annigonol, nad oedd digon ohonynt a bod angen cyfundrefn effeithiol i hyfforddi athrawon a chyllid digonol ar gyfer y gwaith: 'Y mae ynddynt beth gwirionedd, a dylem ninnau ei ystyied yn ddifrifol a meddwl am ddiwygio . . . caffed y gwirionedd ei le beth bynnag fyddo y canlyniad.'[13] Credai nad oedd hi'n fwriad gan y dirprwywyr fod yn negyddol, ond oherwydd eu hanwybodaeth ddybryd o natur grefyddol a diwylliannol Cymru, roedd y negyddiaeth a andwyodd yr holl fenter yn anorfod. Roedd eu cylch gorchwyl yn eu gorfodi i danlinellu gwendidau: 'Y gwaith a ymddiriedwyd iddynt gan y llywodraeth oedd chwilio i'r diffyg o addysgiant yng Nghymru, ac yr oedd hyn yn eu tueddu yn naturiol i edrych ar ein gwaeleddau yn hytrach na'r rhagoriaethau.'[14] Roedd y cwestiynau yn rhagdybio'r atebion a gafwyd, a chan fod y rhagdybiaeth yn anffafriol i'r Cymry, roedd hi'n dilyn mai argraff anffafriol a fyddai'n cael ei chreu.

Fodd bynnag, pan ddaeth Lewis Edwards i drafod gwaith yr isgomisiynwyr, caledodd ei agwedd yn ddirfawr. 'Os gwir yw rhai o'r tystiolaethau a dderbyniasant', meddai, 'yr ydym yn waeth na barbariaid; nid oes y fath beth â diweirdeb na gonestrwydd yn ein plith, nac un syniad amdanynt; nid yw ein crefydd yn effeithio dim ar ein hymarweddiad, ac nid yw Cymru drwyddi oll ond pentwr o lygredigaethau'.[15] Aeth i'r afael â J. W. Trevor, periglor Llanbeulan, Môn, a Lewis Henry Davies, ficer Troed-yr-aur, Ceredigion, wrth eu henwau, nid yn unig am iddynt bardduo eu plwyfolion trwy sôn am helaethrwydd bastardiaeth yn eu hardaloedd, ond am iddynt fynnu fod hyn yn gyffredin ym mhob man, ei bod yn nodwedd o'r Cymry fel cenedl a'i bod yn cydredeg mor aml â phoblogrwydd Ymneilltuaeth yn y wlad. Roedd rhagfarn yn un peth, ond roedd celwydd yn beth arall. Defnyddiodd ystadegau Ieuan Gwynedd yn ei ohebiaeth ag 'Ordovices', sef John Griffith, ficer Aberdâr, un arall o'r clerigwyr a ymfalchïodd mewn pardduo moesau'r Cymry, i brofi fod sefyllfa Cymru, er ymhell o fod yn berffaith, yn cymharu'n ffafriol â Lloegr, a bod y sefyllfa yn y Gymru Gymraeg yn tra rhagori ar y sefyllfa ym Maesyfed Seisnigaidd lle roedd Anglicaniaeth yn gryf ac Ymneilltuaeth yn wan. 'Yn ôl eu tyb hwy, Ymneilltuaeth yw gwreiddyn y cwbl . . . Y gwirionedd yw, mai yn y capeli, a phob peth cysylltiedig â hwy, y mae y drwg.'[16]

Os annheg oedd y mynych gysylltu anfoesoldeb ag Ymneilltuaeth, roedd y snobri cymdeithasol a fynnai ddirmygu addysg yr Ysgolion Sul yn gwbl annerbyniol, ac yn yr achos hwn ni ellid beio'r tystion. 'Sonia Mr. Lingen am ddynion yn weision trwy yr wythnos ac yn feistriaid ar y Sabbath.'[17] I uchelwr o Sais roedd y ffaith fod gwerinwr o Gymro uniaith yn medru cael ei barchu gan ei gyd-grefyddwyr a dringo i safle o awdurdod ymhlith deiliaid yr Ysgol Sul yn wrthun. 'Oni ŵyr efe nad cyfoeth sydd yn gwneud dyn yn wir barchus mewn cymdeithas fydol mwy nag yn yr ysgol sabothol? . . . hir y parhao y Cymry i barchu pob dyn yn ôl ei deilyngdod gwirioneddol ac nid yn ôl ei fawredd amgylchiadol.'[18] Ond wrth wraidd y cwbl yr oedd delfryd anghywir ynghylch natur ac amcan addysg. I'r comisiynwyr, roedd addysg yng Nghymru yn annigonol am ei bod yn gyfyng, yn grefyddol ac yn Gymraeg. Dylai, yn hytrach, fod yn eang, yn secwlaraidd ac, wrth reswm, yn Saesneg.

> Os ceir [y plant] i fedru swnio y geiriau *oxygen* a *hydrogen* a lliaws o'r cyffelyb, ac i adrodd rhes o frenhinoedd Lloegr, bernir eu bod yn wybodus rhyfeddol . . . Y mae gormod o duedd yn addysg y dyddiau hyn, sef yr addysg a gymeradwyir gan yr adroddiadau dan sylw, i wneud plant yn beiriannau rhifyddol.[19]

Gyda'r pwynt hwn y daeth Edwards at brif sylwedd ei feirniadaeth: i'r llywodraeth peth tymhorol, iwtilitaraidd a bydol oedd addysg, heb unrhyw sylfaen foesol nac amcan uwch, tra dylai gwir addysg ddysgu doethineb a gwarineb i'w deiliaid a'u parchu fel bodau cyfrifol ger-bron Duw. 'Gosodir [y dull iwtilitaraidd] allan fel y feddyginiaeth anffaeledig rhag pob afiechyd moesol, a chyfrifir y Cymry, oherwydd eu hamddifadrwydd ohoni, yn hanner barbariaid.'[20] Nod amgen eu barbareiddiwch oedd eu hiaith. '[N]is gallant gredu', meddai Edwards, 'nad yw yr iaith Gymraeg ar ffordd pob diwygiad.'[21] Roedd y tri chomisiynydd fel ei gilydd 'yn llawn mor benderfynol dros ei difodi oddi ar wyneb y ddaear, a gofidus yw meddwl eu bod yn cael eu cadarnhau yn y farn hon gan dystiolaethau i'r un perwyl oddi wrth amryw a gyfrifent eu hunain yn Gymry'.[22] 'One need only read the Welsh publications', meddai Thomas Davies, offeiriad Trefeithin, sir Fynwy, 'to be convinced of the non-utility of the language . . . and the sooner it becomes dead, the better'.[23] Roedd John Griffith, brodor o Geredigion, cyfoeswr â Lewis Edwards a gâi ei benodi cyn hir yn ficer Aberdâr, eisoes wedi mynegi yr un farn yn y wasg: 'We confidently look forward to the time when . . . with the Welsh language, Dissent must die.'[24] Er mai am gwta fis y bu'n gwasnaethu yn ei blwyf newydd, roedd ei dystiolaeth i anfoesoldeb ei blwyfolion Cymraeg gerbron y comisiwn ar sail anwybodaeth ddybryd a rhagfarn noeth wedi llwyddo i argyhoeddi lliaws o bobl mai cynllwyn gwrth-Ymneilltuol oedd yr holl fenter, a bod yr amser wedi dod i droi'r tu min nid yn unig tuag at y comisiynwyr ond tuag at eu cynffonwyr, swyddogion Eglwys Loegr yng Nghymru yn ogystal.[25] Er gwaethaf sylwadau pwyllog a chymesur Lewis Edwards yn rhifyn Ionawr o'r *Traethodydd*, roedd tân wedi'i gynnau a fyddai'n troi'n goelcerth eiriasboeth ymhen dim.

Llên Broffwydol

Erbyn mis Ebrill 1848, pan ymddangosodd ail ysgrif Lewis Edwards, roedd y tân yn llosgi'n danbaid. Yr un oedd ei farn â'r tro o'r blaen, fod peth gwir yn sylwedd yr adroddiadau, ond bod am y mwyaf o annhegwch ynddynt a oedd yn codi o ragfarn wrth-Ymneilltuol a gwrth-Gymreig. Yr hyn oedd yn wahanol oedd ysbryd Lewis Edwards ei hun. Ysgrifennai bellach nid fel sylwebydd rhesymol a fynnai rhoi mantais yr amheuaeth i wŷr bonheddig ond anwybodus, ond yn hytrach fel amddiffynnydd ei bobl ac arweinydd ei genedl. Roedd ei amynedd wedi pallu a'r alwad bellach oedd llefaru'n ddigyfaddawd groch. Rhestrodd drachefn feiau'r comisiynwyr, eu dirmyg tuag at grefydd efengylaidd a'r diwylliant moesol a darddodd ohoni, eu casineb tuag at yr iaith: 'Nid yw yn hysbys pa ddrwg a wnaeth yr hen Omeraeg iddynt hwy na neb arall, ond y mae eu gelyniaeth tuag ati yn berwi allan ar bob achlysur',[26] y snobyddrwydd cymdeithasol a fynnai fychanu'r acen Gymreig hyd yn oed: 'Pe anfonasid y doethion hyn i ymweld â Phrifysgol Edinburgh, buasent yn ddiatreg yn rhoddi Proffeswr Wilson a Dr Chalmers yn rhestr y bwngleriaid am eu bod yn siarad gydag acen Albanaidd.'[27] Mynnai fod y cwestiynau a ofynnwyd i blant yr ysgolion yn annheg ac oherwydd hynny yr un atebion trwsgl a gaent mewn unrhyw ysgol yn y deyrnas, boed Saesneg neu Gymraeg, a bod braidd y cwbl o'r is-ddirprwywyr yn amddifad o synnwyr at y gwaith: '[P]e chwiliasent holl golegau y byd, dilys yw na chawsent neb mwy anaddas at y gorchwyl na'r nifer fwyaf o'r rhai a gafwyd'.[28] Y cwbl a wnaeth y rhelyw oedd defnyddio'r achlysur i dra-awdurdodi ar blant a oedd, lawer ohonynt, yn gallach na hwy ac ar athrawon a oedd yn gwneud eu gorau o dan amgylchiadau anodd. Roedd y comisiynwyr a'u cyfeillion yn benderfynol o ddod o hyd i'r math atebion y mynnent hwy eu clywed, ac 'os na fyddai y tystiolaethau wrth eu bodd . . . ni chaent ymddangos yn yr adroddiadau'.[29] Y cwbl a hawliodd Edwards oedd tegwch a chyfiawnder ond yr hyn a gafwyd yn ôl ystadegau y sawl a holwyd – tri Eglwyswr i bob un Ymneilltuwr pan oedd 80 y cant o grefyddwyr Cymru wedi ymwrthod ag Eglwys Loegr – oedd llysnafedd a rhagfarn. Mewn paragraff craff iawn mae Edwards yn dadansoddi'r sefyllfa i'r dim:

> Un o hoff bynciau ein seneddwyr yn y dyddiau hyn yw yr angenrheidrwydd am i'r llywodraeth gymeryd addysg y bobl i'w llaw eu hun. A meddyliwyd mai y lle mwyaf manteisiol i ddechrau oedd Cymru. Bu rhai mân frwydrau o'r blaen, ond dyma lle mae Brwydr Waterloo i gael ei hymladd, ydyw ar faes y Dywysogaeth. Ac fel rhagbaratoad, daeth y dirprwywyr hyn i gasglu pob profion a fedrent gael o iselder y Cymry, er mwyn dangos fod yn rhaid gwneud rhywbeth iddynt yn fuan, onide yr âi y byd bach Cymreig yn bendramwnagl. Mewn geiriau eraill, daethant yma, fel y dywed y Saeson, *to make out a case.*[30]

Rhwng Ionawr ac Ebrill 1848 roedd y farn hon wedi dod o gyrion y drafodaeth i'r canol, ac ni fynegodd neb y peth yn fwy pwerus na phrifathro Coleg y Bala. 'Cyfreithwyr y llywodraeth oeddent, yn chwilio am dystiolaethau dros y llywodraeth, erbyn y daw yr achos ymlaen yn llys y senedd, ac fel y cyfryw y dylem edrych arnynt.'[31] Os oedd Edwards gynt yn barod i dderbyn mai bonheddwyr diduedd oeddent yn ceisio gwneud eu gwaith, mynnodd bellach fod amcan cwbl boliticaidd ganddynt ac ystumient bob tystiolaeth yn unol â'r amcan hwnnw. Ac ymateb politicaidd oedd yr unig ymateb priodol iddynt. Dylai'r Cymry fynnu eu hawliau trwy yrru i'r senedd wŷr o allu ac egwyddor i ymladd o'u plaid: 'Y mae yn rhaid cael symudiad cyffredinol; ac os cymerir y mater i fyny yn unol, nid gormod fyddai disgwyl yr anfonid Ymneilltuwyr egwyddorol i'r senedd dros bob sir a phob bwrdeistref yng Nghymru.'[32]

Uchafbwynt beirniadaeth Lewis Edwards oedd ei sylwadau miniog yn erbyn yr offeiriaid. Mewn un paragraff estynedig sydd gyda'r rhyddiaith fwyaf grymus a luniodd Edwards erioed, mae prif awdur Y *Traethodydd* a deallusyn pennaf y genedl Ymneilltuol newydd yn traethu'n ysgubol yn erbyn bradwyr y bobl.

> Yr oedd y cyfreithwyr hyn (sc. y tri dirprwywr) yn perthyn i un blaid, ac yn gwneud eu gorau dros y blaid honno, ond yr oeddent hwy (sc. yr

offeiriaid Anglicanaidd) yn cael eu galw ymlaen fel tystion i ddweud y gwir, yr holl wir a dim ond y gwir. Ond yn lle hynny eisteddasant a dywedasant yn erbyn eu brodyr, rhoddasant enllib i feibion eu mam.[33]

Galwodd periglor Llanbeulan, Môn, sef J. W. Trevor, eto i gyfrif, Lewis Henry Davies, ficer Troed-yr-aur, Ceredigion, drachefn – 'Nid yw ei dystiolaeth ond pentwr o ddigywileidd-dra a baweidd-dra, ac y mae ei holl haeriadau wedi eu profi yn gelwyddau dybryd'[34] – a bellach William Jones, ficer Nefyn a oedd hefyd yn llenor Cymraeg. 'Offeiriaid yr Eglwys Sefydledig . . . gwrandewch air o rybudd!'[35] Fel un o broffwydi'r Hen Destament, rhestrodd Edwards gamweddau'r gau-broffwydi a bygythiodd farn ar eu pen:

Yr ydych wedi bod yn llafurio am ysbaid maith o amser, ac yn awr yr ydych yn fwy ymdrechgar nac erioed i lanw meddyliau y cyfoethogion â rhagfarn yn erbyn yr Ymneilltuwyr. Nid oes iaith yn rhy isel gennych i'w harfer amdanynt, na phechodau yn rhy ysgeler i'w cyhuddo ohonynt. Y mae perthnasau agosaf rhai ohonoch yn Ymneilltuwyr; iddynt hwy yr ydych yn ddyledus am hynny o wybodaeth grefyddol sydd gennych; yn eu hysgolion sabbathol hwy y dysgasoch ddarllen; eu hemynau melysion hwy a drysorwyd gyntaf yn eich cof. Ond ni wnewch gyfrif o'ch rhwymedigaethau mwyaf pwysig; ni pherchwch dad na brawd; ni phetruswch alw eich mamau a'ch chwiorydd yn buteiniaid; nid gwaeth gennych er fod eich cenedl yn cael ei chablu yn holl newyddiaduron y deyrnas, os gellwch yn rhyw fodd daflu gwarth ar ddynion mwy cyd-wybodol na chwi eich hunain.[36]

Mae'r digofaint sanctaidd hwn yn farwol effeithiol am iddo ddod nid o enau nac ysgrifbin radical penboeth na chynhyrfwr digywilydd ond gan Fethodist pwyllog, cymesur a chymedrol, un a chanddo barch dwfn a chynhenid at yr hen eglwys ac awydd nid i ddymchwel ond i warchod y drefn. Roedd hi'n gwbl amlwg bellach fod ffin wedi'i chroesi yng Nghymru ac na fyddai pethau fyth eto yr un fath.

Os bydd rhyw ddaioni o fewn y tir, os bydd brawdlysoedd yn myned heibio heb un carcharor i'w brofi, yr ydych yn cymeryd y clod i chwi eich hunain: ond os bydd rhyw ddrwg yn aros heb ei ddiwreiddio, yr ydych yn rhoddi y bai wrth ddrws yr Ymneilltuwyr, pan y gŵyr eich cyd-wybodau mai eu llafur hwy gan mwyaf yw yr achos o bob trefn a gweddeidd-dra a welir yn ein plith. Gallasai llawer ohonynt gael bywoliaethau cyn frased a'r eiddoch chwithau pe dewisasent. Ond glynasant wrth eu hegwyddorion, heb nemor o obaith na disgwyliad am dâl yn y fuchedd hon, oddi eithr yn yr hyfrydwch o wneuthur daioni. Nid oes pobl dan haul y ffurfafen y dyddiau hyn wedi llafurio mwy, ac wedi llwyddo mwy, dan gymaint o anfanteision nag Ymneilltuwyr Cymru. Ac eto, dyma y bobl yr ydych chwi yn ceisio eu difeddiannu o'r hyn a werthfawrogir ganddynt yn fwy na'u bywyd, sef eu cymeriad moesol.[37]

Beth bynnag am ddiogi moesol a marweidd-dra ysbrydol yr hen offeir-iaid, bai anesgusodol y genhedlaeth bresennol, os yw tystiolaeth y Llyfrau Gleision yn brawf, oedd iddynt edliw i bobl dda y ffaith iddynt geisio gwneud daioni. Yr oeddent fel y Phariseaid gynt a'r un a fyddai eu tynged:

> Os bydd rhai yn tyfu i fyny yn anwybodus mewn rhyw gwr o'r wlad, yr ydych yn eu beio am hynny; ac os ymgyfarfyddwn yn lle gorffwyso ar ôl caledwaith y dydd, i addysgu pobl mewn crefydd a moesoldeb, yr ydych yn ein beio am hynny. Ac os bydd meddwdod a godineb yn ennill tir, yr ydych yn ein beio am hynny; ac os codir cymdeithasau effeithiol yn erbyn y cyfryw bechodau, yr ydych yn ein beio ac yn ein gwawdio am hynny. 'Yr ydych yn cau teyrnas nefoedd o flaen dynion, canys chwi nid ydych yn myned i mewn, a'r rhai sydd yn myned i mewn, nis gadewch i fyned i mewn.'[38]

'These . . . references to the writings of Lewis Edwards', meddai Ieuan Gwynedd Jones, 'cannot convey the passionate resentment, the deep dislike, the bitterness and the anger of the original, and perhaps nothing illustrates better the almost unbelievable change wrought by the reports of the Commissioners in the minds of the leaders of Nonconformist thought'.[39] Bellach roedd y Methodistiaid yng nghorlan yr Ymneilltuwyr am byth, a'u dieithriwch oddi wrth yr hen eglwys wladol yn ffaith derfynol. Nid yn unig hynny, dyma hwy yn cael eu radicaleiddio, ac Ymneilltuaeth hithau yn dod yn fudiad pendant wleidyddol. Byddai crefydd yn cael ei thynnu allan o'r capel, y cwrdd gweddi, y seiat a'r Ysgol Sul, a'i gosod ar waith yng nghanol y byd. Dyma sail radicaliaeth y Gymru newydd, a Lewis Edwards, er syndod, ynghyd â Ieuan Gwynedd a Henry Richard, sy'n rhoi'r mynegiant cliriaf iddi.

Yn ogystal â galw'r Cymry i ymfyddino yn boliticaidd trwy ym-estyn eu hawliau pleidleisio a dychwelyd aelodau i'r senedd a fyddai'n cynrychioli eu buddiannau, terfynodd Edwards ei araith trwy fygwth taflu'r offeiriaid i ffau eu gelynion. '[M]or sicr a bod deddf Duw yn anghyfnewidiol, fe ddymchwel eich traha ryw ddiwrnod ar eich pennau eich hunain.'[40] Roedd menyg sidan yr ysgolhaig eisoes wedi'u tynnu a'r dyrnau noeth wedi bod yn clatsio, ond roedd yr ergydion olaf yn ddidostur:

> Gwyddom yn lled dda, ac fe ŵyr y wlad hefyd, pa fath rai ydych *chwi* . . . Gan na fedrwch dewi o gydwybod nac o gywilydd, y mae yn rhaid eich dysgu â mieri ac â drain . . . [C]ofiwch fod olynwyr Twm o'r Nant heb ddarfod eto yng Nghymru, y rhai a hiraethant weled rhyw gyhoeddiad misol yn cael ei gychwyn i gofnodi holl gastiau y personiaid hynny sydd yn enllibio yr Ymneilltuwyr . . . oni ddewisech gael eich anfarwoli yn gynt na phryd, cynghorwn chwi i fod o hyn allan yn hynod iawn o ddistaw.[41]

Er i J. W. Trevor a William Jones, Nefyn, ymateb i druth Edwards a chael gofod ar dudalennau'r *Traethodydd* i wneud, gwanllyd oeddent mewn cymhariaeth. Roedd y gair meistraidd wedi'i lefaru, a dyna'r diwedd. Roedd yr achlysur wedi gwneud dyn newydd o brifathro Coleg y Bala, ac yn sgil hynny roedd oes y Gymru radicalaidd wedi gwawrio. 'It is impossible to exaggerate his role', meddai Ieuan Gwynedd Jones, 'in the work of politicizing the common people which was then beginning in earnest. Educating them, as Lewis Edwards was doing, was to lay the essential foundations for Nonconformist Liberal Wales.'[42] Roedd mab Pwllcenawon wedi symud yn bur bell o'i ddechreuadau.

Blynyddoedd Ei Anterth

Y blynyddoedd rhwng sefydlu'r *Traethodydd* yn 1845, pan oedd Edwards yn 36 oed, a chyhoeddi ei waith diwinyddol pwysig *Athrawiaeth yr Iawn* yn 1860, ac yntau erbyn hynny yn 51, oedd rhai prysuraf a mwyaf cynhyrchiol ei fywyd. Fel addysgwr, arweinydd eglwysig a bellach ffigur cenedlaethol roedd yn dod i'w deyrnas. Nid nad oedd pethau'n ddirwystr, nid lleiaf oherwydd ei waith golygyddol. Dywedodd wrth Roger Edwards mor gynnar ag Awst 1845, 'I see there is nothing for it but to give up the *Traethodydd*. It is impossible to go on in this way.'[43] Nid yn unig roedd awduron cymwys yn brin, ond roedd hi'n anodd eu cael i ymrwymo i gyhoeddi ac yna i gadw at eu haddewid ar ôl iddynt wneud. Daeth pawb dan yr ordd. 'Owen Thomas gives no account whatever of himself',[44] meddai yn yr un mis ac, yna, wrth Morris Davies ar 20 Medi 1845: 'Nis gellwch feddwl y drafferth a geir gyda rhai o'r ysgrifenwyr i'r *Traethodydd*. Gobeithiaf y byddwch chwi yn fwy dirodres.'[45] Y broblem arall oedd y cyhoeddwr. Teimlodd y ddau Edwards, Roger yn arbennig, fod Thomas Gee yn cymryd mantais ariannol annheg ar y cyfranwyr a'r golygyddion: 'What we do with Gee I really do not know', meddai wrth Roger ar 11 Hydref 1845, 'He is incorrigible'.[46] Dwysaodd y tensiwn rhwng y golygyddion a'r cyhoeddwr yn ddirfawr fel yr aeth y blynyddoedd ymlaen. 'Gŵyr nad wyf yn coleddu barn uchel amdano fel dyn teg a chywir, ac yr wyf wedi bod yn gwasgu ar ei wynt fwy nag unwaith',[47] meddai Roger wrth Lewis ar 23 Chwefror 1850, a chafwyd cecru cyson, 'endless disputes about accounts',[48] trwy gydol yr amser y bu Gee yn gyfrifol am ddwyn y cylchgrawn o'r wasg. Bu peth tensiwn hefyd rhwng y golygyddion hwythau. 'I have been under the impression for the last six months or more', meddai Lewis wrth Roger ar 27 Mehefin 1849, 'that you have heartily tired of the whole concern. It is quite evident that your zeal for the *Traethodydd* is only about one tenth of your zeal for the *Drysorfa*.'[49] Penodwyd Roger yn olygydd *Y Drysorfa*, cylchgrawn misol y Methodistiaid Calfinaidd, yn 1847 a doedd dim amheuaeth i hynny hawlio fwyfwy o'i egni a'i deyrngarwch am y degawdau nesaf. Er na roes y gorau i gydolygu'r *Traethodydd*, roedd hi'n amlwg mai Lewis a ddaliodd ben trymaf y baich.

Rhwng 1848 pan ymddangosodd ei ymateb i'r Llyfrau Gleision ac 1854 pan roddodd y gorau i olygu'r cylchgrawn, lluniodd Lewis Edwards tuag ugain ysgrif arall iddo, llawer ohonynt wedi'u crybwyll eisoes, a gyfrannodd at gorff tra sylweddol o waith. Yn rhifyn Gorffennaf 1850, 'Mr Johnes, Syr Thomas Phillips a'r *Quarterly Review*', roedd helynt y Llyfrau Gleision yn dal i gorddi, a'r consensws gwrth-ddirprwyol bellach yn cynnwys Anglicaniaid goleuedig yn ogystal ag Ymneilltuwyr. Adolygiad sydd ganddo o sylwadau y barnwr Arthur James Johnes, awdur *An Essay on the Causes which have produced Dissent from the Established Church* (1831), a oedd wedi dod allan yn chwyrn yn erbyn adroddiadau y dirprwywyr ar addysg; yna ar gyfrol gynhwysfawr Syr Thomas Phillips, maer Casnewydd, *Wales: the Language, Social Condition, Moral Character and Religious Opinions of the People considered in their relation to Education* (1849), ac ar ysgrif anhysbys yn y *Quarterly Review* ar Fethodistiaeth yng Nghymru. Ni wyddai Edwards mai Rowland Williams (1817–70), brodor o Ysgeifiog, sir y

Fflint a chymrawd o Goleg y Brenin, Caer-grawnt, oedd awdur yr ysgrif, a oedd newydd ei benodi yn athro Hebraeg ac yn is-brifathro yng Ngholeg Dewi Sant, Llanbedr Pont Steffan. Deuai Williams yn ffigur pur ddadleuol yng nghylchoedd Eglwys Loegr maes o law, yn enwedig yn sgil ei waith yn lledu rhyddfrydiaeth athrawiaethol 'Diwinyddiaeth Llanbedr' a'i sylwadau ar ysbrydoliaeth y Beibl yn y gyfrol *Essays and Reviews* (1860), a ystyrid yn heresïol gan lawer.[50] Ond yr hyn oedd yn drawiadol am yr ysgrif hon – ar wahân i sylwadau beirniadol ar Daniel Rowland – oedd ei wybodaeth drylwyr o'r pwnc a'i gydymdeimlad amlwg â Methodistiaid Cymru.

> Oddi eithr y crybwylliad am Rowlands, ac ychydig frawddegau eraill, y mae ei ysgrif y peth a allesid ei ddisgwyl oddi wrth uchel-eglwyswr cydwybodol a charedig. Nid ydym yn cofio fod y *Quarterly Review*, prif gyhoeddiad y Torïaid a'r uchel-eglwyswyr, wedi rhoddi cymaint o ganmoliaeth o'r blaen i un blaid o Ymneilltuwyr.[51]

Mynegodd ysgrif Edwards 'Y Puseiaid Cymreig' gefnogaeth i'w gyfaill John Phillips yn dilyn 'Dadl Bangor' a gynhyrfodd y dyfroedd yn 1850. Yn sgil y ffaith fod y papur eglwysig *The North Wales Chronicle* wedi mynegi bod tröedigaeth oddi wrth Anglicaniaieth at Eglwys Rufain yn llai difaol na throi oddi wrth Eglwys Loegr at Ymneilltuaeth, roedd John Phillips, a oedd erbyn hynny yn weinidog ar eglwys y Tabernacl, Bangor, wedi codi ei lais yn erbyn dylanwad athrawiaethau Mudiad Rhydychen yn gyffredinol. Byth oddi ar i John Henry Newman, John Keble ac Edward Bouverie Pusey daenu syniadau uchel eglwysig eithafol yn Eglwys Loegr o'u canolfan ym Mhrifysgol Rhydychen, roedd dysgeidiaeth yr olyniaeth apostolaidd, adenedigaeth trwy fedydd ac esgobyddiaeth fel dwyfol hawl wedi dod yn faterion dadlau ffyrnig yn y cylchoedd crefyddol. Roedd Owen Thomas wedi trin y materion yn hynod wybodus a deheuig o'r safbwynt Protestannaidd ar dudalennau'r *Traethodydd*.[52] Bellach roeddent yn fater dadlau cyhoeddus yn ninas Bangor lle roedd capel y Tabernacl yn dwyn tystiolaeth huawdl i'r athrawiaethau efengylaidd oddi mewn i gylch dylanwad y gadeirlan hynafol a'r grymusterau uchel eglwysig a oedd yn cyniwair yn yr esgobaeth. Nodwedd ysgrif fer Edwards oedd ei phwyll, ei thrylwyredd a'i meistrolaeth ar y defnyddiau Anglicanaidd clasurol. Yn annisgwyl i Ymneilltuwr, ond yn gwbl briodol i ddyn a oedd wedi ymdrwytho yng ngwaith y tadau eglwysig cynnar a diwygwyr Anglicanaidd yr unfed ganrif ar bymtheg, gallai haeru: 'Nid ydym yn deall . . . fod cymaint

perygl yn athrawiaeth yr "adenedigaeth ym medydd" . . . Y mae llawer
o ysgrifenwyr gwir Brotestannaidd wedi dal fod gennym le i ddisgwyl
y gwna yr Arglwydd dderbyn y rhai a gyflwynir iddo mewn ffydd trwy
fedydd.'[53] Byddai'n ymhelaethu ar hyn yn ei glasur *Traethawd ar
Hanes Duwinyddiaeth y Gwahanol Oesoedd* a gyhoeddwyd ar ôl 1860,
ond roedd yr ysgrif fer hon yn dangos fod Edwards yn fwy cartrefol yn
myfyrio ar yr athrawiaethau a'u cymhwyso at fywyd cyfoes na chroesi
cleddyfau gyda chrefyddwyr eraill.

Er gwaethaf hyn i gyd, roedd y baich o ddwyn y *Traethodydd* trwy'r
wasg bellach yn troi'n syrffed. 'The stupidity of the Welsh Methodists
tempts me very often to throw up the *Traethodydd* in disgust', meddai
wrth Owen Thomas mor gynnar ag Ebrill 1847.[54] Gwyddai mai lleiafrif
o blith ei gyd-grefyddwyr oedd yn rhannu ei weledigaeth a gwaith di-
ddiolch oedd ceisio goleuo'r lleill, a chan mai arno ef yr oedd y
cyfrifoldeb pennaf o annog awduron i gyfrannu, o ddarllen proflenni,
o gywiro gwallau ac o lenwi pob bwlch trwy lunio ysgrifau ei hun,
doedd dim syndod fod y peth wedi troi yn fwrn. 'I have made up my
mind to have some radical change in the mode of carrying on the
Traethodydd', meddai wrth Roger Edwards ar 17 Ebrill 1851. 'No-one
takes any interest in writing for it at present, though the circulation is
much more this year than it has ever been. You cannot imagine what
trouble I have in making up every number.'[55] Yr eironi, wrth gwrs,
oedd bod Y *Traethodydd* wedi gwneud ei farc. Roedd cannoedd o
bobl yn disgwyl amdano'n eiddgar bob chwarter er mwyn eu goleuo
ar faterion o bwys. 'If I am not mistaken', meddai wrth Owen Thomas
ar 21 Ebrill 1853, 'the circulation is larger than the *North British* or
British Quarterly'.[56] Roedd hynny'n gamp eithriadol i gylchgrawn
Cymraeg.

Oddeutu Blwyddyn yr Alaeth

Fodd bynnag, torrodd Edwards ei gysylltiad â'r cylchgrawn yn 1854.
'It was not without many a pang of regret that I gave it up', meddai
wrth Owen Thomas, a'i dilynodd fel golygydd, ar 22 Ionawr 1855,
'but it was my duty to do so, as I could not devote to it the energy that
it required'.[57] Roedd hi'n hysbys i'w gydnabod fod y trafferthion gyda'r
wasg a'r tensiynau annioddefol rhwng y ddau Edwards a Thomas Gee
wedi cyrraedd uchafbwynt erbyn hynny gyda'r naill blaid yn bygwth
cyfraith ar y llall. Trwy drugaredd ni aed â neb i'r llys, a chytunwyd y

dylid trosglwyddo'r cylchgrawn o Ddinbych i Dreffynnon a gofal cyhoeddwr newydd, P. M. Evans. '[I am] quite sick of the endless botheration', meddai Lewis wrth Roger Edwards ar 21 Hydref 1854.[58] 'Dyn dauwynebog "gwên deg a gwenwyn dano" yn ddi-os yw G[ee]', meddai Roger Edwards wrth Owen Thomas. 'Gresyn fod cymaint eto heb ei adnabod, neu . . . yn rhyw wenieithio iddo yn lle ei geryddu yn ei wyneb pan y mae i'w feio.'[59] Y rheswm, fodd bynnag, a roddodd Lewis Edwards am yr ymddiswyddo oedd nid y trafferthion hyn ond profedigaeth deuluol. Bu farw Sarah Maria, ei ferch hynaf, yn ddwy ar bymtheg oed yn Ionawr 1854, a phe na bai hynny'n ddigon o ergyd, fe'i dilynwyd seithmis yn ddiweddarach gan farwolaeth Margaret Jane, a hithau ond yn dair ar ddeg oed. 'I never like to make a display of my feelings . . . [b]ut I cannot tell you how much the death of my dear girls has preyed on my mind in secret. Forgive me this much. It was necessary to allude to it to explain why I gave up the *Traethodydd*.'[60] Roedd J. H. Symond o Bentrecelyn wedi cyrraedd y coleg yn 1854, a bu'n dyst i alar Edwards yn ystod y flwyddyn alaethus honno. Torrodd y prifathro i lawr yn y capel y Sul wedi claddu ei ferch iau: 'Clywn ef yn swnio crïo, a gwelwn ei ysgwyddau mewn dirdynfa, a'i ddagrau yn llifo ar hyd ei ddwy rudd. Yr oedd bod yn llygad-dyst o wylofain chwerwder ac aml gŵr mor nerthol a chryf â'r gŵr hwnnw . . . yn ddigwyddiad ar ei ben ei hun i mi.'[61] 'I cannot tell you how glad I was to hear from you, and how thankful I am for your kind sympathy', meddai wrth hen gyfaill ei ieuenctid, John Matthews, ar 2 Hydref 1854. 'I sometimes feel as if I could wish to die; but I do not yield to my feelings.'[62]

Doedd dim amheuaeth mai dyn teimladwy oedd Lewis Edwards, yn fawr ei ofal am ei rieni oedrannus ac am ei blant. Byddai'r plant yn cael eu gyrru yn gyson i dyddyn bach Pwllcenawon ym Mhen-llwyn, Ceredigion, er mwyn treulio amser gyda'u nain a'u taid. Bu farw Lewis Edward yr hynaf yn 69 oed yn 1852, a Margaret, ei wraig, ddwy flynedd yn ddiweddarach, hithau erbyn hynny yn 69 oed hefyd. Roedd Thomas Charles, y mab hynaf, yn bymtheg oed pan fu farw ei dad-cu, a David Charles, y mab ieuaf, yn flwydd oed ar y pryd. Byddai James, y cyw melyn olaf, yn cael ei eni yn 1855. Mae'r ohebiaeth rhwng Lewis Edwards a'i rieni yn dangos parch a chonsýrn hyd y diwedd, a'i lythyrau – Saesneg – at y plant, er yn gyforiog o gynghorion ysbrydol a moesol, yn fwy annwyl nag a ddisgwylid gan *paterfamilias* Fictoraidd.[63] Nid oedd dim byd pell rhyngddo a neb ohonynt, ac nid ymddengys i'r un beri na gofid na blinder i'w rhieni erioed. Byddai Edwards yn cyfeirio at Jane, ei wraig, gyda'r un anwyldeb, ac roedd

hi'n gwbl amlwg fod ganddynt fywyd teuluol dedwydd a chlòs. Roedd
y brofedigaeth o golli Sarah Maria a Margaret Jane yn enbyd tu hwnt,
ond ni chwerwodd ef na'i wraig ond ymroi, yn ôl eu harfer, i'w dylet-
swyddau a'u gwaith.

Er gwaethaf yr ystormydd hyn parhaodd Lewis Edwards i fyw bywyd
cyhoeddus cyflawn, a mynnodd ymroi i ysgolheictod o hyd. Roedd yr
atynfa i'r cyfandir yn un gref, ac yn haf 1853, ac yntau'n 44 oed, croes-
odd Fôr y Gogledd yng nghwmni John Jenkins, un o'i gyn-fyfyrwyr a
gweinidog eglwys Caer, er mwyn ymweld am y tro cyntaf â'r Almaen,
y Swistir a Ffrainc. Y nod oedd perffeithio'i Ffrangeg a dysgu Almaeneg
yn drwyadl, iaith Goethe yn ogystal â iaith Luther, ac ymweld â chrud y
Diwygiad Protestannaidd. Ysgrifennodd adref at Jane bron yn feunydd-
iol. Gadawodd y Bala ar 16 Mehefin gan aros yn Llundain ac oddi yno
croesodd i Frwsel. O Wlad Belg symudodd i ddinas Köln yn yr Almaen
ac oddi yno i Bonn: 'Of all the places I have ever seen this is one of
the prettiest. It is situated on the Rhine, and within view of the Seven
Mountains.'[64] Arhosent yno am fis, yn cael gwersi Almaeneg gan diwtor
lleol ac yn mynychu darlithoedd yn y brifysgol. Erbyn 20 Gorffennaf
roedd wedi cyrraedd dinas Basel yn y Swistir, wedi teithio yno ar hyd
afon Rhein gan aros yn Strasbourg ar y ffordd: 'The scenery of the
Rhine is very beautiful, but hardly equal to many parts of Wales.'[65] Yr
uchafbwynt, fodd bynnag, oedd cyrraedd Genefa, dinas John Calvin a
man pwysig yn y dychymyg crefyddol Cymraeg. 'Dydd Sadwrn cawsom
yr hyfrydwch o weled Merle D'Aubigné', meddai ar 27 Gorffennaf,
mewn llythyr at ei gyd-grefyddwyr yn y Bala, 'yr hwn, fel y gwyddoch,
yw un o'r gweinidogion mwyaf defnyddiol ar y Cyfandir'.[66] Roedd
Jean Henri Merle D'Aubigné (1794–1872) yn frodor o Genefa y dylan-
wadwyd arno yn fawr gan y *Réveil*, sef y diwygiad efengylaidd a
gyffyrddodd â'r ddinas o 1816 ymlaen ac a adawodd ei ôl mor drwm
ar Galfiniaeth y lle. Astudiodd ym Merlin, ac wedi cyfnod yn gweinidog-
aethu i Brotestaniaid Ffrangeg yn yr Almaen a Gwlad Belg, dychwel-
odd i Genefa yn athro hanes yr eglwys yn yr ysgol ddiwinyddol yno.
Roedd yn awdur toreithiog, a'i hanes aml-gyfrol, polemig braidd,
Histoire de la Reformation du XVIe siècle (1835–53), yn waith poblog-
aidd dros ben:

> Holodd lawer arnom ynghylch Cymru, ac yng nghylch y Methodistiaid
> Calfinaidd. Dywedai wrthym ein bod yn perthyn i genedl pur hynod,
> yr hon oedd wedi ymdrechu yn erbyn Pabyddiaeth yn hir . . . Yr oedd
> yn llawenhau wrth ddeall fod athrawiaeth gras yn cael ei phregethu

mor gyffredin yng Nghymru, a sylwodd mai dyna yr athrawiaeth sydd yn cael ei phregethu gan yr holl weinidogion effro ar y Cyfandir.[67]

Gafaelodd yr ymweliad hwn yn dynn yn nychymyg Edwards: 'Cawsom y fraint o gymuno gyda disgyblion Crist yn ninas Calvin, ac yn ddiau, da i ni oedd bod yno.'[68] Erbyn dechrau Awst roedd yn hiraethu am gael bod gartref gyda'r teulu, a beichus oedd yr addewid a roesai i James Williams, ei hen ddisgybl o Dalacharn a oedd wedi bod yn llafurio yn Llydaw ers blynyddoedd, i dalu ymweliad ag ef. Cadwodd, serch hynny, at ei air: 'Poor James was overjoyed, and embraced me in the French fashion.'[69] Wedi ychydig amser yn Kemper a Naoned (Nantes), dychwelodd i Gymru gan gyrraedd adref erbyn diwedd Awst: 'I long much to see Bala once again', meddai mor gynnar â chanol Gorffennaf, 'and this is the last time they can persuade me to come so far from home'.[70] Roedd y daith, fodd bynnag, yn bur foddhaol, ac yntau wedi cyflawni'i uchelgais i ymddiwyllio'n fwy trwyadl yn y diwylliant Ewropeaidd.

'Gellir Braidd Ei Alw Yn Athro Perffaith'

Y coleg, fodd bynnag, oedd uchaf ym meddwl Lewis Edwards trwy gydol y blynyddoedd hyn. 'There are some people who have a variety of gifts, who can preach well, and write well, and teach well, but I am not one of them', meddai wrth Owen Thomas ar 20 Mawrth 1858. 'I have no talent except to be schoolmaster. This is my mission, and it is to this I must devote myself.'[71] Y gwir yw fod Edwards lawer yn fwy nag ysgolfeistr: roedd yn bregethwr tra effeithiol, er nad mor boblogaidd ag Owen Thomas, Edward Matthews ac eraill, ac fel y gwelwyd roedd yn awdur toreithiog, yn ysgolhaig gwych ac yn arweinydd eglwysig pwerus dros ben. Ond yn y coleg yr ymfalchïai fwyaf: 'As for being a good college tutor here, I shall not yield to anyone. This is my work, and this is my delight.'[72] Rhwng 1845 ac 1860 addysgwyd 270 o fyfyrwyr yng Ngholeg y Bala, y mwyafrif ohonynt yn ddynion ifainc â'u bryd ar fod yn weinidogion gyda'r Methodistiaid Calfinaidd, enwad mwyaf y Gymru Ymneilltuol Gymraeg. Trwyddynt hwy y taenwyd syniadau a safonau Edwards ar led, a daeth ei werthoedd ef yn werthoedd y genedl gyfan ym mlynyddoedd ei chynnydd a'i thwf. 'We want a stronger staff of thoroughly earnest men of first-rate ability to devote to the work of preaching the gospel', meddai yn Nhachwedd 1858 wrth Anne Davies, merch Henry Rees ac erbyn hynny yn wraig i Richard Davies, Treborth, a ddeuai maes o law yn Aelod Seneddol Môn: 'How is the ministry to be raised to its rightful place among the Calvinistic Methodists?'[73] Roedd duwioldeb, wrth reswm, yn angenrheidiol, angerdd moesol a difrifoldeb ysbrydol hefyd, ond mynnai Edwards fod gofyn cael rhywbeth a aethai ar goll ymhlith y Methodistiaid Calfinaidd ers dyddiau Thomas Charles a Thomas Jones o Ddinbych, sef boneddigeiddrwydd a chwaeth:

> Our ministers ought to be not only Christians, but Christian gentlemen. We are too modest and reserved in speaking on this subject, but it must have our serious attention. Every minister of the gospel must be a gentleman . . . He ought to be infinitely removed from all vulgar habits, from everything ridiculous, in a word, from all that is mean and despicable.[74]

Plant y pridd fu cymaint o'r pregethwyr ers dwy genhedlaeth a mwy. 'John Hughes of Pontrobert', meddai'r beirniad chwyrn hwnnw Robert Roberts, 'Y Sgolor Mawr', '[was] as vulgar and coarse an old fellow as I ever saw fair . . . He did not swear, of course, but in every other respect he had the manners of a tinker.'[75] Hughes, fel y gwyddys, oedd mentor ysbrydol yr emynyddes Ann Griffiths ac, ar ôl ei ordeinio gan sasiwn 1814, yn brif arweinydd Methodistiaid Maldwyn. Perthynai i do galluog ond gwerinaidd, cwrs ac nid hwyrach aflednais o bregethwyr: 'He had no idea of the decencies of behaviour; the presence of company never interfered with his ease.'[76] Os oedd elfen o snobyddiaeth yng ngwead Lewis Edwards, ei wir fwriad oedd codi safonau, meithrin gwerthoedd a dysgu chwaeth. 'Dylai gweinidog yr efengyl fod ym mhob ystyr yn un nas gellir ei ddiystyru', meddai mewn siars rymus sy'n crynhoi gymaint o'i weledigaeth ynghylch y weinidogaeth. 'Dylai ragori ar y cyffredin mewn gwybodaeth, mewn doethineb, mewn moesoldeb, mewn boneddigeiddrwydd Cristionogol.'[77] Roedd ei gydnabod agosaf, Owen Thomas, John Parry, Roger Edwards, John Phillips a degau o'r lleill, yn gwbl unfryd ag ef yn hyn. 'It will take an age to undo the effects that have resulted from the fatal folly of cherishing an ignorant ministry.'[78] Rhan o genhadaeth y coleg oedd gwneud yr union beth hwn.

Ac i raddau helaeth fe lwyddodd. Mae'n amlwg fod y profiad o fod wrth draed Gamaliel y Bala wedi gadael ei ôl yn ddwfn ar ugeiniau lawer o'r dynion ifainc hyn. 'Rhaid dweud mai yr amser hapusaf a dreuliais yn fy mywyd oedd yr amser a dreuliais yn y Bala',[79] meddai John James, Capel Dewi, Ceinewydd yn ddiweddarach, a oedd yn aelod o ddosbarth agoriadol y coleg yn 1837. Roedd Thomas Edwards, brawd y prifathro, yn union gyfoeswr ag ef. 'Yr wyf yn teimlo fy hun yn rhwym o ganmol yr ysgol tuag at i mi wneud cyfiawnder â hi', meddai wrth ei rieni ym Mhwllcenawon ar 13 Tachwedd 1837, 'gyda golwg ar ei threfn, ei manylrwydd, ynghyd â'r diwydrwydd diflino a ganfyddir ynddi'.[80] Flwyddyn yn ddiweddarach cyrhaeddodd John Parry ac Owen Thomas. 'Mae Mr Edwards yn ddyn iawn', meddai Thomas wrth ei rieni yntau ar 9 Hydref 1838, 'ysgolhaig rhagorol ym mhob cangen o ddysgeidiaeth. Mae megis adref gyda'r cwestiynau mwyaf dyrys ym mhob cangen – ac y mae ei dduwioldeb a'i ostyngeiddrwydd yn rhagori, pe bai modd, ar ei ddysgeidiaeth a'i alluoedd. Gellir braidd ei alw yn athro perffaith.'[81] Cafodd cyd-athro Edwards, sef David Charles, ei frawd-yng-nghyfraith, lawn gymaint o ganmoliaeth ag Edwards ei hun. 'Your uncle introduced Butler's *Analogy* as a textbook the second half of the year I was there (1840)', meddai Owen Jones, y Gelli, wrth Thomas Charles Edwards, 'and it had an effect upon me more than any other, being perhaps the first to move my whole soul. The enjoyment was *intense*.'[82] Rhwng popeth roedd tystiolaeth y to cyntaf o fyfyrwyr y Bala, rhwng 1837 ac 1840, fel y cenedlaethau a ddaeth ar eu hôl, yn profi nid yn unig fod yr addysg yn uwchraddol a bod ymroddiad yr athrawon i'w ganmol, ond i fydoedd cael eu hagor a fyddai'n gadael effaith annileadwy ar y miloedd o Gymry a fyddai'n dod o dan eu dylanwad yn y degawdau a oedd i ddod.

Barn am y Bala: 'Y Sgolor Mawr'

Nid hwyrach y ddau ddisgrifiad gorau o weithgareddau'r coleg yn ystod y degawdau hyn oedd eiddo Robert Roberts, 'y Sgolor Mawr', a darlun ffuglennol ond ffeithiol Daniel Owen yn y nofel *Rhys Lewis* ynghyd ag ambell i sylw ategol o ffynonellau eraill. Ganed Robert Roberts (1834–85) yn Llangernyw, sir Ddinbych, i deulu difantais a thlawd gyda chysylltiadau â'r Methodistiaid Calfinaidd. Yn hynod o ran ei alluoedd yn blentyn, treuliodd ei fywyd cynnar fel athro, yn gyntaf ym Môn, yn Llanllechid yn Arfon, ac yn sir Drefaldwyn, cyn ceisio urddau yn Eglwys Loegr. Hyfforddwyd ef yng Ngholeg St Bees, Cumbria, a'i ordeinio yn esgobaeth Llanelwy, yn ddiacon yn 1859 ac yn offeiriad flwyddyn yn ddiweddarach. Ffigur trasig oedd Roberts. Yn ysgolhaig wrth reddf a feddai ar ddawn lenyddol barod, aeth yn ysglyfaeth i'r ddiod a bu'n rhaid iddo ymfudo i Awstralia yn 29 oed. Yn ystod blynyddoedd ei alltudiaeth paratôdd eiriadur Cymraeg–Saesneg a ddaeth yn sail i waith diweddarach Daniel Silvan Evans, rhestr helaeth o enwau lleoedd Celtaidd ynghyd â'u tarddiad, a hunangofiant trawiadol *The Life and Opinions of Robert Roberts, a Wandering Scholar, as told by Himself* na chyhoeddwyd tan 1923, bron i ddeugain mlynedd ar ôl ei farw. Ceir yn yr hunangofiant bortread gyda'r mwyaf lliwgar, treiddgar a bustlaidd o fywyd gwerin Fethodistaidd gogledd Cymru yn ail chwarter y bedwaredd ganrif ar bymtheg. Mae ei ddisgrifiad o Ysgol Sul dduwiolfrydig, wladaidd yn gampus, a'i ddarlun o gyfyngderau cenhedlaeth o bobl frwdfrydig ond di-ddysg, er yn faleisus mewn mannau, yn eithriadol fyw. Meddwl sgeptigaidd a dychymyg cwbl secwlaraidd oedd ganddo, a'i anffawd oedd cael ei eni i gymdeithas lle roedd crefydd brofiadol yn prysur droi yn norm. Nwyd yr academydd oedd gan Roberts heb unrhyw ffordd ddigonol i'w ddiwallu. Ei unig lwybr oedd ceisio addysg er mwyn ymadael â chaethiwed annioddefol yr awyrgylch dduwiol o'i gwmpas, a gobeithio am hamdden fel offeiriad plwyf i ddilyn ei ddiddordebau lleyg. Ni ddigwyddodd hynny, ac mae'r adroddiadau am ei helyntion eglwysig yn disgrifio lletchwithdod mwy trwsgl, os rhywbeth, na'i gyfyngder fel athro ysgol. Ganddo ef, serch hynny, y ceir y disgrifiad manylaf o dwf Mudiad Rhydychen yng ngogledd Cymru, symudiad a ddehonglir ganddo fel adwaith crefyddol yn erbyn brwdfrydedd diwygiadol a diffyg chwaeth ysbrydolrwydd profiadol. Dychwelodd i Gymru yn 1875 a bu farw, mewn amgylchiadau truenus, ddegawd yn ddiweddarach a'i gladdu ym mynwent ei blwyf genedigol.

Cam cyntaf Robert Roberts i fyd dysg oedd ymrestru yn hogyn yng Ngholeg y Bala. Aed ag ef i gyfarfod misol ble roedd Henry Rees a Lewis Edwards yn pregethu, a chafodd ei gyfweld gan y prifathro, 'the tall, upright, stern-looking man with clean cut and handsome features',[83] a sylweddolodd fod gan y bachgen alluoedd anghyffredin yn syth. Cynigiodd nawdd iddo a lle yn y coleg, a chyrhaeddodd yno yn dair ar ddeg oed ym mis Tachwedd 1847. Cafodd lety yn y dref, a'i groesawu gan Thomas Charles Edwards, mab y prifathro, 'a merry mercurial little fellow, two or three years my junior and now full of bustle and importance' (t. 143), a oedd wrth ei fodd i gael rhywun yn agos at ei oedran i chwarae gydag ef. Aed ag ef yn syth i ystafell ddosbarth eang a golau ar ail lawr yr ysgoldy a mapiau ar y muriau a byrddau hirion ar hyd y llawr. Gyda hynny cychwynnodd y dosbarth, tua 30 oedd nifer y myfyrwyr 'and as I found afterwards, their attainments were as variable as their ages' (ibid.). Yr ieuaf ohonynt, ar wahân i Roberts, oedd Ioan

– 'Ioan is very clever; that's the red-haired boy; you'll see him by and by' (t. 144) – sef Llewelyn Ioan Evans (1833–92) a fyddai'n gwneud enw iddo'i hun fel athro coleg yn Cincinatti, Ohio. Bu'n ddiwinydd blaengar ymhlith Presbyteriaid yr Unol Daleithiau cyn dychwelyd i'r Bala am ysbaid fer yn 1892 i fod yn athro Testament Newydd.[84] Roedd ef eisoes wedi meistroli Lladin a Groeg ac felly yn y dosbarth uchaf er gwaethaf ei oedran tyner. Rhoddwyd Roberts yn y dosbarth elfennol am y tro a'i dasg ddechreuol oedd trosi pennod o *Bywyd* Thomas Charles o'r Bala i'r Saesneg.

Y drefn i lasfyfyrwyr oedd gwaith cyfieithu elfennol o'r Gymraeg i'r Saesneg, gramadeg Saesneg a darllen pennod o ryw waith awdurol yng nghwmni'r prifathro yn y bore. Erbyn y prynhawn yr is-brifathro, John Parry, a fyddai'n gofalu am y dosbarth, a mathemateg oedd y pwnc, rhifyddeg i'r newydd-ddyfodiaid ac algebra a geometreg i'r lleill. Ef hefyd a fyddai'n dysgu daearyddiaeth, nid daearyddiaeth y Beibl yn gymaint ond gwersi ar leoedd, pobloedd a diwylliannau gwledydd pell. Roedd disgwyl i bawb weithio'n ddyfal gyda'r nos yn paratoi ar gyfer y gwersi trannoeth. I Roberts, y cysegr sancteiddiolaf oedd y llyfrgell. Roedd hi eisoes yn cynnwys dros ddwy fil o gyfrolau: geir-iaduron a chyfeirlyfrau o bob math, rhediad cyflawn o'r *Edinburgh Review*, gweithiau diwinyddol trymion yn cynnwys y Piwritaniaid John Owen, Stephen Charnock a John Howe, Awstin Fawr ac eraill o'r tadau cynnar, a Luther, Calvin a Melanchthon, y rhain oll mewn Lladin. 'The theology department possessed little interest for me . . . the venerable names . . . I passed by without a peep into their interior' (t. 146), ond am y cyfrolau hanes a gwybodaeth gyffredinol, yr *Encyclopaedia Britannica*, Gibbon, Clarendon, Hume, *History of England* Rapin a'u bath, daeth y rhain yn fwyd a diod iddo.

> I had never seen such a large collection of books before, and like Dominie Sampson, thought it a prodigious effort. I looked upon the student who was entrusted with the keys of the collection as the most favoured of mortals, and many a pleasant hour did I spend in turning over and examining the volumes. (ibid.)

Difyrrwch paradwysaidd y llyfrbryf ifanc hwn oedd 'to retire with my folio friends to a corner and be intensely happy in their company' (t. 147).

Er i ddiniweidrwydd Robert Roberts ddiflannu gyda'r blynyddoedd, ni allai'r haenau mwyaf trwchus o siniciaeth ddileu'r parch a deimlai tuag at ei athrawon. 'My fear of his stern appearance was gradually modified into a reverential awe' (ibid.), meddai am y prifathro. 'Our respect for him was unbounded, and although we found him strict and exacting in the lecture-room, outside of it we found him kind as a father' (t. 148). Yr un oedd tystiolaeth J. H. Symond a fu yno yn 1854, sef blwyddyn chwerw ei brofedigaeth, a'r ddwy flynedd ddilynol:

Aeth â'i fyfyrwyr trwy gyfres o ddarlithoedd ar athroniaeth . . . a thrwy esbonio Efengyl Ioan a'r Epistol at y Rhufeiniaid, a chyfieithu o'r Groeg *Anabasis* Xenophon, *Iliad* Homer, a *Phaedo* a *Philebus* Plato. Ar ddiwrnod glawog neu gyda'r gwynt o'r dwyrain byddai ambell waith yn tueddu i fod yn drymaidd, ond gwyddai y naill neu y llall o'r dosbarth pa fodd i'w wneud yn gwbl effro, sef trwy ofyn iddo gwestiwn ynghylch rywbeth a ymddangosai yn ddyrys yn y wers. Yna byddai wrth ei fodd yn gwneud y tywyll yn olau. Dyna hefyd y blynyddoedd yr ysgrifennodd ei orchestwaith *Athrawiaeth yr Iawn.*[85]

Os uchafiaeth ddiymdrech a rhywfaint o bellter oedd nod amgen Lewis Edwards, diwydrwydd ac agosatrwydd a nodweddai John Parry. 'The Vice-Principal was a a self-taught man, and I believe of humble origin, but he was a hard student and an enthusiast about learning', meddai Robert Roberts. 'His pale face and dim eyes showed that he prolonged his studies far into the night; it was rumoured among us that he often sat up all night at his books, and that his quiet retiring little wife was equally studious as himself' (ibid.).

Cyrhaeddodd Benjamin Hughes, Newmarket, Goleg y Bala yn yr un flwyddyn â Roberts, ac yn wahanol i'r hogyn iau, cafodd yrfa ffrwythlon fel gweinidog Methodistaidd. Edmygai ddoniau pregethwrol y prifathro yn fawr, ond ffynnai anwyldeb rhwng y bechgyn a'r is-brifathro. 'Yr oedd yn rhaid iddo ef ddysgu y gwŷr ieuainc mewn rhifyddiaeth, gramadeg, daearyddiaeth a chyfieithu o'r Gymraeg i'r Saesneg ac o'r Saesneg i'r Gymraeg, ac nid oedd terfyn ar ymroddiad yr athro.'[86] Meddai Parry ar stôr ddihysbudd o amynedd ac roedd yn dra gofalus gyda'r myfyrwyr gwannaf eu crebwyll:

Yr oedd rhywbeth yn hawddgar ac yn enillgar yn y dull ag yr oedd Dr Parry yn cyfrannu ei addysg i'r rhai oeddynt ar ôl . . . Llawer o bethau trwstan a digrifol a welwyd ac a glywyd yn nygiad ymlaen gyda'r dosbarthiadau diffygiol hyn, ac nid oedd neb yn gallu mwynhau y digrifwch yn fwy . . . na Dr Parry.[87]

Os Edwards oedd yr athrylith, Parry oedd y gweithiwr dygn, ond yr un oedd edmygedd y myfyrwyr tuag at y ddau fel ei gilydd. 'Yr wyf fi fel llawer eraill yn barod i gydnabod', meddai Benjamin Hughes, 'mai un o ragorfreintiau pennaf ein bywyd oedd dyfod i gysylltiad â'r ddau athro parchedig o'r Bala'.[88]

Barn am y Bala: Thomas Bartley

Beth bynnag am uchelgais Lewis Edwards i godi safon deallusrwydd y genedl trwy greu gweinidogaeth ddysgedig, roedd y deunydd crai mewn rhai achosion yn amrwd tu hwnt. Am bob myfyriwr o allu a photensial, roedd eraill a adlewyrchai'r tlodi difantais a oedd mor gyffredin yn y wlad. 'I was surprised', meddai Robert Roberts, 'boy that I was, to see the ministers of the most influential sect in Wales so miserably ignorant' (t. 150). Mae disgrifiadau Roberts o'i gydfyfyrwyr yn gignoeth ddirmygus:

> Great strong men, some of them on the wrong side of thirty, fresh from the plough, the forge or the quarry, were hopelessly blundering over sentences, the Saxon intricacy of which was beyond their powers, or laboriously conning over a sum in the elementary arithmetic that a child of ten, tolerably taught, would have laughed at. (ibid.)

Roedd golwg rhai ohonynt yr un mor dlodaidd â'u gallu. 'James Thomas came when I was there', meddai Owen Jones, y Gelli, 'very countrified in appearance, with his trousers reaching a little below the calf of the leg and coat sleeves between his elbow and his wrist, with a long neck, no collar, and something between a handkerchief and a long string around his long neck'.[89] Er i Lewis Edwards fynnu dweud yn dda am ei fyfyrwyr, ni allai lai na chydnabod bod yn eu plith 'those who come raw and rough from the mountains'.[90] Dyma, wrth gwrs, y dosbarth yr oedd mwyafrif pregethwyr y Methodistiaid Calfinaidd wedi codi ohono, y dosbarth a anfarwolodd Daniel Owen yn ei nofelau.

Cyrhaeddodd Daniel Owen, yr Wyddgrug, Goleg y Bala yn 1865, ychydig wedi'r cyfnod sydd gennym dan sylw, ond yn ôl ei gofiannydd diweddaraf, ceir ym mhenodau 36–8 yn *Rhys Lewis* 'yn ddi-os y darlun cyfoethocaf a mwyaf nodweddiadol o fywyd coleg diwinyddol yn y bedwaredd ganrif ar bymtheg'.[91] Yn y bennod 'Thomas Bartley

ac addysg athrofaol', cyfleir gan y cymeriad diddan hwnnw nid yn
gymaint ragfarn ordduwiol yn erbyn addysg uwch, ond diffyg deall-
twriaeth ynglŷn â'i hystyr ac amheuaeth o'i budd. Nid lladd ar Ladin
a Groeg a wna Thomas, ond yn syml methu gweld eu gwerth: 'Wel be
ar affeth hon y ddaear sy eisio dysgu iaith pobol wedi marw?'[92] Prin
bod ateb Rhys Lewis yn cario fawr o bwys: 'Yr wyf yn dweud y gwir
yn onest wrthych, Thomas. Maent yn dysgu'r ieithoedd er eu mwyn
eu hunain a'r trysorau sydd ynddynt.'[93] Rhoes ymweliad digrif Thomas
Bartley â'r Bala a'r croeso a gafodd, nid yn unig gan y myfyrwyr ond
gan y pennaeth hefyd, gyfle i'r awdur ddifyrru ei ddarllenwyr a gwneud
pwynt ar yr un pryd. Os oedd Lewis Edwards yn ddyn mawr, 'Mi
glywes mai fo ydi'r mwyaf o'r lot pan ddaw hi i'r pwsh',[94] nid oedd yn
rhy fawr i drin gwerinwr garw fel Thomas Bartley yn dyner, yn frawdol
ac o ddifrif. Gwrando'n astud a wnâi'r prifathro ar yr angen i wneud
pregethwyr effeithiol o'r bechgyn hyn: 'Dydyn nhw ddim yn sôn
digon, syr, am Iesu Grist ac am y nefoedd. Mae gan rwfun fel fi grap
go lew ar hynny.'[95] 'Wel, yn wir Mr. Bartley, yr ydw i'n dweud llawer
wrthyn nhw, ond mae eisiau i rywun fel chwi, ac eraill o ddylanwad,
roi gair o gyngor iddynt, a hynny yn aml, mi wnâi les mawr iddynt. '[96]
Oddi mewn i weriniaeth eglwys Crist, mae'r athro ar yr un lefel â'r
disgybl a'r pennaeth yn cymryd ei gynghori gan y gwerinwr lleiaf ei
ddawn. Roedd tystiolaeth Rhys Lewis (sydd yn enau, wrth gwrs, i Daniel
Owen ei hun) yn un â chynifer o'i ragflaenwyr: 'Derbyniais les dirfawr,
a dysgais gannoedd a miloedd o bethau nad oeddwn yn eu gwybod o'r
blaen . . . Agorwyd byd newydd o flaen fy meddwl.'[97] Profwyd bellach
ei bod hi'n gwbl bosibl cyfuno dysg, diwylliant a duwioldeb heb fygu
dim ar y dychymyg creadigol. Yng Ngoleg y Bala y meithrinwyd y
cwbl: 'Fy mhrofiad i fy hun ydyw, mai dyna'r cyfnod mwyaf hapus a
bendithiol ar fy oes, ac yr wyf yn edrych yn ôl arno gyda hiraeth prudd-
felys.'[98]

7 ⊗ *Rhwng* Y Traethodydd *ac* Athrawiaeth yr Iawn II, *1845–1860*

R hwng cychwyn Y *Traethodydd* yn 1845, ac yntau'n 36 oed, a chyhoeddi ei gyfrol bwysig *Athrawiaeth yr Iawn* yn 1860, roedd Lewis Edwards yn ei flodau. Roedd ef eisoes wedi cael rhan mewn trawsnewid ei gyfundeb o fod yn sect gyfyng ei gorwelion i fod yn gorff eglwysig pwerus a chyfrifol, ac roedd ei ddymuniad i sefydlu gweinidogaeth ddysgedig ar batrwm yr Alban wrthi yn cael ei wireddu. Roedd y coleg wedi ennill ei le, a chafodd y bodlonrwydd dwfn o weld gwŷr ifanc o allu anghyffredin a duwioldeb diamheuol yn cyfrannu at y gwaith o greu y Gymru Ymneilltuol newydd. 'I really cannot tell you', meddai wrth Owen Thomas ar 17 Ebrill 1847, 'what joy it gives me to see my old pupils turning out to be devoted, earnest, efficient men'.[1] Ni redodd popeth yn esmwyth, fel y gwelwyd: cafodd rwystredigaethau gyda'r *Traethodydd*, blasodd brofedigaethau teuluol llym a deuai anawsterau nid bychan o ran cyllido'r coleg, ond at ei gilydd blynyddoedd o gynnydd, llawnder a bodlonrwydd oedd y rhain. Yn hynny o beth, roedd gyrfa Edwards yn rhedeg gyda graen yr oes. 'Pe gofynid i ni pa beth yw yr hynodrwydd gorau sydd yn perthyn i'r oes hon uwchlaw yr oesoedd o'r blaen', meddai yn 1852, '[dywedwn] ei bod mewn modd arbennig yn *oes y gweithrediadau*'.[2] Egni, dyfeisgarwch ac ysbryd gweithgaredd a nodweddodd Gymru Oes Victoria, gydag Ymneilltuaeth fyrlymus yn cyfrannu at y cwbl.

Awdurdod y Gair

Ymhlith gorchwylion Lewis Edwards yn y Bala yr oedd tywys ei fyfyrwyr trwy'r ysgrythurau. Ef a fyddai'n ymdrin â'r Testament Newydd mewn Groeg. 'Nid anghofiai fod yn angenrheidiol iddynt feistroli'r iaith', meddai ei fab Thomas Charles Edwards a ddechreuodd ei efrydiau colegol o dan gyfarwyddyd ei dad yn 1852. '[O]nd ei amcan pennaf oedd esboniadaeth. Aeth trwy Efengyl Ioan, yr Epistol at y Rhufeiniaid, yr Epistol at y Galatiaid, Epistol Cyntaf Ioan, a rhannau eraill, yn ofalus a thrylwyr.'[3] Fel diwinydd Protestannaidd, Gair Duw yn yr ysgrythurau oedd sylfaen ei gred. Nid amheuodd erioed fod Duw wedi llefaru trwy ei Air, a bod yr Hen Destament fel paratoad at Grist a'r Testament Newydd fel tystiolaeth i'w ddyfodiad, yn ddatguddiad geirwir a dibynadwy o fwriad ac amcan Duw yn ei ymwneud â'r ddynolryw. Fel gweddill ei genhedlaeth, credai yn anffaeledigrwydd y Gair. 'We say there is nothing infallible except the Word of God', meddai wrth gynulleidfa capel Frederick Street, Caerdydd, yn 1867, 'and man must have something infallible to rely upon . . . [M]an is not infallible, human reason is not infallible, the church is not infallible, and we find this infallibility nowhere but in the Word of God.'[4] Nid oedd dim byd naïf yn y gred hon, ac ni fynnai Edwards am bris yn y byd fod yn anfeirniadol. Roedd holl ogwydd ei gred yn rhagdybio fod Duw y Beibl yn Dduw llafar. 'Amcan y Gair yn dyfod yn gnawd', meddai, 'oedd i gyflawni yr hyn nis gallai neb arall; ac amcan y Gair ysgrifenedig yw dysgu i ddyn yr hyn nis gallasai dyn ohono ei hun byth ei wybod'.[5]

Yn ei ysgrif gynharaf yn *Y Traethodydd* yn Ionawr 1845, lluniodd ymresymiad galluog o blaid y syniad o ysbrydoliaeth eiriol yr ysgrythurau. Eirenig ac nid polemig oedd natur y traethiad hwn, gydag awydd i fawrygu'r tir cyffredin yr oedd pob diwinydd crefyddol yn sefyll arno. 'Y mae dau ddosbarth o farnau ar y mater hwn ymysg y rhai a gredant fod y Beibl yn Air Duw', meddai.[6] Credai'r dosbarth cyntaf mai'r meddyliau y tu ôl i'r geiriau ysgrifenedig a gafodd eu hysbrydoli gan Dduw tra bo'r ail ddosbarth yn dal bod ysbrydoliaeth yn ymestyn at fanylion y geiriau eu hunain. 'Gyda'r blaid olaf hon y dymunem restru ein hunain.'[7] Ni allai neb resymu ei ffordd tuag at y gred hon. Er bod lle i ddadlau o blaid ysbrydoliaeth yr ysgrythur ar dir rheswm – fod y proffwydoliaethau wedi eu cyflawni, fod y Beibl wedi goresgyn pob rhwystr hanesyddol yn ddianaf ac yn y blaen – nid dyna oedd y gwir apologia o blaid ei natur ddwyfol ond yn hytrach y cymhelliad mewnol a gâi'r galon grediniol wrth ymwneud yn fywiol ag ef. 'Pwy bynnag a'i darlleno gyda meddwl gostyngedig a ddaw yn fuan i deimlo mai yr Anfeidrol sydd yn llefaru wrtho. Yn ei oleuni ei hun y gwelir goleuni yr haul, ac yn ei olau ei hun y gwelir mwyaf o ddwyfoldeb y Beibl.'[8] Mewn geiriau eraill, credai Edwards yn y *testimonium internum Spiriti Sancti*, tystiolaeth fewnol yr Ysbryd Glân. Fel yn achos *Institutio* John Calvin, nid mater o oddrychedd oedd hyn ond o barchu'r math o wrthrychedd a oedd yn deillio o natur y testun dan sylw. 'If they were to ask me my views on inspiration', ysgrifennodd, 'I do not know that I could give a better answer than by telling them that I am not sure that I could give a satisfactory reply to every objection, but that when I turn to the Bible itself and read it in its own light, I then *feel* it to be the word of God.'[9]

Rhoes nifer o resymau dros arddel yr athrawiaeth fanylaf am natur ysbrydoliaeth: mai dyna oedd y ffordd fwyaf naturiol o ddehongli cyfeiriadau beiblaidd megis 1 Timotheus 3: 16, 'Yr holl ysgrythur sydd wedi ei rhoddi gan ysbrydoliaeth Duw'; ei bod hi'n amhosibl ar dir rhesymeg i wahanu meddyliau oddi wrth y geiriau a oedd yn eu mynegi; a bod digon o ryddid oddi mewn i'r ddamcaniaeth fanwl i gydnabod gwedd ddynol y Beibl ochr yn ochr â'i gwedd ddwyfol. 'Y mae yn gyson i ni feddwl fod pob gair wedi ei ysgrifennu dan ddwyfol gyfarwyddyd, ac ar yr un pryd fod pob un o'r ysgrifenwyr yn traethu yn gwbl yn ei ddull a'i ddawn priodol ei hun.'[10] Nid peth prennaidd, peirianyddol oedd ysbrydoliaeth yr ysgrythur yn ôl y ddealltwriaeth hon, ond proses ddeinamig a barchai bersonoliaethau yr awduron beiblaidd. Aeth ati i ymhelaethu ar y ddamcaniaeth yn ei ragair i gyfieithiad Robert Oliver Rees o'r gyfrol *Harmony of the Gospels* gan Edward Robinson. Er gwaethaf y ffaith i John Calvin gyhoeddi ei *Harmonia ex Tribus Euangelistis* ('Harmoni y Tair Efengyl') yn 1553, y duedd ymhlith esbonwyr Protestannaidd oedd trin yr efengylau yn isradd i'r epistolau, ac yn hytrach na chaniatáu i'r darlun o fywyd a gweinidogaeth Iesu o Nasareth reoli eu dehongliad o'r efengyl, ystyrient yr efengylau yn fwynglawdd o destunau i brofi'r gyfundrefn athrawiaethol – 'y pum pwnc' – yr oeddent eisoes yn ei harddel. Newydd-deb cyfrol Robinson oedd iddi ddod â'r efengylau allan o gysgod y ddiwinyddiaeth Bawlaidd a'i gosod i sefyll ar eu traed eu hunain. 'I felt', meddai R. O. Rees, 'that you had to lead us into a field perfectly novel in Wales, never trod by any other Welsh author before'.[11] 'Y mae y maes hwn', meddai Edwards yn ei draethawd rhagarweiniol, 'yn newydd i lawer sydd yn dra chyfarwydd yng ngweledigaethau Eseciel a Daniel, yn ymresymiadau Paul, ac yn nirgeledigaethau Llyfr y Datguddiad'.[12] Ymgais i adfer cymesuredd i'r ffydd Fethodistaidd Gymraeg oedd hon trwy ganoli ar Grist yr efengylau a'r gogoniant a oedd yn perthyn iddo.

Roedd pwyslais Crist-ganolog Lewis Edwards, er yn amlwg yn emynau Williams Pantycelyn ac yn egwyddor esboniadol yng ngweithiau Martin Luther, wedi mynd dan gwmwl yng nghrefydd y Gymru Ymneilltuol. Er mai disgrifiad ysgolheigaidd o gynnwys y pedair efengyl, eu dyddiad, eu hawduraeth, ynghyd ag ymgais ar batrwm *Harmonia*

John Calvin i'w cysoni, cais Edwards i sefydlu egwyddor hermeniwtaidd sy'n tarddu nid o'r athrawiaeth am Dduw neu'r arfaeth dragwyddol, ond yn syml o realiti person Crist. 'Pan ddarllennir yr efengylau yn y teimlad hwn', meddai, '[deuwn] o'r diwedd yn barod i gydnabod . . . bod holl ryfeddodau y Duwdod ei hun wedi cydgrynhoi yn "y dyn Crist Iesu"'.[13] Er bod y pwyslais hwn yn iachusol o newydd, ceidwadol oedd ei gasgliadau eraill: fod y pedair efengyl, gan gynnwys Efengyl Ioan, ar yr un tir â'i gilydd o ran eu dibynadwyedd hanesyddol, mai Ioan, 'y disgybl annwyl' oedd awdur y Bedwaredd Efengyl ac yn sgil eu natur anffaeledig ei bod hi'n bosibl cysoni'r pedair, er nad yn ddidrafferth: 'y mae y gorchwyl wedi dihysbyddu nerthoedd y beirniad galluocaf trwy yr oesoedd, ond y mae anawsterau lawer eto yn aros'.[14] Er i Edwards dreulio cyfnod yn yr Almaen yn 1853, yn perffeithio'i Almaeneg ac yn ymgydnabod â'r ysgolheictod diweddaraf, nid oedd unrhyw argoel fod radicaliaeth David Friedrich Strauss a fynegwyd yn gofiadwy yn ei *Leben Jesu, kritisch bearbeitet* ('Bywyd Iesu, Ymdriniaeth Feirniadol') (1835) wedi mennu dim arno, nac i Hegeliaeth Ferdinand Christian Baur a oedd yn gwneud 'Ysgol Tübingen' yn gymaint rym mewn astudiaethau beiblaidd cyfandirol,[15] adael arno ddim o'i hôl. Diwinydd ceidwadol, efengylaidd, crediniol oedd Lewis Edwards, a'i ffydd yng nghywirdeb hanesyddol yr efengylau yn ddiysgog a'i ymlyniad wrth 'y ffydd a roddwyd unwaith i'r saint' yn gwbl ddiwyro.

Cysondeb y Ffydd

Nid ei ysgrifeniadau ar ysbrydoliaeth yr ysgrythurau nac ar feirniadaeth feiblaidd a greodd yr argraff ddyfnaf ar ei gyfoeswyr, fodd bynnag, ond cyfres bur flaengar a ymddangosodd yn *Y Traethodydd* o dan y teitl 'Cysondeb y ffydd'. Meddai 'Huwco Meirion', sef T. E. Thomas, Pittsburgh yn ddiweddarach, 'Ymddangosodd nifer o erthyglau ar "Gysondeb y Ffydd" nad oes eu rhagorach yn yr iaith Gymraeg',[16] tra bo Griffith Parry, golygydd *Y Drysorfa*, wedi nodi '[t]eimlwn yn sicr nad ymddangosodd ddim yn llenyddiaeth ddiwinyddol Cymru a gynhyrchodd argraff mor ddofn ar ddarllenwyr meddylgar y genedl, o bob enwad, â'r erthyglau hyn . . . Daeth[ant] â *novum organum* i mewn, dull newydd, method newydd i ddiwinyddiaeth.'[17]

Un o broblemau diwinyddiaeth erioed oedd cysoni haeriadau neu wirioneddau a oedd yn ymddangos yn groes i'w gilydd ac a oedd, yn ôl unrhyw reolau rhesymegol, yn gwbl anghymodlon: bod Duw yn un sylwedd ond yn dri pherson, y ddwy natur ym mherson Crist, sofraniaeth Duw a rhyddid dyn, yr hollalluogrwydd dwyfol a bodolaeth pechod oddi mewn i'r byd, ac yn y blaen. Roedd hanes wedi dangos fod pob cyfeiliorni wedi deillio o awydd rhywrai i orbwysleisio un gwirionedd ar draul y llall. Yn y canrifoedd Cristionogol cynnar roedd gorbwyslais ar undod Duw ar draul ei natur drindodaidd wedi arwain at Sabeliaeth neu fodalaeth a gorbwyslais ar dduwdod Crist wedi arwain at Apolinariaeth ac ar ei ddyndod at Nestoriaeth. Roedd y duedd Awstinaidd ddiweddarach i orbwysleisio sofraniaeth absoliwt Duw ar draul rhyddid ewyllys dyn wedi creu adwaith Pelagaidd gwrthgyferbyniol, a gwendid y traddodiad Calfinaidd, yn ei wedd uchel-Galfinaidd beth bynnag, oedd honni yr un peth, a oedd yn gwneud y pwyslais Arminaidd yn anorfod.[18] Er mai Calfinydd oedd Edwards o ran ei dueddfryd a'i dras, gwelai fod yn rhaid i unrhyw ddiwinyddiaeth gyfrifol wneud cyfiawnder â deupen y gwirionedd er mwyn adlewyrchu cyflawnder y datguddiad yn y Gair. 'Rhai blynyddoedd wedi hyn', meddai, 'teimlwn fy hun yn raddol yn cael fy ngorfodi i dybio fod rhyw gymaint o wirionedd gan y naill blaid a'r llall'.[19] Y peth hawsaf fyddai chwilio am dir cyffredin rhwng y ddwy farn neu ryw gyfaddawd deallusol, ond nid oedd y deunydd ysgrythurol yn caniatáu hyn. Ni wnâi synthesis Hegelaidd mo'r tro, na'r *golden mean* Aristotelaidd. Daeth Edwards i sylweddoli nad yn y canol yr oedd y gwirionedd ond ar y ddau eithaf ar yr un pryd: 'Pan yn myfyrio ar hyn . . . dechreuais feddwl y gallai fod yma egwyddor gyffredinol, yn dwyn perthynas â diwinyddiaeth yn yr un modd ag athroniaeth, sef yw hynny, fod pob egwyddor yn cynnwys dwy egwyddor wrthgyferbyniol.'[20]

Yn ei draethawd dechreuol, a gyhoeddwyd yn rhifyn cyntaf Y *Traethodydd*, gosododd allan ei ragdybiaeth: 'Y mae yr iawn farn ar bob pwnc yn cynnwys dau wirionedd gwrthgyferbyniol . . . [ac] y mae y cyferbyniad sydd rhyngddynt y fath fel y maent yn ymddangos, er nad ydynt, yn groes i'w gilydd.'[21] Mewn ffaith, y byddai deupen y gwirionedd yn groes i'w gilydd pe byddent wedi cael eu gosod allan fel dau wirionedd absoliwt ar wahân, ond o gael eu gosod ynghyd, beth bynnag am yr anghysondeb ymddangosiadol, yr oeddent yn ffurfio un gwirionedd cyfansawdd. Fel bob amser, mae Edwards yn dechrau gyda'r Gair. Ble bynnag y byddai'r Gair wedi ei roi a'i dderbyn mewn ffydd, gellid bod yn bur siŵr fod gradd helaeth o gytundeb ynghylch ei ystyr a'i werth. 'Lle y mae rhyw bwnc wedi ei ddatguddio i ddynion', meddai, 'a lle y mae dynion yn ewyllysgar ac yn ymdrechgar i'w ddeall, gallwn fod yn lled hyderus y deuant yn feddiannol ar ryw gymaint o'r gwirionedd mewn perthynas â'r pwnc hwnnw'.[22] Dyma'r *autopistis* Protestannaidd, yr hunan-wireddu a oedd ynghlwm wrth yr ysgrythurau sanctaidd fel Gair Duw. Y broblem, wrth gwrs, oedd y pegynu a ddigwyddodd, nid lleiaf ymhlith carfannau megis y Calfiniaid a'r Arminiad, a'r Uchel-Galfiniaid a'r Ffwleriaid, sef pobl a oedd yn gytûn ar sylwedd y ffydd efengylaidd ond a fu benben â'i gilydd ynghylch sut i gysoni y gwahanol bwysleisiadau, 'oblegid yn fynych, yr hyn a wrthodir gan un ochr yw yr hyn a amddiffynir yn gydwybodol gan yr ochr arall'.[23] Pwy, felly, oedd yn iawn? Gan fod y cysyniad o wirionedd yn un, byddai rheswm yn awgrymu fod un blaid wedi deall y gwironedd a'r blaid arall yn gyfeiliornus. Ond yn yr achosion uchod, roedd y ddwy blaid yn rhesymu ar sail yr ysgrythur ac yn tynnu casgliadau a oedd yn gwneud perffaith synnwyr yng ngoleuni eu rhagdybiaethau. A oedd y cyfundrefnau cyferbyniol, felly, yn anghymodlon? Y peth newydd yng Nghymru oedd i ddiwinydd cyffesiadol, a oedd yn gwbl ffyddlon i'w gynhysgaeth athrawiaethol, ddweud 'na'. 'Fe'n cymhellir', meddai Edwards, 'bron o angenrheidrwydd i feddwl y gall fod y gwirionedd o barth i bob pwnc yn cynnwys rhyw ddau osodiad, y rhai ydynt yn groes [yn] ymddangosiadol, ond yn gyson [yn] wirioneddol'.[24]

Hwn, mewn gwirionedd, oedd cyfraniad mawr Lewis Edwards i ddatblygiad y meddwl diwinyddol Cymraeg. 'Y mae dros ddeugain mlynedd bellach er pan yn fachgen wrth draed yr anghymharol Dr Edwards o'r Bala', meddai Llewelyn Ioan Evans yn 1892, wedi oes o wasanaethu Presbyteriaid America, 'y cefais fy ngwreiddio a fy selio yn yr egwyddor fawr o wrthgyferbyniaeth ym myd y gwironeddau. Y mae yr egwyddor yna wedi bod yn llewyrch i fy llwybrau o hynny hyd yn awr.'[25] Nid ef oedd yr unig bregethwr, diwinydd, na Christion cyffredin, a welodd ffordd heibio i'r pegynu di-fudd a andwyodd grefydd Cymru am gymaint o amser ac i mewn i neuadd eang y ffydd efengylaidd ar ei mwyaf catholig. Os oedd dirgelwch a pharadocs yn ddieithr i'r sustemateiddwyr gynt, deallai Edwards fod y pethau hyn yn hanfodol i ddeddf yr efengyl. '[Mae] cyd-gyfarfyddiad a chydweithrediad galluoedd gwrthweithiol yn ddeddf', meddai, a 'bod y ddeddf hon yn gymwysiadwy ym mhob amgylchiad sydd ddiamheuol'.[26] Nid mater o gredu'r abswrd oedd dal deupen anghymodlon y gwirionedd ynghyd, nac ychwaith ildio i baradocs fel esgus dros arddel yr afresymol. 'Y mae gwahaniaeth rhwng gweled anghysondeb a methu gweled y cytundeb', meddai, '[g]allant fod uwchlaw rheswm, heb fod yn groes i reswm'.[27] Roedd y cwbl yn dibynnu ar ba fath reswm, rheswm a oedd yn ildio i ofynion y ffydd neu reswm a fynnai ystumio'r dystiolaeth i gydymffurfio â rheolau meidrol. 'Yn eu gwrthwynebiad y mae eu grym i gydsefyll, ac yna hefyd y mae eu cyfaddasiad i holl anghenion y natur ddynol.'[28]

Ysgrif 'Yr Arfaeth'

Ac yntau wedi gosod allan ei ddamcaniaeth yn rhifyn cyntaf *Y Traethodydd*, aeth ati i'w chymhwyso at wahanol athrawiaethau yn y rhifynnau dilynol: rhyddid yr ewyllys yn yr ail rifyn, Ebrill 1845, natur yr iawn yn rhifyn Ionawr 1846 a helaethrwydd yr iawn yn rhifyn mis Hydref. Cafwyd bwlch am flynyddoedd wedyn nes iddo ailgychwyn gydag ysgrif fawreddog ar yr arfaeth yn 1853, ac un arall yn 1858 ar y pechod gwreiddiol. Roedd yr ysgrif ar yr arfaeth yn wirioneddol odidog. (Nid tan i Edwards ddwyn ei ysgrifau ynghyd yn y gyfrol gyfansawdd *Traethodau Duwinyddol* yr ymddangosodd y ddwy ddiwethaf fel rhan o gyfres 'Cysondeb y ffydd'.) O ran ei harddull a'i hathrylith mae'n cymharu ag un o ysgrifau disgleiriaf John Henry Newman. Ynddi mae'n mynd i'r afael â dirgelwch pechod. Er i Dduw fod yn sofran yn ei fyd, yr un peth nad arfaethodd erioed oedd pechod. Ond eto mae pechod yn bod, yn ymyrrwr haerllug sy'n groes i bob rheswm, sy'n herio pob deddf ac sy'n amddifad o bob hawl.

> Dylid ei ystyried yn rhywbeth ar ei ben ei hun yn y greadigaeth, nid yn unig yn wahanol ond yn wrthwynebol i bob peth arall, mewn rhyfel anghyfnewidiol yn erbyn holl drefn y Goruchaf, ac yn wrthrych ei gasineb anfeidrol, nid mewn ymddangosiad yn unig, ond mewn gwirionedd ac o angenrheidrwydd.[29]

Dirgelwch pechod oedd ei fod yn tynnu'n groes i bob synnwyr gan wneud llanastr o gynlluniau taclus y diwinyddion i gyd: 'Llawer cais a wnawd erioed i esbonio dyfodiad pechod i'r byd, ond y mae eto yn aros heb ei esbonio, ac nid yw'n anodd i ni gydsynio â'r rhai hynny sydd yn barnu nas gellir ei esbonio byth.'[30] Beth bynnag am resymu yr athronwyr, y gwir yw 'fod y dirgelwch hwn yn anamgyffredadwy'.[31]

Naïfrwydd y diwinyddion confensiynol oedd credu y gellid rhoi cyfrif am bechod trwy feio'r sarff yng Ngardd Eden, neu'r angylion syrthiedig, neu ddichell Efa, neu ffolineb Adda, neu beth bynnag, a dod o hyd i reswm am bechod. Nid pechod a fyddai wedyn, ond rhan ddealladwy a dirnadwy o'r drefn. 'Ond pa fodd y gallwn amgyffred dyfodiad y peth hwnnw i fod, yr hwn a ddaeth i fod heb ddeddf, ac yn erbyn pob deddf? Pe gellid ei rhwymo a'i dwyn dan awdurdod rhyw ddeddf, naturiol neu foesol, ni fyddai mwyach yn bechod.'[32] Nid arfaethodd Duw bechod erioed, ond eto mae'n bod. 'Mae pechod yn ddrwg anamgyffredadwy, wedi dyfod i fod heb un achos, ac yn groes i bob deddf.'[33] Yr anhawster erioed ar ran y crefyddwr cyffredin a'r diwinydd doeth oedd ceisio darganfod achos drosto a thrwy hynny ei ddofi a'i resymoli a'i ddarostwng i ofynion rhyw gynllun dealladwy. Ond yr amhosibilrwydd posibl yw pechod, goruchafiaeth yr abswrd, dirgelwch yr anwiredd ac enigma lwyr. Ac mae'r enigma yn cael ei harddangos ar ei mwyaf tramgwyddus ar y groes.

Yn ôl amodau yr arfaeth dragwyddol, nid oes dim yn medru digwydd y tu allan i gylch anorthrech yr ewyllys ddwyfol. Ond ni all fod yna le i bechod oddi mewn i'r arfaeth, ac eto mae'n bod. Nid yn unig mae'n bod, ond mae'n bod yn y fath fodd fel y bu'n rhaid i Grist ddod i'r byd a'i ddwyn yn ei gorff ei hun ar y pren. Dyna, wrth gwrs, yr enigma eithaf. 'Nid yw credu y ddau [sef sofraniaeth yr arfaeth a bodolaeth pechod] yn groes i reswm', meddai Edwards, 'er eu bod yn cyrraedd yn rhy bell i ni fedru canfod yn eglur pa le a pha fodd y maent yn cyfarfod â'i gilydd'.[34] Er bod

> yr arfaeth a phechod mewn rhyw fodd yn anymgyffredadwy i ni, [y maent] yn cydgyfarfod yn yr un weithred, ac eto mewn tragwyddol ryfel â'i gilydd, y naill yn aros yn berffaith dda, a'r llall yn berffaith ddrwg, heb i'r arfaeth gyfranogi o bechod ac heb i bechod gyfranogi o'r arfaeth.[35]

Dyna'r unig ffordd i'r dychymyg crefyddol, yn foddhaol, ddelio â'r peth.

> Er nas gallwn ni daflu ein llinyn mesur oddi amgylch y ddau wirionedd yma, y mae rheswm ei hun yn ein gorfodi i gredu y ddau, a dylem dderbyn tystiolaeth yr ysgrythur ar bob un ohonynt yn holl gyflawnder a grym eu hystyr naturiol.[36]

Prin y cododd Lewis Edwards yn uwch erioed nag yn yr ysgrif hon, ac ni wn i am ymdriniaeth fwy treiddgar â dirgelwch pechod mewn diwinyddiaeth Gymraeg.[37] Ei awydd yn yr ysgrif hon oedd nid darlunio enigma pechod yn unig, ond ei weld ym mhatrwm y paradocsau sy'n sail i'r gyfres gyfan o 'Gysondeb y ffydd'. 'Y mae pob ymgais i godi un gwirionedd trwy iselu y llall yn effeithio i ddinistrio y ddau, gan nas gallant sefyll heb fod mewn cyferbyniad â'i gilydd.'[38] Y cyferbyniad yma yw bod Duw yn sofran mewn modd absoliwt, ond bod pechod yn bod er nad oes iddo safle na synnwyr na rhan yn yr arfaeth. 'Y mae yma ddirgelwch, ac un o brif ddibenion y sylwadau hyn yw dangos fod yn rhaid i ni dreiddio yn ddigon dwfn i gael gafael mewn dirgelwch wrth ymdrin â phob pwnc o ddiwinyddiaeth cyn y gallwn gael gorffwysfa sefydlog i'n meddyliau.'[39] Mae'r ddeialog a gynhelir â *Timaeus* Platon, pennod chwech yng *Nghyffesion* Awstin Fawr, 'y pennaf o'r tadau Cristionogol',[40] Anselm yn ei *Proslogion* (fel honno a gafodd gyda Jonathan Edwards yn y bennod ar ryddid yr ewyllys), yn dangos catholigrwydd meddwl Edwards ac ehangder ei ddiwylliant, ac mae'r cyfannu rhwng tragwyddoldeb ac amser yn rhagdybio trafodaeth feistraidd Karl Barth ar etholedigaeth mewn oes ddiweddarach.[41] 'Y mae yr arfaeth mor agos atom ag yw Duw ei hun, ac y mae Efe . . . yn barod i dderbyn yr hwn a ddêl ato yn awr . . . Wrth gymeryd gafael yn y Gair yr ydym yn cymryd gafael yn yr arfaeth, ac os cawn y Gair o'n plaid, yr ydym wrth hynny yn cael yr arfaeth o'n plaid.'[42] Gyda'r ysgrif hon y cymerodd diwinyddiaeth Gymraeg gam enfawr ymlaen, mor fawr fel mai dim ond ychydig a sylweddolodd arwyddocâd y peth ar y pryd. Nid yw diwinyddiaeth Cymru eto wedi llawn amgyffred mor flaengar oedd Lewis Edwards gyda'r ysgrif, a'r gyfres hon.

Athrawiaeth yr Iawn[43]

Er mai sefydlu'r egwyddor wrthgyferbyniadol oedd cyfraniad mwyaf gwreiddiol Lewis Edwards i ddiwinyddiaeth Cymru, fel awdur y gyfrol *Athrawiaeth yr Iawn* y cafodd ei adnabod orau yn ystod ei oes ei hun. Ni thorrodd ddim tir newydd yn y gwaith hwn, yn hytrach mynnodd aredig cwysi a oedd wedi'u troi yn bur helaeth gan lawer o'i flaen. Mae'n wir iddo gymhwyso'r egwyddor wrthgyferbyniadol at ei bwnc yn ei ysgrifau cynnar yn *Y Traethodydd*,[44] ond roedd ei ddealltwriaeth o sylwedd y mater yn dra thraddodiadol. I Edwards, craidd yr iawn oedd bod Iesu Grist wedi cyflawni gofynion y cyfiawnder dwyfol trwy farw ei hun yn lle pechaduriaid am fod y drefn yn hawlio hynny. 'Os yw pechod yn haeddu cosb, y mae cyfiawnder yn galw am gosbi, ac anghyfiawnder fyddai peidio.'[45] Gwyddai diwinydd y Bala fod problemau ynghlwm wrth y dehongliad hwn o ystyr y groes. Roedd yn sawru o dynged-fennaeth, ac roedd y categorïau cyfreithiol a oedd yn rhagdybiaeth i'r syniadaeth hon yn gwneud llai na chyfiawnder ag argyhoeddiad y

Testament Newydd ynghylch cariad diamod y Duw tadol. 'Dywedir yn fynych am yr athrawiaeth hon ei bod yn gosod yr Arglwydd allan fel un dialgar', meddai.[46] O ran ei farn am helaethrwydd yr iawn, cytunodd â'r tadau Methodistaidd, Thomas Charles, Thomas Jones a'r Calfiniaid cymedrol a ddilynodd arweiniad Edward Williams, yr Annibynnwr enwog o Gaerwys,[47] fod yr iawn yn ddigonol ar gyfer pawb ond iddo gael ei gymhwyso at y rhai a fynnai fanteisio arno, sef yr etholedigion.

Er bod manylion y gyfundrefn hon eisoes yn cael eu herio, nid lleiaf gan un dosbarth o ddiwinyddion yr Alban megis Erskine o Linlathen a J. McLeod Campbell, roedd Edwards yn ddiwyro ei gred fod eu barn hwy yn gyfeiliornus. 'Yr eglurhad diweddaf ar gyfundrefn dra dylanwadol ar feddyliau lliaws', meddai Owen Thomas yn 1856, 'ydyw *The Nature of the Atonement, and its relation to remission of sins and eternal life*, [gan] John McLeod Campbell'.[48] Cafodd McLeod Campbell (1800–1872) ei ddiarddel o weinidogaeth Eglwys yr Alban yn 1831 am ddysgu fod Crist wedi marw dros bawb yn hytrach na thros rif cyfyngedig o etholedigion ac am ymwrthod â deddfoldeb Cyffes Westminster yn enw graslonrwydd diamod Duw yng Nghrist. [49] Roedd y consenws, fodd bynnag, yn yr Alban ac yng Nghymru ar y pryd, yn ei erbyn. 'Syniadau Erskine [o Linlathen] ac F. D. Maurice, ac eraill, sydd yma yn cael eu cyflwyno yn y ffurf fwyaf deniadol . . . ond y mae yn seiliedig drwyddo ar athroniaeth foesol hollol anghywir', meddai Thomas,

yn yr hon y mae cyfiawnder a sancteiddrwydd a chyfraith yn cael eu colli mewn rhyw dynerwch plentynaidd, fel pe bai cariad a haelfrydedd i'w hadeiladu ar adfeilion uniondeb. Y mae athrawiaeth yr awdur ar natur yr iawn yn gwbl annigonol i gyfarfod hawliau cyfiawnder . . . ac felly y mae . . . yn ddiffygiol i dangnefeddu cydwybod dyn.[50]

Hon, hefyd, oedd barn Edwards, er y byddai diwinyddion efengylaidd oes ddiweddarach yn gweld Campbell fel apolegydd huawdl o blaid dehongliad mwy ysgrythurol o ystyr yr iawn.[51] Mae cyfrol Edwards *Athrawiaeth yr Iawn*, fodd bynnag, yn cynnal yr hen gonsenws ac yn gweld gofynion y ddeddf yn hytrach na gras diamod y Tad fel sylfaen holl waith Crist yn yr iawn.

Roedd ymddangosiad y gyfrol yn 1860 yn arwyddocaol iawn. Nid yn unig ei bod wedi cyrraedd mewn pryd ar gyfer trwytho cenhedlaeth newydd o gredinwyr ifainc a oedd wedi eu hennill i'r eglwysi yn dilyn diwygiad grymus 1859, ond roedd yn gyfamserol â chyhoeddiad a fyddai o bwysigrwydd symbolaidd anhygoel yn nhynged y ffydd Gristionogol, sef *On the Origin of Species* y swolegydd Charles Darwin (1859). Yn yr un flwyddyn, cyhoeddwyd y gyfrol ryddfrydig *Essays and Reviews*, gyda chyfraniad gan y Cymro Rowland Williams, Llanbedr Pont Steffan, a greodd y fath anesmwythyd yn y byd Anglicanaidd.[52] Roedd y byd meddyliol yr oedd Lewis Edwards yn perthyn iddo, ac a wnaeth gymaint i agor Cymru iddo, yn newid yn ddirfawr, ac ni fyddai ef – ac yntau bellach dros ei hanner cant oed – yn gwbl esmwyth ynddo. Mae'r hanesydd Boyd Hilton wedi olrhain y newidiadau a oedd yn digwydd i'r meddwl Cristionogol ym Mhrydain rhwng y 1850au a'r 1860au. Roedd pwyslais y cylchoedd Protestannaidd yn symud o athrawiaeth yr iawn at athrawiaeth yr ymgnawdoliad, o'r syniad o uffern a chosbedigaeth dragwyddol at ddealltwriaeth fwy optimistig o ystyr y ffydd: 'In all schools of theological thought, Christology rather than soteriology, the incarnation rather than the atonement, now occupies the central position. In place of the *Christus Redemptor* stands the *Christus Consummator.*'[53] Byddai i hyn effeithiau pellgyrhaeddol ar y ffydd efengylaidd Gymreig. Os oedd y pwyslais yn symud oddi wrth hawliau'r Tad cyfiawn yn unol â gofynion rhyw drefn gyfreithiol, amhersonol, at fywyd dilychwin ac aberth gwirfoddol y Mab di-fai, byddai'r ddealltwriaeth draddodiadol o hanfod yr efengyl yn rhwym o newid. 'It is clear', meddai Hilton, 'that moral revulsion did play an important role in the softening of evangelical Christianity'.[54] Byddai mwy a mwy o bobl, yr ieuenctid yn arbennig, yn cwestiynu agweddau o'r ffydd a oedd yn eu taro hwy yn chwithig os nad yn anfoesol. 'Along with hell-fire, liberal theologians of the 1850s and 1860s surrendered the idea that a loving God would inflict excruciating suffering on his Son as a vicarious sacrifice for other men's sins. Such an action now seemed both unjust and . . . inefficious.'[55] Roedd y categorïau cyfreithiol yn araf golli eu grym, a syniadau megis cosbedigaeth oddefol yr aberth di-fai yn cael eu gweld yng ngoleuni bywyd ac esiampl Iesu fel dyn. Byddai 'oes yr iawn' yn troi maes o law yn 'oes yr ymgnawdoliad'.

Ymgom socratig rhwng athro a disgybl yw *Athrawiaeth yr Iawn*, sy'n cyfleu, mewn naw pennod sgyrsiol a throfaus, lawer iawn o flas deallusol y cyfnod:

Mae y byd yn myned yn ei flaen, y mae gwybodaeth yn cynyddu, y mae dynion yn myned yn fwy goleuedig, y mae hen draddodiadau hybarch yn cael eu taflu i dragwyddol angof, y mae darganfyddiadau yn cael eu gwneuthur yn barhaus yn y gwyddonau; a phaham na ellid disgwyl yr un peth mewn crefydd a diwinyddiaeth?[56]

Sgwrsio â'i ddisgybl yn rhesymol a cheisio ei ddarbwyllo'n ysgafn a wna'r athro yn hytrach na gosod y ddeddf i lawr. Un peth sy'n amlwg yn y gwaith yw meistrolaeth yr awdur ar ei bwnc, ei wybodaeth ysgrythurol, ei grebwyll athrawiaethol a'i ddeallwriaeth hanesyddol. Cyfeiria'n fynych at gyfnodau amrywiol mewn hanes a dengys barch dwfn nid yn unig at y consenws Methodistaidd a Phiwritanaidd ond at y clasuron Anglicanaidd, Richard Hooker yn arbennig (tt. 58–63), tadau cynnar yr eglwys a sgolastigiaid yr Oesoedd Canol. Mae catholigiaeth lydan yn hydreiddio'r gwaith ar ei hyd.

Rhennir y gyfrol yn fras yn bedair: athrawiaeth yr iawn yn ei pherthynas â Duw (penodau 2–4); athrawiaeth yr iawn yn ei pherthynas â Christ (penodau 5 a 6); athrawiaeth yr iawn yn ei pherthynas â'r ddynolryw (penodau 7–9); ac athrawiaeth yr iawn yn hanes yr eglwys (pennod 10). Un o gryfderau mawr y gyfrol, ac un o rinweddau neilltuol Lewis Edwards fel diwinydd, yw ei wybodaeth helaeth o hanes yr athrawiaeth a'i awydd i osod ffydd gyfoes y Methodistiaid Calfinaidd yng nghyddestun prif ffrwd eglwys yr oesau. Nid bod yn wreiddiol oedd ei amcan ond bod yn ffyddlon i dystiolaeth glasurol y meddwl Cristionogol ar hyd y canrifoedd. Wrth drafod datblygiad yr iawn, sonia am 'Augustine, prif golofn yr Eglwys Ladinaidd, a'r galluocaf o'r holl dadau Cristnogol' (t. 110); dyfynna o waith Origen, Athanasius, Grigor o Nasiansws ac Awstin ei hun (tt. 115–16) ac mae'n crybwyll cyfraniad Irenaeus a Tertwlianos wrth fynd heibio (t. 117). Er gwaethaf sêl fawr Edwards o blaid y dehongliad Protestannaidd o'r iawn gyda'i bwyslais ar ddyhuddiant a chosb, cyfeddyf nad yw'r tadau eglwysig gan mwyaf yn arddel y syniad hwn. A'r rheswm? 'Nid oedd ganddynt ond syniadau tywyll am ddrwg pechod, fel y mae yn erbyn Duw, ac am hynny nis gallent feddwl am gyfiawnder Duw yn gofyn iawn' (tt. 116–17). Mae'n esbonio gwaith Grigor o Nasiansws o'r bumed ganrif mewn ffordd a wnâi gyfiawnder â McLeod Campbell neu'r meddyliwr Anglicanaidd F. D. Maurice hyd yn oed:

> Pa fodd y gellir meddwl fod y Tad yn ymhyfrydu yng ngwaed ei uniganedig Fab? Gan hynny y mae yn penderfynu fod y Tad wedi derbyn yr iawn nid am ei fod yn ei ofyn, nac yn sefyll mewn angen amdano, ond oherwydd dwyfol drefniad – fel y byddai i ddyn gael ei sancteiddio trwy yr ymgnawdoliad a chael ei heddychu â Duw trwy eiriolaeth y Mab. (t. 117)

Mae'n cynhesu'n fwy at ddiwinyddion yr Oesoedd Canol, Anselm o Gaer-gaint, fel y gellid disgwyl, a Thomas o Acwin yn arbennig: 'Gellwch fyned yn rhy bell wrth gymeryd eich arwain gan ysgrifenwyr arwynebol i ddibrisio diwinyddion y canol oesoedd', meddai (t. 120), sylw annisgwyl, a dweud y lleiaf, gan Brotestant efengylaidd Fictoraidd. Ond, er gwaethaf ehangder digrintach Edwards a'i ddiwylliant catholig, iach, plentyn ei draddodiad ei hun ydyw a mab ffyddlon Diwygiad Genefa: '[Ond] pan ddeuaf at ddiwinyddion y Diwygiad Protestannaidd', meddai, 'yr wyf yn dyfod allan i anadlu yn rhydd yn awyr iach y nefoedd' (t. 121). Nid hynny sy'n syndod, ond ei gydymdeimlad llydan â'r meddwl eglwysig y tu hwnt i'w libart ysbrydol ei hun.

Er i ddegawd a hanner fynd heibio er pan ysgrifenasai ar y testun o'r blaen, yr un, yn fras, yw barn Edwards ar bwnc yr iawn: bod cyfiawnder a sancteiddrwydd Duw yn hawlio bod pechod yn cael ei gosbi, ac yn sgil hynny i'r cariad dwyfol ddarparu iawn yn angau Iesu'r Mab. 'Y mae syniadau anghywir am Dduw wedi arwain llawer i wrthod yr iawn', meddai (t. 14): sefyllfa ddifrifol dyn fel pechadur euog a barodd fod y gosb yn anorfod: 'Nis gallasai yr iawn ddangos cariad os nad oedd cyfiawnder yn ei wneuthur yn anhepgorol angenrheidiol' (t. 17). Unwaith eto mae Edwards yn gweld yr efengyl yn nhermau bodloni'r deddfau priodol:

> Yn yr holl greadigaeth, nid yw gallu un amser yn ymddangos ar wahân oddi wrth ei ddeddfau priodol . . . Y gallu yn iachawdwriaeth dyn yw cariad, ac y mae'n rhaid i ni gredu fod y gallu hwn yn gweithredu yn ôl trefn cyfiawnder tragwyddol. (t. 25)

I'r athro, mae cariad, yng nghynllun yr efengyl, yn ddarostyngedig i drefn. Gogoniant Crist oedd iddo ymddarostwng i'r un drefn â phawb arall: 'Yn nrychfeddwl y prynedigaeth, y mae holl gariad diderfyn y duwdod yn ymddangos o fewn terfynau cyfiawnder a deddf'(t. 26).

Y bedwaredd bennod yw craidd ei ymateb i'r syniadau diweddaraf. 'Y safon yw y Beibl', meddai, 'yr hwn sydd yn dangos nas gallasai Duw fod yn gyfiawn ac yn cyfiawnhau oni buasai iddo osod ei Fab yn iawn' (t. 26). I Edwards, doedd dim tir cyffredin rhwng y farn hon ac Undodiaeth: 'Nid oes un lle canol i sefyll arno rhwng yr athrawiaeth o angenrheidrwydd yr iawn yn tarddu o gyfiawnder Duw, a'r farn Sosinaidd fod Crist yn marw yn unig fel merthyr' (t. 27). Syniadau moesegol a rhesymoliaethol y clasurydd Benjamin Jowett sydd dan yr ordd yn y fan hyn, a fynnodd yn ei esboniad ar Epistolau Paul ymwrthod â'r syniad

o gosb ddirprwyol.[57] Roedd y ffaith fod Jowett, a ddaeth yn ddiwedd-
arach yn Feistr Coleg Balliol, Rhydychen, yn medru arddel y syniadau
hyn ac yntau yn glerigwr Anglicanaidd yn dangos fel yr oedd terfynau
uniongrededd yn cael eu newid a syniadau blaengar yn prysur droi yn
norm. Yr un Jowett hwn, gyda llaw, a fyddai'n dod yn fentor i Gymry
Methodistaidd gwlatgar fel O. M. Edwards a J. Puleston Jones, heb
sôn am David Charles Edwards, sef mab Lewis Edwards ei hun, pan
oeddent yn fyfyrwyr yng Ngholeg Balliol, ac yn un o bennaf cymwyn-
aswyr Thomas Charles Edwards maes o law.

F. D. Maurice

Os oedd Jowett, fel yr Undodiaid, yn llwyr amheus o'r cysyniad o
iawn, roedd meddyliwr mwy dylanwadol (yn y cylchoedd diwinyddol,
beth bynnag) sef F. D. Maurice wedi mynd ati i ddehongli'r iawn mewn
termau a roes y flaenoriaeth i ras diamod y duwdod yn hytrach nag i
gyfiawnder Duw yn y ddeddf. Athro diwinyddiaeth Coleg y Brenin,
Llundain, oedd Maurice (1805–72), ac yn ei *Theological Essays*
(1853), mynnodd y dylai'r cysyniad o gyfiawnder Duw fod yn ddar-
ostyngedig i'w gariad ac nid fel arall. Roedd aberth Crist a'r iawn,
meddai, yn tarddu o'r awydd dwyfol i adennill perthynas a fylchwyd
yn hytrach na chosbi'r di-fai yn sgil deddf a dorrwyd. Os bu i Grist
fodloni cyfiawnder Duw, gwnaeth hynny fel cynrychiolydd yr hil a fu
fyw mewn cymdeithas ddi-dor â'r Tad sanctaidd. Derbyn ei ufudd-
dod fel rhodd a wnaeth y Tad yn hytrach na'i hawlio fel amod achub-
iaeth dyn. Yn yr ymgnawdoliad câi'r ddynoliaeth gyfan ei chynrychioli.
Person Crist yn ei gyfanrwydd yn hytrach nag aberth Calfaria fel
digwyddiad ar wahân i fywyd cyflawn Crist oedd canolbwynt eu
cyfundrefn.[58] Ac roedd i'r gyfundrefn hon apêl amlwg i'r disgybl
ifanc:

> Dyma berson y Mab wedi cymeryd ein natur ni i undeb ag ef ei hun, ac
> yn ein natur wedi mynd drwy bob math o brofedigaethau, wedi ei
> demtio ym mhob peth yr un ffunud a ninnau, ac eto heb bechod, wedi
> byw a marw dan yr un ddeddf a'i greaduriaid, ac wedi rhoddi ufudd-
> dod perffaith i'r ddeddf honno – onid yw hyn ynddo'i hun yn iawn
> digonol? . . . Y mae yn taro fy meddwl i fod yma gyfundrefn gyson,
> gryno, gyflawn, yr hon nid yw yn agored i'r gwrthwynebiadau sydd yn
> codi yn erbyn y drefn fechnïol. (t. 31)

Wrth symud at ail ran y gyfrol, sy'n ymwneud â pherthynas yr iawn â Pherson Crist, mae Lewis Edwards yn rhoddi llais i gwestiynau y genhedlaeth iau trwy grynhoi, yn ddeheuig iawn (er nad yw'n ei enwi), syniadaeth McLeod Campbell:

> Os tybiwn ei fod yn unig yn cymryd ein natur, yn rhoddi ufudd-dod perffaith i'r ddeddf yn y natur honno, ac er mwyn gwneud ei ufudd-dod yn fwy gwerthfawr, yn myned o'i fodd i'r amgylchiadau mwyaf anfanteisiol y gallai dynion fod ynddynt, yn dioddef ac yn marw gan garu Duw a'i holl galon hyd y diwedd ... gellir dadlau fod hyn yn gymaint ag a allasai fod yn angenrheidiol er achub y byd yn wyneb y golygiadau manylaf ar gyfiawnder . . . [m]ewn gair fod yma iawn cyflawn i Dduw. (tt. 43–4)

Fel y gwelir o'r dyfyniadau hyn, ni fynnai'r dosbarth hwn o feddylwyr, na Maurice na McLeod Campbell, amau natur ddibechod Crist na'i farwolaeth iawnol. Bu i Grist fyw bywyd perffaith gyfiawn a wynebu tynged anorfod y di-fai mewn byd pechadurus, sef marwolaeth, a bu i'r farwolaeth honno gael ei hoffrymu i'r Tad yn aberth sanctaidd, a thrwy hynny yn sail maddeuant i bechaduriaid. Yr hyn nad oedd yma oedd y syniad o'r Tad yn mynnu aberth y Mab cyn y gallai faddau pechodau dyn. Roedd Duw yn gariad yn ei hanfod, ac o'r cariad hwnnw y tarddodd y maddeuant dwyfol; nid ufudd-dod Crist i ryw ddeddf allanol a brynodd y maddeuant hwnnw. Os oedd elfen o ddyhuddiant neu fodloni cyfiawnder yn y gyfundrefn hon, roedd hi'n fynegiant o ras yn hytrach nag yn amodi gras. Ond, i Lewis Edwards yr athro, roedd rhywbeth allweddol ar goll yn y syniadaeth hon. Nid oedd hi'n cymryd euogrwydd dyn wyneb yn wyneb â gofynion y ddeddf yn ddigon o ddifrif. 'Y mae yr awdwyr hyn', meddai:

> gyda gallu a medrusrwydd mawr, yn cyfeirio ein sylw at y Person, ac y maent yn anghofio yr angenrheidrwydd am y Weithred. Nid yw yn ymddangos fod ganddynt syniadau cywir am bechod yn yr euogrwydd ohono, ac am hynny nid ydynt yn edrych ar yr iawn, nac yn gweled yr angen amdano, fel y mae trwy anfeidrol haeddiant yn fodlonrwydd i gyfiawnder dwyfol. (t. 54)

I Maurice, McLeod Campbell a'r lleill, tlodi oedd pechod ac roedd gras yn gyfoeth, ond i Edwards, fel y mwyafrif o ddiwinyddion Ymneilltuol a Phiwritanaidd o'i flaen, sarhad yn erbyn y ddeddf ddwyfol oedd pechod ac felly yn dwyn digofaint, euogrwydd a barn:

Pe na buasai pechod yn ddim ond tlodi neu ddallineb, neu ryw anffawd, buasai ymgnawdoliad Mab Duw yn ddigon, heb iddo farw, ond gan ei fod yn ddrwg moesol yn haeddu cosbedigaeth dragwyddol, yr oedd yn rhaid cael haeddiant anfeidrol . . . cyn y gallesid maddau. (ibid.)

Fel yn nhrefn aberthol yr Hen Destament, nid damwain oedd y gollwng gwaed ond rheidrwydd yr oedd cyfiawnder yn ei hawlio: 'Nis gellir meddwl fod yr holl drefniadau hyn [sef aberthau'r Hen Destament] wedi eu gosod gyda'r fath fanylrwydd a phwysigrwydd heb fod ynddynt ryw ystyr', meddai (t. 33). Roedd parhad amlwg rhwng y ddau Destament gyda Chaneuon y Gwas yn Llyfr Eseia, yr ing yn yr ardd yn yr efengylau, y gri o'r groes, 'Fy Nhad, fy Nhad, paham y'm gadewaist' a'r cyfeiriadau mynych at aberth Crist yn yr epistolau fel petaent yn hawlio bod marwolaeth Crist yn cael ei dehongli fel cosb ddirprwyol a oedd yn bodloni gofynion cyfiawnder. Roedd hi'n dilyn, felly, fod yr ymgnawdoliad, ohono'i hun, yn annigonol: 'Y mae y ffaith yn aros fod y Beibl yn rhoddi arbenigrwydd neilltuol ar ei farwolaeth, ac yn dangos fod y Beibl wedi ymgnawdoli i'r diben o farw drosom' (t. 27). Y farwolaeth sydd allweddol, waeth beth am fywyd dilychwyn, esiampl berffaith a gweinidogaeth addysgol y Gwaredwr a rannodd i'r eithaf ein natur ddynol ni: 'Yr ufudd-dod hwn hyd angau sydd yn cyfansoddi yr haeddiant, ac y mae yr haeddiant hwn yn aros byth o angenrheidrwydd yn y Mechnïydd, ac nis gellir ei gyfrif i ni nes y dygir ni i undeb gweithredol a pherson Mab Duw' (t. 37). Fel y cwbl, bron, o Brotestaniaid efengylaidd o'i flaen, i Lewis Edwards aberth Crist yn ein lle yn hytrach nag ymgnawdoliad Crist mewn undeb bywydol â'r ddynoliaeth gyfan oedd yn ganolbwynt y ffydd.

Diwygiad 1859

Beth bynnag am y feirniadaeth uchod, nid oes amau disgleirdeb y gyfrol *Athrawiaeth yr Iawn*, ei hysbryd rhagorol, eglurder ei rhesymu, difrifoldeb ei hamcan a'i duwioldeb dwfn. Cafodd effaith helaeth ar y pryd ac am ddegawdau i ddod, nid lleiaf ymhlith dychweledigion Diwygiad 1859. 'Diau i'r llyfr hwn greu llawer o feddylwyr yng Nghymru', meddai John Bowen, Pontrhydfendigaid:

Astudid gryn lawer arno yng ngaeaf 1861: yn ysgolion, yr aelwyd gartref, ac yn y dosbarthiadau beiblaidd ag oedd ynglŷn â'r eglwysi. Dadleuai y

llanciau wrth ddau gorn yr aradr, y cryddion yn eu gweithdy, y mwyn-
wyr yn y gwaith plwm, a'r glowyr yn y gwaith glo, ei osodiadau a'i
gasgliadau . . . Rhwng popeth, yr oedd y fath ddyhead yn ieuenctid
meddylgar y wlad am gael gweled a chlywed unwaith yn pregethu awdur
galluog *Athrawiaeth yr Iawn* ac oedd yn Israel gynt am weled proffwyd
Duw yn gwneud ei ymddangosiad.[59]

Dair mil o filltiroedd i ffwrdd, ym maes glo Pennsylvania yn 1887,
ysgrifennodd John Moses, un o weinidogion cyfundeb Methodistiaid
Cymraeg America, i'r *Cyfaill o'r Hen Wlad*, yn mynegi gwerthfawr-
ogiad oes. 'Ar ôl darllen y traethawd uchod amryw weithiau drosodd,
tynnais allan . . . fraslun o'i faterion a'i gynhwysiad . . . gan dybied y
gallai cyhoeddi y cyfryw yn *Y Cyfaill* godi awydd mewn llawer o bobl
ieuainc i'w ddarllen a'i myfyrio.'[60] Er bod cenhedlaeth a mwy wedi
mynd heibio, yr un oedd y blas a gafodd o bori yn ei dudalennau. 'Os
ca y darllenydd gymaint o fudd a hyfrydwch ym materion y traethawd
godidog hwn ag a gafodd yr ysgrifennydd, teimla wir ddiolchgar i'r
awdur enwog am ffrwyth ei feddwl toreithiog, ac i Dduw pob gras am
. . . iawn anfeidrol Calfaria.'[61] Nid oedd y blynyddoedd na'r milltiroedd
wedi dirymu'r effaith na mygu'r gamp.

Beth bynnag am ddeallusrwydd Lewis Edwards a'i bwyslais ar
athrawiaeth gywir a boneddigeiddrwydd ymddygiad, roedd meithrin
duwioldeb yn flaenoriaeth ganddo yn barhaus. Gwedd ar y bywyd
ysbrydol oedd diwylliant iddo, a llawforwyn i ddefosiwn oedd dysg. Y
pennaf angen mewn pregethwr oedd cael ei eneinio â'r Ysbryd Glân.
'Ysbryd y weinidogaeth yw golau yr efengyl – golau crefydd bersonol
– yn enaid dyn, wedi torri allan yn fflam', meddai.[62] Er y gallai addysg
golegol hybu hyn, ffynhonnell y peth oedd Duw yr Ysbryd Glân:

> Y mae Duw yn llewyrchu i galon pob dyn duwiol, ond y mae y
> llewyrch hwn yn ambell un yn fflamio allan, nes y mae yntau yn 'rhoddi
> goleuni gwybodaeth gogoniant Duw yn wyneb Iesu Grist' i eraill. Y
> mae gair Duw yn myned yn dân o fewn ei esgyrn, nes y mae yn rhaid
> iddo lefaru neu farw, ie, y mae'n rhaid iddo lefaru pe gorfyddai iddo
> farw am hynny. Nis gall beidio. Dyna ydyw ysbryd y weinidogaeth.[63]

Pan dorrodd Diwygiad 1859 allan, diwygiad a gafodd effaith sobreiddiol
ar Thomas Edwards, ei frawd, ac ar Thomas Charles Edwards, ei fab,
ni lawenychai neb yn fwy na Lewis Edwards ei hun. 'During the whole
of last week', meddai wrth Owen Thomas ar 4 Ebrill 1859, 'my brother

was here, full of the *Diwygiad*, and I had very little time to attend to anything else. I never saw a man more changed than my brother, for now he preaches with tremendous power, and is a thorough Revivalist.'[64] Dechreuodd y diwygiad yng ngogledd Ceredigion ddiwedd 1858 dan arweiniad Humphrey Jones, y pregethwr Wesleaidd o Dre'r-ddôl, a Dafydd Morgan, y Methodist Calfinaidd o Ysbyty Ystwyth. Erbyn diwedd gwanwyn 1860 cyfrifid y dychweledigion yn eu degau o filoedd trwy Gymru i gyd, tua chan mil yn ôl yr hanesydd Thomas Rees, Abertawe.[65] Mewn termau ysbrydol, doedd dim amheuaeth mai hwn oedd yr achlysur pwysicaf ym mywyd y genedl ers cenhedlaeth a mwy: .

> There is a great work going on in Wales, and one of the most cheering signs of the times is the new spirit awakened among the preachers . . . With us at Bala, in the society on Sunday evenings some hundreds are obliged to remain in the gallery as there is no room for them dowstairs, and even on Wednesday evenings the place is inconveniently full. For the last six months there has scarcely been a society meeting without someone asking for admission, but about five weeks ago eleven came at once, and ever since we have been receiving several every week.[66]

Wrth drafod y diwygiad yn Ionawr 1860, meddai, 'Dyma amryw gannoedd yn y flwyddyn a aeth heibio wedi eu haileni, y mae lle i obeithio, ym Mhenllyn ac Edeirnion, ond hynod cyn lleied o ddarpariaeth sydd gennym i'w meithrin a'u hymgeleddu.'[67] 'I am glad to tell you that the young men in both these colleges [sef ei goleg ei hun a Choleg yr Annibynwyr, sef coleg Michael D. Jones yn y dref] have been baptized with the Holy Spirit in this revival', meddai wrth Owen Thomas eto, ar 26 Ionawr y tro hwn. 'Speaking of my own knowledge of the students from our college, I am convinced that it is the work of God.'[68] Gellid credu na fyddai angen dim mwy na hyn i ddwyn bodlonrwydd i ŵr o anianawd Lewis Edwards, ond gwyddai fod crefydd yn ymwneud nid yn unig â'r bywyd mewnol ond â holl agweddau profiad dyn. Daeth achlysur, ym mlwyddyn y gorfoleddu mawr, i ddiriaethu'r ysbrydol mewn symudiad politicaidd hynod ei arwyddocâd.

Lewis Edwards a'r Cause Célèbre

Yn ôl Thomas Charles Edwards, nid oedd gwleidyddiaeth yn gymhelliad blaenllaw ym mywyd ei dad. 'Er nad oedd ei ddiddordeb mewn gwleidyddiaeth yn fwy na'r cyffredin, eto yr oedd buddiannau Cymru yn agos at ei galon.'[69] Mae'n ddiau bod hyn yn wir, ac roedd ei farn am bwysigrwydd gwleidyddiaeth yn wahanol i eiddo ei gyfaill Henry Richard ac i'w gymydog Michael D. Jones, pennaeth Coleg Annibynwyr y Bala. Mae'n fwy arwyddocaol fyth, felly, iddo chwarae rhan allweddol yn *cause célèbre* politicaidd rhyfeddaf y cyfnod, sef yr ymgyrch i danseilio grym y Toriaid a'r landloriaid ym Meirionnydd, yr hyn a arweiniodd ymhen dim at sefydlogi'n derfynol y Gymru radicalaidd newydd.

Ar 25 Mawrth 1858 y cynhaliwyd cyfarfod cyhoeddus yn y Bala i fynegi cydymdeimlad trigolion Penllyn â Syr Watkin Williams Wynn, barwn Wynnstay, sir Ddinbych ar yr anffawd o golli ei blasty mewn tân. Ef oedd prif berchennog tiroedd gogledd Cymru, a chanddo 145,000 o erwau yn bennaf ym Maldwyn, sir Ddinbych ac ym Meirionnydd. Fe'i perchid yn gyffredinol ar sail ei synnwyr o degwch, ei ymdeimlad o gyfiawnder a'i ddynoliaeth braf. Yr oedd, meddid, 'a gentleman who is distinguished among the aristocracy of Wales as being pre-eminently a lover of the country and the friend of his people'.[70] Yn wahanol i'r Annibynwyr a'r Bedyddwyr, ni etifeddodd y Methodistiaid draddodiad gwrthsefydliadol, ac roedd eu parch at hierarchiaeth gymdeithasol, y bendefigaeth etifeddol a holl rym yr awdurdodau gwladol yn bethau real iawn, a'r ymdeimlad o blaid Syr Watkin yn ei drallod yn ddwys. A'r un a ddewiswyd i fynegi hyn oedd Lewis Edwards. Yr hyn sy'n drawiadol am ei anerchiad yw nid y nodyn diffuant o gydymdeimlad, ond iddo siarad yn hyderus fel arweinydd naturiol ei bobl ac iddo atgoffa'r barwnig ynghylch ei gyfrifoldebau fel un o arglwyddi'r tir. 'The chapels', meddai Ieuan Gwynedd Jones, 'in creating their own values, produced men who embodied those values, and so created their own *élite*'.[71] Nid oedd neb a gynrychiolai'r *élite* hwnnw yn well na phrifathro Coleg y Bala. Nid oedd rhithyn o waseidd-dra ar gyfyl ei eiriau, a mynnai siarad â Syr Watkin nid fel deiliad ond fel un a oedd gyfuwch ag ef. Roedd hi'n amlwg bellach fod pendefigaeth newydd, y bendefigaeth Ymneilltuol Gymraeg, eisoes wedi dod i rym.

Y broblem fawr a wynebai arglwyddi'r tir, meddai Edwards, oedd yr hollt cymdeithasol, ieithyddol a chrefyddol a ddatblygasai rhyngddynt a'u deiliaid. Nid yn unig eu bod yn ddynion ariannog a'u tenantiad, o'u cymharu, yn dlawd, ond gwyddent fod ganddynt hawl i reoli tra mai dyletswydd y werin, ar y llaw arall, oedd plygu i'w barn. Er i'r mwyafrif o'r tirfeddianwyr arfer tegwch wrth arddel eu safle, nid oedd dim amheuaeth am y pellter syniadol a phrofiadol a fu rhyngddynt ers canrif a mwy. Ni ddylai neb gredu fod swildod y werin yn arwydd o daeogrwydd, meddai, oherwydd rhai pwyllog, deallus oedd y Cymry hyn, a'u crefydd wedi rhoi iddynt urddas, pwrpas a nod. 'I know them well', meddai, 'and I speak what I know when I aver before this meeting that there is not a class of men on the face of the earth who have a more genuine and heartfelt regard for their landlords than the tenancy of Wales'.[72] Ond er mwyn cael o'u gorau, roedd angen eu trin fel bodau rhesymol, gyda pharch, ac o wneud hynny doedd dim rheswm pam na allai heddwch deyrnasu ar sail cyfiawnder a chwarae teg. Roedd mab tyddyn Pwllcenawon yn un o feibion y werin hon, ac yn sgil ei safle fel blaenwr yr *élite* Anghydffurfiol newydd, nid oedd amheuaeth mwyach mai amddiffyn eu hawliau hwy oedd ei dasg.

O hynny ymlaen daeth hi'n fwyfwy amlwg fod tref y Bala yn dechrau deffro o'i thrwmgwsg bwrdeisiol. Roedd hi eisoes yn ymwybodol o'i safle fel mangre dau goleg diwinyddol pwysig, un yn perthyn i'r Methodistiaid Calfinaidd a'r llall yn gwasanaethu'r Annibynwyr, a bellach daeth yr wybodaeth i glawr fod ganddi hawliau dinesig a oedd yn ymestyn yn ôl i'r Oesoedd Canol. Dangosodd cyfrifiad crefyddol 1851 fod Ymneilltuaeth wedi cipio ymlyniad trwch trigolion Penllyn. Oddi mewn i'r pum plwy roedd gan Eglwys Loegr saith addoldy, sef y 5 llan hynafol a 2 gapel anwes, ond roedd gan yr enwadau Ymneilltuol gymaint â 26 o gapeli rhyngddynt: 16 gan y Methodistiaid Calfinaidd, 8 gan yr Annibynwyr, 1 gan y Bedyddwyr ac 1 gan y Wesleaid. O ran addolwyr roedd y gwahaniaeth rhwng y ddau draddodiad eglwysig, yr esgobol a'r anghydffurfiol, yn drawiadol. Oddi mewn i blwyf Llanycil, sef plwyf tref y Bala, roedd 80 o addolwyr yn bresennol yng ngwasan-aethau'r Eglwys Anglicanaidd ar fore Sul y cyfrifiad o'u cymharu â 410 yn yr 8 capel anghydffurfiol, a 35 yn y prynhawn o'u cymharu â 348 mewn oedfaon yn y capeli. Ond roedd y gwahaniaeth mwyaf i'w weld gyda'r nos. Ni chynhaliwyd hwyrol weddi yn y llannau, ond gyda'r hwyr troes cymaint ag 1,400 allan ar gyfer oedfaon yn y capeli, dros 650 yng nghapel Bethel yn unig lle roedd Lewis Edwards, yn ôl cofnod y cyfrifiad, yn gweinidogaethu. Yr un oedd y patrwm yn fras yn y plwyfi eraill, Llanfor, Llangywer, Llandderfel a Llanuwchllyn, ond yno roedd yr Annibynwyr ar y blaen i'r Methodistiaid.[73] Roedd hyn cyn i Ddiwygiad 1859 atgyfnerthu'r capeli mewn ffordd mor ddramatig. 'Merioneth', meddai Ieuan Gwynedd Jones, ar sail tystiolaeth ystadegol y cyfrifiad, 'was the most religious area in the most religious region in England and Wales',[74] ac roedd tref y Bala yn ganolbwynt i'r cwbl. A bellach roedd diwygiad o natur arall ar fin ei tharo.

Yn Ionawr 1859 cynhaliwyd cyfarfod cyhoeddus o dan lywyddiaeth yr yswain George Price Lloyd o Blas-yn-dre. Roedd yn berthynas i'r diweddar offeiriad Methodistaidd Simon Lloyd, cyfaill pennaf Thomas Charles, yn ynad heddwch ac yn gyn uchel-siryf Meirionnydd. Yr achlysur oedd adfer i'r dref yr hawliau bwrdeisiol a fu ganddi ers yr Oesoedd Canol ond a oedd, ers cenedlaethau, wedi llithro i anghofrwydd. Ond bellach roedd blaenwyr y dref yn benderfynol o wneud iawn am yr hir esgeulustod a chomisiyniwyd y twrnai David Williams, Castell Deudraeth, i ymchwilio i'r mater. Brodor o Lŷn oedd Williams, yn fab i deulu o Fethodistiaid Calfinaidd, yn Rhyddfrydwr o ran ei wleidyddiaeth ac ers blynyddoedd yn un o brif dwrneiod Gwynedd. Daeth o hyd i'r siarter, a gyhoeddwyd yn nheyrnasiad Edward II, yn casglu llwch yn Llundain, ac yn unol â'i thelerau roedd gan y dref hawl i ethol ei maer ei hun a dau feili. Achlysur i drosglwyddo'r siarter yn ôl i'r trefolion oedd y cyfarfod gyda Lloyd yn y gadair, David Williams yn brif siaradwr, Lewis Edwards yn cynnig y diolchiadau a Michael D. Jones yn ei eilio.[75] Grym symbolaidd oedd i'r symudiad. Prin y gellir honni fod gan faer atgyfodedig y dre fawr o ddylanwad, ond roedd hi'n argoel fod y bendefigaeth newydd yn hawlio'i lle. Nid oedd a wnelo'r achlysur ddim â'r dosbarth tiriog, Torïaidd, Saesneg a gynrychiolwyd gan Syr Watcyn Williams Wynn a phrif dirfeddiannwr Penllyn, sef R. W. Price o Riwlas. 'It was the town of Bala which produced this group of leaders', meddai Ieuan Gwynedd Jones, 'and its appearance was a unique phenomenon of the late 1850s'.[76] Ac yn flaenllaw yn eu plith oedd yr amholiticaidd Lewis Edwards. Ond roedd y rhod eisoes yn troi, a gwleidyddiaeth bellach yn ffactor diamheuol yn natblygiad cymdeithasol y werin Gymraeg. 'In this way', meddai Jones eto, 'Bala created for itself a political organization at precisely the time when national politics were themselves beginning to change and impinge on local affairs'.[77] Digwyddodd hynny mewn ffordd chwyldroadol iawn gydag etholiad hanesyddol 1859.

Er 1852 Aelod Seneddol y sir fu William Watkin Edward Wynne, un o deulu Peniarth yn ymyl Tywyn ym mhlwyf Llanegryn. Fel gweddill etifeddion y prif ddeuluoedd tiriog, Sais ydoedd o ran diwylliant ac iaith a addysgwyd yn Ysgol Westminster ac yn Rhydychen, ac a briododd i mewn i deulu tiriog arall, yn ei achos ef teulu Robert Aglionby Slaney, Aelod Seneddol Ceidwadol Amwythig. Fel y digwyddodd, bu'n ddiwyd fel hynafiaethwr, a thrwyddo ef y diogelwyd casgliad helaeth o lawysgrifau prin ym mhlasdy Peniarth a ddaeth maes o law yn un o gasgliadau creiddiol y Llyfrgell Genedlaethol. Ni roes ei ddiddordebau hynafiaethol, fodd bynnag, nemor ddim cydymdeimlad â gwerthoedd nac arferion dosbarth y tenantiaid, ac roedd ei uchel-Anglicaniaeth ddigyfaddawd am y pegwn ag argyhoeddiadau crefyddol ei ddeiliaid. Ef, yn 1855, a wahoddodd 'y Tad' Griffith Arthur Jones, y mwyaf eithafol o Eingl-Gatholigion cynnar Cymru, i fod yn ficer Llanegryn a thrwy hynny daeth defodaeth, gwrth-biwritaniaeth, defosiwn obsesiynol, bron, i'r Forwyn Fair, a chas perffaith at Anghydffurfiaeth, yn sylfaen dysgeidiaeth eglwys y plwyf.[78] Pan oedd yn Llundain byddai'r sgweiar yn addoli yn Sant Barnabus, Pimlico, sef y fwyaf defodol o holl eglwysi Eingl-Gatholig y brifddinas. Beth bynnag am ei rinweddau fel bonheddwr, perthynai i fyd cwbl wahanol i drwch trigolion ei sir ei hun.

Oherwydd ceidwadaeth gynhenid y gymdeithas a safle anwrthwynebadwy yr *ancien régime*, ni freuddwydiwyd y byddai neb yn codi i herio'r drefn gysurus a fu ohoni ers cyn cof, ond fel y gwelwyd, roedd arwyddion deffro yn y Bala eisoes, ac mewn mannau eraill o'r sir yn ogystal. Daeth hi'n gynyddol amlwg erbyn 1859 fod un dyn a chanddo'r parch, y poblogrwydd a'r grym cymdeithasol i fod yn gatalydd ar gyfer newid, sef neb llai na David Williams, Castell Deudraeth, y gŵr a ddarganfu yn Llundain ychydig yn gynt hen siarter tref y Bala. Nid Ymneilltuwr oedd Williams ond Eglwyswr ond, yn wahanol i sgweier Peniarth, roedd yn Gymro Cymraeg, yn hanu o blith y werin, yn efengylaidd ei ysbryd ac yn Brotestannaidd ei gredo. Roedd yn Rhyddfrydwr ac yn ddiwygiwr, yn frwd o blaid estyn y bleidlais i'r mân amaethwyr a'r tenantiaid llai ac yn benderfynol o roi lles Meirionnydd yn gyntaf. Wedi i eraill roi cryn bwysau arno, ac wedi archwilio lefel y gefnogaeth ymhlith etholwyr y sir, cyhoeddodd ar 23 Ebrill, bythefnos cyn yr etholiad, ei barodrwydd i herio William Watkin Edward Wynne yn enw'r blaid ddiwygiadol. Roedd hynny ynddo'i hun yn rhyfeddod. Roedd hi fel petai colofnau trefn yr oesoedd yn siglo.

Blaenwyr y Bala oedd y tu ôl i ymgeisyddiaeth Williams, George Price Lloyd ac eraill o'r tirfeddianwyr llai, ynghyd â Dr Owen Richards, meddyg y dref, Simon Jones y fferyllydd, Michael D. Jones y radical, gŵr a elwir gan Ieuan Gwynedd Jones yn 'a lonely, enigmatic and somewhat eccentric figure',[79] yr is-brifathro John Parry a Lewis Edwards ei hun. Ef, mewn llythyr at gyfarfod agoriadol yr hyn y daethpwyd i'w alw yn 'Gymdeithas Ddiwygiadol Meirionnydd' ar 28 Ebrill, a osododd allan, yn gwbl ddifloesgni, blatfform y diwygwyr. 'The letter itself', meddai Jones, 'was a brilliant and carefully composed statement of the reformers' case'.[80] 'Nid yw gorchwylion eraill yn caniatáu i mi gymeryd rhan yn y cyfarfodydd cysylltiedig â'r etholiad', meddai Edwards, 'nac i wneuthur nemor o gynhorthwy effeithiol i chwi mewn unrhyw ffordd arall, ond yr wyf yn teimlo er hynny mai fy nyletswydd yw datgan fy marn fod Mr Wynne yn un o'r rhai mwyaf anghymwys y gellid dychmygu amdano i gynrychioli Sir Feirionnydd'.[81] Roedd natur ddigyfaddawd y datganiad yn annisgwyl gan ddyn pwyllog a fyddai bob amser yn mesur ei eiriau yn ofalus. Gŵr teimladwy ydoedd a ddysgodd, trwy hir ymarfer, guddio ei deimladau dyfnaf, ond weithiau – roedd ei ymateb i Frad y Llyfrau Gleision yn enghraifft o'r peth – byddai'r cwbl yn berwi i'r wyneb. Nid brwydr rhwng Tori a Rhyddfrydwr oedd hon meddai, na rhwng Eglwyswyr ac Anghydffurfwyr, 'ond ei bod yn dwyn perthynas â hanfodion y grefydd Brotestannaidd, ac nis gallaf lai na meddwl fod y neb a roddo ei bleidlais i Mr Wynne yn euog o fradychu yr egwyddorion hynny y bu Cristionogion y dyddiau gynt yn dioddef merthyrdod drostynt yn hytrach na'u gwadu'.[82] Roedd gan sgweier Peniarth bob hawl i ddewis ei grefydd ei hun, meddai, 'ond dywedaf yn hyf . . . nad oes ganddo hawl i orfodi neb o etholwyr Sir Feirionnydd i roddi pleidlais tuag at ei alluogi ef i'n camgynrhychioli ni yn senedd Prydain'.[83]

Y Troi Allan

Yr orfodaeth y cyfeiriodd ati oedd y sôn cynyddol ar draws y sir fod y landlordiaid yn pwyso ar eu tenantiaid i fwrw eu pleidlais o blaid W. W. E. Wynne. Hwn oedd y 'sgriw' bondigrybwyll, 'drwg gennym hysbysu fod y sgriw yn cael ei roi ar lawn waith gan amryw o'r Torïaid', meddai adroddiad *Baner Cymru* ar y pryd.[84] Y sôn oedd bod Price o Riwlas eisoes wedi ceisio dwyn perswâd ar ei ddeiliaid trwy ysgrifennu atynt, ac yna, ar 7 Mai, tridiau cyn y pleidleisio, gwysiodd 33 ohonynt i Westy'r Bull yn y Bala a siaradodd â hwy yn bersonol gan eu hysbysu yn blaen beth fyddai canlyniad pleidleisio yn erbyn ei ddymuniad. Digwyddodd yr un peth yn achos tenantiaid stad Glan-llyn, rhwng Llan-ycil a Llanuwchllyn, sef unig diroedd Syr Watkin Williams Wynn ym Mhenllyn, er mai John Williams, asiant y barwnig, a siaradodd â'r tenantiaid yno. Roedd canlyniad yr etholiad yn rhyfeddol. O'r 750 a bleidleisiodd trwy'r sir, 65.7 y cant o'r rhai a gofrestrwyd, cafodd Wynne 389 o'r pleidleisiau a Williams 361. Yn rhanbarthau Tywyn a Dolgellau cafodd Williams chwarter y bleidlais, yng Nghorwen tua hanner, yn Harlech ef oedd â'r mwyafrif clir ac yn nhref y Bala ni enillodd Wynne yr un bleidlais, er iddo ennill ambell bleidlais yn y wlad o gwmpas. O ystyried mai hwn oedd y tro cyntaf i'r Rhyddfrydwyr ymladd am y sedd, nad oedd ganddynt unrhyw drefniadaeth yn y sir, i Williams ddod yn hwyr i'r frwydr ac na wnaeth nemor ddim canfasio, roedd y canlyniad yn sioc, gymaint mwy ac ystyried y pwysau trwm a roddodd y tirfeddianwyr ar eu tenantiaid i gynnal y *status quo*. Meddai Ieuan Gwynedd Jones, '1859 . . . was witnessing a change of revolutionary proportions whereby opposition was being led by men of a lower social rank with whom the lesser gentry were associating themselves'.[85] Er i sgweier Peniarth gadw ei sedd o ychydig, byddai ymateb yr hen landlord-iaid yn ffyrnig.

Yn ystod haf 1859 trowyd o'u ffermydd bump o denantiaid stad y Rhiwlas a'u teuluoedd: Ellis Roberts o'r Fron-goch, John Jones, Maes-y-gadfa, John Davies, Ty'n-llwyn, John Jones, Nant-hir, a John Roberts, Tŷ-isaf. Eu trosedd oedd peidio â phleidleisio i'r ymgeisydd Torïaidd yn groes i ddymuniad R. W. Price, naill ai trwy gefnogi David Williams yn agored neu trwy atal eu pleidlais. Nid mân denantiaid oedd y rhain ond amaethwyr sylweddol a gwŷr o statws yn eu cymuned. Roedd Ellis Roberts, John Jones, Maes-y-gadfa, a John Davies yn flaenoriaid gyda'r Methodistiaid Calfinaidd a John Jones, Nant-hir, yn ddiacon Annibynnol: 'All the evicted tenants had one thing in common: they were all Nonconformists.'[86] Ymhen byr o dro, trowyd allan chwe thenant arall, nid o stad y Rhiwlas y tro hwn ond o dir Syr Watkin Williams Wynn yng Nglan-llyn, ac yn eu plith Mary Jones o'r Weirglodd-wen, sef mam oedrannus y Prifathro Michael D. Jones. Bu'r peth yn sgandal trwy'r fro a throes y tân yn goelcerth. Bellach roedd y gymuned gyfan yn eirias o blaid diwygio a'r arweinwyr crefyddol wedi'u trwyadl politic-eiddio, a hynny ym mlwyddyn yr adfywiad mawr ysbrydol. Mewn cyfarfod cyhoeddus allweddol yn y Bala ar 16 Awst, cyfaddefodd Lewis Edwards y dylai fod wedi gwneud mwy yn yr ymgyrch ddiweddar. 'O'm rhan fy hunan, meddai, 'os cyfeiliornais o gwbl yn yr etholiad a aeth heibio, gwneuthum felly trwy wneuthur yn rhy fach'.[87] Yna aeth ymlaen i wneud pwyntiau grymus dros ben:

Gallaf ddywedyd yn ddi-ragrith nad ydym yn caru ymryson. Nid ydym am ryfel. Nid nyni sydd wedi ei ddechrau. Yr ydym wedi gwneuthur a allem i gadw heddwch, ac hyd yn oed yn awr pe caem adferiad heddwch, gallwn sicrhau y bydd bonheddwyr Penllyn mor barchus ac y buont erioed . . . Ond nis gallwn wneud heddwch oddi eithr ar dir cyfiawnder. Nis gallwn aberthu egwyddor. Beth bynnag fyddo'r canlyniadau, yr ydym o dan rwymau tragwyddol i amddiffyn rhyddid cydwybod ac i sefyll dros iawnderau ein cymdogion. Os rhyfel raid fod, nid oes gennym ond dywedyd, *God defend the right!*[88]

Fel yn achos y Llyfrau Gleision, roedd yr haearn wedi mynd i mewn i'w waed. Roedd Prifathro Coleg y Bala bellach wedi ei brofi ei hun y tu hwnt i bob dadl yn *political Dissenter* o'r iawn ryw.

Ymgyrch Edward Morgan

Yng nghanol y berw gwleidyddol a'r ymchwydd mawr ysbrydol roedd angen ymorol am waith pob dydd y coleg, a'r gwir yw na allai'r adfywiadau mwyaf cynhyrfus ddatrys y problemau i gyd. Torrodd y ddau ddiwygiad ar draws datblygiad a allai fod wedi cael effaith andwyol ar bopeth y mynnai Lewis Edwards ei gyflawni. Mewn anerchiad gerbron sasiwn Bangor ym Medi 1856, meddai Edwards: '[G]yda golwg ar yr athrofa fel sefydliad y cyfundeb, mae yn amlwg nad ydyw yn debyg o barhau yn anrhydeddus ac effeithiol heb gyfnewid trwyadl yn y dull o'i ddwyn ymlaen.'[89] Atgoffodd y cynrychiolwyr o'r cyfnewidiad mawr a ddigwyddodd yn ystod y degawdau cynt, ac o'u dyletswydd i ariannu'r achos yn deilwng trwy greu cronfa sefydlog yn hytrach na dibynnu ar grantiau digyfnewid gan y cyfarfodydd misol. Cymaint oedd effaith hyn nes i gynrychiolwyr y siroedd, mewn cyfarfod yn y Rhyl fis yn ddiweddarach, benderfynu codi cyflog yr athrawon yn sylweddol, addo adolygu'r sefyllfa yn drwyadl a chyflwyno argymhellion i sasiwn yr Wyddgrug ym mis Rhagfyr. Cynigiodd hyn gyfle i Edwards ddatgelu pa mor ddrwg roedd pethau wedi bod. 'Wrth weled cyn lleied o deimlad yn cael ei ddangos at achos yr athrofa, yr oeddwn lawer gwaith wedi bwriadu cyfeirio fy ymdrech at godi ysgol heb fod mewn undeb â'r gymdeithasfa', meddai,

> ond hyd yn hyn yr oeddwn wedi ymatal. Pa fodd bynnag, pan hysbyswyd i mi gan Mr Parry ei fod wedi dyfod i'r penderfyniad i roddi ei swydd ei fyny [ar gyfrif y cyflog bychan a gâi], nis gallaswn lai na gweled ei bod yn bryd i ni gael dealltwriaeth eglur pa fodd . . . i fyned ymlaen.[90]

A'r sasiwn bellach wedi deffro i'w gyfrifoldebau, datganodd y byddai cyflog yr athrawon yn codi, £280 y flwyddyn i'r prifathro a £220 i'r isbrifathro, y cychwynnid ymgyrch i godi swm digonol o arian i fedru rhedeg y sefydliad yn llwyddiannus ac y byddai swyddog yn cael ei benodi i fod yn gyfrifol am y cwbl. 'Nid oeddwn yn gweld yr un gobaith', meddai Edwards, 'am gael ysgol dda heb ddechrau o newydd'.[91] Y gŵr a siarswyd i wireddu'r bwriad hwn oedd pregethwr eiddil ei gorff ond haearnaidd ei ewyllys o Ddyffryn Ardudwy, Meirionnydd, o'r enw Edward Morgan.

Brodor o Langurig, sir Drefaldwyn oedd Edward Morgan (1817–71), a fagwyd yn Llanidloes o dan weinidogaeth Humphrey Gwalchmai, ysgrifennydd sasiwn y gogledd, gŵr a fu'n flaenllaw yn llunio'r Gyffes Ffydd (1823) ac awdur y *Weithred Gyfansoddiadol* a droes y Methodist-iaid Calfinaidd yn enwad swyddogol yn llygaid y gyfraith yn 1826.[92] Â'i fryd ar fod yn athro ysgol, mynychodd Morgan Goleg y Bala yn 1839 lle bu'n gyfoeswr ag Owen Thomas a John Parry, cyn ymsefydlu yn y Dyffryn, rhwng Harlech a'r Bermo, flwyddyn yn ddiweddarach. Bu'n aelod eglwysig er 1835, ond nid tan ei gyfnod yn y Dyffryn y dechreuodd bregethu, a chael ei dderbyn gan gyfarfod misol Dwyrain Meirion-nydd yn 1840. Er gwaethaf ei eiddiledd, 'yr oedd ei iechyd yn wannaidd iawn, ac adnabyddid ef gan ei gyd-efrydwyr fel gŵr ieuanc llwfr ac ofnus',[93] buan y daeth yn bregethwr nerthol, diwygiadol. Roedd sôn mawr amdano yn sasiwn Caernarfon, 1845, pan fu i liaws o'i wrand-awyr 'lamu fel ŵyn ar y ddôl . . . ymhen ychydig amser yr oedd y gynulleidfa fawr wedi ei llwyr orchfygu gan y dylanwadau dwyfol, a'r gweinidogion ar yr esgynlawr â golwg gynhyrfus arnynt oll'.[94] O hynny ymlaen ystyrid ef, ynghyd ag Owen Thomas yn y gogledd ac Edward Matthews yn y de, yn un o bregethwyr mwyaf pwerus ei enwad: 'Yn 1845 daeth yn adnabyddus trwy dde a gogledd, a chyrhaeddodd ar un-waith boblogrwydd mawr.'[95] Deuai maes o law yn brif arweinydd y Methodistiaid yn nwyrain Meirionnydd.

Beth bynnag am ei nwyd pregethwrol, awchai hefyd am ddysg. Mynychodd Goleg y Bala eilwaith yn 1843, a threuliodd flwyddyn yng Nghaeredin yn 1846 wrth draed Thomas Chalmers, yn un o fyfyrwyr cyntaf Coleg Newydd ('New College') yr Eglwys Rydd. Nid dibwys oedd arhosiad Edward Morgan yn yr Alban. Meddai ei gofiannydd: 'Bu ôl y tymor a dreuliodd yn Edinburgh arno ar hyd ei oes.'[96] Roedd ef eisoes wedi'i ennill i egwyddor y weinidogaeth oleuedig cyn mynd yno, ac fel cynifer o wŷr ifainc eraill, prin y gallai osgoi cyfaredd personol-iaeth Thomas Chalmers pan oedd y gŵr mawr hwnnw, yn dilyn ym-raniad eglwysig yr Alban, ar ei fwyaf arwrol. Os aeth i Gaeredin yn Fethodist, daeth yn ôl yn Bresbyterydd, yn argyhoeddedig o'r angen i greu yng Nghymru weinidogaeth sefydlog daledig, cymanfa gyffredinol a holl baraffarnelia eglwys Bresbyteraidd o'r iawn ryw: 'Bu Mr Morgan

yn edmygydd mawr o'r eglwys honno [yr Eglwys Rydd], ac yn wir, o'r
Eglwysi Henaduriaethol yn gyffredinol hyd ddiwedd ei oes.'[97] Ond
nid hwyrach y peth a'i hysbrydolodd fwyaf oedd llwyddiant ysgubol
Chalmers, trwy gyfrwng yr egwyddor wirfoddol, i godi cannoedd o
filoedd o bunnoedd i ariannu'r Eglwys Rydd, ei thai cyfarfod dirifedi,
mans ym mhob plwyf ynghyd â chyflogau teg i'w gweinidogion, heb
sôn am ariannu'r Coleg Newydd yr oedd ef newydd dreulio blwyddyn
ynddo. Dyma gyfle i wneud rhywbeth tebyg yng Nghymru a diogelu
dyfodol y coleg a allai droi, yn y Bala, yn ail Goleg Newydd.

Meddai Lewis Edwards wrth adrodd am ei rwystredigaethau: '[I] was
so sickened of knocking at the door of the Association and committees,
that I had determined to throw myself on the people. I knew that the
people would listen to us.'[98] Os Edwards a gafodd y cymhelliad i fynd
yn uniongyrchol at y bobl, Morgan, gyda'i egni dihysbydd a'i daerineb
mawr, a aeth ati i weithredu'r cynllun. Darganfu fod ganddo, fel Thomas
Chalmers, athrylith at godi arian. Dechreuodd ar ei ymgyrch yn sasiwn
Lerpwl, adeg y Sulgwyn 1857. Fe'i cyflwynwyd i'r gynulleidfa gan
Henry Rees: 'Y mae wedi myned, yn wir, y dyddiau hyn i fesur mawr yn
ŵr o un *idea* . . . Am arian, ac arian, ac arian y mae oddi wrth bawb,
ac y maent yn dweud nad oes dim bodloni arno hebddynt!'[99] Aeth y
gynulleidfa'n gegrwth o glywed na fyddai'n bodloni ar geiniog llai nag
ugain mil o bunnoedd, oll o bocedi aelodau cyffredin y Methodistiaid
Cymraeg, er mwyn sicrhau cronfa deilwng i redeg Coleg y Bala a chodi
enw da ei gyfundeb yn wyneb y wlad a'r tu hwnt. Erbyn iddo adael
Lerpwl roedd £2,718 yn y gronfa eisoes. Aeth oddi yno i sasiwn Man-
ceinion, ac yna yn ôl i Fôn a'r gronfa erbyn hynny £1,500 yn elwach
eto. A dim ond y dechrau oedd hynny. Aeth fel corwynt trwy'r sasiynau,
a'r un bregeth oedd ganddo bob tro: 'Os ydych am wneud yr eglwys
yn ogoneddus rhaid i chwi gadw gogoniant yn y pulpud, ac ni ellwch
chwi ddim gwneuthur hynny ym meddwl y wlad y dyddiau hyn os bydd
y weinidogaeth yn arwyddo diffyg diwylliant.'[100] Nid nad oedd y gwaith
yn galed, a'r hen ragfarn wrthddeallusol yn barod i godi ei phen o hyd.
Pa eisiau dysg os oedd y pregethwyr yn dduwiol? Oni fyddai addysg y
pen yn diffodd eneiniad y galon? Ond erbyn hyn roedd yr atebion wrth
law, esiampl Lewis Edwards, John Parry ac Owen Thomas yn amlwg i
bawb, a digwyddiadau aruthr yr Alban yn creu cynnwrf amlwg drwy
holl wledydd cred. 'Ped edrychech ar hanes y pwnc', meddai gerbron
sasiwn Caernarfon ym Medi 1857, 'gwelech yn eglur fod yr eglwys, er
wedi cael cryn niwed oddi wrth ddysgeidiaeth yn aml, wedi cael saith
mwy oddi wrth anwybodaeth'.[101] Yr hyn oedd ei angen oedd nid dysg

heb dduwioldeb, ond duwioldeb, profiadaeth grefyddol eirias, ynghyd â dysg, deallusrwydd a'r wybodaeth gyffredinol ddiweddaraf: 'fe gyfyd hyn oll safle y weinidogaeth yn y wlad'.[102] Erbyn iddo gyrraedd Môn eilwaith, ddechrau 1858, roedd ei daerineb yn fwy fyth: 'Pa ragoriaeth bynnag sydd yn eiddo i'r Cymry, y maent yn ddyledus amdano i'r pulpud yn unig. Hyd yn ddiweddar nid oes gennym ddim oedd yn prin deilwng o'r enw addysg. Y mae y wlad yn deffro yn awr at addysg, ac oni ddywed pawb ei bod yn llawn bryd?'[103]

Yn sasiwn Bangor, Medi 1862, wedi pum mlynedd o ymdrechu di-flino o blaid y coleg – 'y mae Cymdeithasfa y Methodistiaid wedi fy ordeinio i yn *feggar* am bum mlynedd!'[104] meddai, yn ddigon lluddedig erbyn hynny – a Diwygiad 1859 bellach wedi cryfhau'r cyfundeb yn ddirfawr, cafwyd y cyhoeddiad hwn: 'Hysbysodd y Parchedig Edward Morgan y newydd cysurus am *Fund* yr Athrofa – fod y swm anrhydeddus o ugain mil o bunnau wedi dyfod eisoes i law.'[105] Roedd hi'n ddydd o lawen chwedl a'r banllefau yn diasbedain trwy gapel y Tabernacl. Gallai Lewis Edwards o'r diwedd anadlu'n rhydd. Roedd yn ddyn bodlon a dyfodol ei goleg, o'r diwedd, yn ddiogel.

8 ❧ Y Gymanfa Gyffredinol, Y Fugeiliaeth a'r Etholiad Mawr, 1860–1870

Er 1811, pan ymffurfiodd y Methodistiaid Calfinaidd yn fudiad ar wahân, roedd awdurdod y cyfundeb fel corff eglwysig yn gorwedd yn y ddwy sasiwn, sasiwn y gogledd a sasiwn y de. Yn ogystal â chwyddo aelodaeth yr eglwysi, un o ganlyniadau Diwygiad 1859 oedd dwysáu'r undod rhwng y ddwy dalaith. 'Yn ystod yr ymweliad grasol a gafwyd, teimlai'r ddwy Dalaith mai un oeddent.'[1] Er i 'gymanfa gorfforedig' yn cynnwys arweinwyr y taleithiau gyfarfod yn flynyddol rhwng 1839 ac 1842, yn Aberystwyth a Llanidloes bob yn ail, er mwyn ystyried materion o ddiddordeb cyffredin fel addysg i'r weinidogaeth a hwyluso'r genhadaeth dramor, gwywo a wnaeth a darfod.[2] Ond yn dilyn y diwygiad, teimlwyd bod angen sefydlu strwythur a fyddai'n clymu'r corff yn dynnach ynghyd. 'Regarding our Associations', meddai Lewis Edwards wrth Owen Thomas ar 16 Chwefror 1861, 'our great want is that of a General Assembly for the whole of Wales'.[3]

Yr Awel Albanaidd

Os y diwygiad oedd yr ysgogiad, y patrwm, wrth gwrs, oedd yr Alban. Ymhlith cynrychiolwyr y gymanfa gyffredinol gyntaf a gyfarfu o dan lywyddiaeth Henry Rees yng nghapel y Triniti, Abertawe, ar ddechrau Mai 1864, roedd Edward Morgan, Dyffryn, Daniel Rowlands, Llanidloes, a ddeuai'n brifathro'r Coleg Normal ym Mangor, David Charles Davies, prifathro Coleg Trefeca yn ddiweddarach, a Lewis Edwards. Roedd y pedwar wedi eu haddysgu yng Nghaeredin, tri ohonynt o dan Thomas Chalmers, a'r llall, Rowlands, yn y Coleg Newydd ar ddechrau'r 1850au. 'Rywdro yn gynnar iawn yn hanes Cymru', meddai un o arweinwyr diweddarach y cyfundeb, 'daeth Cunedda Wledig a'i wŷr o Fanaw Gododdin yn y Gogledd pell, i orchfygu Cymru a gosod tawelwch a threfn ar ei hen drigolion. Daeth Dr Lewis Edwards yn ôl o'r un wlad â llawer o ysbryd a thymer yr Alban i'w ganlyn.'⁴ Y gymanfa gyffredinol, gweinidogaeth olau ac addysgedig, y fugeiliaeth sefydlog a thaledig, roedd y cwbl yn nodweddu'r traddodiad Presbyteraidd ac wedi eu gweithredu yn yr Alban er dyddiau John Knox a'r Diwygiad Protestannaidd. 'Os edrychwn drachefn y tu allan i'n cylch bychan ein hunain', meddai Edwards mor gynnar ag 1858, 'nid ydym yn cael fod un cyfundeb arall o Gristionogion, mewn un oes na gwlad, yn meddwl fod cymdeithas o bobl yn eglwys reolaidd heb fod gweinidog yn perthyn iddi, oddigerth mewn rhyw ychydig o eithriadau dibwys megis y *Plymouth Brethren* a'u cyffelyb'.⁵ Yn wahanol i'r Presbyteriaid, yr Anglicaniaid ac Eglwys Rufain, ac yn wahanol hefyd i'r Hen Ym-neilltuwyr, sef yr Annibynwyr a'r Bedyddwyr, corff aneglwysig oedd y *Plymouth Brethren*, yn amddifad o nodau'r wir eglwys fel yr oedd traddodiad catholig yr oesoedd yn eu deall. Ond nid dyna argyhoedd-iad Lewis Edwards o gwbl, oherwydd meddwl yn eglwysig a wnâi ef ac nid yn unigolyddol:

> Os awn at yr Eglwys Rydd yn Sgotland, y mae gan bob eglwys ei gweinidog. Os awn at yr *United Presbyterians*, y mae gan bob eglwys ei gweinidog. Os awn at Henaduraethwyr yr Iwerddon, y mae gan bob eglwys ei gweinidog. Os awn at Henaduraethwyr Ffrainc, neu Holand, neu Switzerland, neu Prwsia, y mae gan bob eglwys ei gweinidog. Os awn at Henaduraethwyr America, yr Hen neu y Newydd, yno hefyd y mae gan bob eglwys ei gweinidog. Prin y gellir cael allan fod y dychymyg am eglwys heb weinidog wedi dyfod i feddwl neb mewn un parth o'r byd, oddi eithr y *Plymouth Brethren* a'r Methodistiaid Calfinaidd.⁶

Pregethwyr teithiol oedd pregethwyr y Methodistiaid Calfinaidd, a godwyd yn y seiadau, a gymeradwywyd gan y cyfarfodydd misol ac a ordeiniwyd, rai ohonynt, i weinyddu'r sacramentau, gan y sasiynau. Teithio o fan i fan a fyddent ar y Suliau ac yn aml iawn ar noson waith hefyd, ar hyd y rhwydweithiau sirol er mwyn pregethu i'r ffyddloniad a'r tyrfaoedd o wrandawyr a ddeuai ynghyd. Nid hwy, o reidrwydd, a fyddai'n gofalu am y gwaith gartref o fugeilio'r praidd, o ymweld â'r cleifion ac o hyfforddi yn y seiadau, ond yn hytrach y blaenoriaid. Mewn termau eglwysyddol roedd hi'n drefn anarferol iawn er, yn ei hamser, yn hynod o ran ei heffeithiolrwydd. Ond bellach yr oedd hi'n gwegian. 'Y cyfnewidiad sydd yn ymddangos yn fwyaf angenrheidiol i amcanu ato yn y cyfnod presennol', meddai Edwards yn 1858, 'yw cael undeb agosach rhwng yr eglwysi a'r gweinidogion. Ac un o arwyddion mwyaf cysurlawn y dyddiau hyn yw y sylw cynyddol a roddir i bwnc y fugeiliaeth eglwysig.'[7]

Nid oedd hi'n syndod, felly, i Edwards gymryd hyn yn destun ei anerchiad gerbron y gymanfa gyffredinol gyntaf yn Abertawe yn 1864. Ni fynnai leihau dim ar bwysigrwydd pregethu, ond nid pregethu oedd unig ddyletswydd y gweinidog. Ordeiniwyd ef i fugeilio'r praidd yn ogystal. Roedd hyn 'yn gofyn llafur parhaus mewn corff a meddwl, llafur i ymweled â'r cleifion, llafur i fyned yn ôl y rhai tarfedig, llafur i gyfansoddi pregethau newyddion, llafur i adeiladu yr eglwys, a llafur i hyfforddi y bobl ieuainc mewn gwybodaeth ysgrythurol'.[8] Roedd rhai gweinidogion eisoes wedi gwneud hyn, Henry Rees pan oedd yn gofalu am yr eglwys Gymraeg yn Amwythig, ac yna, o 1837 ymlaen, yn Lerpwl, John Phillips pan oedd yn Nhreffynnon ac Owen Thomas pan oedd yn gwasanaethu ym Mhwllheli,[9] ond trefniadau lleol oedd y rhain rhwng yr eglwysi hynny a'r pregethwyr dan sylw. Yn hytrach na gadael i'r pregethwyr hyn ymorol am fywoliaeth seciwlar a'u gweld yn pregethu'n deithiol ar y Suliau, fe'u gwahoddwyd gan yr eglwysi lleol i weithredu fel bugeiliaid llawn amser a gofalwyd am eu talu yn briodol. Ond trefniant personol ydoedd, heb fod yn rhan o strategaeth y cyfundeb cyfan. Roedd Edwards yntau, mor gynnar ag 1850, wedi annog ei gyd-Fethodistiaid ym Mhenllyn i 'drefnu rhyw lwybr i fugeilio praidd Duw yn ein mysg gyda mwy o gysondeb a gofal. Yr hyn sydd gennym mewn golwg . . . yw dychwelyd yn fwy cyflawn at reol y Gair, ynghyd a'r cynllun apostolaidd, ac at arferiad yr hen dadau Methodistaidd yng Nghymru.'[10] Y ffordd orau o wneud hyn, yn ôl Edwards a phob un o'i gyd-weinidogion a addysgwyd yng Nghaeredin, oedd mabwysiadu'r arfer Albanaidd a thrwy hynny gydymffurfio â'r drefn Bresbyteraidd yn gyflawn. 'I wish we had half the life in propagating Methodism', meddai John Parry, 'that Chalmers has in supporting his Presbyterianism'.[11]

Roedd Thomas Chalmers, fel y sylwyd mewn pennod flaenorol, wedi gweddnewid bywyd eglwysig yr Alban trwy gyfuno'r ysbryd diwyg-iadol, efengylaidd â threfn blwyfol yr eglwys sefydledig.[12] 'Yr oedd yn ddyn ymarferol, yn meddu cyflawnder o synnwyr cyffredin, yn fodlon i weithio mewn cydymffurfiad â deddfau natur', meddai Edwards amdano, 'ac wrth weithio felly mawr oedd y llwyddiant a ddilynodd ei ymdrechiadau'.[13] Yn ogystal â bod yn bregethwr hynod rymus, roedd yn drefnydd o athrylith. Dwy egwyddor lywodraethol oedd ganddo, sef yr egwyddor ymosodol neu weithredu'n egnïol i genhadu ac addysgu, a'r egwyddor diriogaethol:

> Yr oedd ganddo egwyddor . . . tuag at ddiogelu trefn, yr hon a alwai yr egwyddor diriogaethol (*territorial principle*), wrth yr hyn y deallai fod pawb i lafurio o fewn rhyw gylchoedd priodol fel y byddai gan bob un ryw faes o fod yn gyfrifol amdano. Efallai fod y wedd a roddai efe i'r rhan yma o'r cynllun yn tarddu o'i ymlyniad wrth y drefn blwyfol.[14]

Nid Annibynnwr ydoedd, yn credu yn sofraniaeth yr eglwys leol, ond Presbyterydd, yn fawr ei sêl dros egwyddor yr eglwys genedlaethol. Bellach roedd pob argoel fod y Methodistiaid Calfinaidd yn troi yn eglwys genedlaethol yng Nghymru. Pan wahoddwyd Owen Thomas i gynrychioli'r cyfundeb yng nghymanfa gyffredinol Eglwys Rydd yr Alban ym mis Mawrth 1863, nododd fod gan y corff 1,000 o eglwysi, 600 o weinidogion, dros 100,000 o aelodau, 180,000 o wrandawyr a 150,000 o ddeiliaid yr Ysgolion Sul a'i fod yn prysur droi yn brif eglwys Ymneilltuol y genedl. Hiraethai am

> weld y dydd wedi dyfod pan y byddai yr Eglwys Rydd yn Sgotland, yr Eglwys Bresbyteraidd Seisnig yn Lloegr a'r Trefnyddion Calfinaidd yng Nghymru, a'r holl eglwysi Presbyteraidd nad oeddent sefydledig ym Mhrydain Fawr . . . yn cyfansoddi un eglwys fawr Bresbyteraidd i'r holl deyrnas.[15]

Gwaeledigaeth gynhwysfawr, eang oedd hon, ac roedd y fugeiliaeth daledig, sefydlog, gweinidogaeth ddysgedig a rhyw wedd ar y gyfundrefn diriogaethol yn hanfodol iddi. Roedd Edward Morgan, Dyffryn, eisoes wedi llwyddo i greu strwythur Bresbyteraidd yng ngorllewin Meirionnydd er 1853, gyda phob eglwys o dan ofal ei gweinidog ei hun ac yn cael ei dalu'n briodol, ac yn dilyn Diwygiad 1859 'daeth syched cyffredinol trwy yr holl eglwysi am fugeiliaeth effeithiol'.[16] Erbyn canol y degawd nesaf roedd y gyfundrefn a sefydlwyd ym Meirionnydd wedi ymestyn trwy'r gogledd ac fe'i dilynwyd yn fuan yn y de, a chyda sefydlu'r drysorfa gynorthwyol yn 1868 – ar batrwm *sustenation fund* Thomas Chalmers ar gyfer yr Eglwys Rydd – roedd y drefn Bresbyteraidd bellach yn gyflawn. 'Dan ddylanwad Lewis Edwards, ac mewn canlyniad i'r cyfnewidiadau y llwyddodd ef i'w dwyn i mewn, daeth Methodistiaeth yn fwy Presbyteraidd o lawer, nid yn ei chyfansoddiad, ond yn ei naws a'i theithi.'[17]

Roedd hi'n fater o fodlonrwydd dwfn, felly, pan ddyfarnodd Prif-ysgol Caeredin i Lewis Edwards y radd o Ddoethur mewn Diwin-yddiaeth yn 1865. 'Such an honour from my old *Alma Mater*', meddai wrth Owen Thomas ar 11 Ebrill, '[is] gratifying enough'.[18] Roedd hyn yn gydnabyddiaeth nid yn unig o gyfraniad sylweddol un o raddedig-ion disgleiriaf y sefydliad yn y degawdau oddi ar iddo raddio yn ddyn ifanc yn 1836, ond o'r ffaith iddo droi ei gyfundeb o fod yn sect ymylol i fod yn gangen braff a ffrwythlon o'r teulu Presbyteraidd rhyng-wladol. Yn ôl araith y deon gerbron senedd y brifysgol ar 1 Awst 1865, roedd y derbynnydd yn

> highly distinguished by his theological publications, possessing the confidence of all religious denominations in the country, and one who on every account the Theological Faculty of this university have deemed worthy to be recommended with the utmost cordiality for the degree of Doctor of Divinity.[19]

Erbyn hynny roedd Edwards yn 55 oed. Doedd dim amheuaeth bellach, os oedd amheuaeth o'r blaen, mai ef oedd pennaf ysgolhaig y Gymru Ymneilltuol Fictoraidd a'r dysgedicaf o blith y Methodistiaid Calfinaidd ers Thomas Charles a Thomas Jones. Trwyddo ef yn bennaf roedd y Methodistiaid Calfinaidd fel corff eglwysig cenedlaethol wedi dod i'w oed.

Tensiynau

Yn ogystal â'r clod a gafodd yn yr Alban, nid oedd Lewis Edwards heb anrhydedd yn ei wlad ei hun. Fel addysgwr pennaf ei gyfundeb, daeth galwad yn 1863 iddo symud i Drefeca i ofalu am goleg y cyfundeb yn y de. Ar ôl ugain mlynedd a mwy yn y gwaith, roedd David Charles, ei frawd-yng-nghyfraith, wedi ei alw i ofalu am ddiadell newydd y Pres-byteriaid yn Aber-carn, Mynwy. Dyma'r achos a ddaeth i feddiant y Methodistiaid Calfinaidd trwy law Arglwyddes Llanofer, 'Gwenynen Gwent', oherwydd amharodrwydd Esgob Llandaf i ddiogelu'r olyn-iaeth Gymraeg ynddi. Fe'i trosglwyddwyd i'r cyfundeb gan ei noddwraig bwerus yn 1862 ar yr amod mai Cymraeg fyddai iaith y gwasanaethau, y gwneid defnydd o litwrgi Protestannaidd y Llyfr Gweddi Gyffredin ac y byddai'r gweinidog yn gwisgo'r gŵn du wrth bregethu. Roedd hi'n gweddu'n berffaith i gefndir ac eglwysyddiaeth David Charles, ond parodd ei ymadawiad argyfwng i Goleg Trefeca. Nid yn annisgwyl, troes sasiwn y de tuag at y Bala er mwyn ceisio ymwared. 'I have no wish to leave North Wales', meddai Edwards wrth Mrs Richard Davies, Treborth, ym Mawrth 1863, 'but there is undoubtedly a larger field in the South, whilst the labourers there are less numerous. If your father and a few other leading men should think it better for me to go to Trevecca . . . I shall do so.'[20] Fodd bynnag, gymaint oedd awydd sasiwn y gogledd i'w gadw, a hynny trwy apeliadau taer pob cyfarfod misol rhwng Môn a Manceinion, heb sôn am ddeiseb gan y myfyrwyr, y bu'n rhaid rhoi'r gorau i'r syniad.

Bu rhywfaint o ddrwgdeimlad rhwng y ddwy dalaith yn sgil y datblygiadau hyn. 'The anxiety connected with it has really made me ill', meddai wrth y wraig o Dreborth ar 20 Chwefror 1864, 'for there have been moments when I have seriously felt inclined to go to Trevecca'.[21] Ond y gwir yw fod Edwards yn sefydlog yn y Bala, fod ganddo gyfrifoldebau teuluol yno o hyd a bod angen dyn iau i wneud llawn gyfiawnder â'r sefyllfa yng ngholeg y de. Edward Matthews, Ewenni, a wnaeth gymaint i godi arian i Goleg Trefeca ag y byddai Edward Morgan, Dyffryn, yn ei wneud ar gyfer Coleg y Bala, a lwyddodd i sicrhau gwasanaeth prifathro newydd trwy ddenu William Howells, gweinidog eglwys Windsor Street, Lerpwl, yno yn 1865. 'Come away from those North Walian long faces to enjoy the pure air of Trevecca and the tranquillity of South Wales!'[22] Fel Matthews, brodor o Fro Morgannwg oedd Howells (1818–88), a addysgwyd yn Nhrefeca ac yn Cheshunt, coleg yr Arglwyddes Huntington, cyn gweinidogaethu yng nghapel Saesneg Abertawe ac yng Nghaefyrddin wedyn. Er na ddaeth erioed i amlygrwydd ei ragflaenydd, a'i fod yn gwbl anhysbys o gymharu â staff Coleg y Bala, byddai ef, a'i gyd-athro Dr John Harris Jones, yn rhoi gwasanaeth teilwng i'r cyfundeb am flynyddoedd i ddod. 'It strikes me that they have been fortunate in their choice of a divinity tutor in Trevecca', meddai Edwards wrth Owen Thomas ar 19 Mai 1865, '. . . but they must remember old Matthew Wilkes' saying "when two ride on one horse, one of the two must ride behind". They must make Mr Howells principal in reality as well as in name.'[23] Dyna a wnaed, ac o hynny ymlaen bu'r berthynas rhwng y ddau goleg, a'r ddau brifathro, yn un esmwyth a boddhaol.

Yn hanesyddol, ac o ran ei ddylanwad cyffredinol, Coleg y Bala oedd â'r flaenoriaeth. Gyda phenodi Richard Davies, Treborth, yn drysorydd yn 1863, aeth y sefydliad o nerth i nerth ac yn fuan iawn daeth y cymhelliad i godi adeilad teilwng o brif athrofa enwad a oedd yn cynyddu'n feunyddiol mewn statws a grym. Cyhoeddodd sasiwn Llangefni gynllun uchelgeisiol i godi adeilad modern ac urddasol a dewiswyd Edward Morgan, Dyffryn, yn drefnydd y gronfa adeiladu. Ar 15 Medi 1865, ar fryncyn y tu allan i'r Bala i gyfeiriad y Fron-goch, gosododd Henry Rees garreg sylfaen y colegdy eang a hardd. Adrodd-odd Lewis Edwards hanes y sefydliad a throeon ei yrfa. 'Cychwynnwyd yr athrofa dan lawer o anfanteision; buom yn ei chadw mewn hen warws y tu cefn i siop Mrs Charles . . . Wedi hynny buwyd yn symud o dŷ i dŷ yn y dref . . . ac felly yr aeth ymlaen am wyth mlynedd ar hugain.'[24] Ond bellach roedd lle i gredu fod sefydlogrwydd wedi cyrraedd ac y byddai'r dyfodol yn llewyrchus dros ben. 'Ni fydd ei lwyddiant o bwys i mi yn hir; nis gallaf lafurio fel athro *a* phregethwr yn hir eto . . . Ond y mae ei bod yn effeithiol, dan fendith Duw o'r pwys mwyaf i lwyddiant achos Iesu Grist yn ein plith.'[25] Ymhen dwy flynedd roedd yr adeilad ar ei draed. Cynhaliwyd yr agoriad swyddogol ar 5 a 6 Medi 1867. Henry Rees a bregethodd a nododd Edward Morgan yn ei anerchiad fod chwe mil ar hugain o bunnoedd wedi'u casglu er bod rhywfaint o ddyled ar ôl. Rhwng popeth roedd yr achos, fel enghraifft o Ym-neuilltuaeth Fictoraidd Gymraeg ar ei hanterth, yn flodeuog dros ben.

Ond o dan yr wyneb roedd y tensiynau'n cynyddu. Pruddglwyfus, braidd, oedd sylwadau Lewis Edwards wrth osod y garreg sylfaen. Roedd y straen o geisio cynnal sefydliad gyda staff mor fychan, cyllid annigonol ac yn wyneb difaterwch cyffredinol bellach yn dweud arno. 'I would be very glad to be relieved of the principalship', meddai wrth Richard Davies ar 12 Ionawr 1867. 'It is a most invidious and unpleasant position.'[26] Roedd delfryd Edwards o weinidogaeth oleuedig a'i uchel-gais o blaid cynnal y safonau academaidd uchaf yn gorfod ymgodymu â'r realiti a oedd ohoni ar y pryd. 'It would be absurd for us at Bala to think of emulating Oxford and Cambridge', meddai wrth Owen Thomas ar 9 Ebrill 1863. Y syniad o greu cymrodoriaethau oedd ganddo dan sylw, sef nawdd ariannol ar gyfer y myfyrwyr gorau yn gyfnewid am iddynt gyfrannu yn y gwaith o ddysgu, arholi a llywodraethu'r coleg. Ond roedd y ffaith iddo ddefnyddio'r gymhariaeth o gwbl yn arwydd-ocaol iawn. Arswydai rhag i'r Bala gael ei gymharu â rhai o golegau diwinyddol mwyaf eilradd Ymneilltuwyr Lloegr, ac yn waeth byth, golegau galwedigaethol Eglwys Loegr megis St Aidan's ym Mhenbedw a St Bees yn Cumbria. 'You probably recollect the complaints that were made of their inefficiency', meddai wrth Richard Davies ar 5 Ionawr 1866, 'and how it was generally agreed that all professional colleges are the hotbeds of ignorant and vulgar clergymen . . . I am not willing that our *athrofa* should become a second St Bees.'[27] Y delfryd oedd coleg uwch ei safon, eang ei orwelion, gyda'r ysgolheictod a'r diwylliant a oedd yn gweddu i brifysgol o'r iawn ryw. 'I cannot but feel that the Calvinistic Methodists ought to have a college where their young men could prepare for the very highest examinations . . . If Bala is not at present equal to University College [Llundain], *it ought to be made so.*'[28] Roedd hi'n orfodol er 1863 i bob ymgeisydd basio arholiad mynediad yn ogystal â chael y gymeradwyaeth arferol gan y cyfarfodydd misol – erbyn 1878 roedd Lladin yn orfodol ar gyfer matricwleiddio – ond oherwydd yr angen i wneud gwaith elfennol gyda'r disgyblion, gwyddai Edwards fod y safonau cyffredinol yn rhy isel o hyd: 'In fact this college *is* only a preparatory school.'[29] I ddyn o'i uchelgais ef, roedd hynny yn ofid dwys.

Cysuron

Beth bynnag am y gofidiau hyn, cafodd gysur o ddau gyfeiriad neilltuol: o du ei gyfeillion, Owen Thomas yn arbennig, ac o du ei deulu. Cyfeiriodd at Owen Thomas ar 26 Ionawr 1860 fel 'a man of moral worth and richer in mental endowments than all the parsons and petty gentry of Wales put together'.[30] 'I long to see you very much', meddai wrtho ar 16 Hydref 1858, 'and to have a little quiet talk with you about many things'.[31] Gweinidog eglwys Jewin Crescent, Llundain, oedd Thomas ar y pryd, cyn iddo symud i Lerpwl yn 1865. 'It is not often that we have the chance of seeing one another', meddai Edwards wrtho ar 9 Mai 1863, 'and we must make the best of it when it comes'.[32] Er ei fod ar delerau parchus â'i hen gydnabod, John Matthews, John Phillips, Roger Edwards a'r lleill, byddai gwir gynhesrwydd yn nodweddu'i gyfeillgarwch ag Owen Thomas, ac â Henry Rees, hyd y diwedd.

O ran ei blant, tyfasai Thomas Charles, a oedd yn 23 oed yn 1860, i fod nid yn unig yn etifedd iddo o ran ei gyneddfau a'i ddoniau, ond yn wir gyfaill iddo yn ogystal. Derbyniwyd ef yn aelod eglwysig yn ifanc iawn, a rhoes ei fryd ar bregethu yn gynnar. 'People are everywhere asking me about Thomas Charles', meddai wrth Jane, ei wraig, ar 9 Awst 1856, 'for they all expect him to be a preacher. It is my greatest pleasure to give him up to the Lord, to do with him as He sees fit.'[33] Megis y cafodd Thomas Edwards, brawd Lewis, ei weddnewid gan Ddiwygiad 1859, a'i droi yn bregethwr nerthol, bu'r adfywiad hwnnw yn drobwynt ym mywyd ei nai hefyd. Er iddo eisoes ymrwymo wrth

y ffydd, cafodd Thomas Charles brofiad ysbrydol dwys dan weinidog-
aeth ei ewythr pan ymwelodd Thomas Edwards, Pen-llwyn, â'r Bala
yng nghanol y cyffro.[34] Byddai ôl y diwygiad arno am weddill ei oes, er
iddo gymathu hyn ag ysgolheictod ac nid ychydig o soffistigeiddrwydd
uchel ael. Ond ni allai neb amau didwylledd ysbrydol na'r mab na'r
tad. Tra bu'n fyfyriwr yng Ngholeg y Bala pasiodd Thomas Charles yr
arholiad derbyn i Brifysgol Llundain, a graddiodd yno yn BA yn 1861
ac yn MA flwyddyn yn ddiweddarach. Fel ei dad genhedlaeth ynghynt,
byddai'n addoli ar y Suliau yng nghapel Jewin a chafodd elwa yn fawr
ar weinidogaeth Owen Thomas yn ogystal â phrofi ei ofal fel cyfaill
pennaf ei dad. Byddai'n treulio ei hafau yn cenhadu ymhlith y gweithwyr
o Wyddelod a oedd yn gosod y rheilffordd yng ngwaelod sir Benfro.
Beth bynnag am sêl Lewis Edwards i feithrin boneddigeiddrwydd yn ei
blant, roedd disgwyl iddynt dorchi llewys ac ymuniaethu â'r tlotaf o'u
cyd-ddyn pan oedd gwaith yr efengyl yn galw.

Yn ôl deddf a basiwyd yn 1854, daeth hi'n bosibl o'r diwedd i Ym-
neilltuwyr raddio ym Mhrifysgol Rhydychen; nid oedd rhaid cydsynio
mwyach â 39 Erthygl Eglwys Loegr cyn ymrestru yn fyfyriwr yno. Nid
ymddengys fod yr un Ymneilltuwr o Gymro wedi manteisio ar y cyfle
tan i Thomas Charles Edwards gyrraedd Neuadd Alban, a fyddai'n cael
ei chyfuno â Choleg Merton maes o law, yn Nhymor Mihangel 1862.
Roedd Edwards, y tad, yn awyddus i'w fab barhau â'i addysg wedi
iddo raddio yn Llundain, ac er i eraill gymell iddo fynd i Gaeredin,
Rhydychen oedd dewis unol y ddau ohonynt. 'It is very probable that I
shall be much blamed by the ignorant among the Welsh Methodists',
meddai Lewis wrth Owen Thomas ar 25 Hydref 1862, 'though I do
not see how I could show greater attachment to Methodism by sending
my son to Oxford as an avowed Dissenter'.[35] Oherwydd cyfyngderau
ariannol, ni allai'r tad fforddio i'w fab aros yn Rhydychen am fwy na
blwyddyn. Y bwriad oedd iddo ddod adref i Gymru i wasanaethu fel
gweinidog, mwy na thebyg yn un o eglwysi Saesneg y cyfundeb. Ond
cafodd gyfle yn niwedd 1862 i ymgeisio am ysgoloriaeth yng Ngholeg
Lincoln, ac fe'i henillodd yn ddidrafferth. Prifathro neu 'Reithor' y
coleg oedd y clasurydd Mark Pattison, gŵr swil, clwyfedig, a berson-
olai yn berffaith argyfwng ffydd Saeson deallusol Oes Victoria,[36] 'the
long withdrawing roar of the sea of faith' y soniodd Matthew Arnold
amdano mor gofiadwy yn ei gerdd 'Dover Beach'. Cafodd Edwards
garedigrwydd mawr gan Pattison, a chryn glod ganddo pan enillodd
radd yn y dosbarth blaenaf yn yr ysgol *literae humaniores* neu 'Greats'
yn niwedd 1865. Troes yr ysgoloriaeth, a'r llwyddiant a ddaeth yn ei

sgil, y fantol Fethodistaidd o blaid hen brifysgolion Lloegr. 'You have no conception of the crass ignorance of these people', meddai'r tad wrth Owen Thomas ar 4 Tachwedd 1862. 'Here are the Methodists reviling me for sending my son to Oxford, though I can have no motive except to make him more useful to serve them thereafter.'[37] Roedd hi fel *déjà vu.* Ddeng mlynedd ar hugain ynghynt roedd Lewis Edwards wedi profi union yr un mileindra gan Thomas Richard, Abergwaun, ac eraill am iddo feiddio mynd i'r Alban i'w addysgu'i hun. Ond fel y chwalwyd y rhagfarn wrthddeallusol gan lwyddiant y tad, felly y tanseiliwyd y rhagfarn yn erbyn Rhydychen gan lwyddiant y mab. 'This scholarship has told on the people everywhere', meddai ar 1 Chwefror 1864. 'They begin to think now that there was some sense after all in your going to Oxford.'[38]

Roedd hi'n hawdd iawn ar y pryd, fel y bu'n hawdd i feirniaid diweddarach, ddehongli ysfa Lewis Edwards i sicrhau'r addysg orau i'w fab fel enghraifft o snobyddiaeth. 'Ar ei salaf', meddai Trebor Lloyd Evans yn 1967, 'snob oedd Lewis Edwards ar fater addysg y weinidog-aeth, *intellectual snob* . . . Meddiannwyd ef gan y meddwl *bourgeois* hwnnw a ddaeth yn gymaint o fwrn yng Nghymru'r ganrif ddiwethaf.'[39] Ac ar yr olwg gyntaf roedd digonedd o dystiolaeth i gyfiawnhau'r dyb hon. 'The question whether your children will remain with the Calvin-istic Methodists or not', meddai wrth Mrs Richard Davies, Treborth, ar 22 Ionawr 1866,

> depends to a great degree on our having a good sprinkling of Oxford or Cambridge men among our preachers . . . [Y]our sons will soon find, when they come to mix with the sons of rich people, that Oxford and Cambridge degrees have a certain social value. This is not altogether prejudice.[40]

Roedd y sylw hwn yn gystal arwydd â dim o'r hyn oedd yn digwydd ymhlith Ymneilltuwyr Cymru ar drothwy awr anterth Oes Victoria. Os oedd sect y Methodistiaid Calfiniadd bellach wedi troi yn gyfundeb pwerus, roedd y cyfundeb, fel yr enwadau Cymreig eraill, yn mynnu codi gymaint ag a allai i frig yr ysgol gymdeithasol. Roedd gan Ymneilltuaeth ei phendefigaeth eisoes, pendefigaeth y pulpud. Mynnai Edwards roi'r cyfle i blant y bendefigaeth honno gystadlu ar yr un telerau yn y byd bwrdeisiol newydd â phlant y dosbarth canol Seisnig.

Y Dwymyn Seisnig

Ar derfyn ei gwrs yn Rhydychen cafodd Thomas Charles Edwards alwad i fugeilio eglwys Saesneg y cyfundeb, sef Windsor Street, yn Lerpwl. Byth er i William Howell symud i fod yn brifathro Coleg Trefeca roedd yr eglwys wedi bod yn amddifad o weinidog, ac o wybod am fwriad Thomas Charles i ymroi i waith y weinidogaeth a'r ffaith fod ei dad yn hynod uchel ei barch ymhlith Methodistiaid y ddinas, nid oedd hi'n syndod i'r coelbren syrthio ar y mab. Roedd Lerpwl yn gyforiog o fywyd Cymreig ac Ymneilltuaeth yn hynod flodeuog yno. 'Indeed', meddai Lewis wrth Owen Thomas a oedd erbyn hynny yn weinidog ar yr achos Cymraeg yn Netherfield Road, 'one consideration that made him decide for Windsor Street was the prospect of being near you and the other ministers in Liverpool'.[41] Ond byddai gyrru ei fab i eglwys Saesneg yn datgelu agwedd gymhleth ac nid hwyrach amwys Edwards tuag at y Gymraeg.

Doedd dim amheuaeth, ar un wedd, am ymlyniad Lewis Edwards wrth Gymru nac wrth yr iaith. 'Hoff yw gennym ein gwlad', meddai wrth drafod gwaith llenyddol y Piwritan mawr Morgan Llwyd yn 1848, 'a'n hen iaith odidog',[42] a gallai fod yn ddeifiol ynghylch 'tylwyth Dic Siôn Dafydd', y rhai 'a fu yn ddiweddar yn dwyn camdystiolaethau yn erbyn y Cymry'. 'Epaod disynnwyr' oeddent, 'ac os bu neb erioed yn haeddu fflangell, dylai'r tylwyth hwn ei chael yn ddiarbed'.[43] Er bod clwyf y Llyfrau Glesion o hyd yn ffres pan ddywedodd hyn, does dim tystiolaeth fod ei gariad tuag at y genedl wedi diflannu gyda threigl y blynyddoedd. 'Nid oes neb yn teimlo mwy o anwyldeb at Gymru na ni ein hunain', meddai yn 1850. 'Cymru yw gwlad ein hynafiaid ac yn ei llwch hi y dymunem fod ein llwch ninnau yn gorffwys hyd fore'r at-gyfodiad. Gwerthfawrocach yn ein golwg yw creigiau llwydion Cymru na pherlau yr India.'[44] Ond roedd y sentiment hwn yn cuddio cryn amwysedd yn ogystal.

Erbyn canol yr 1860au roedd hi'n amlwg fod Cymru yn newid yn ddirfawr. Roedd y rheilffyrdd yn agor y wlad ac roedd ymgyrch hirfaith Lewis Edwards i ledu gorwelion diwylliannol ei gyd-Fethodistiaid bellach yn dwyn ffrwyth. Roedd y symudiadau gwleidyddol cyfoes hefyd yn tywys pobl i feddwl y tu hwnt i'w libart eu hunain, a byddai'r deddfau addysg a ddeuai i rym maes o law yn atgyfnerthu'r symudiad a dderbyniai arferion Lloegr, ac eiddo dinas Llundain, fel safon. Yn wahanol i Michael D. Jones ac yn wahanol i'w fyfyriwr Emrys ap Iwan a fyddai'n croesi cleddyfau â'i brifathro ar yr union bwnc yn ddiweddarach, ni chredai Edwards ei bod hi'n bosibl, nac yn ddymunol, i wrthwynebu'r duedd gynyddol at y Saesneg. Yr unig beth y gellid ei wneud oedd darparu ar ei chyfer. 'Nid yw o un diben i ni geisio rhwystro y llanw hwn i lifo yn raddol dros yr holl wlad', meddai yn 1864. 'Ein doethineb yn ogystal â'n dyletswydd yw ymostwng i drefn Rhagluniaeth, a gwneuthur darpariaethau priodol ar gyfer yr hyn sydd yn anocheladwy.'[45] 'You are all aware the English language is gaining ground', meddai wrth agor capel newydd Frederick Street, un o gapeli'r 'Inglis Côs', yn 1867.

> What are we to do? Are we to yield to this inroad? . . . Are we to hide ourselves in the remotest corners of the Principality? No. I for one do not see the necessity for yielding, but we take advantage of the spread of the English language, we lay hold of it and try to adapt ourselves to the changes that take place around us. We meet the change in the same way as the apostles and our Lord Jesus Christ.[46]

Yn union fel y bu rhaid i eglwys yr efengylau hepgor Aramaeg, iaith Iesu o Nasaraeth a gwerin Galilea, gan genhadu mewn Groeg, iaith ryngwladol diwylliant a dysg, roedd gofyn i'r Cymry feddiannu'r Saesneg. '[T]hey adopted the Greek language as their own, they preached in Greek, and by so doing they availed themselves of the endless treasures adaptable to all the purposes of man that we find in the language of Plato, and Aristotle, and Demosthenes.'[47] Roedd hyn, wrth gwrs, yn gyfleus iawn o enau dyn a wnaeth gymaint i feithrin diddordeb ei gyd-Fethodistiaid o blaid y clasuron, tra bo'r sôn am ragluniaeth yn ymateb rhy slic i ddatblygiad a oedd yn fwy gwleidyddol na dwyfol ei darddiad. Daeth amwysedd Edwards ar bwnc yr iaith yn fwy amlwg byth yn ei ohebiaeth bersonol â Thomas Charles. 'You must . . . aim continually at writing good English', meddai ar 24 Tachwedd 1863.

> I have taken the Welsh and am sometimes rather sorry for it. If I had kept on writing in English after I left college, I am inclined to think that I might have done more good. Professor Wilson ['Christopher North'] said that my English was excellent, but by this time it is too late to repent. All I can hope to do is to do something for the Welsh in their own language.[48]

Nid yn aml y byddai'n cyfeirio at y Cymry fel 'nhw', ac mae rhywbeth truenus yn y cyfaddefiad rhyfedd hwn, yn enwedig pan oedd y Gymraeg wedi dod yn gyfrwng dysg a bod anhraethol mwy o bobl nag erioed o'r blaen yn ei siarad, ei darllen ac yn ei hysgrifennu. Ond mae'n datgelu'n glir y cymhlethdod a oedd wrth wraidd agwedd ddeublyg cymaint o'i gyd-wladwyr dysgedig at eu cenedligrwydd eu hunain ym mlynyddoedd canol Oes Victoria.

Ond, yn gyhoeddus, ni fynnai Edwards ddangos yr amwysedd hwn. 'Nid y gofyniad ydyw, a ddylem ni wneuthur a allom i gadw a choledd yr iaith Gymraeg?', meddai gerbron sasiwn y gogledd yn 1867, 'Gobeithio nad oes neb ohonom yn gwadu hyn'. Y cwestiwn yn hytrach oedd 'oni ddylem efelychu yr apostolion, y rhai, yn lle cyfyngu eu hunain i'r Hebraeg, a gymerasant feddiant o'r Groeg, yr hon oedd iaith masnach a dysgeidiaeth y byd, ac felly y troesant yr anfantais yn fantais'.[49] Roedd gan y Methodistiaid eglwysi Saesneg yn y trefi, yng ngwaelod sir Benfro ac ardaloedd y ffin eisoes: Abertawe, Caerfyrddin, Talacharn, Doc Penfro, ac yn y blaen. Un felly oedd eglwys Windsor Street yn Lerpwl. Roedd cael eglwys Saesneg yn perthyn i enwad Cymraeg mewn dinas yn Lloegr yn creu ei broblemau ei hun, 'The English', fel y dywedodd Edwards wrth Owen Thomas, 'looking at this place in Windsor Street as belonging to the Welsh, and the Welsh, as someone said, regarding it on the other hand as a sort of Botany Bay'.[50] Er i Thomas Charles dderbyn yr alwad yno, ofnai ei dad y byddai'r mab yn cael ei dynnu i mewn yn ormodol i gylch y Cymry a thrwy hynny andwyo'i ddyfodol fel pregethwr Saesneg. Ni allai ddychmygu bod modd gwneud cyfiawnder â'r ddwy iaith ar yr un pryd; roedd gofyn, yn hytrach, ddewis rhyngddynt. 'This is my present difficulty', meddai wrth Owen Thomas ar 13 Rhagfyr 1865, 'and on the whole I am very much disposed to tell Thomas Charles to devote himself entirely to the English'.[51] Bu Thomas Charles yn ddigon call i anwybyddu cyngor ei dad, ac er iddo ymroi i'w fugeiliaeth Saesneg, bu'n flaenllaw hefyd yn holl weithgareddau Cymraeg y cyfundeb yn Lerpwl a'r tu hwnt. Bu o fewn y dim yn 1869 i dderbyn galwad i fugeilio eglwys Gymraeg fwyaf y ddinas, a mwyaf y cyfundeb hefyd, sef eglwys Princes Road, ond penderfynodd aros yn y man lle roedd. Ond roedd ei dad yn gynyddol daerach bod angen i'w gyfundeb gymryd yr achosion Saesneg yn fwyfwy o ddifrif. 'Y mae yn fwy na phryd i ni godi addoldai i bregethu yn yr iaith Saesneg yn holl brif drefydd y Dywysogaeth', meddai gerbron y sasiwn yn 1867,[52] gan ychwanegu, wrth Richard Davies, Treborth, ddwy flynedd yn ddiweddarach, 'What we mainly want is a complete change of feeling towards the English cause and our English preachers.'[53]

Statws a Prestige

Er bod ganddo resymau digon pragmatig dros bledio'r farn hon, roedd hi'n rhwym o gael ei gweld fel agwedd ar ei snobyddrwydd ac yn argoel fod y Methodistiaid wedi mynd i brisio parchusrwydd yn fwy nag egwyddor, boed yn ysbrydol neu yn wladgarol. Mewn ysgrif yn *Y Traethodydd* yn 1865, rhestrodd Lewis Edwards pam y dylai bechgyn ifainc o Fethodistiaid Calfinaidd fanteisio ar ddarpariaeth hen brifysgolion Lloegr: roeddent yn rhagori ar brifysgolion yr Almaen o ran trylwyredd eu haddysg ac ar eiddo'r Alban am fod eu hefrydwyr yn cael eu haddysgu trwy'r system diwtorial yn hytrach na thrwy ddarlithoedd yn un o dorf. Ond yn islais trwy'r cwbl yr oedd y driniaeth arw a gawsai gan ei gyd-grefyddwyr ychydig ynghynt. 'Yr hyn fydd yn fwyaf anodd ei ddioddef fydd dirmyg oddi wrth eich brodyr', meddai, 'a hyn a gewch yng Nghymru bron yn ddieithriad'.[54] 'By this time the sneers of our friends can make no difference', meddai wrth Mrs Davies, Treborth, ar 5 Chwefror 1866. 'A word of encouragement might have been cheering to both of us some two or three years ago, when my son was obliged to devote half his time to the navvies, that he might keep himself in Oxford.'[55] Wedi oes o geisio sefydlu delfryd y weinidogaeth ddysgedig, dyma ef yn teimlo fod rhaid brwydro â rhagfarn o hyd.

> Ped ymunech â'r eglwys sefydledig, byddai hynny yn rhywbeth dealladwy, ac ni fyddai yn beth anghyffredin. Ond bachgen tlawd yn penderfynu cael cystal dysg â'r gwŷr mawr, a hynny heb un golwg am droi y ddysg honno yn fantais ariannol, dyma beth nad oes ganddynt ond synnu at ei ynfydrwydd.[56]

Roedd philistiaeth ei gyd-Fethodistiaid yn loes chwerw iddo o hyd, a mwy nag unwaith fe'i clwyfwyd hyd ddagrau. 'Some time ago at Benarth', meddai wrth Richard Davies ar 24 Ionawr 1867, 'you told me good humouredly that I was too sensitive. I took this in the spirit that it was meant.'[57] Ond gwyddai hefyd fod trysorydd Coleg y Bala wedi cyffwrdd â man tyner, ac ni allai ymatal rhag ei amddiffyn, onid rhag ei gyfiawnhau ei hun. 'Let me then plead as well as I can in my self-defence. And in the first place let me humbly ask, who is there in Wales that has borne greater misrepresentations without taking any notice of them?'[58] Roedd y ffaith fod eraill, megis ei hen gydnabod John Phillips, a oedd erbyn hynny yn brifathro'r Coleg Normal ym Mangor, wedi cael rhwydd hynt i ddilyn ei weledigaeth heb ymyrraeth gan y cyfundeb, yn ei fudwylltio'n enbyd:

> I will presume you will allow that Mr Phillips is as cool and self-possessed as most men. Now he has always had his own way as far as the Methodists are concerned. The association always supported him and opposed me. But what was the result? Phillips absented himself from the association for years, and I attended them as I could.[59]

Llwyddodd, yn amlach na pheidio, i guddio'r hunandosturi hwn, a glynodd yn dynn wrth ei bobl er gwaethaf y driniaeth siabi a ddioddefai ganddynt ar dro. Byddai'r sensitifrwydd hwn yn rhan ohono hyd ei fedd. Ond, parthed ei ddelfryd am addysg uwch, glynu a wnaeth wrth ei farn: 'An Oxford and Cambridge man cannot be treated with disrespect, *except among the ignorant*, let him be a Churchman or Dissenter'.[60]

Roedd y pledio hwn o blaid yr hen brifysgolion yn fyrdwn yng ngohebiaeth Edwards ar y pryd. 'I must confess that I should like to see a few Oxonians and Cantabs among our preachers',[61] meddai ar 3 Chwefror 1866, a'r un peth ddeuddydd yn ddiweddarach, unwaith eto wrth wraig Richard Davies, Treborth.

> In the course of a few years the relative status of our Connexion will be a matter of considerable importance to you, and the status will depend in some measure on our having a goodly number of Oxonians and Cantabs as ministers . . . [A] few will give us prestige, which we cannot have without them.[62]

Aeth llif cyson o fyfyrwyr y Bala i Rydychen o hynny ymlaen: Griffith Ellis, Bootle yn ddiweddarach, Owen M. Edwards, J. Puleston Jones a meibion Edwards, sef Thomas Charles, Llewelyn a David Charles, yn eu plith. Ni wadodd yr un ohonynt ei enedigaeth fraint, yn hytrach buont yn ffyddlon i weledigaeth y Methodistiaid Calfinaidd hyd y diwedd. Gellid dadlau fod rhywbeth yn ogystal â snobyddrwydd ar waith yn yr ymorol hwn am statws a *prestige*, sef y sylweddoliad bod yn rhaid i Ymneilltuaeth, petai hi am fyw, ymaddasu yn gymdeithasol ac yn ddeallusol i'r byd newydd a oedd yn ymffurfio ar ddiwedd y bedwaredd ganrif ar bymtheg. Nid oedd meddylfryd y sect yn cydweddu â'r realiti a oedd ohoni erbyn yr 1860au. Nid lleiafrif dirmygedig oedd Ymneilltuwyr bellach ond corff helaeth o bobl yr oedd eu dylanwad yn ymestyn i bob agwedd ar fywyd y genedl. Nid sut y dylai dyn ei gadw ei hun yn ddifrycheulyd oddi wrth y byd oedd y cwestiwn mwyach ond sut orau i gynnal gwareiddiad Cristionogol poblogaidd na welwyd erioed mo'i fath o'r blaen. Roedd yr anfanteision yr oedd Ymneilltuwyr wedi'u dioddef gan mwyaf wedi'u symud: diddymu'r Deddfau Prawf a Chorfforaethau yn 1828, y Ddeddf Ddiwygio yn 1832 a ddechreuodd y broses o ymestyn y bleidlais i'r tlodion yn ogystal â'r cyfoethogion, agor yr hen brifysgolion, fel y gwelwyd, i rai nad oeddent yn ddeiliaid yr eglwys wladol, a chyn hir byddai Ymneilltuwyr yn cael eu hesgusodi rhag cyfrannu at y dreth eglwysig a'r degwm, byddent yn medru priodi yn y capeli yn hytrach nag yn yr eglwysi plwyf a chael eu claddu heb orfod troi at yr offeiriad na chydymffurfio â dullwedd y Llyfr Gweddi Gyffredin. Roedd etholiad 1868, a fyddai'n peri i Lewis Edwards ddwyn ei bwysau sylweddol o blaid David Williams, Castell Deudraeth, fel Aelod Seneddol Rhyddfrydol cyntaf sir Feirionnydd, ar fin digwydd, a hynny'n arwydd fod hegemoni'r Eglwyswyr a'r Torïaid oddi mewn i'r Gymru Gymraeg bellach ar ben. Mewn gair, roedd y Gymru Ymneilltuol yn troi yn realiti gwleidyddol yn ogystal ag un crefyddol a diwylliannol, a byddai ganddi flaenoriaethau newydd a chyfrifoldebau amgenach nag o'r blaen.

Delfryd amwys yw statws a *prestige* oddi mewn i'r economi beiblaidd, ond ni allai Edwards wadu eu bodolaeth nac anwybyddu eu hapêl. Roedd gofyn, yn hytrach, eu cynnwys fel rhan o ddeinamig anorfod y cynnydd Ymneilltuol a bod yn realistig yn eu cylch. Iddo ef, nid lleoedd i'w hosgoi oedd yr hen brifysgolion, ond sefydliadau i'w meddiannu'n hyderus a'u defnyddio er lles y cyfundeb ac ar delerau cydradd â'u deiliaid breiniol. 'No worthy man', meddai Edwards, 'will care much about emoluments. What he cares most for is a good education. His love of learning is unquenchable; and if in this we try to oppose him, we shall only drive him away from us.'[63] Yr angen, felly, oedd nid osgoi Rhydychen a Chaer-grawnt ond eu gwneud yn fannau priodol ar gyfer y goreuon o blith y pregethwyr efengylaidd Cymraeg. 'One of the gloomiest signs of the times', meddai ar 6 Tachwedd 1858, 'is the utter separation that has taken place in England between evangelical religion and all massiveness or strength of intellect. But among the Welsh, this is not the case, for our greatest thinkers are certainly in the ranks of the evangelical ministers.'[64] Yr her, felly, oedd sicrhau fod y darpar-weinidogion yn cyfuno'u ffydd â'r safonau dysg uchaf yn y prifysgolion gorau, boed yn Lloegr neu yn yr Alban, a hynny er lles y Gristionogaeth Gymraeg. Gan gydnabod bod yna amwysedd ac nid hwyrach wendid mawr ynghylch natur ymlyniad Edwards wrth yr iaith, gellid honni mai awydd i ddyrchafu ei gyfundeb a'i phregethwyr yn ysbrydol ac yn ddeallusol oedd ei brif awydd gyda'r symudiad hwn.

Un peth sy'n drawiadol iawn ynglŷn â gohebiaeth Lewis Edwards â'i ddau fab hynaf, Thomas Charles a Llewelyn, yn ystod y blynyddoedd hyn yw ei duwiolfrydedd. Roedd ei anerchiadau cyhoeddus megis 'Ychydig sylwadau ar ragrith' (1862)[65] a 'Pa fodd i wneuthur daioni' (1863)[66] yn dangos pa mor fyw ydoedd i'r perygl o weld crefydd yn troi'n arferiad yn hytrach nag yn argyhoeddiad ymhlith ei gyd-Fethodistiaid. 'Y mae y rhagrithiwr', meddai,

> yn dal o'i flaen ymddangosiad o fanylrwydd crefyddol, ymddangosiad o ostyngeiddrwydd, ymddangosiad o garedigrwydd, ymddangosiad o eiddigedd sanctaidd dros burdeb yr athrawiaeth, ond rhith yw y cwbl ac nid oes ond hunangais a chenfigen tu cefn i'r ymddangosiad . . . O'r ffynhonnell hon y tarddodd yr holl *pious frauds* sydd wedi gwneuthur cymaint o ddrwg yn y byd.[67]

Y thema hon a fyddai'n bwydo athrylith myfyriwr arall iddo, Daniel Owen, yn ei nofelau maes o law, ac ymdeimlai Edwards â'r pydredd a oedd eisoes yn ymosod ar galon y gwareiddiad Calfinaidd a oedd yn ymddangos mor ffyniannus ac iach. 'My earnest wishes for you tend to one point', meddai wrth Thomas Charles ar droad blwyddyn 1864, 'that you may be eminently useful, and with that view that you may have grace to dedicate yourself to God more unreservedly than ever now at the commencement of another year'.[68] Nid crefyddolder confensiynol oedd hyn, ond arwydd o ofal ysbrydol diffuant dros y plant. 'Pray continually for the indwelling of the Spirit', meddai wrth Thomas Charles ar 7 Mawrth 1865, 'Grieve Him not by word or deed . . . Trust not to your own wisdom or your own strength. Learn every day the great lesson of denying yourself. Let all this talk about the dangers of Oxford make you more cautious, and more earnest in prayer.'[69] Pan oedd yr arholiadau terfynol yn agosáu, yn Nhachwedd 1865, cynghorion ysbrydol yn hytrach na rhai academaidd a roes y tad: 'You cannot do better than renew your covenant with God tomorrow. Ask Him, as Jacob did, to be with you, and try to consecrate yourself to His service.'[70] 'Whatever may be the result', meddai, y diwrnod cyn cyhoeddi rhestr y llwyddiannau, 'I have perfect trust that all will be for the best. Turn to your Heavenly Father tomorrow and humble yourself before Him.

There is nothing that offends Him as much as pride, and He may think it best that you should not stand very high, in order to keep you humble.'[71] Roedd Thomas Charles yn 28 oed pan luniwyd y llythyr hwn, Llewelyn, a oedd yn fyfyriwr yn y Bala, yn 22, Celia yn 19, Mary yn 17 a Leta yn 15 oed. Roedd David Charles yn 13 a James – 'Jim bach' – yn 9 oed. Ar wahân i'w ffydd a'i weledigaeth, yr hyn a gynhaliodd Lewis Edwards oedd y cariad a ffynnai ar yr aelwyd ac a fu'n gefn iddo ar hyd y blynyddoedd.

Hanes Duwinyddiaeth y Gwahanol Oesoedd

Yn ogystal â'i gyfres ysgrifau 'Cysondeb y ffydd' (1845–58) a'i gyfrol *Athrawiaeth yr Iawn* (1860), yr un gwaith arall o eiddo Lewis Edwards a gyfrannodd yn helaeth at ddatblygiad y meddwl diwinyddol Cymraeg yn y bedwaredd ganrif ar bymtheg oedd y *Traethawd ar Hanes Duwinyddiaeth y Gwahanol Oesoedd* a ymddangosodd yn gyntaf fel rhaglith i'w adargraffiad o gyfrol George Lewis, y diwinydd o Lanuwchllyn, sef *Drych Ysgrythurol, neu Gorph o Ddifinyddiaeth*, ac yna fel cyfrol ar wahân. Ychydig o sôn sydd amdano yn ei ohebiaeth, ac oherwydd nad oes dim dyddiad arno, ni wyddys yn iawn pryd y'i cyhoeddwyd. 'I thought of referring to the principal systems of theology', meddai wrth Owen Thomas ar 16 Chwefror 1861, 'not so much to describe the merits of each . . . but simply to point out a very few of their leading characteristics'.[72] Roedd yn rhy ddiymhongar o lawer, oherwydd mae'r traethawd 150 tudalen hwn ymhlith y pethau galluocaf ar y pwnc a ysgrifennwyd erioed yn Gymraeg. 'Y rhagymadrodd hwn ar "Hanes Duwinyddiaeth" yw'r peth gorau o ddigon a ysgrifennodd Lewis Edwards', meddai Trebor Lloyd Evans.[73] Agorodd fyd newydd i genhedlaeth gyfan o Ymneilltuwyr Cymru ac erys ymhlith yr ymdriniaethau Cymraeg clasurol ar y pwnc.

Fel Protestaniaid da credai'r Methodistiaid, fel gweddill Ymneilltuwyr Cymru, mai'r Beibl, a'r Beibl yn unig – *sola scriptura* – oedd safon eu ffydd. Peth dieithr, Anglicanaidd, lled-Babyddol oedd priodoli unrhyw awdurdod i draddodiad eglwysig, ac roedd y syniad y gallai athrawiaethau'r efengyl, yn enwedig y rhai canolog megis Person Crist a'r Drindod, fod yn ffrwyth dadlau a hir fyfyrdod gan y cynghorau eglwysig cynnar yn eu taro'n chwithig iawn. Credent fod yr athrawiaethau hyn wedi'u datguddio'n ddigyfrwng o'r nefoedd a'u bod i'w gweld yn amhroblematig amlwg ar wyneb y Testament Newydd a'r Hen. Gwyddor newydd oedd Hanes yr Eglwys ymhlith Ymneilltuwyr y bedwaredd ganrif ar bymtheg. Roedd *Merthyrdraith* Thomas Jones (1814) wedi disgrifio'n fanwl droeon y Diwygiad Protestannaidd, ond egwyddor feirniadol y diwinydd o Ddinbych oedd goruchafiaeth y sofraniaeth ddwyfol dros bob athrawiaeth a roes le i ymdrech a chyfraniad dyn. Roedd polemig gwrth-Gatholig Jones yn milwrio yn erbyn effeithiol-rwydd y gwaith fel astudiaeth gytbwys o gyfnod allweddol yn hanes crefydd y gorllewin. Nid oedd ganddo nemor ddim i'w ddweud am y mil blynyddoedd rhwng yr Eglwys Fore a gwawr diwygiad Martin Luther, ac yn hynny o beth roedd yn nodweddiadol o syniad y mwy-afrif am hanes Eglwys Crist.

Ond erbyn yr 1830au roedd y rhod yn dechrau troi. Roedd cyfrol ysblennydd John Henry Newman *The Arians of the Fourth Century* (1833), yn ogystal â bod yn glasur llenyddol, yn nodi gwawr newydd yn y ddeallturiaeth o'r ddeinameg a reolai ddatblygiad hanes yr athrawiaethau. Er bod y *Tracts for the Times* (1833–45) gan Newman a'i gyfeillion, John Keble, Edward Bouverie Pusey, Isaac Williams ac eraill, yn arfau yn y frwydr i ailgatholigio Eglwys Loegr, roeddent yn gyforiog o'r ysgolheictod patristig manylaf ac yn dangos cyfoeth ysbrydol y canrifoedd Cristionogol cynnar mewn ffordd na wnaed odid erioed o'r blaen. Er i Richard Hooker yn ei *Laws of Ecclesiastical Polity* (1593–7) ac Anglicaniaid gwrth-Biwritanaidd eraill megis Lancelot Andrewes yfed yn ddwfn o ffynhonnau y tadau eglwysig cynnar, erbyn y ddeunawfed ganrif roedd gwybodaeth fyw o dwf yr athrawiaethau wedi mynd yn annelwig iawn. Ond gyda'r adfywiad patristig, gwelodd eraill, ac nid uchel-Anglicaniaid yn unig, bwysigrwydd meistroli'r defn-yddiau o'r cyfnod clasurol. Ar y cyfandir rhoddwyd croeso helaeth i waith y Lutherydd Johann August Neander, *Geschichte der . . . christ-lichen Kirche* ('Hanes yr . . . Eglwys Gristionogol') (1832–3), tra cyhoeddodd yr hanesydd Anglicanaidd Henry Hart Milman ei *History of Latin Christianity* yn 1855, a'i gyd-Eglwyswr Arthur Penrhyn Stanley *Lectures on the Eastern Church* yn 1861. Gweithiau gwrth-rychol, ysgolheigaidd, llydan eu cydymdeimlad oedd y rhain, ymhell o fod yn bolemig, ond yn pwysleisio twf organig yr eglwys fel cym-deithas ysbrydol ar hyd y canrifoedd. Roedd *Historical Theology* (1862) yr Albanwr William Cunningham, olynydd Thomas Chalmers fel prifathro'r Coleg Newydd, Caeredin, a *History of Christian Doctrine* (1863) y Presbyterydd Americanaidd W. G. T. Shedd,[74] er yn weithiau Protestannaidd uniongred, yr un mor gytbwys ag eiddo Neander, Milman a Stanley yn eu hymdriniaeth â'r canrifoedd cynnar ac â'r

Oesoedd Canol Catholig. Roedd *Hanes Duwinyddiaeth y Gwahanol Oesoedd* Edwards yn rhannu'r un ysbryd ac yn cyfrannu at yr un twf.

Gweinidog gyda'r Annibynwyr oedd y Dr George Lewis (1763–1822), a lladmerydd disglair y Galfiniaeth ffederal a fu'n gynhysgaeth i'r Hen Ymneilltuwyr rhwng cyfnod y Piwritaniaid ac oes y Diwygiad Efengylaidd.[75] Ffrwyth ei gyfnod fel bugail cynulleidfa yr Hen Gapel, Llanuwchllyn, oedd y *Drych Ysgrythurol, neu Gorph o Ddifinyddiaeth* (1796), a ysgrifennodd cyn ei benodi yn bennaeth yr academi Ymneilltuol yn Wrecsam ac yna yn Llanfyllin.[76] Ni wyddys pam y dewisodd Lewis Edwards ailgyhoeddi'r *Corph* ddeugain mlynedd ar ôl i'w awdur farw, mwy na'r ffaith ei fod yn waith eglur a galluog ac yn enghraifft ardderchog o fêr yr athrawiaeth iachus fel yr oedd y Cymry o bob enwad wedi ei choleddu am genedlaethau. 'Y mae yn amlwg fod Dr Lewis yn ddyn o feddwl cryf, ei fod wedi darllen llawer ar weithiau y Piwritaniaid, a'i fod yn deall yr hyn oedd yn ei ddarllen . . . ac y mae yn anodd cael corff diwinyddiaeth mwy rhydd oddi wrth ddiffygion na'r eiddo ef.'[77] Roedd y gyfrol yn ddolen rhwng yr 1860au ac oes Williams Pantycelyn a Thomas Charles o'r Bala. Yn anhraethol fwy na chyflwyniad cyfoes i gyfrol George Lewis, roedd *Hanes* Lewis Edwards yn olrhain traddodiad yr eglwys ar hyd y canrifoedd ac yn mynnu fod ffydd y Methodistiaid Calfinaidd yn unol â'r neges apostolaidd ac yn perthyn i brif ffrwd eglwys yr oesoedd. Mewn geiriau eraill, apologia o blaid catholigrwydd oedd y traethawd ac yn ergyd yn erbyn y culni a'r sectyddiaeth a lurguniodd y meddwl hanesyddol ymhlith crefyddwyr gynt.

Roedd saith pennod cyntaf yr *Hanes* yn gosod allan ragdybiaethau Edwards ynghylch yr wyddor ddiwinyddol yn gyffredinol. Yn y bennod gyntaf, 'Y Beibl a chrefydd', mae'n dechrau gyda'r Gair, ond y Gair nid fel rhyw wyddoniadur hollgynhwysfawr neu lawlyfr ar ddaeareg, seryddiaeth neu unrhyw ddisgyblaeth ffisiolegol arall, ond yn syml fel arweiniad i'n dealltwriaeth o grefydd ac o Grist. Ac yntau'n ymwybodol iawn o'r dadleuon gwyddonol cyfoes, mynn nad cynnig arweiniad i bob agwedd ar fywyd dyn oedd pwrpas y Beibl, ac ofer ei ddehongli'n orlythrennol. Ond oddi mewn i'w gylch ei hun roedd yn awdurdodol, yn ddibynadwy ac yn ddatguddiad eglur o Grist a'i efengyl. Yn y penodau nesaf, 'Crefydd ac athrawiaeth', 'Athrawiaeth a diwinyddiaeth' a 'Diwinyddiaeth a chyfundrefn', ·mae'n dangos nad peth systematig mo athrawiaeth, sydd i'w chanfod yn ei ffurf derfynol, ddatblygedig ar dudalennau'r Beibl, 'eithr yn hytrach [y mae] yn wasgaredig trwy y gyfrol sanctaidd' (t. x) i gyd. Gwaith yr esboniwr beiblaidd oedd egluro cynnwys athrawiaethol y testun, a thasg y diwinydd oedd ei ddehongli a'i gyfundrefnu. Ond nid peth hawdd oedd hyn. 'Dyma waith sydd yn peri i'r meddwl cryfaf deimlo ei wendid a'i fychander, oblegid er fod y meddwl dynol yn fawr, y mae llyfr Duw yn anfeidrol fwy' (ibid.). Oherwydd na werthfawrogodd pobl 'egwyddor y cyferbyniadau' y soniodd Edwards amdani mor helaeth yn ei gyfres 'Cysondeb y ffydd', y duedd oedd tynnu casgliadau 'hannerog' (ibid.), yn pwysleisio un rhan o'r gwirionedd fel petai'n cynnwys y gwirionedd i gyd. Y perygl oedd gwneud y dehongliad athrawiaethol yn anffaeledig, boed yn Galfiniaeth neu yn Arminiaeth, yn Awstiniaeth neu yn Belagiaeth, yn hytrach na phriodoli awdurdod terfynol i'r Gair ei hun a oedd, yn ei hanfod, yn amlochrog ac yn ddeinamig. Ond, gan mor amlochrog oedd y gwirionedd, roedd angen ffordd ato a fyddai'n gwneud cyfiawnder â bwriadau Duw fel y'i datguddiodd ei hun, ac i Edwards y ffordd honno oedd Crist: 'Nid oes un drychfeddwl yn ddigon cryf i gynnal yr holl adeilad . . . ond y drychfeddwl am y Person yn yr hwn y mae pob peth yn cydsefyll' (t. xv).

Ar un wedd gwireb oedd y datganiad hwn, ystrydeb yn fwy na gwirionedd gwreiddiol ond, yn ei gyd-destun, roedd yn newydd, a'i oblygiadau yn chwyldroadol iawn. 'Y peth newydd ynddo', meddai Trebor Lloyd Evans, 'yw bod diwinydd o Gymro yn y bedwaredd ganrif ar bymtheg yn dewis canolbwyntio ar yr Arglwydd Iesu Grist, ac adeiladu ei ddiwinyddiaeth o gylch ei Berson Ef'.[78] Os oedd Williams Pantycelyn wedi gwneud hyn yn ei emynau a'i gerddi hirion, 'Golwg ar deyrnas Grist' yn arbennig, ers hynny roedd y Person wedi cael ei guddio gan ei Waith, sef ei aberth ar y groes, a chynnig hollgynhwysfawr yr efengyl wedi ei amodi a'i gymylu gan ddirgelion yr arfaeth a'r ethol. Dyma pam, yn yr Alban, roedd McLeod Campbell wedi cynnig ffordd amgenach o ddehongli'r efengyl, ac F. D. Maurice wedi mynnu diwinydda nid o waith Crist at ei berson ond o berson Crist at ei waith. Er gwaethaf anesmwythdra Edwards ynghylch manylion eu cyfundrefnau hwy, roedd yn ymdeimlo'n reddfol â'r angen i ganoli ar Grist. 'Gan fod y meddwl dynol mor egwan i graffu ar yr hanfod dwyfol', meddai yn Athrawiaeth yr Iawn, 'bydded i ni edrych ar Dduw wedi ymddangos mewn cnawd. Y mae yr holl egwyddorion tragwyddol wedi ymgorffori ym mherson y Cyfryngwr, ac ohono ef fel canolbwynt y cwbl y mae goleuni yn pelydru ar holl athrawiaethau yr efengyl.'[79] Flwyddyn yn gynt, wrth sylwi ar gyfraniad diwinyddol Thomas Charles, meddai: 'Nis gellir cael geiriau i ddisgrifio pa mor bwysig yw edrych ar bob cangen o athrawiaeth fel yn derbyn ei goleuni oddi wrth berson yr Arglwydd Iesu Grist.'[80]

Y cwestiwn, wrth gwrs, yw pa Grist a olygai? Doedd dim amheuaeth ym meddwl Edwards mai Crist y Testament Newydd, fel y cafodd ei ddehongli gan yr Eglwys Fore yn ei chynghorau yn Nicea yn 325 oc ac yn Chalcedon yn 451 oc, oedd unig wrthrych ffydd: 'Yr unig esboniad yw yr athrawiaeth fawr am y Person yn yr hwn y mae Duw a dyn mewn undeb tragwyddol' (t. xvi). Consenws oesol yr eglwys oedd fod Crist y Mab o'r un hanfod â'r Tad, i'r Mab, fel y Logos, gael ei genhedlu'n dragwyddol, ac wedi iddo uniaethu ei hun â dyn yn yr ymgnawdoliad, ei fod yn ddynol, yn ddwyfol ac yn un person cyfansawdd. 'Yr oedd y diweddar Dr Edwards mor afaelgar yn athrawiaethau y brif eglwys', meddai Thomas Charles Edwards, 'fel y mae yn eglur mai ei ffyddlondeb iddynt sydd yn peri ei fod yn dal mor dynn wrth yr hen olygiadau'.[81] Cyhoeddwyd ei ddarlithoedd ar Gristoleg ar ôl ei farw, ac y maent yn drwyadl ysgrythurol ac yn gwbl ffyddlon i drindodaeth Nicea ac i fformiwla Chalcedon. 'Sylfaen crefydd yn ddiau yw y Bod o Dduw', meddai, 'ond sylfaen neilltuol y grefydd Gristionogol yw Duw wedi ymgnawdoli, nid gwirionedd ysbrydol yn unig, ond y Person dwyfol yn yr oll ag ydyw ac yn yr oll a wnaeth'.[82] 'Y mae yn ymddangos', meddai, 'mai y cynllun gorau . . . yw cymeryd yr Arglwydd Iesu Grist fel canolbwynt y gwirionedd dwyfol, ac edrych ar bob athrawiaeth yn ei chysylltiad ag ef' (tt. xiv–v).

Trwy ganolbwyntio ar ryw wirionedd ar wahân i Berson Crist fel allwedd i'w gyfundrefn roedd George Lewis, fel y systemateiddwyr o'i flaen, wedi methu â gwneud cyfiawnder â chyfanrwydd y ffydd. I Clement o Alexandria, y ddelwedd o Grist fel addysgwr oedd yr allwedd; i Awstin Fawr yn y *Civitate Dei* y syniad o'r deyrnas; i Cocceius a Witsius a'r sgolastigiad Protestannaidd eraill, y syniad o gyfamod, ac i'r Annibynnwr o Lanuwchllyn y cysyniad o sofraniaeth Duw mewn etholedigaeth. Yn y systemau hyn, 'gosodir Crist allan fel rhan yn unig o'r gyfundraeth, pan y mae yn y datguddiad dwyfol yn bob peth, ac ym mhob peth' (t. xv). John Calvin oedd agosaf at wneud tegwch â'r cwbl, am fod yr *Institutio* wedi ei batrymu ar Gredo'r Apostolion. 'Hyd yn oed yn yr ystyr hwn yr oedd yn rhagori ar bawb a fu o'i flaen, ac y mae yn amheus a oes neb ar ei ôl wedi cael gafael ar gynllun gwell . . . na'r eiddo ef' (t. xxiv). Y cwestiwn sylfaenol oedd, 'Pa fodd y mae i ni edrych ar y gwirionedd am Grist nid yn unig fel un gwirionedd ymysg gwirioneddau eraill, ond fel canolbwynt yr holl wirioneddau?' (t. xxvii).

Catholigrwydd

O bennod saith ymlaen yr hyn a gafwyd gan Edwards oedd disgrifiad o 'hanes diwinyddiaeth trwy yr holl oesoedd o ddyddiau yr apostolion hyd yn awr' (t. xxxiii). Ni fynnai hepgor yr un cyfnod na'r un gangen o'r eglwys pa mor bell bynnag yr oedd rhai ohonynt yn gwyro oddi wrth y purdeb athrawiaethol y byddai Ymneilltuwr efengylaidd yn ei ystyried yn dderbyniol. Y sail dros eu derbyn i'r olyniaeth oedd y gred fod y Crist atgyfodedig wedi addo trigo gyda'i bobl yn wastadol. '"Yno yr wyf fi": Y mae y geiriau hyn yn cael eu darllen yn fynych, ond ychydig sydd yn dychmygu am y grym sydd ynddynt, nac yn ystyried fod ynddynt feddwl o gwbl' (t. xxxv). Dealltwriaeth eglwysig yn hytrach nag unigolyddol sydd yn rheoli ei feddwl; nid casgliad o eneidiau achubedig mo'r eglwys ond cymuned ddirgel mewn hanes, a'i pharhad wedi'i gwarantu gan yr addewid dwyfol, yn cael ei galw gan y Gair ac yn cael ei chynnal gan y sacramentau er gwaethaf pob gwyrni allanol a gwrthgiliad oddi mewn. Yn ôl Edwards roedd hanes yn datguddio gwahanol athrawiaethau mewn gwahanol gyfnodau: person Crist yn y cyfnod cynnar gan ganoli ar y bedwaredd a'r bumed ganrif; gwaith Crist ac arwyddocâd aberth y groes yn yr Oesoedd Canol; a sut i fanteisio ar waith Crist a'r aberth – cyfiawnhad trwy ffydd – gyda'r Diwygiad Protestannaidd. Testun pennod wyth oedd 'Y Tadau Groegaidd', lle mae'n trafod cyfraniad Origen, yn enwedig ei syniad am dragwyddol genhedliad y Mab, Irenaeus, Athanasius ac eraill.

> Y gwasanaeth mwyaf arbennig a wnaeth y Tadau Groegaidd i Gristionogaeth oedd penderfynu trwy hir ymchwiliad a thrwy lawer o ddadleuon, y rhai a ddygid ymlaen nid bob amser yn yr ysbryd mwyaf brawdol, pa beth yw yr athrawiaeth ysgrythurol am Berson yr Arglwydd Iesu Grist. (t. xli)

Dyfarnodd Cyngor Nicea (325 oc) yn derfynol ar wirionedd duwdod Crist, ei fod o'r un sylwedd â'r Tad, tra bo Cyngor Chalcedon (451 oc) wedi diffinio natur y berthynas rhwng duwdod Crist a'i ddyndod, sef bod gan y Mab ddwy natur 'heb gymysgu, heb gyfnewid, heb ymrannu, heb ymwahanu'. Nid dros nos y daethpwyd i'r consensws hwn, yn un peth am nad oedd y dystiolaeth ysgrythurol yn ildio'i hun i ddiffinio mor dechnegol â hyn, ac am fod dadlau chwyrn gan rywrai a fynnai bwysleisio'i ddyndod ar draul ei dduwdod, neu ei dduwdod ar draul ei ddyndod. 'Bu y dynion gorau yn yr eglwys gyntefig yn brwydro dros yr athrawiaeth hon . . . a chan nad yw hyd yn hyn wedi derbyn y sylw y mae yn haeddiannol ohono oddi wrth y Cymry, tybir nad afreidiol yw aros ychydig ymhellach gyda'r hanes' (t. xlii).

Y ffynhonnell y mae'n dyfynnu ohoni amlaf yn y bennod hon yw gwaith y diwinydd Anglicanaidd Richard Hooker (*c.*1554–1600), ac mae'n werth aros gyda'r cyfeiriad hwn am ei fod yn goleuo perthynas annisgwyl Lewis Edwards ag Anglicaniaeth glasurol.

Tarddasai'r mudiad Methodistaidd o'r Eglwys Anglicanaidd. Eglwys-wyr oedd Howell Harris a Daniel Rowland, cefnodd Williams Pantycelyn ar Ymneilltuaeth ei fagwraeth er mwyn ceisio urddau esgobol, ac eglwys-wr clasurol, uchel eglwyswr i bob pwrpas o ran ei athrawiaeth am fedydd a'r Ewcharist, oedd Griffith Jones, Llanddowror. Roedd athrawiaeth ewcharistig Thomas Charles o'r Bala lawer yn uwch nag a ddisgwylid gan rywun a oedd yn perthyn i blaid efengylaidd yr eglwys wladol. Saer ac adeiladydd yr Anglicaniaeth glasurol oedd Richard Hooker, cymrawd Coleg Corpus Christi, Rhydychen, a Meistr y Deml yn Llundain. Yn ei *Laws of Ecclesiastical Polity* (1593–7), mynnodd fod Eglwys Loegr yn eglwys ddilys apostolaidd, yn feiblaidd ei sylfaen, yn esgobol ei threfn ac yn litwrgaidd ei natur, a oedd yn dilyn y ffordd ganol rhwng Calfiniaeth Genefa a Chatholigiaeth Rhufain. Os oedd y Piwritaniaid yn israddio traddodiad yn enw egwyddor *sola scriptura* ('yr Ysgrythur yn unig') roedd yr Eglwys Anglicanaidd yn mawrygu traddodiad, ynghyd â'r Ysgrythur a rheswm, fel ffynhonnell driphlyg ei hawdurdod ysbrydol. Iddi hi roedd parhad oesol yn rhan o hanfod yr eglwys, ac nid ellid eglwys nad oedd mewn cytgord â'r hyn a ddigwyddodd yn y canrif-oedd o'i blaen. Nid pethau i'w creu o'r newydd oedd athrawiaethau'r ffydd ond rhan o gynhysgaeth y gorffennol a'r *paradosis*, y trosglwyddo apostolaidd o'r naill genhedlaeth i'r llall. I Lewis Edwards, prif bwys-igrwydd Hooker oedd nid bod yn apolegydd i'r ffydd Anglicanaidd, ond bod yn lladmerydd dysgedig catholigrwydd fel norm. Y ffordd o fesur gwerth arfer a phwysigrwydd athrawiaeth oedd gweld nid yn unig a oeddent yn feiblaidd ond gweld a oeddent yn unol ag arfer y canrif-oedd ai peidio. Fel Vincent o Lerins yn y bumed ganrif a'i ddiffiniad o gatholigrwydd fel *quod ubique, quod semper, quod ab omnibus creditum est* ('yr hyn a gredir ym mhob man, bob amser a chan bawb'), i Edwards y ffordd i fesur cywirdeb ffydd oedd gweld a oedd yn unol ag arfer y canrifoedd: 'Dyma farn yr eglwys Gristionogol trwy yr oesoedd',[83] oedd nod uniongrededd o hyd. A chan Richard Hooker y dysgodd hyn.

Fel y gwelwyd yn y penodau blaenorol, Ymneilltuwr cydwybodol oedd Lewis Edwards. Torrodd â Thorïaeth yn ysgolfeistr ifanc yn Nhalacharn, ac o'i ddyddiau yn fyfyriwr yn yr Alban daeth i arddel Presbyteriaeth fel y mynegiant gorau o athrawiaeth yr eglwys. Ni chredai yn y cyswllt sefydliadol rhwng eglwys a gwladwriaeth ac nid oedd a fynno â'r olyniaeth apostolaidd fel y cyfryw, ond roedd traddodiad ysbrydol a phwysigrwydd tras iddo yn bethau o bwys. Fel Methodist o argyhoeddiad dioddefodd oddi wrth ragfarnau cymdeithasol Anglicaniaid balch, ac ysgwyddodd yn ddi-gŵyn yr anfanteision dybryd a roddid ar bob Ymneilltuwr o'i genhedlaeth ef. Ac adeg y Llyfrau Gleision mynegodd yn huawdl ddirmyg ei bobl at draha'r offeiriaid a llygredigaeth yr eglwys wladol. Ond trwy'r cwbl nid oedd yn ddall i ddeniadau Eglwys Loegr nac yn fyddar i'w hapêl. 'Nid ydym yn rhyfeddu fod Eglwys Loegr yn sefyll mor uchel yn ei fryd', meddai yn 1850, cwta dair blynedd ar ôl Brad y Llyfrau Gleision.

> Y mae gennym barch mawr ein hunain i rai o'i threfniadau, ac i lawer o'i gweinidogion. Y mae amryw o'i gweddïau yn ymddangos i ni mor agos at berffeithrwydd â dim a gyfansoddwyd erioed . . . ac y mae yn rhaid i ni gyfaddef hefyd fod rhyw swyn i'n teimladau yn agwedd barchus yr addolwyr o fewn ei muriau.[84]

Ac roedd y parch hwn yn ymestyn at rai o'r athrawiaethau mwyaf catholig. Yn ôl y bobl a fynnai ddatgysylltu egwyddor cyfiawnhad trwy ffydd oddi wrth effeithiolrwydd y sacramentau, a sôn am fedydd fel symbol a'r cymundeb yn syml fel coffâd, 'hwy sydd yn cyfeiliorni, ac mai athrawiaeth Mr Charles yw y wir athrawiaeth. Ie, dywedwn ymhellach fod yma wirionedd pwysig, y byddai yn ddiffyg mawr i unrhyw gangen o eglwys Crist fod hebddo, gan y byddai yn colli golwg ar yr ysbrydol yn y sacramentau.'[85] Roedd *Yr Hyfforddwr*, sef catecism Thomas Charles, yn defnyddio ieithwedd realistig y Testament Newydd a gysylltai ailenedigaeth â gweithred y bedydd a'r cymundeb â bwyta ac yfed corff a gwaed Crist. 'Y mae rhyw ystyr i eiriau o'r fath yma, ac y mae yn rhaid fod yr ystyr hwnnw yn cynnwys nad arwyddion yn unig yw y sacramentau.'[86] I Lewis Edwards, roedd grym yn y sacramentau fel yr oedd swyn yn y gyfundrefn Anglicanaidd ni waeth beth oedd ei gwendidau, ond y gwirionedd pwysicaf oedd bod Eglwys Crist yn gorff catholig byw. Ac roedd Methodistiaeth Galfinaidd Gymraeg, o'i hiawn ddehongli, yn perthyn i dras yr oesoedd.

O droi at 'Y Tadau Lladinaidd' ym mhennod deg, mae Edwards yn trafod cyfraniad diwinyddol yr Affricanwyr Cyprian, Tertwlian ac Awstin Fawr. 'Ar yr holl faterion hyn cyfrifwyd Augustine, nid heb achos, gan yr holl eglwys Gristionogol yn gyffredinol, o'r pryd hwnnw hyd yn awr, yn awdurdod uchaf yn nesaf at y Beibl' (t. lv), a hynny er gwaethaf ei gred mewn adenedigaeth trwy fedydd, colledigaeth dra-gwyddol plant bach heb eu bedyddio a'r ffaith fod ei 'olygiadau ar natur cyfiawnhad yn dra chymysglyd' (t. li). Er bod ganddo air da i wrthwynebydd mawr Awstin sef y Brython Pelagius, 'y mae pob lle i feddwl fod Pelagius yn ddyn moesol a chrefyddol' (t. lviii), roedd hi'n amlwg y byddai Edwards, fel un a fagwyd ar Galfiniaeth y 'pum pwnc', yn tynnu tuag at Awstin a'i farn. 'Yn ysgrifeniadau Augustine y gwelwn ganoldydd y cyfnod cyntaf ar ôl yr Apostolion' (t. lxiii). Os yw cynnwys y bennod hon yn unol â'r disgwyl, mae'n ddiddorol sylwi fod y bennod ganlynol, ar ddiwinyddion yr Oesoedd Canol, lawer yn fwy cadarnhaol nag y byddai neb yn ei feddwl. Nid tywyllwch, ofer-goeliaeth a phydredd a nodweddai'r cyfnod o flaen diwygiad Martin Luther ond, o ran ei ddiwinyddiaeth beth bynnag, oleuni ac athrylith. Yr arwr cyntaf yw Anselm, archesgob Caer-gaint, awdur y gyfrol *Cur Deus Homo?* ('Pam y daeth Duw yn ddyn?') ar athrawiaeth yr iawn, a'r *Proslogion* lle y cynigiodd y prawf ontolegol o fodolaeth Duw. 'Dyma un sydd yn haeddu ei restru yn y dosbarth blaenaf fel athron-ydd a diwinydd' (t. lxviii). Sonnir hefyd am Abelard, ac yna am Tomos o Acwin: 'Efe oedd prif amddiffynnydd yr athrawiaeth efengylaidd yn y drydedd ganrif ar ddeg' (t. lxxii). Oesoedd ffydd oedd y rhain yn nhyb Lewis Edwards, ac er bod yr eglwys mewn mannau yn wyw, y babaeth yn ormesol a safonau moesol heb fod yn uchel, doedd dim amheuaeth fod Crist yn parhau i gynnal ei saint a bod Rhufain, er gwaethaf ei beiau, yn dal i berthyn i'r un eglwys lân, gatholig ac apostolaidd. 'There is no doubt that popery is idolatry', meddai wrth Thomas Charles Edwards ar 4 Rhagfyr 1866, 'though I am happy to think that thousands of Roman Catholics will be saved, as there have been many pagans who knew no better'.[87] Mewn gwirionedd roedd tôn y ddwy bennod ar grefydd a diwinyddiaeth yr Oesoedd Canol lawer yn llai crintachlyd na hyn.

Pan gyrhaeddodd y bennod ar y Diwygiad Protestannaidd, ysgrifen-nodd Edwards gyda rhwyddineb mawr. Nid awdurdod yr Ysgrythur ond '[a]thrawiaeth cyfiawnhad trwy ffydd yw canolbwynt y Diwygiad Protestannaidd'(t. xcv) meddai, er bod etholedigaeth a rhyddid ewyllys yn oblygedig yn y pwnc. Mae'n tynnu'r gwahaniaeth rhwng pwyslais

Luther ac eiddo John Calvin, ac yn olrhain Calfiniaeth yn ei gwedd sgolastigaidd, ffederal – 'Yr oedd Calfiniaid y dyddiau hynny gan mwyaf yn ddynion cyfyng, rhagfarnllyd' (t. cviii) – ac yn nodi'r adwaith a gaed i uchel-Galfiniaeth gan y Ffrancwr Amyrald a diwinyddion ysgol Saumur. Ond yn y bennod olaf, ar y Diwygiad Methodistaidd, y mae'n fwyaf cartrefol, wrth drafod priod nodweddion ei dras ysbrydol ei hun. 'Os cyfiawnhad oedd pwnc mawr y Diwygiad Protestannaidd', meddai, 'felly pwnc mawr y Diwygiad Methodistaidd oedd ailenedig-aeth' (t. cxviii). Yn wahanol i'r cyfnod cynt, prin y gellir honni i'r Diwygiad Efengylaidd fagu diwinyddiaeth wreiddiol neu fawr, ond yr hyn a wnaeth oedd pwysleisio'r bywyd mewnol a phrofiad y galon. 'Mae yn amlwg ar unwaith mai un peth a wnaeth y Methodistiaid oedd dangos fod teimlad mewn crefydd, neu yn hytrach fod crefydd yn gwreiddio yn y galon ac nid yn y deall yn unig' (t. cxvii). Un diwinydd gwirioneddol bwysig a gynhyrchodd y mudiad, sef yr Americanwr Jonathan Edwards, 'efe, mewn modd arbennig, oedd diwinydd y Diwygiad hwn' (t. cxxx), a hynny am iddo impio'r hen Biwritaniaeth wrth ofynion yr Aroleuo a rhoi mwy o bwyslais na neb o'r blaen ar y serchiadau crefyddol. A dilyn Jonathan Edwards a wnaeth Daniel Rowland, Williams Pantycelyn, Charles o'r Bala a Thomas Jones. 'Yr effaith a gafodd Methodistiaeth ar ddiwinyddiaeth Cymru oedd ei chodi i dir mwy rhydd, mwy eang a mwy efengylaidd' (t. cxxix). A chyda hynny tynnodd ei draethawd i ben.

Coleg Arall y Bala

Nid Lewis Edwards oedd yr unig ddiwinydd yn y Bala yn yr 1860au ac nid coleg y Methodistiaid Calfinaidd oedd yr unig sefydliad yn y dref lle bu myfyrio ar hanes yr athrawiaethau. Sefydlwyd coleg ar gyfer Annibynwyr gogledd Cymru yn Llanuwchllyn yn 1842 pan wahodd-wyd Michael Jones, olynydd y Dr George Lewis, i hyfforddi darpar-weinidogion ar gyfer yr eglwysi Annibynnol. Er yn wahanol ei bwyslais i'w ragflaenydd, diwinydd o gryn allu oedd Michael Jones, ac un o brif ladmeryddion 'y System Newydd', sef y Galfiniaeth gymedrol o eiddo Edward Williams, Rotherham, a ddisodlodd uchel-Galfiniaeth fel credo'r eglwysi Annibynnol ddwy genhedlaeth ar ôl y Diwygiad Efengylaidd.[88] Roedd symudiad coleg yr enwad o'r Drenewydd i Aberhonddu yn 1839 wedi profi'n anfanteisiol i eglwysi'r gogledd, a theimlwyd bod lle bellach i ddau goleg yn hytrach nag un. Fe'i hadleolwyd, wedi blwyddyn, o

Lanuwchllyn i'r Bala, ac er 1855 ei brifathro oedd Michael Daniel
Jones (1822–98), mab yr hen brifathro, ac ymunwyd ag ef gan John
Peter, 'Ioan Pedr' (1833–77), a ddaeth yn athro cynorthwyol yn 1861.

O ran personoliaeth, cyfraniad a gwerthoedd sylfaenol, roedd y
ddau brifathro am y pegwn â'i gilydd. Gwerinol onid gweriniaethol
oedd gwleidyddiaeth Michael D. Jones, a'i radicaliaeth yn gynhysg-
aeth deuluol. Ordeiniwyd ef ymhlith Annibynwyr Cymraeg Cincinnati,
Ohio, yn 1849, cyn dychwelyd i Gymru ymhen y flwyddyn a'i sefydlu
yn weinidog ym Mwlchnewydd, Caerfyrddin, ac yn fuan iawn gwnaeth
enw iddo'i hun fel beirniad llym ar bopeth a oedd yn groes i egwydd-
orion caethaf y biwritaniaeth ymneilltuol.[89] Er iddo gael ei addysgu
yng Ngholeg Highbury, Llundain, gwladwr gwrth-fwrdeisiol ydoedd
yn y bôn, a'i wrthwynebiad i bopeth Seisnig eisoes wedi dod i'r golwg.
Annibynnwr digymrodedd ydoedd, a aeth yn fwyfwy annibynnol erbyn
yr 1870au wrth i Undeb yr Annibynwyr gael ei ffurfio ac i ddylan-
wadau tybiedig bresbyteraidd fygwth natur hunan-reolus y cynulleid-
faoedd lleol. Yn wahanol i Lewis Edwards, nid oedd ganddo ffeuen
o gydymdeimlad ag Anglicaniaeth, ac roedd ei eglwysyddiaeth, a'i
grefyddolder, yn unigolyddol dros ben. Os oedd Jones yn genedlaeth-
olwr, deuai Edwards yn frwd o blaid yr achosion Saesneg, fel y byddai'r
ffrwgwd ag Emrys ap Iwan yn ei ddangos maes o law, ac o ran diwyll-
iant cyffredinol nid oedd y ddau yn trigiannu yn yr un byd. Ehangu
gorwelion y Cymry oedd awydd mawr Edwards pan oedd yn ddyn
ifanc, a dyna oedd ei genhadaeth o ddyddiau'r *Traethodydd* ymlaen, a
bod yn fonheddwr chwaethus, soffistigedig oedd ei nod. Magu ymffrost
mewn gwerinrwydd oedd unig amcan Michael D. Jones, p'un ai ym
Mhenllyn neu ym Mhatagonia, a chael y Cymry i sefyll i fyny drostynt
eu hunain. Roedd Edwards yn awdur rhai o gyfrolau mwyaf swmpus y
ganrif, ond ar wahân i ambell bamffled a'r *Gwenynydd* (1888), sef llaw-
lyfr ar sut i gadw gwenyn, nid ysgrifennodd yr Annibynnwr yr un gyfrol
erioed. Er bod y ddau ohonynt yn Ymneilltuwyr, yn bregethwyr ac yn
hyfforddi dynion ifainc ar gyfer y weinidogaeth, roedd pellter deallusol
enbyd rhwng Coleg y Methodistiaid a Bodiwan, cartref Jones, ar ochr
arall y ffordd.

Y gwahaniaeth mwyaf sylfaenol rhyngddynt, fodd bynnag, oedd
eu hagwedd tuag at yr athrawiaethau. 'Jones', meddai ei gofiannydd
diweddaraf, 'displayed a remarkably flippant attitude towards the theo-
logical differences that were such a prominent feature of his father's
generation'.[90] Os Calfinydd cymedrol oedd Michael Jones yr hynaf,
Arminydd oedd y mab, ac os oedd y genhedlaeth hŷn wedi ymdrechu'n

galed i ddod o hyd i safbwynt diwinyddol cytbwys a chyfrifol, dibris o'r etifeddiaeth oedd y plant. Er i wŷr y system newydd gymedroli Calfiniaeth ddiamod y genhedlaeth o'r blaen, roedd sofraniaeth Duw yn bwysig iddynt o hyd er eu bod yn credu fod gan ddyn ryddid i ymateb i'r alwad ddwyfol. Nid cywaith rhwng dyn a Duw oedd yr iachawdwriaeth yng Nghrist iddynt, ond ymateb yr unigolyn i'r cymhelliad a ddaeth yn uniongyrchol trwy weinidogaeth yr Ysbryd Glân. Ond i Michael D. Jones, a'i gyfoeswyr fel John Roberts 'J.R.', Conwy, a Samuel Roberts, 'S.R.', ei frawd, roedd ewyllys dyn yn gwbl rydd, Ysbryd Glân neu beidio. Prin oedd eu hamynedd â Chalfiniaeth o unrhyw fath.[91] 'In all key aspects of Jones' religion', meddai Dafydd Tudur, 'the focus was firmly on humankind'.[92] Ymarferol ac anathrawiaethol oedd natur ei ffydd, ac roedd unrhyw ddiwinyddiaeth a feddai yn ddarostyngedig i'w ragdybiaethau athronyddol. Mewn gwirionedd moesegwr Kantaidd oedd Michael D. Jones, a yfodd yn ddwfn o ffynhonnau Platoniaid Caer-grawnt. Am ei gyfundrefn foesegol, meddir: 'Its details are far clearer than his views on the atonement.'[93] Er y byddai'n anachronistig ei ddosbarthu fel rhyddfrydwr diwinyddol, does dim amheuaeth fod ei arwynebolrwydd athrawiaethol wedi agor y ffordd i'r derbyniad gwresog a gafodd rhyddfrydiaeth David Adams ymhlith yr Annibynwyr erbyn diwedd y ganrif. Byddai'r dyn-ganolrwydd hwn a'r pwyslais mawr ar weithredu ar draul manylion credo yn prysuro'r seciwlariaeth a oedd eisoes ar waith ar y pryd. 'The tendency to secularize religion by making it little more than justification for activity in other spheres', meddai Dafydd Tudur, 'was clearly apparent in Michael D. Jones' work'.[94]

Byddai'r cwbl hyn yn anathema i Lewis Edwards. Oherwydd prinder tystiolaeth uniongyrchol, ni wyddom beth oedd union natur y berthynas rhwng y ddau. Er bod y ddau ohonynt yn flaenllaw yn yr achos gwrth-Doriaidd yn y sir, yr argraff a geir yw bod cryn oerni yn teyrnasu rhyngddynt. Roedd Edwards yn agored ddirmygus o gyd-athro Jones, Ioan Pedr. 'This Ioan Pedr is one of the tutors of the Independent College here', meddai wrth Owen Thomas ar 24 Ionawr 1863. 'He pretends to be wonderfully learned because he *matriculated* at the London University many years ago, though he never got any further.'[95] Blwyddyn ei fatricwleiddio ym Mhrifysgol Llundain oedd 1857, ac mae'n bur debyg y byddai'r saer maen dawnus hwn wedi mynd ymhellach gyda'i yrfa academaidd pe na bai Michael D. Jones wedi ei fachu i fod yn gynorthwywr iddo yn y coleg yn yr un flwyddyn. Ordeiniwyd ef yn gyd-fugail â Jones ar eglwys Annibynnol y Bala yn 1859 ac yn athro'r clasuron yn

y coleg ddwy flynedd yn ddiweddarach ond, er gwaethaf ei berthynas
â'i brifathro, dioddefodd lid plaid 'yr hen gyfansoddiad', sef cyfeillion
Michael D. Jones, yn helynt chwerw 'y ddau gyfansoddiad' a rwygodd
enwad yr Annibynwyr yn yr 1870au.[96] Roedd yn ehangach ei ddiwyll-
iant na Jones, ac yn fwy ysgolhaig o lawer, er na ellid ei gymharu
ychwaith â John Parry, cyd-athro Lewis Edwards, heb sôn am Edwards
ei hun. Fel ei brifathro yng Ngholeg yr Annibynwyr, roedd yn rhydd-
frydig o ran ei bwyslais athrawiaethol. 'Nid mewn dogma yr oedd ei
ddiddordeb' meddai ei gofiannydd.[97] 'Er bod man cyfarfod rhwng
Lewis Edwards ag Ioan Pedr ar dir diwylliannol, hollol wahanol oedd
eu pwyslais ar werth cyfundrefn neu gorff o ddiwinyddiaeth . . . I Ioan
Pedr hanfod crefydd oedd gwerth y profiad gwironeddol o'r ysbryd yn
hytrach nag unrhyw athrawiaeth fel y cyfryw.'[98] Cwrteisi proffesiynol
a glymai staff y ddau goleg ynghyd, gellid tybio, yn hytrach nag unrhyw
agosrwydd personol na chyfeillgarwch. Roedd y pedwar ohonynt yn
ffyddlon i weithgareddau'r *Liberation Society*, neu y Gymdeithas
Rhyddhau Crefydd oddi wrth y Wladwriaeth, a chroesawodd y ddau
brifathro arweinwyr pennaf y gymdeithas, sef Edward Miall, J. Carvell
Williams a Henry Richard, i'r dref pan ymwelsant â'r Bala ym mis Medi
1866. Michael D. Jones a roes yr araith danbeithiaf ar yr achlysur, 'a
speech', meddai Ieuan Gwynedd Jones, 'singular in its biting sarcasm,
in its invective and in its searing hatred'.[99] Er yn fwy cymedrol, plediodd
Edwards yntau ei deyrngarwch i'r achos radicalaidd mewn modd yr
un mor ddigamsyniol. 'Y maent hwythau', meddai, gan gyfeirio at
Miall a'i hen gyfaill Henry Richard, 'yn filwyr profedig, ond o bydd
angen yr ymunwn ninnau â hwy ar faes y gâd'.[100]

Etholiad Mawr 1868

Er mai ym Meirion y gwnaeth Lewis Edwards ei gyfraniad gwleid-
yddol o 1859 ymlaen, roedd ganddo ddiddordeb byw yn yr achos
Rhyddfrydol trwy'r wlad, nid lleiaf yng Ngheredigion, ei sir enedigol.
Ysgrifennodd at John Matthews, ei hen gyfaill o Aberystwyth, ar
15 Gorffennaf 1865 i fynegi ei gefnogaeth i David Davies, yr *entrepreneur*
o Landinam, a ddaeth allan yn annisgwyl yn enw'r Rhyddfrydwyr yn y
sir.[101] 'It does one's heart good to hear of your enthusiasm in
Cardiganshire. If you succeed it will be a great victory, and if you fail
the defeat will be scarcely less glorious.'[102] Fel y digwyddodd methu
fu'r hanes gyda Syr Thomas Davies Lloyd yn cael ei ddychwelyd fel

Tori yn etholiad y flwyddyn honno gyda mwyafrif o 361 allan o gyfanswm pleidleisiwyr o 2,659, 56.7 y cant o'i gymharu â 43.3 y cant i David Davies. Ni fu'n gystadleuaeth ddigynnwrf am fod Henry Richard, a enwebwyd ar gyfer y sedd, wedi penderfynu tynnu'n ôl gan feddwl nad oedd yr achos Rhyddfrydol yn ddigon cryf yn yr ardal i beri i'w ymgeisyddiaeth lwyddo. 'I should have been sorry to do anything against Mr Henry Richard as he is an old friend of mine' meddai, ond bellach, gyda Richard wedi ildio, 'no truly Liberal man can refuse to vote for Davies'.[103]

Yn wahanol i Michael D. Jones a llawer o blith y gweinidogion Annibynnol, gochelgar yn hytrach na gwresog oedd Edwards wrth wleidydda. 'Will you tell your father', meddai wrth Mrs Richard Davies, Treborth, ar 20 Gorffennaf 1865, 'that he must exercise more authority over us, or we shall drift away as a Connexion and become soon a political club'.[104] Un o ffactorau mwyaf diddorol crefydd Cymru yn ail hanner y bedwaredd ganrif ar bymtheg oedd y rhaniad pwyslais, ond nid hollt, rhwng y Methodistiaid fel Ymneilltuwyr newydd, ac ethos yr hen Ymneilltuwyr, yr Annibynwyr yn arbennig, rhaniad a redai trwy yr un teulu yn aml iawn. Dyna Owen Thomas, y Methodist gochelgar, a'r radicaleiddiach John Thomas yr Annibynnwr, ei frawd. Hefyd Henry Rees, y Methodist, a phregethwr mwyaf Cymru, a Gwilym Hiraethog, yr Annibynnwr, ei frawd. Yn ôl Hiraethog, roedd hi'n gwbl briodol i weinidog Ymneilltuol, fel arweinydd ei bobl, ymhél yn weithredol â gwleidyddiaeth, ond nid dyna oedd barn ei frawd. Pan ofynnwyd iddo siarad o blaid Rhyddfrydwyr Penllyn yn dilyn helynt 1859, gwrthododd. 'Am areithio yn y fath gyfarfodydd fy hunan', meddai wrth Lewis Edwards ar 18 Hydref 1859, 'ni wnaf byth . . . canys yr wyf fi yn meddwl fod materion o'r fath yma yn fwy priodol i wŷr lleyg nag i weinidogion yr efengyl'.[105] Dyna hefyd fyddai barn Edwards yn fras, er iddo fod yn huawdl gyhoeddus yn ystod yr un helynt flynyddoedd ynghynt. Y peth pwysig, fodd bynnag, oedd bod Ymneilltuaeth fel corff bellach yn cymryd ei dyletswyddau politicaidd o ddifrif.

Erbyn etholiad 1868 roedd Deddf Ddiwygio'r flwyddyn gynt wedi creu'r amgylchiadau a fyddai'n trawsnewid y sefyllfa wleidyddol yng Nghymru yn sylfaenol.[106] Byddai cyflwyno'r bleidlais gudd yn neddf 1872 yn golygu na ellid mwyach ddefnyddio'r sgriw. Yna, byddai dylanwad y landlordiaid, a oedd eisoes ar drai, bellach ar ben. Craidd deddf 1867 oedd ehangu'r etholaeth i gynnwys pob penteulu a feddai dir gwerth £12 a mwy, symudiad a ddyblodd etholwyr y wlad dros nos. Ym Meirion cynyddodd rhif yr etholwyr o 1,527 i 3,185 a'u mwyafrif bellach yn dyddynwyr yr ardaloedd gwledig a chwarelwyr Rhyddfrydol Ffestiniog a Maentwrog, ardaloedd nad oedd o dan ddylanwad yr hen farwniaid tiriog. Thema fawr etholiad 1868 yn Brydeinig oedd bwriad William Gladstone i ddatgysylltu'r Eglwys yn Iwerddon, pwnc yr oedd gan Ymneilltuwyr Cymru ddiddordeb amlwg ynddo. Roedd yr amser yn aeddfed bellach i'r newid yr oedd Lewis Edwards a'i gyd-Ryddfrydwyr wedi bod yn dyheu amdano. 'The county', meddai Ieuan Gwynedd Jones, 'had been aroused, a new leadership had emerged, social grievances had blended with religious convictions and fervour had provided an emotional drive for a constitutional argument, and above all an organisation embodying all these elements had been created'.[107] Byddai pŵer cynhenid y landlordiaid yn methu trechu'r ymchwydd democrataidd y tro hwn. Er i'r sgriw gael ei droi yn effeithiol iawn yn etholiad di-ffrwt 1865 pan drosglwyddodd sgweier Peniarth, W. W. E. Wynne, yr ymgeisyddiaeth i'w fab, W. R. M. Wynne a oedd, os rhywbeth, yn fwy pendant ei Seisnigrwydd a'i uchel-eglwysyddiaeth na'i dad, byddai'r ysgrifen cyn hir ar y mur. Roedd y ganfas o flaen etholiad 1868 wedi dangos mai David Williams, Castell Deudraeth, a fyddai'n ennill y sedd yn gwbl gyffyrddus, a dyna a ddigwyddodd. 'Mae Castell Deudraeth ar ei draed', meddai'r beirdd, 'A Pheniarth mewn adfeilion'.[108] Trwy Gymru i gyd enillodd y Rhyddfrydwyr 23 sedd allan o 33 ac roedd y Gymru Ymneilltuol, yn boliticaidd, bellach wedi cyrraedd. 'I rejoice to write to you as the future M.P. for Anglesea', ysgrifennodd Edwards at ei gyfaill Richard Davies, Treborth, trysorydd Coleg y Bala a mab-yng-nghyfraith Henry Rees, ar 5 Hydref 1868, 'and let me also congratulate Mrs Davies as the wife of the first Nonconformist representative of "Môn Mam Cymru"'.[109] 'In the aftermath of the 1868 election, the greatest struggle in nineteenth-century Wales', meddai Matthew Cragoe, 'it was clear to contemporaries that a new element had been added to the political mix: the legitimacy of the Welsh "nation"'.[110] Os bu i genedlaethau diweddarach roi y clod i radicaliaid eirias fel Henry Richard, Michael D. Jones ac eraill am greu'r 'genedl' boliticaidd hon, roedd a wnelo pwyll, ymroddiad a dycnwch Lewis Edwards â'r peth yn ogystal.

9 ❧ Blynyddoedd y Machlud, 1870–1887

Dathlodd Lewis Edwards ei benblwydd yn 61 ar 27 Hydref 1870. Bu'n brifathro Coleg y Bala ers 33 o flynyddoedd ac roedd ei enw fel addysgwr, diwinydd, pregethwr ac arweinydd eglwysig wedi'i hen sefydlu yn ei gyfundeb a thrwy'r wlad i gyd. Er y byddai ganddo ddegawd a hanner o brysurdeb o'i flaen, roedd ei brif gyfraniad i fywyd ei oes eisoes wedi ei gwblhau. Roedd Coleg y Bala, a Choleg Trefeca yn ei sgil, yn addysgu pregethwyr i'r safonau uchaf, roedd *Y Traethodydd* – er nad oedd a wnelo Edwards ddim ag ef ers blynyddoedd – yn parhau i ledu gorwelion y cyhoedd darllengar Cymraeg, roedd cyfundeb y Methodistiaid Calfinaidd yn ffynnu fel aelod cyflawn o'r teulu Presbyteraidd byd eang, ac roedd y Galfiniaeth haelionus ddigrintach yr oedd Owen Thomas, John Phillips, John Parry ac yntau wedi ymegnïo o'i phlaid bellach wedi tyfu'n safon dderbyniol trwy'r eglwysi i gyd. Ond roedd Cymru hithau yn newid. Roedd y genedl Ymneilltuol a genhedlwyd yng nghroth diwygiad efengylaidd Howell Harris a Daniel Rowland ac a aned yn y cynyrfiadau ysbrydol rhwng 1790 ac 1811 bellach wedi cyrraedd ei haeddfedrwydd Fictoraidd. Yr argoelion, ysywaeth, yn nydd ei chryfder hyd yn oed, oedd y byddai'n nychu maes o law. 'It is impossible to live among men these days, and even among women', ysgrifennodd un o ohebwyr Edwards, John Griffith, rheithor Merthyr Tudful, ar 31 Gorffennaf 1871, 'without seeing that the old standards of gospel faith are being attacked most rudely. What is called "philosophy" and "the spread of intelligence" are everywhere shooting at the old landmarks, and that not only among one class, but all classes.'[1]

Os oedd seciwlariaeth ddeallusol yn tanseilio ffydd yn yr hen safonau, nid oedd arweinwyr lleol yr eglwysi fel petaent yn ymwybodol o berygl y sefyllfa. Er bod dynion ifainc yn dylifo bellach i rengoedd y weinidogaeth, ac yn gorfod mynd trwy'r prosesau priodol cyn cael eu cymeradwyo ar gyfer y gwaith, roedd prifathro'r Bala yn gofidio'n wirioneddol am galibr yr ymgeiswyr. '[T]he *blaenoriaid* throughout the 'country', meddai wrth Owen Thomas mor gynnar ag 1863, 'are afraid of any signs of genius or power, but if they see a nice inoffensive young man, they immediately endorse him as a safe and sound preacher'.[2] Roedd safonau academaidd wedi codi'n ddirfawr, y ddarpariaeth add-ysgol wedi ehangu y tu hwnt i bob dychymyg, a Chymru hithau yn fwy bywiog, o ran ei diwydiant, ei gwleidyddiaeth a'i diwylliant poblog-aidd nag odid erioed o'r blaen, ond eto roedd Lewis Edwards yn gofidio. 'Even when Victorian devotion appeared to be at its peak', meddai Glanmor Williams, 'its condition was hollower and more brittle than might have been supposed on the basis of external appearances'.[3] Ac yntau'n un o brif benseiri'r Gymru Fictoraidd ffyniannus hon, syn-hwyrodd fod seiliau ei adeilad mewn perygl o sigo'n enbyd. Byddai'r gofid hwn yn islais lleddf trwy'r degawd nesaf a'r tu hwnt.

Yr Hen Genhedlaeth a'r Newydd

Os oedd Cymru hithau yn newid, roedd ymdeimlad fod cenhedlaeth yn darfod ac un arall yn cymryd ei lle. Bu farw Henry Rees yn 1869 a dilynwyd ef yn fuan gan gyfaill a chyn-fyfyriwr Lewis Edwards, sef Edward Morgan, Dyffryn, yna gan ei frawd, Thomas Edwards, Pen-llwyn, ac yna, wedi llesgedd hir, gan Dr John Parry, ei gyd-athro yn y coleg er 1841. (Roedd John Phillips wedi marw yn 1867 yn 57 oed; er bod cryn ddieithrwch wedi tyfu rhyngddynt, roedd ei farw yn loes i Edwards yn sgil yr atgofion melys am ddyddiau eu cydefrydiaeth yng Nghaeredin gynt.[4]) Henry Rees oedd pregethwr galluocaf ei genhed-laeth ac mae lle i gredu mai ef oedd pregethwr mwyaf Cymru erioed. Ddegawd yn hŷn nag Edwards ac yn gyfoeswr â John Jones, Tal-y-sarn, roedd yn ddolen gyswllt rhwng cenhedlaeth Christmas Evans a John Elias ac eiddo Thomas Charles Edwards a Chynddylan Jones. Roedd ganddo bopeth angenrheidiol i fod yn bregethwr mawr: personoliaeth ddengar, golwg hardd, llais soniarus a chryf, meistrolaeth ar y Beibl a'r athrawiaethau, ac adnabyddiaeth drwyadl o holl deithi ei wrandawyr lu. Er na ddaeth i amlygrwydd llenyddol na pholiticaidd fel Gwilym Hiraethog, ei frawd, ac na chafodd y cyfle, yn wahanol i Edwards, i ymorol am ddysg, roedd ganddo feddwl hynod rymus ac roedd yn ddiwylliedig iawn. Roedd ef hefyd yn anghyffredin o ran ei dduwiol-deb personol a gadawodd yr eneiniad ysbrydol oedd ar ei bregethu argraff ddofn ar bawb a'i clywodd. Mabwysiadodd Lewis Edwards fel mab i bob pwrpas, a daeth yn gyfaill agos iddo ac yn gynghorwr doeth.

Pan draethodd y prifathro bregeth goffa i Rees yn y Bala ar nos Iau 4 Mawrth 1869, roedd o dan deimlad dwys. Ei destun oedd Hebreaid 13: 7–8: 'Meddyliwch am eich blaenoriaid, y rhai a draethasant i chwi air Duw', a'i fyrdwn, fel cnul cloch yn canu, oedd: 'Un fel yna oedd Mr. Rees'. Roedd y bregeth yn un fawreddog yn ôl unrhyw safonau. 'Ni chlywais nemor erioed ddynion yn ei erbyn', meddai, 'roedd pawb yn gyfaill iddo'.[5] Cymhwyswyd Rees i fod yn arweinydd naturiol, yn bendefig ymhlith ei bobl, ond eto roedd yn llariaidd ac yn ostyngedig. 'Un o'r dynion mwyaf tirion a welsoch erioed ydoedd, nid yn rhyw ddyn duwiol sur ond dyn duwiol siriol ydoedd. Nid dyn duwiol sarrug, ond yr oedd yn debyg i'w Feistr – addfwyn ydoedd.'[6] Y cyfuniad o rinweddau a wnaeth Henry Rees yn gymaint cawr, y meddwl a'r teimlad, y pen a'r galon. Er iddo gael ei drwytho yn yr hen ddiwinyddiaeth, roedd yn agored i bob goleuni newydd. 'Nid oes amheuaeth na ddarfu i ymddangosiad Mr. Rees greu cyfnod newydd ar bregethu yng Nghymru, pan y daeth ar draws y wlad.'[7] Y peth mwyaf amdano oedd y difrifoldeb ysbrydol a barodd iddo fod yn gyfrwng tröedigaeth i filoedd o'i gyd-Gymry yn ystod ei oes. 'Can it indeed be true that our dear Mr. Rees is gone?', meddai wrth Richard Davies, Treborth, ar 20 Chwefror 1869, drannoeth ei farw. 'I feel all day as if I were dreaming . . . It looks very dark before us as a Connexion. But if we look to the Lord, it is possible that He may magnify his strength in our weakness.'[8]

Os oedd Lewis Edwards ddegawd yn iau na Henry Rees, roedd Thomas Edwards, Edward Morgan a John Parry yn iau eto. Bu'r tri ohonynt yn fyfyrwyr iddo, a'r rhwyg o'r herwydd yn ddwys. Ail fab teulu Pwllcenawon, plwyf Llanbadarn, oedd Thomas Edwards ac yr oedd dair blynedd yn iau na'i frawd. Ef oedd yr un y buasai'n ei gario ar ei gefn i'r ysgol fach ar draws Afon Rheidol, a bu'n driw iawn i Lewis ar ddechrau ei yrfa fel ysgolfeistr, yn Nhalacharn ar y cychwyn ac yna yn y Bala. Os dyn cyfundeb a chenedl oedd Lewis, dyn ei eglwys gartref a'i gylch lleol oedd Thomas. Fe'i cyfyngodd ei hun, ar wahân i'w weinidogaeth deithiol lachar yn sgil Diwygiad 1859, i'w filltir sgwâr ym Mhen-llwyn ac yng ngogledd Ceredigion. Bu yntau farw, yn 59 oed, ym Medi 1871.[9] Erbyn hynny roedd Edward Morgan, y gŵr eiddil ei gorff ond haearnaidd ei ewyllys a wnaeth gymaint i sefydlu'r fugeiliaeth yn sir Feirionnydd ac i roi Coleg y Bala ar seiliau ariannol cadarn, wedi ei gladdu ers tri mis a mwy. Fel Owen Thomas a John Parry, fe'i gyrrwyd o'r Bala i eistedd wrth draed Thomas Chalmers yng Nghaeredin, ac roedd ymhlith to cyntaf myfyrwyr Coleg Newydd yr Eglwys Rydd. Cyfunodd ddysg, tanbeidrwydd ac ynni dihysbydd o blaid y symudiad Presbyteraidd oddi mewn i'r cyfundeb. Nid dilynwr ond arweinydd oedd Morgan, ysgogwr pobl eraill. 'Darllenwch hanes y byd a hanes yr eglwys', meddai Edwards yn ei deyrnged iddo gerbron sasiwn Llanfair Caereinion ym Mehefin 1871. 'Rhyw ychydig o ddynion a wnaeth y gwaith, o leiaf fel arweinwyr. Sonnir amdano fel melltith i'r eglwys nad oes ganddi neb o'r holl feibion a gafodd i fod yn arweinwyr iddi.'[10] A oedd hi'n farn ar y Methodistiaid eu bod yn colli eu meibion gorau, a neb o'r un maintioli yn codi i lenwi eu lle? Roedd Morgan yn 55 oed pan ddaearwyd ei weddillion o flaen y capel yn Nyffryn Ardudwy ddiwedd y gwanwyn 1871.

Ar wahân i golli ei frawd, yr ergyd drymaf i Lewis Edwards, heb am-heuaeth, oedd marwolaeth Dr John Parry, y mwyaf diwyd o'i fyfyrwyr cynnar a'i gyd-lafuriwr colegol ers deng mlynedd ar hugain. Gwaith caled ac ymroddiad diorffwys i'w fyfyrwyr oedd prif nodweddion ei gyd-athro, a theyrngarwch mawr i'r weledigaeth o sefydlu gweinidog-aeth ddysgedig ymhlith y Methodistiaid Cymreig. 'Fe fu ein brawd yn llafurus', meddai yn ei bregeth goffa yng nghapel y Bala ar 25 Ionawr 1874, 'yn hynod lafurus, fe fu yn ffyddlon gyda gwaith yr Arglwydd'.[11] Fe'i ganed yn 1812, yr un flwyddyn â Thomas Edwards, ac roedd ei ddiwydrwydd a'i fedr i gasglu gwybodaeth fanwl yn ddihareb gwlad. Bu'n llafurus fel aelod o'r Ysgol Sul ym Manceinion gynt, fel myfyriwr yn y Bala ac yng Nghaeredin, wrth wasanaethu ymhlith Methodistiad Penllyn, ac fel meddyliwr. 'Ychydig sydd o feddylwyr mewn oes, ac mi oedd Dr Parry yn un o'r ychydig hynny.'[12] Er na chyrhaeddodd amlyg-rwydd ei brifathro, a bod ei ddawn yn llai gwreiddiol o'r hanner, eto roedd yn ysgolhaig sylweddol a wnaeth waith aruthrol yn ei ddydd, nid lleiaf trwy ddwyn gerbron y cyhoedd gyfrolau ysblennydd *Y Gwyddon-iadur Cymreig*. Roedd yn ddyn diwylliedig, coeth, cymesur ei farn, ond yn bennaf oll roedd yn athro coleg a roes bopeth i'w swydd. 'Fe'i cododd yr Arglwydd ef at hyn.'[13] Gyda'i angau yntau, yn 63 oed, daeth pennod allweddol yn hanes Coleg y Bala i ben.

Parhaodd y coleg, fodd bynnag, yn ganolbwynt byd y prifathro. Yr arfer, ers sawl blwyddyn, oedd penodi rhai o blith y myfyrwyr gallu-ocaf i weithredu fel tiwtoriaid cynorthwyol dros dro, ond parodd salwch John Parry a'r ffaith fod Lewis Edwards yntau bellach dros ei drigain oed i'r pwyllgor benodi dau athro newydd, sef Ellis Edwards a Hugh Williams, yn Nhachwedd 1873. Os aeth 270 o fyfyrwyr trwy'r pyrth rhwng 1837 ac 1860, byddai 370 arall yn cael eu haddysgu yno rhwng 1860 a marwolaeth Lewis Edwards yn 1887,[14] ac yn eu plith wŷr ifainc disglair iawn. Ymhlith y rhai a gyrhaeddodd yn 1860 yr oedd

R. Llugwy Owen o Fetws-y-coed a raddiodd maes o law yn Ph.D. yn Tübingen cyn cyfrannu'n helaeth i fyd athroniaeth, a J. Cynddylan Jones. Mab i Roger Edwards yr Wyddgrug, hen gydnabod y prifathro o ddyddiau sefydlu'r *Traethodydd*, oedd Ellis Edwards a gyrhaeddodd yn 1862 cyn mynd ymlaen i brifysgol Caeredin, tra bo Hugh Williams wedi cyrraedd o Borthaethwy yn 1864. Flwyddyn yn ddiweddarach daeth Griffith Ellis o Aberllefenni, a symudodd wedyn i Goleg Balliol, Rhydychen, cyn ymsefydlu'n weinidog yn Bootle, a Daniel Owen, y nofelydd o'r Wyddgrug. Etifeddodd brodyr iau Thomas Charles Edwards, sef Llewelyn a David Charles, ddawn ddeallusol hefyd. Cawsant eu haddysgu i ddechrau gan eu tad. Perthynai Llewelyn i ddosbarth 1861. Gadawodd y Bala am Goleg Lincoln, Rhydychen, ac aeth ymlaen i wasanaethu eglwysi'r Methodistiaid yn Birmingham, Lewisham a Rhuthun, gyda chyfnod hefyd yn brifathro ysgol Ardwyn, Aberystwyth, tra graddiodd David Charles yn y clasuron yng Ngholeg Balliol a dychwelyd i'r Bala yn 1879 i fod yn weinidog ar yr eglwys a'i cododd i'r weinidogaeth. Ymhlith eraill a fu yn Balliol, a'u haddysgu yno gan yr enwog Benjamin Jowett, yr oedd Owen M. Edwards, Llanuwchllyn, a ddechreuodd yn y Bala yn 1875, a John Puleston Jones a'i dilynodd flwyddyn yn ddiweddarach.

Roedd achlesu'r weinidogaeth oleuedig yn ddelfryd iraidd ganddo o hyd. Wrth argymell pa lyfrau y dylai eu darllen er budd i'w weinidogaeth, cynghorodd Edwards un o'i fyfyrwyr, sef W. R. Jones, 'Goleufryn', yn 1871, i brynu gweithiau John Owen a John Howe o blith y Piwritaniaid, ac i ddarllen pan gâi'r cyfle Richard Sibbes, Thomas Goodwin a Richard Baxter. Ond, yn bwysicach na'r Piwritaniaid, gan eithrio John Owen, yr oedd rhai o'r clasuron Anglicanaidd. 'O hen ddiwynyddion Eglwys Loegr, y gorau gennyf fi o lawer yw Hooker. Heblaw y wybodaeth ddiwinyddol a gewch wrth ei ddarllen . . . y mae hefyd yn peri i chwi eich hun feddwl, yr hyn yw y prawf sicraf o fawredd mewn awdur.'[15] Yn ogystal â Richard Hooker, cymeradwyai *Pearson on the Creed*, Isaac Barrow, Jeremy Taylor a Daniel Waterland: 'Os ydych mewn angen am eich gwreiddio yn dda yn yr athrawiaeth am y Drindod, ewch at Waterland.'[16] Doedd dim byd culfarn yn hyn o ddewis. Gallai'r Methodist Calfinaidd hwn droi at ddiwinyddion uchel-eglwysig yr Anglicaniaid os teimlai fod ganddynt rywbeth i'w ddweud, eu bod yn ffyddlon i'r traddodiad catholig ac yn ufudd i'r Gair. Ei hoff esboniwr beiblaidd Seisnig oedd Joseph Barber Lightfoot, esgob Durham, 'the ablest among the able in the Church of England',[17] ac yna Charles John Ellicott, Esgob Caerloyw, a'r Deon Alford o Gaer-gaint. Ond yn sefyll y tu ôl iddynt yr oedd diwygiwr mawr Genefa ei hun: 'Y mae yr holl esbonwyr gorau yn talu gwrogaeth i Calvin, yr hwn ydoedd mor hynod fel esboniwr ag ydoedd fel diwinydd.'[18] 'Calvin a safai yn uchaf yn ei feddwl fel esboniwr', meddai William Hobley a fynychai ei ddosbarthiadau esboniadol ar Efengyl Ioan a'r Epistol at yr Hebreaid yn 1879–80. 'I am glad to see that some of you have the sense to bring Calvin with you to class . . . Calvin takes a grasp of a verse better than any of them',[19] a byddai'r prifathro a'r myfyrwyr yn cael budd ysbrydol mawr yn ogystal â budd deallusol o'r gwersi hyn. Ddwywaith yn y flwyddyn y byddai Edwards yn cynnal sacrament Swper yr Arglwydd yn y coleg, a byddai bob tro yn achlysur arbennig iawn.

Fe ddywedwyd wrthyf amdano, yn y gwasanaeth hwn yn y coleg, yn ystod y flwyddyn neu ddwy gyntaf ar ôl i mi ymadael, ei fod ar ryw ysbaid yn y gwasanaeth yn eistedd yn ei gadair, a'r amser weithiau yn myned yn faith, ac a phawb yno yn disgwyl wrtho mewn distawrwydd llethol, fe welid ei wyneb yn disgleirio.[20]

I Lewis Edwards nid dau beth ar wahân oedd y bywyd academaidd a'r bywyd ysbrydol, ond gallai'r Ysbryd Glân eneinio gwaith y coleg hefyd.

Newidiadau

Erbyn yr 1870au roedd cyfnod newydd yn gwawrio ar Gymru ac ar gyfundrefn addysg Cymru yn ogystal. Gyda phenodi'r ddau athro newydd, ni allai'r coleg lai na chael ei effeithio gan yr un datblygiad. Ar ôl graddio yn y clasuron ym Mhrifysgol Caeredin, treuliodd Ellis Edwards (1844–1915) ddwy flynedd yn bugeilio eglwys Saesneg y cyfundeb yng Nghroesoswallt cyn cael ei alw yn ôl i'r Bala fel athro. Lewis Edwards a ofalai am ddysgu beirniadaeth feiblaidd, diwinyddiaeth ac athroniaeth o hyd, ond daeth Groeg, Saesneg a'r ieithoedd modern yn faes i Ellis Edwards. Er ei fod yn fab i Roger Edwards ac yn un o gyfeillion pennaf y llenor Daniel Owen, Seisnigaidd, braidd, oedd meddylfryd a diwylliant Ellis Edwards, a chyfrannodd at Seisnigo'r coleg ymhellach. Cydgerddai hyn â'r grymusterau a oedd eisoes ar waith yn y Gymru Fictoraidd. Tra bo poblogaeth y wlad yn cynyddu'n gyflym a degau o filoedd yn heidio i weithiau haearn a chymoedd glo'r de-ddwyrain, roedd diwydiannu sylweddol yn digwydd ym Meirionnydd hefyd, yn ardaloedd y llechi tua Ffestiniog ac yn nyffrynnoedd Ogwen a Nantlle yn Arfon. Erbyn hynny roedd y rheilffyrdd wedi hen ymestyn i bob rhan o'r wlad, a Chymru yn gynyddol yn fwy ymwybodol ei bod hi'n perthyn i ymerodraeth bwerus fawr. Saesneg, fel y gwelsom, oedd iaith yr *élite* Ymneilltuol, ac er y byddai ymwybyddiaeth o hawliau Cymru fel endid ar wahân yn dechrau cyniwair yn ystod y degawd – a chenedlaetholdeb yn dechrau datblygu, nid lleiaf ymhlith cefnogwyr Michael D. Jones yn y Bala ei hun – ni fu i Goleg y Bala odid ddim rhan yn yr ymchwydd hwn. Cyfrannodd yr addysg elfennol a ddaeth yn gyffredin yn sgil mesur seneddol 1870 at Seisnigo'r wlad fwyfwy, ac roedd y symudiad tuag at ddatblygu prifysgol genedlaethol o 1872 ymlaen yn amwys, a dweud y lleiaf, tuag at hawliau'r Gymraeg.

Er gwaethaf tuedd Ellis Edwards i ddefnyddio Saesneg ym mhob amgylchiad, buan y daeth yn ffefryn ymhlith ei fyfyrwyr. 'Tuedd naturiol Dr Ellis Edwards oedd gor-dynerwch',[21] meddai William Roberts, Gorslwyd, Môn, a fu'n astudio o dano rhwng 1874 ac 1878, ac yn ôl R. T. Jenkins, a'i cofiai pan oedd ef, Jenkins, yn blentyn yn y dref, 'Yr oedd ei absenoldeb meddwl yn destun epig; yn sicr yr oedd *wedi* tyfu'n rhamant.'[22] Llenyddiaeth ramantaidd oedd ei hoffter, a'r beirdd Saesneg fel Shelley a Browning oedd ei ffefrynnau, a llwyddodd i ysbarduno'i fyfyrwyr i ddarllen yn eang. Er ei fod yn drwm ei glyw, anffawd a droes yn fyddardod llwyr erbyn ei henaint, roedd yn effeithiol fel darlithydd ac yn boblogaidd fel pregethwr, nid lleiaf pan fyddai'n annerch plant – roedd yn ddibriod ac yn hynod hoff o blant – ond yn wahanol iawn i Lewis Edwards, ac i'w dad ei hun, ni chyhoeddodd nemor ddim erioed. Fe'i perchid ef fel ysgolhaig, gymaint nes ei anrhydeddu ymhen blynyddoedd â DD gan ei brifysgol ei hun, ond ni ellid ei gymharu, o ran ei gynnyrch, â chenhedlaeth gyntaf athrawon y coleg. Nid oedd ganddo ddifrifoldeb athrawiaethol Lewis Edwards na John Parry. Er iddo orfod dysgu athrawiaeth Gristionogol pan etifeddodd y brifathrawiaeth yn 1907, nid diwinydd mohono ac, yn wahanol i Thomas Charles Edwards, nid oedd yn ysgolhaig beiblaidd treiddgar na dysgedig ychwaith. Roedd yn efengylaidd ei ysbryd ac yn ffyddlon i'r gynhysgaeth ysbrydol a etifeddodd, ond roedd ei amhendantrwydd diwinyddol yn nodweddiadol o'r idealaeth a ddaeth yn boblogaidd yng Nghymru erbyn troad y ganrif. Yn hynny o beth cynrychiolai hollt rhwng sylfaenwyr y coleg a'r rhai a ddaeth ar eu hôl.

Ni ellid dweud hynny am ei gyd-athro, Hugh Williams (1843–1911), a fu'n gyfrifol am ddysgu Lladin a mathemateg cyn ei drosglwyddo, yn 1891, i gadair hanes yr eglwys lle gwnaeth gyfraniad academaidd gwir fawr. 'Er hyn i gyd', meddai R. T. Jenkins, '*ysgolhaig* y coleg hwnnw oedd yr athro Hanes yr Eglwys'.[23] Yn wahanol i Ellis Edwards, nid mab y mans ond mab i deulu cyffredin o Borthaethwy, Ynys Môn, oedd Williams, a ddechreuodd ei yrfa fel saer maen. Cyrhaeddodd y Bala fel myfyriwr yn 1864 ac ymhen blwyddyn, o weld ei allu, penododd Lewis Edwards ef yn athro cynorthwyol cyn ei yrru i Brifysgol Llundain i astudio athroniaeth a'r clasuron gan raddio yn MA yno yn 1871. Ordeiniwyd ef yn 1873, blwyddyn ei benodi yn athro cyflawn, ond treuliodd ddau semestr yn yr Almaen cyn cychwyn ar ei waith. Os oedd Ellis Edwards yn ffefryn, ni oddefai Williams ffyliaid yn llawen. 'I fod yn onest', meddai R. T. Jenkins, 'gŵr trymaidd, a llym i raddau, oedd yr Athro, a pharch yn hytrach na chariad a nodweddai agwedd pawb ond y goreuon o'i fyfyrwyr tuag ato'.[24] Fel Ellis Edwards, roedd yn ddysgawdwr effeithiol. 'Diau yr oedd Mr Williams yn gyfrannwr addysg o'r radd flaenaf', meddai William Roberts, Gors-lwyd. 'Yr oedd yn eglur, yn bwyllog, a mynnai wybod a oeddym yn ei ddeall yn iawn . . . Rhagrybyddiai ni fod oes wybodus yn codi, a bod yn bwysig i bregethwyr fod yn fwy gwybodus na hwy, fel y gallant edrych i fyny ato ym mhopeth.'[25] Fel John Parry o'i flaen, roedd yn weithiwr diarbed a gyfyngodd ei hun i faes y coleg, yr eglwysi lleol a'r dref. Ef a barhaodd draddodiad Lewis Edwards o fynd yn ôl *ad fontes* a diwinydda, fel Methodist Calfinaidd, ar sail yr wybodaeth fwyaf manwl o weithiau'r diwinyddion patristig. 'Must begin to read afresh the whole of Tertullian's writings and Cyprian', ysgrifennodd yn ei ddyddiadur yn 1899, 'then Clement of Alexandria'.[26] Roedd natur ei ysgolheictod i'w gweld yn ei esboniad ar y Galatiaid (1892) a oedd er ei fyrred yn un o esboniadau Cymraeg trymaf y cyfnod, ac yn ei ysgrifau ar Gristionogaeth gynnar Prydain yn *Nhrafodion* y Cymmrodorion ac yn y *Zeitschrift für Celtische Philologie*. Ef a olygodd y testun modern cyntaf o *De Excidio* gan Gildas o'r bumed ganrif, ac erys ei gampwaith, *Christianity in Early Britain* (1912), yn awdurdod anhepgor o hyd. Cyplysai Hugh Williams ddysg y colegau diwinyddol â safonau gwyddonol y brifysgol newydd ar eu huchaf. Os oedd yn wan fel pregethwr am fod 'ei ddull o siarad yn feichus, a'i lais yn gwynfannus, mewn ystafell gyda'i efrydwyr . . . yr oedd yn gawr, yn awdurdodol, galluog, golau a medrus'.[27] Dyfarnwyd iddo radd DD gan Brifysgol Glasgow yn 1903, ac mewn cenhedlaeth o ysgolheigion Cymreig o faintioli Syr John Rhŷs, Syr John Edward Lloyd a Syr John Morris-Jones, nid oedd Williams yn ail i'r un. 'Fel athro ac fel dyn', meddai'r arweinydd Methodistaidd J. E. Hughes, 'cytunir yn bur gyffredinol mai ef oedd ysgolhaig mwyaf ein cyfundeb'.[28] Nid oedd rhaid i Lewis

Edwards boeni, wedi 1874, fod safonau ei goleg mewn perygl o fath yn y byd.

Prysurdeb

Yng nghanol hyn i gyd roedd y prifathro yn fwy prysur, os rhywbeth, nag odid erioed o'r blaen. Roedd yn ddi-feth ei bresenoldeb mewn cyfarfodydd misol, sasiynau ac mewn cymanfaoedd cyffredinol, a chymerodd ran flaenllaw yn eu trafodaethau. 'Does dim perygl i achos crefydd wywo yng Nghymru, nac ymysg y Cymry yn Lloegr', meddai o lawr cymanfa'r Sulgwyn yn Lerpwl yn 1870, 'tra bo'r ysgol sabothol yn llwyddiannus. Gwnewch yn fawr o'r ysgol sabothol. Dyma un o brif ragorfreintiau'r Cymry. Does yr un genedl arall yn meddu dim tebyg iddi.'[29] Yr un oedd ei fyrdwn mewn pregeth gerbron sasiwn Caergybi ddiwedd y flwyddyn: 'Dyma goron Cymru – fod ei phoblogaeth yn dyfod ynghyd pob sabbath i ddarllen Gair Duw.' Byddai hyn yn cael ei ystyried yn ffenomen syfrdanol mewn unrhyw wlad arall, ond yng Nghymru roedd hi'n gwbl gyffredin: 'A dyma Gymry tlodion yn dyfod ynghyd ac yn rhoddi dwyawr o amser bob sabbath i ddarllen y llyfr puraf, uchelaf, dyfnaf a welodd y byd erioed.'[30]

Ni chyfyngodd ei hun i faterion uniongyrchol eglwysig. Cymerodd ran mewn cyfarfod cyhoeddus pwysig yn Aberystwyth ym mis Ionawr yr un flwyddyn i drafod goblygiadau Deddf Addysg 1870. Creodd y ddeddf rwydwaith o ysgolion elfennol trwy'r wlad wedi'u cyllido gan y wladwriaeth. Y cwestiwn llosg i Ymneilltuwr a rhydd eglwyswr oedd i ba raddau y dylid caniatáu i grefydd gael ei dysgu ynddynt. Yn ôl y ddelfryd Anglicanaidd, roedd yr eglwys a'r wladwriaeth yn un, felly roedd hawl gan Eglwys Loegr, trwy'r Gymdeithas Genedlaethol, i fynnu fod pob disgybl yn cael ei drwytho yn y 39 Erthygl, y Llyfr Gweddi Gyffredin a'r Catecism Eglwysig. Roedd y mwyaf radical o'r Ymneilltuwyr, a'r sawl a oedd fwyaf brwd o blaid egwyddorion caethaf y Gymdeithas Rhyddhau Eglwysig (y 'Liberation Society'), o'r farn y dylid alltudio pob crefydd o'r ysgolion oherwydd nad oedd gan y wladwriaeth hawl i noddi un grefydd rhagor y llall. Y ddelfryd, felly, oedd addysg gwbl seciwlar yn yr ysgolion cyhoeddus gyda'r eglwysi yn darparu addysg grefyddol ar gyfer eu deiliaid yn eu capeli a'u hysgolion Sul. Roedd Lewis Edwards, yn nodweddiadol, yn pledio llwybr cymedrol, er siom i'w gyfaill Henry Richard ac er dirmyg i'w gyd-Fethodist radicalaidd Thomas Gee; buasai drwgdeimlad yn mudlosgi rhwng y ddau ohonynt ers degawdau ac ni wnaeth y symudiad hwn namyn eu dieithrio ymhellach.[31] 'Fully admitting that the state should confine itself to secular education', meddai Edwards, 'I still hold . . . that this secular education should be "sanctified by the word of God and by prayer" . . . [G]ranting that the state has no right to legislate on religion, I contend that this does not mean that it should legislate irreligiously.'[32] Er mai Ymneilltuwr cydwybodol oedd Edwards ers ei ddyddiau yn fyfyriwr yn yr Alban, credai fod gan y wladwriaeth ddyletswydd i gydnabod hawliau Duw yn y maes cyhoeddus ac i arddel gwerthoedd Cristionogol. Nid oedd a fynnai ddim â'r farn a gyfyngai crefydd i fyd mewnol credinwyr proffesedig mewn adwaith yn erbyn crefydd gyhoeddus yr Anglicaniaid, 'Ymneilltuaeth wallgof y galwaf hynny', meddai.[33] 'Mae rhai eisiau gwneud i ffwrdd â Gair Duw a gweddi mewn ysgolion dyddiol, y mae hynny yn waeth na phaganllyd.'[34] Beth bynnag am ddelfrydiaeth seciwlaraidd Thomas Gee ac eraill, credai Edwards y dylid dysgu'r Beibl yn yr ysgolion a neilltuo amser i weddi gyhoeddus gan athrawon a disgyblion fel ei gilydd.

Ond hyd yn oed wrth drafod materion addysgol, crefydd a chynnal y bywyd ysbrydol oedd agosaf at ei galon. 'Y mae yn ein plith yn awr ryw lawer o arholiadau', meddai wrth ei gyd-gynadleddwyr yn sasiwn Abergele, Mawrth 1871, wrth drafod yr angen i godi pregethwyr.

> Y maent yn fwy lluosog nac y buont. Ond y peth mwyaf wedi'r cyfan oedd fod tystiolaeth yng nghydwybodau y brodyr yn gyffredinol fod y dyn ieuanc yn ddyn duwiol . . . A ydyw yn weddïwr da? Oes cymaint o bwys yn cael ei roi ar hyn ag a fu? Dyna fel y byddai'r hen bobl yn arfer gwneud, codi y gweddïwr gorau yn bregethwr.[35]

Yn yr un cywair, 'Crefydd ysbrydol' oedd pwnc ei anerchiad yng nghymanfa gyffredinol Lerpwl ymhen deufis. 'Y mae ein personau wedi eu huno â'r Duw-ddyn ym mherson yr Arglwydd Iesu Grist. Dyna ydyw crefydd ysbrydol – dyn yn cael ei uno â Iesu Grist yn gyntaf, ac yna yn cael ei gyfnewid, ac wedi hynny yn cael mwynhau cymundeb gwastadol ag Ef.'[36] Roedd ei daerineb yn datgelu ei bryder fod crefydd Cymru, er yn ffynniannus yn allanol, mewn perygl dirfawr o ddadfeilio yn fewnol yng nghanol ei rhialtwch a'i hwyl. 'Yn y *theatres* y dyn gorau yw hwnnw sydd yn medru gyrru'r bobl i wylo', meddau yn sasiwn Corwen yn 1872, 'ac y mae'n ofnadwy o beth os y dyn mwyaf poblogaidd mewn addoldy yw'r clown, sef y dyn sydd yn medru gyrru pawb i chwerthin'.[37] Tebyg oedd ei ofid yng nghymanfa Lerpwl yn 1874:

'Dywedir am ryw fan nas gallasai Iesu Grist wneud gweithredoedd nerthol oherwydd anghrediniaeth', meddai. 'Yr oeddent wedi hen ymgynefino â Iesu Grist, wedi arfer ag Ef. Nid wyf yn sicr nad oes rhai felly yn ein capeli ni. Pa beth a wnawn ynteu? Y mae miloedd o Gymry yn awr yn Liverpool. Ewch allan atynt hwy!'[38]

Y pryder hwn am fwy o ddifrifoldeb ysbrydol a barodd i lawer hiraethu, ganol yr 1870au, am adfywiad crefyddol tebyg i Ddiwygiad 1859, a phan ymwelodd yr efengylwyr Americanaidd Dwight L. Moody ac Ira Sankey â Phrydain gan gynnal cenhadaeth estynedig rhwng Mehefin 1873 a'r hydref 1875, roedd diddordeb y Cymry ynddi yn fawr.[39] Dyma un o'r ffrydiau a esgorodd ar 'Ddiwygiad Richard Owen' ym Môn o 1876 ymlaen. Bu Owen yn fyfyriwr yng Ngholeg y Bala rhwng 1863 ac 1865, ac fel llawer o'i gyd-bregethwyr taniwyd ef gan esiampl yr Americanwyr. Talodd Anne Davies, gwraig Richard Davies, Treborth, i bregethwyr Môn fynychu'r cyfarfodydd diwygiadol yn Lerpwl. 'Ofnai fod difrawder a ffurfioldeb wedi llethu ysbrydolrwydd ac ynni yr eglwysi i'r fath raddau fel yr oedd yn rhaid cael rhyw foddion anghyffredin er eu dwyn i deimlo eu cyfrifoldeb, ac i arfer taerineb mewn gweddi am ymweliadau yr Arglwydd.'[40] Er bod soffistigeiddrwydd diwinyddol Lewis Edwards a'i ymlyniad wrth holl deithi'r Galfiniaeth glasurol yn ei wneud yn ofalus o ddulliau'r ymwelwyr, roedd ei awydd am weld eneidiau yn cael eu hachub yn angerddol. Roedd ei draethiad goleuedig 'Ystyriaethau ar adfywiad crefyddol', yn seiliedig ar Hosea 2: 14–23 a ymddangosodd yn 1875, yn dangos cymaint roedd y peth yn pwyso arno ar y pryd.[41]

Tuag at Brifysgol i Gymru

Un o freuddwydion Lewis Edwards yn ŵr ifanc oedd cael gweld Coleg y Bala yn datblygu yn goleg cenedlaethol, yn dysgu rhychwant eang o bynciau i'r safon academaidd uchaf, gyda diwinyddiaeth yn un pwnc ymhlith llawer. Ni ddigwyddodd hynny fyth, ond pan gychwynnwyd sôn am sefydlu prifysgol genedlaethol Gymreig yn yr 1860au, roedd ganddo ddiddordeb byw yn y pwnc. Sbardunodd ei ysgrif 'Yr hen brifysgolion a'r brifysgol i Gymru', a ymddangosodd yn *Y Traethodydd* yn 1865, gryn drafodaeth, ac roedd yn un o'r cyfryngau a arweiniodd at sefydlu Prifysgol Cymru maes o law.[42] 'Sôn yr ydym am i'r llywodraeth fyned dan y draul o sefydlu corfforaeth newydd ar wahân oddi wrth yr hen brifysgolion i raddio bechgyn Cymru. Dyna'r hyn a feddylir wrth

University i Gymru.' Roedd ei daerineb y pryd hynny, a threiddgarwch ei gynllun, yn broffwydol. 'Gofynner hyn, ac ymdrecher i gael hyn. Dadleuer drosto, a dangoser nad yw hyn ond un peth sydd yn gynwysedig mewn *justice for Wales*.'[43] Roedd Cymru yn deffro, ei gwleidyddiaeth yn cael ei chwyldroi, byddai'r gyfundrefn addysg yn cael ei gorfodi i gymryd i ystyriaeth anghenion y wlad a byddai sefydliadau cenedlaethol yn cael eu creu cyn hir. Anffawd Cymru, onid ei thrasiedi, oedd i'r deffroad hwn beidio â chreu cenedlaetholdeb cyhyrog ar batrwm gwledydd cyfandir Ewrop megis y Ffindir a Slofenia,[44] ac roedd claerineb Edwards ynghylch y Gymraeg yn rhan o hyn, ond o leiaf sylweddolodd na ellid cael cenedl gyflawn heb ei phrifygol ei hun. Beth bynnag am y gwendidau, roedd yr amser yn aeddfed i symud ymlaen.

Ac ystyried hyn oll, roedd hi'n gwbl briodol mai Thomas Charles Edwards a wahoddwyd i fod yn brifathro cyntaf y sefydliad newydd yn Aberystwyth yn 1872. Buasai'n fugail yn Lerpwl er 1866, ac ymgorfforai'n berffaith ddelfryd ei dad ynghylch y weinidogaeth ddysgedig. Treuliodd ei flynyddoedd yno yn ymdrwytho mewn esboniadaeth feiblaidd, gan osod y sylfeini ar gyfer ei gyfrolau mawr *A Commentary on the First Epistle to the Corinthians* (1885), *The Epistle to the Hebrews* (1888) a'r fersiwn Cymraeg, *Yr Epistol at yr Hebreaid* (1890). Yn ei waith ef cyrhaeddodd gwyddor esboniadaeth feiblaidd ei phenllanw yng Nghymru, ac nid oes amheuaeth nad ef oedd ysgolhaig beiblaidd dysgedicaf ei genhedlaeth. 'Perhaps Calvin and Bengel would be better reading for you than Tertullian', ysgrifennodd Lewis ato ar 11 Ionawr 1867. 'There is far more in them that will be available, and their Latin is much better. You may as well buy Bengel at once, for you must do so sometime.'[45] Ni wyddai neb yng Nghymru fwy am waith John Calvin, nid yn unig gynnwys yr *Institutio* ond cyfrolau swmpus y *Corpus Reformatorum* a'r esboniadau yn ogystal.[46] Roedd yn olynydd teilwng i'w dad mewn mwy nag un ystyr, ffaith a sylweddolodd llawer ar y pryd. Meddai J. F. Roberts, arglwydd faer Manceinion wrth Lewis ar 27 Mai 1872, 'What the bishop [of St Asaph] said the other day, was that if your son was appointed as Principal that he might become to Wales what Chalmers was to Scotland',[47] sylw nid dibwys ac ystyried y tensiynau rhwng capel ac eglwys a oedd yn cynyddu ar y pryd. 'I am deeply anxious that you should be placed at the head of this, our national college, sincerely believing that you are singularly fitted for the position',[48] oedd barn Hugh Owen, y gŵr a wnaeth fwy na neb i droi delfryd y brifysgol genedlaethol yn ffaith.

Nid oedd hi'n syndod fod Thomas Charles, fel pawb o blith arwein-
wyr cynnar symudiad y brifysgol, yn ystyried Lewis Edwards yn *elder
statesman*, ac yn troi ato am gyngor o bob math. Erbyn hynny yr
oedd, yn ôl safonau'r oes, yn hen, ac roedd ei ddelfrydiaeth gynnar
wedi troi yn realaeth sad. 'You are not likely to meet with greater
difficulties than I have', meddai wrth ei fab ar 28 Mai 1872, 'and the
shabbiest members of the Committee cannot be more shabby than some
Calvinistic Methodists that I have had to deal with'.[49] Roedd y croen-
deneuwch y dioddefodd Edwards ohono ar hyd ei oes heb ddiflannu,
ac roedd yr holl fwstwr am greu sefydliad newydd yn dwyn ar gof yr
anawsterau yr oedd yn dal i'w hwynebu wrth lywio ei sefydliad ei
hun. 'The simple truth is', meddai ar 1 Mehefin, 'that the Methodists
are so ignorant, and their views so commercial, that no man can serve
them without putting up with continual indignities . . . I feel that I
ought to have done more for my country generally, and not for the
Methodists only'.[50] Roedd yn bwyllog ac yn ystyriol ym mater prif-
athrawiaeth Thomas Charles yn hytrach nag yn frwd, ond o wybod
am y pwysau a oedd ar ei fab o du arweinwyr y symudiad, y ffaith fod
gwŷr o faintioli Benjamin Jowett, meistr Coleg Balliol, a Mark Pattison,
rheithor Coleg Lincoln, yn ei gefnogi, a bod gobaith bellach i gyflawni
un o'i hen freuddwydion dros ei wlad, yn y diwedd rhoes ei holl
ddylanwad o'i blaid. Penodwyd Thomas Charles Edwards yn brifathro
cyntaf Coleg Prifysgol Cymru ar 12 Mehefin 1872. 'I have to thank you
for your kind allusion to my son', ysgrifennodd at Mrs Davies, Treborth,
ar 16 Tachwedd.

> I cannot say that I have much faith in this University for Wales, but
> whether he succeeds or not, it seemed his duty to *try*. He went up to
> Oxford to lay the whole matter before Jowett and Pattison, and their
> answer was that it would be honourable for him to fail than to shrink
> from it. We can only leave it to Providence.[51]

Yng nghanol berw ei orchwylion, nid arbedwyd Lewis Edwards rhag
profedigaethau gan gynnwys un o blith ei deulu ei hun. Ar 26 Mawrth
bu farw ei ferch Elizabeth Alicia, neu Leta, yn 25 oed. Roedd hi'n
ddibriod ac yn byw gartref, gan gynorthwyo ei mam o gwmpas y tŷ.
Hi oedd y drydedd o'r plant i gael ei chipio. Roedd y ddwy chwaer
arall a oedd ar ôl bellach wedi priodi, Celia ag un o gynfyfyrwyr
y coleg, sef y Parch. William Dickens Lewis o Lerpwl, a fu wedyn yn
gynrychiolydd y Feibl Gymdeithas, a Mary â W. R. Evans a ddaeth yn

ŵr busnes yn Wrecsam. Roedd tri o'r brodyr, fel y nodwyd, bellach yn weinidogion: Thomas Charles, Llewelyn a David Charles, a James, y mab ieuengaf, newydd ddechrau ar ei gwrs hyfforddi fel meddyg yng Nghaeredin. Erbyn hynny roedd ei gyfundeb, beth bynnag am ei achwynion yn ei erbyn, wedi cydnabod ei gyfraniad aruthrol i fywyd y wlad, trwy drefnu tysteb genedlaethol iddo. 'For the last twenty years of his life', meddai J. Puleston Jones, 'Lewis Edwards was the object of such hero-worship with the men who had grown up around him, that it was deemed a sign either of intellectual defect or of moral depravity for anyone to attempt to criticize him.'[52] Nid ei fyfyrwyr oedd yr unig rai i ymuno yn y mawl, ond yn ogystal y cannoedd o bobl a gyfran-nodd at y dysteb trwy eu ceiniogau a'u sylltau. Cyflwynwyd y rhodd o £2,600 iddo yn sasiwn y Bala ar 15 Mehefin 1875, gydag Owen Thomas a Richard Davies, Treborth, yn cymryd rhan flaenllaw yn y dathliad. Wrth ymateb i'r cyfarchion, cymerodd y cyfle i olrhain troeon yr yrfa. Cydnabu fel y bu'n demtasiwn mawr i droi oddi wrth ei briod orchwyl-ion at dasgau a oedd yn fwy at ei ddant: 'Yr oedd ef yn hoff iawn o'r beirdd Seisnig, ond teimlodd yn aml mai anodd oedd gadael Shakespeare a Milton, a myned at y bregeth.'[53] Ac yntau bellach yn 66 oed, ystyr-iodd a oedd yr amser wedi dod iddo roi'r gorau i'r gwaith. Gyda ban-llefau o'r dorf yn gweiddi 'Na! Na!', ymatebodd trwy ddweud: 'Ond beth bynnag am hynny, ni wnaf fi ddim. Ni wnaf fi ddim tra gallaf gerdded o'r tŷ i'r *college*.'[54] Yn ôl ei gyfaddefiad ei hun, ni allai fyw heb y coleg ac o gael ei ddymuniad, y byddai'n marw wrth y gwaith. Er nad oedd ef eto wedi cyrraedd oed yr addewid, roedd yn ym-wybodol iawn o dreigl amser ac o'r hyn na chyfrannodd hyd yna. 'This day', meddai ar 27 Hydref 1876, 'I am 67 years of age. I have been trying to humble myself before God for my past sins; and at the same time thanking him for all his mercies, and giving myself up in covenant to be his for the future through the Lord Jesus Christ.'[55]

'Yr Inglis Côs'

Hen fyrdwn gan Lewis Edwards erbyn hyn oedd yr angen i ddarparu moddion crefyddol ar gyfer y di-Gymraeg yng Nghymru ac ymateb i'r ffaith fod rhannau o Gymru, goror y canolbarth, dwyrain Mynwy a'r prif drefi yn arbennig, yn troi at y Saesneg. 'Y mae trefydd Cymru yn myned yn fwyfwy Seisnig', meddai o lawr sasiwn Llanfair Caereinion yn 1871. 'Dallwn ni ddim helpu hynny, ond fel yna mae'n bod. A gawn ni ddim ymdrechu achub Saeson yn ogystal â Chymry, yn enwedig yn ein gwlad ein hunain?'[56] Prin y gwyddai fod ymhlith ei fyfyrwyr, y rhai a fu'n ei eilunaddoli ers tro, nid yn unig un a fyddai'n adweithio'n chwyrn yn erbyn y symudiad hwn, ond a oedd yn credu yn groes i farn pawb ar y pryd, nad peth anorfod oedd tranc yr iaith ond ffrwyth grymusterau y gellid eu newid pe ceid penderfyniad moesol i wneud hynny. Roedd yn rhagredegydd i fath newydd o genedlaetholdeb, yn ddigyfaddawd ac yn ymosodol, ac nid oedd arno ofn cyhoeddi barn ar ei brifathro ei hun. Ei enw oedd Robert Ambrose Jones, ond fel 'Emrys ap Iwan' (1848–1906)[57] y byddai'n cael ei anfarwoli.

Ganed Emrys yn Abergele yn 1848 a threuliodd ei flynyddoedd cynnar yn arddwr yng Nghastell Gwrych, Bodelwyddan, ac yna yn brentis siopwr yn Lerpwl. Fe'i codwyd yng nghapel y Methodistiaid Calfinaidd, Abergele, a dechreuodd bregethu pan oedd tua deunaw oed. Bu'n ansicr ei fwriad o ran gyrfa, ond magodd uchelgais cynnar i wneud ei enw trwy lenydda. 'Yr oeddwn, pan yn laslanc, yn meddwl y gallaswn wasan-aethu fy nghenhedlaeth trwy scrifennu epistolau yn well na llawer o ddynion anysbrydoledig, ond gan nad oedd ar Gymru ddim eisiau epistolwyr, fe gymhellwyd arnaf i fyned yn bregethwr.'[58] Er iddo gael ei dderbyn yn bregethwr gan y cyfarfod misol, nid oedd yn siŵr ai i'r fugeiliaeth swyddogol y dylai fynd, a phan dderbyniwyd ef i Goleg y Bala yn 1868, lle arhosodd tan 1872, ymgymhwysodd i fod yn athro ysgol. Er na ddisgleiriodd yno yn academaidd – diwinyddiaeth ac ieith-oedd modern oedd ei fannau cryfion, roedd yn wannach yn y clasuron ac yn anobeithiol mewn mathemateg[59] – creodd argraff ffafriol iawn ar John Parry ac ar Lewis Edwards yntau. 'What I saw of you when you were at Bala has left a very favourable impression on my mind', meddai Edwards wrtho ym mis Hydref 1873 wrth ddymuno'n dda iddo yn ei yrfa fel athro ysgol ar y cyfandir, 'for I always found you to be amiable and unassuming. I had also every reason to believe that in all you did you were governed by right principles, and this has been confirmed by what I have heard of you since you left.'[60]

Ffrwyth dwy flynedd a mwy ar gyfandir Ewrop oedd gweledigaeth Emrys. Bu'n dysgu mewn ysgol Saesneg yn Lausanne yn bennaf, cyn treulio peth amser yn Heidelberg, Bonn a Geisen yn ymdrwytho yn niwylliant yr Almaen a'r Swistir Ffrengig. Dychwelodd i Gymru yn 28 oed ac fel Lewis Edwards ddegawdau ynghynt, roedd yn eirias ei ddymuniad i ehangu gorwelion ei gydwladwyr, nid trwy eu cyflwyno i safonau dinesig Llundain a Chaeredin, ond trwy eu cael i feddwl fel Ewropeaid rhydd ac i fwrw ymaith pob taeogrwydd a gwaseidd-dra cenedlaethol. Ei batrwm bellach oedd y pamffletîr Ffrengig Paul-Louis Courier. 'Ceisiodd Paul-Louis Courier adnewyddu [y Ffrangeg] trwy fynd yn ôl at ei ffynonellau cynnar hi, sef at arloeswyr yr ysgol glasurol, at Pascal a La Bruyêre a La Fontaine', meddai Saunders Lewis, '. . . awduron iraidd yr ail ganrif ar bymtheg'.[61] Cwestiwn Emrys yn ddiweddarach oedd, a oedd cyfnod tebyg mewn llenyddiaeth Gymraeg? A'r ateb y daeth o hyd iddo oedd mai'r cyfnod rhwng y Diwygiad Protestannaidd a'r Diwygiad Efengylaidd oedd yn cyfateb i oes aur rhyddiaith Ffrainc, ac yn ei ysgrifau o'r 1890au, yn enwedig 'Y clasuron Cymraeg' (1893), traethodd ar y pwnc. Yr eironi na sylwodd Saunders Lewis arno na chyfeirio ato o gwbl, oedd bod Lewis Edwards wedi gwneud union yr un haeriad yn ei ysgrifau 'Ysgrifeniadau Morgan Llwyd', 'Llyfr *Yr Ymarfer o Dduwioldeb*', 'Llyfr *Hanes y Ffydd*' ac eraill yn *Y Traethodydd* rhwng 1848 ac 1852. Arwydd o lwyredd buddugoliaeth y dehongliad cenedlaetholgar o hanes llên oedd bod cyfraniad Edwards i'r wyddor wedi mynd dan gwmwl tra bo gwreiddioldeb tybiedig Emrys wedi'i orddyrchafu. 'Emrys', meddai disgybl Saunders Lewis, sef D. Myrddin Lloyd, 'oedd y cyntaf, hyd y gwn, yn ei gyfnod i ymroi at y clasuron fel y bydd prentis yn troi at waith ei feistr. Ymdriniai lawer â gwerth arbennig yr amrywiol glasuron fel modelau.'[62] Y gwir yw bod Lewis Edwards wedi ceisio gwneud union yr un peth ddeugain mlynedd ynghynt.

Ond nid dyrchafu safonau beirniadol Courier a wnaeth Emrys ar y cychwyn ond efelychu ei ysbryd annibynnol a'i arddull ymosodol. Roedd ei ysgrif 'Y dwymyn Seisnig yng Nghymru' a welodd olau dydd yn *Y Faner* ar 27 Rhagfyr 1876 yn nodi ymddangosiad math newydd o lenor ar y llwyfan poblogaidd, un a oedd yn eironig, yn goeglyd, yn wawdlyd-ddeallus, a chanddo ragdybiau chwyldroadol o wrthreddfol yng nghyd-destun y Gymru Fictoraidd, ymerodrol a oedd ohoni ar y pryd. 'Nodwedd amlycaf y dwymyn Seisnig ydyw fod y neb a fo tani wedi ei feddiannu gan deimlad o rwymedigaeth i sefydlu achosion Seisnig *mewn lleoedd nad oes mo'u heisiau*', meddai.[63] Cenhadaeth y Methodistiaid Calfinaidd i sefydlu achosion Saesneg oedd ei *bête noire*. Nid dadlau yn erbyn efengyleiddio a wnaeth, nac ychwaith yn erbyn efengyleiddio Saeson yng Nghymru trwy gyfrwng eu hiaith eu hunain, ond roedd yn finiog yn erbyn awydd ei gyfundeb i gymell Cymry i gefnu ar eglwysi Cymraeg a ffurfio eglwysi Saesneg lle nad oedd galw amdanynt. 'Ei ddadl', meddai T. Gwynn Jones, 'oedd fod y mudiad yn gweled angen am Saesneg lle nad oedd yn bod, a'i fod yn magu math o falchter yslafaidd nad allai lai na lladd cenedligrwydd a chrefydd y

Cymry'.[64] Mewn cyfres o ysgrifau hynod glyfar, 'Wele dy dduwiau, o Walia!', 'Y llo arall', 'Ysgwyd y wialen', 'Bully, Taffy a Paddy' ac eraill yn *Y Faner* rhwng 1877 ac 1880, aeth ati o dan y ffugenwau Iwan Trevithick a Emrij van Jan, i ddychanu ffolinebau'r Cymry a gwawdio'u gwaseidd-dra o safbwynt un amgen ei ddiwylliant ac Ewropeaidd ei farn. 'Yr oedd ysgrifau fel hyn yn bethau newydd yn y papurau Cymraeg', meddai T. Gwynn Jones, 'am fod golwg eu hawdur ar fywyd yn llawer ehangach, a'i wybodaeth am genhedloedd a gwledydd eraill yn gymaint mwy nag eiddo neb a fu'n ceisio gwneud cyffelyb waith o'i flaen'.[65] Yn wahanol i Lewis Edwards, ac yn gwbl groes i dymer ei gyfnod, mynnai nad o safbwynt Prydeinig y dylid ystyried dyfodol y genedl, ac nad peth anorfod oedd tranc yr iaith. 'Y mae tynged yr iaith Gymraeg', meddai, 'yn dibynnu ar ewyllys y Cymry eu hunain'.[66] Er bod Darwiniaeth, datblygiad a chynnydd yn yr aer, a'r ymdeimlad fod lledaeniad y Saesneg wedi ei dynghedu, galwodd ar i'r Cymry gymryd gafael yn eu ffawd eu hunain, fel yr oedd brodorion cynifer o wledydd cyfandir Ewrop yn ei wneud ar y pryd. Nid tyngedfennaeth ddall oedd athrawiaeth rhagluniaeth, ond peth deinamig a chreadigol, ac os nad oedd Methodistiaid yn deall hynny, pa obaith oedd i neb arall wneud? Roedd i'r symudiad presennol oblygiadau crefyddol pendant iawn. 'Ni ddywedaf y byddai marw crefydd Cymru ym marwolaeth y Gymraeg . . . ond credaf yn sicr y derfydd am Fethodistiaeth o Gymru pan ddarfyddo am y Gymraeg . . . Y mae Methodistiaeth yn llysieuyn mor genedlaethol fel na all dyfu ond ar bwys iaith genedlaethol.'[67] Roedd angen cenhadu ar bob cyfrif, ond cenhadu i'r Cymry ac yn Gymraeg. Emrys oedd yr un cyntaf i ddadlau fod arwyddocâd diwinyddol i'r Gymraeg,[68] a dyletswydd y Methodistiaid, yn anad neb, oedd gwarchod hynny a'i egluro gerbron byd.

'Bull *y Pab o'r Bala*'

Prin bod epistolau pigog Emrys ap Iwan yn mennu dim ar Lewis Edwards, nac ar gorff y Methodistiaid Calfinaidd ychwaith. Roedd y llif yn rhedeg yn rhy gryf i'r cyfeiriad arall, ac yn sasiwn Dolgellau ym Mehefin 1880 gwnaeth prifathro Coleg y Bala yr un apêl ag a wnaeth ddegau o weithiau o'r blaen, ond y tro hwn aeth un cam tyngedfennol ymhellach. A bod yn deg iddo, pa mor glaear bynnag ydoedd ar bwnc y Gymraeg, nid oes unrhyw dystiolaeth, yn wahanol i rai o'i gyfoeswyr fel Kilsby Jones, 'J.R.' Conwy ac Anglicaniaid blaenllaw fel

John Griffith, rheithor Merthyr Tudful, iddo ddymuno gweld ei thranc. Credai bod dyfodol i'r Gymraeg, ond fel iaith capel a chartref yn bennaf. 'Nid ydym ni o gwbl', meddai ym Mhentir, Bangor, ar 2 Hydref 1878, 'am ddifodi yr iaith Gymraeg. Ni phetruswn ddweud ein bod yn gwneud mwy gyda chrefydd tuag at ei chadw yn fyw na'r eisteddfodau. Yr ydym yn credu y cedwir y Gymraeg yn fyw am bum can mlynedd o leiaf, er mwyn crefydd.'[69] Ef, wedi'r cwbl, a'i hamddiffynnodd hi'n eofn adeg y Llyfrau Gleision, ac nid oedd y nwyd wladgarol wedi llwyr ddifa ynddo. Roedd y Gymraeg, trwy gydol y degawdau hyn, yn fyrlymus fywiog ymhlith trwch y werin, a doedd dim perygl iddi nychu'n ddifrifol beth bynnag am lwyddiannau yr 'Inglis Côs'. Mynegi ffaith a wnaeth wrth honni fod Seisnigo yn digwydd, a mynnodd fod gan gorff a aned i genhadu ddyletswydd i wneud hynny o hyd. 'Gan fod y deyrnas yn myned yn Saeson [*sic*]', meddai, 'y mae yn rhaid i ninnau fyned ar eu hôl, ac y mae perygl i ni wrth ymladd yn erbyn y Saesneg golli golwg ar eneidiau y bobl, ac ymladd yn erbyn cynnydd y Cyfundeb'.[70] Roedd hi'n amlwg hefyd fod llwyddiant y Methodistiaid fel corff yn gymhelliad yr un mor bwysig ganddo ag achub eneidiau. Ond yr hyn oedd yn newydd, ac yn annisgwyl, yn ei anerchiad oedd y nodyn bygythiol:

> Dymunai ar i'r pregethwyr ofalu am fod yn *loyal* i'r Cyfundeb, a dymunai ar i'r blaenoriaid beidio gadael iddynt fyned i bregethu os na byddent yn *loyal*. A dymunai arnynt roddi marc ar y gŵr hwnnw na byddo yn gweithio gyda'r achosion ag y mae y Gymdeithasfa wedi penderfynu myned ymlaen gyda hwy. Rhoddi marc arno – ei farcio allan, nid yn gyhoeddus, ond dangos eu hanghymeradwyaeth o'i waith mewn rhyw ddull nacaol.[71]

Ystyr hyn yn syml oedd pwyso ar flaenoriaid yr eglwysi i beidio â rhoi cyhoeddiad i'r pregethwyr nad oeddent o blaid polisi'r cyfundeb ynghylch yr achosion Saesneg. Yr hyn oedd yn newydd oedd y ffaith iddo gyfystyru teyrngarwch i'r cyfundeb mor amlwg â chymeradwyaeth o'r 'Inglis Côs', sefydliad nad oedd sôn amdano yn y Gyffes Ffydd ac nad oedd yn ymwneud o gwbl â hanfod yr athrawiaeth Gristionogol, a'r hyn oedd yn peri anesmwythyd oedd y sôn am 'farcio', neu ddial yn gyhoeddus ar bregethwyr na fynnent ddilyn y drefn. Yn ôl adroddiad arall, a ddyfynnwyd gan T. Gwynn Jones mewn man arall, roedd sylwadau Edwards yn fwy dialgar fyth:

Dylech chwi, y pregethwyr, fod yn onest – yn *loyal* i'r Cyfundeb. Chwithau, y diaconiaid, peidiwch â gadael i bregethwr ddyfod i'ch pulpudau os na bydd yn *loyal* i'r hyn a benderfynir gan y Gymdeithasfa. Rhowch farc arno. Gwnewch ef yn ddyn esgymunedig – nid yn allanol, ond trwy ei atal rhag myned i'ch pulpudau![72]

Roedd defnyddio geiriau fel 'marcio' neu 'esgymuno' yn rhwym o greu adwaith, ac yn annisgwyl gan hynafgwr a oedd yn nodedig am ei ddoethineb a'i bwyll. Er gwaethaf ei safle a'i ddylanwad, mae'n bwysig cofio nad oedd gan Lewis Edwards awdurdod unbenaethol dros ei gyfundeb, ac un llais ymlith lliaws oedd ei eiddo mewn sasiwn a chymanfa. Roedd lleisiau eraill yr un mor hyglyw, a chanddynt yr un hawl i gael eu gwrando. Er nad oedd Thomas Gee yn bresennol yn Nolgellau, roedd yn ddylanwad o bwys ymhlith Methodistiad y gogledd, ac roedd ei farn ar bron popeth am y pegwn ag eiddo Edwards: anghymeradwyai'r fugeiliaeth sefydlog, y duedd i Bresbytereiddio'r corff yn ôl y dull Albanaidd, clerigiaeth y pregethwyr graddedig, yr ysbryd eglwysyddol a sawrai iddo ef o Anglicaniaeth, peth yr oedd ef yn ei ffieiddio'n ddwfn, a chlaerineb prifathro'r Bala ar fater radicaliaeth wleidyddol. Roedd ef hefyd yn amheus eithriadol o egwyddor yr 'Inglis Côs'. Ond eto, llais Edwards a gafodd ei wrando am fod ei sylwadau yn cydgordio â barn y bobl ar y pryd.

Cafodd Emrys ap Iwan, fodd bynnag, ei gythruddo hyd at ei fêr. Erbyn hyn roedd Emrys yn gweithio yn Ninbych i wasg Thomas Gee, yn olygydd copi ar *Y Faner* ac yn ysgrifennu llawer i gyfrol olaf *Y Gwyddoniadur*, gwaith yr oedd Gee ei hun wedi mynd yn gyfrifol am ei gwblhau wedi marwolaeth y golygydd, ei frawd-yng-nghyfraith, Dr John Parry. Fel Gee, roedd Emrys yn radical digyfaddawd, ac ychydig oedd ei gydymdeimlad erbyn hyn â gwerthoedd ei gyn-brifathro. Roedd yn 32 oed, a Lewis Edwards yn 69. Roedd ei ysgrif 'Dr Edwards a'r achosion Seisnigol' yn rhifyn 14 Gorffennaf o'r *Faner* yn chwyrn. Cyhuddodd y prifathro o draha, annoethineb ac anwladgarwch, ac ni allai lai na thraethu 'yn erbyn *bull* y pab o'r Bala'.[73] 'Gan y byddaf yn fuan yn myned trwy Wittenberg, mi a'i llosgaf ar y llecyn lle y llosgodd Luther gyhoeddiad esgymunol y pab Leo, neu Lewis X' (t. 89), meddai. Roedd ei feirniadaeth yn gymysg â siom, am fod ei hen brifathro, 'un a wnaeth lawer i ddyrchafu llenyddiaeth Gymreig', bellach wedi bwrw ei awdurdod o blaid y rhai a oedd yn mynnu tanseilio Cymreictod yn hytrach na'i warchod. 'Canfyddir [o ddarllen y *Traethodau Llenyddol*]', meddai, 'ddarfod iddo ef ei hun . . . fwrw llawer o wawd bras ar y dosbarth y mae yn awr yn aelod ohono' (ibid.). Cafwyd yn y prifathro, yn ôl ei feirniad, enghraifft glasurol o'r gwaed yn oeri, o radical yn cael ei ddofi ac o gysuron y byd hwn yn tagu delfryd ac egwyddor. Methodistiaid a oedd wedi codi yn y byd ac ymuno â rhengoedd y dosbarth canol oedd yn cael eu denu i'r eglwysi Saesneg, gan mwyaf, a hwy oedd fwyaf dibris o'u hetifeddiaeth. Gwelwyd eisoes gymaint roedd Lewis Edwards yn prisio statws a *prestige*. Cynghorai Thomas Charles, ei fab, i beidio â gwastraffu'i amser trwy ysgrifennu yn Gymraeg, 'You must really go on, and not suffer yourself to be drawn away and write for these Welsh publications, which is one great mistake that I have to look back upon in my own life with regret',[74] meddai ar Ŵyl Ddewi 1873, o bob dyddiad yn y flwyddyn, a chymerai yn ganiataol, pan symudodd Thomas Charles i Aberystwyth, y byddai'n ymuno nid â'r capel Cymraeg yno ond â'r capel Saesneg: 'But of course you will belong to the English chapel, and preach there, though not often.'[75] Byddai hyn wedi bod yn ddân ar groen Emrys, petai ef wedi cael gwybod amdano. Yr hyn a wyddai erbyn 1880 oedd bod prif arweinydd ei gyfundeb yn ddigywilydd o blaid yr 'Inglis Côs': 'Mae yn ddrwg gennyf fy mod yn gorfod ofni erbyn hyn fod gwobrwyon mawr y cyfoethogion wedi ei ddenu ef i bledio eu mympwyon. Llawer cedrwydden gadarn a dorrwyd i lawr â bwyall aur' (t. 90).

Er gwaethaf sêl Emrys o blaid y Gymraeg, nid pledio unieithrwydd a wnaeth. Ymhyfrydai yn y ffaith ei fod yn amlieithog, a bod pobloedd y cyfandir yn medru dysgu ieithoedd eraill heb wadu eu hiaith eu hunain. Synnai hefyd fod ei hen brifathro a oedd yn ddyn o chwaeth ac athrylith yn medru bod mor ddibris o'r union bwynt hwn. Ond roedd hyd yn oed y dynion mwyaf yn medru cynefino â'u safle freiniol, ac yn cymryd yn ganiataol fod hyd yn oed eu rhagfarnau yn anffaeledig: 'Ni ddylid rhyfeddu gormod fod dyn mor ddoeth â Dr Edwards wedi siarad mor annoeth yn Nolgellau. Pan elo dyn mawr i gors, y mae yn naturiol iddo suddo yn is na'r cyffredin, am ei fod yn drymach' (ibid.). Gwyddai Emrys, a holl ddarllenwyr *Y Faner*, nad oedd neb trymach yng Nghymru i gyd. Edwards, ers cenhedlaeth, oedd prif addurn y genedl yn academaidd, ei diwinydd mwyaf, un o'i chymwynaswyr pennaf o ran ei llên, a'r gŵr a ystyrid yn golofn gan Bresbyteriaid yr Alban, Lloegr a'r Unol Daleithiau. Prin bod neb mwy, i Fethodist os nad i'r holl Ymneilltuwyr, yng Nghymru gyfan. Ac eto, dyma ef yn cloffi, ac yn cloffi'n arw. A'r hyn a barodd y cloffni oedd ei ddiffyg parch at ei briod ddiwylliant ei hun. Beth bynnag am grefydd y Doctor a'i awydd i achub eneidiau, nid llwyddo'r genhadaeth Gristionogol oedd effaith yr achosion Saesneg,

ond difa Cymreigrwydd. Roedd Emrys o blaid crefydd a Methodist-
iaeth, ond iddo ef roedd Seisnigrwydd a dibristod o'r efengyl yn mynd
law yn llaw. 'Hyn', meddai, 'yw y gwahaniaeth rhyngof fi a Dr Edwards,
sef ei fod ef yn pledio y trefniant gorau i droi y Cymry yn Saeson un-
iaith, a minnau yn pledio trefniant a bair iddynt gadw eu Cymraeg
wrth ddysgu Saesneg' (t. 92). Yr angen mawr cenhadol oedd Cymreigio
Cymru, nid cydymddwyn â'r Seisnigo a oedd yn digwydd. Ped estyn-
nid tiriogaeth y Gymraeg 'byddai gwybodaeth a moes a chrefydd yn
llawer uwch yng Nghymru nag ydynt yn awr' (ibid.). Y patrwm oedd
nid Lloegr a'i phenbylni ymerodrol, diddiwylliant, ond gwledydd llai y
cyfandir, y Ffindir, Slofenia a Bohemia, lle roedd yr ieithoedd brodorol
yn cael eu dysgu yn yr ysgolion ac yn gyfrwng gweinyddu mewn llywod-
raeth leol. 'Yn ddiau, y Cymry', meddai, 'yw y genedl wirionaf ar
wyneb y ddaear! Nid rhyfedd fod y Saeson yn eu diystyru' (ibid.).

Roedd hyn, wrth gwrs, yng nghyd-destun y Gymru Fictoraidd, yn
chwyldroadol newydd. Ni chafwyd neb, ar wahân i Michael D. Jones, i
ddweud pethau mor herfeiddiol â hyn. 'Y peth sy'n arwyddocaol yn y
ddadl', meddai R. Tudur Jones, 'yw fod Emrys ap Iwan . . . yn cynnig
athroniaeth letach na Lewis Edwards a'i gyfeillion am berthynas iaith
â chymdeithas ac â chrefydd'.[76] Ond nid y ddadl ideolegol oedd yr unig
un a wyntyllwyd yn sgil sylwadau Edwards, ond mater cydwybod a
rhyddid barn. Os gallai Emrys ddadlau ar dir egwyddor ynghylch yr
iaith, ymatebodd yn ffyrnig i'r alwad i ddial yn gyhoeddus ar bregeth-
wyr anystywallt. Rhagrith oedd mynnu, fel y gwnaeth Edwards, y
dylid rhoi tegwch i'r sawl nad oedd yn cytuno â pholisi'r cyfundeb.
'Lol rhagrithiol yw i neb ddywedyd eu bod am roddi chwarae teg i
bregethwyr gwladgar i wrthwynebu . . . y pethau a blediant hwy',
meddai, 'a hwythau yn yr un gwynt yn annog y blaenoriaid i gau'r
pulpudau ar eu dannedd' (t. 93). Aeth ymlaen i herio sylwadau eraill
y prifathro fesul un, ac erbyn diwedd ei druth roedd hi'n amlwg fod
dwy farn, a dwy blaid, wedi ymffurfio; er nad oedd y blaid wrth-
wynebol wedi dod o hyd i'w harweinydd roedd ganddi bellach ei phriod
lais.

Gorchmynnodd Dr Edwards i'r pregethwyr . . . fod yn *loyal* . . . hynny
yw, yn ffyddlon; ond yn ffyddlon i bwy, neu i beth tybed? Ai i'r Corff, ai
ynteu i'r *Directory* hunan-etholedig sydd yn amcanu Presbytereiddio y
Cyfundeb a Seisnigo'r genedl? Gwybydded y blaid Seisnigol mai yn
erbyn eu hanffyddlondeb hwy i'r Cyfundeb, i'w hiaith, a'u cenedl, yr
ŷm ni, y Trefnyddion Cymreig, yn ardystio. (t. 96)

Sasiwn Llanidloes 1881

Fel y gellid disgwyl, parodd yr ysgrif hon drafodaeth ffyrnig ar dudalennau'r *Faner* a'r *Goleuad* am fisoedd. Roedd tôn yr erthygl, y syndod mewn oes hierarchaidd y gallai gŵr ifanc, anhysbys, feiddio herio patriarch fel Lewis Edwards, heb sôn am newydd-deb y deunydd, wedi creu cyffro cyffredinol. Roedd hi hefyd yn nodi'r ffaith ei bod hi'n bryd i arweinwyr a oedd wedi hen gynefino â'u statws fel eilunod gofio mai meidrol oeddent hwythau hefyd: ymestynnai'r rhybudd hwn hyd at Owen Thomas yn ogystal ag at ei gyd-wladweinydd eglwysig Lewis Edwards. Gyda'i graffter arferol, sylweddolodd Edwards hyn, ac mewn llythyr byr a chymodlon ar 9 Hydref 1880, crefodd ar i'r drafodaeth ddod i ben: 'Hyd yr wyf yn cofio, nid wyf wedi gofyn i neb erioed ysgrifennu gair o'm plaid i'r un math o gyhoeddiad, nac ychwaith wedi gofyn y gradd lleiaf o gynhorthwy i'r rhai a wnaeth hynny.' Er iddo ddiolch i'r rhai a'i cefnogodd, 'nis gallaf lai na theimlo ei bod hi'n bryd i chwi roddi terfyn ar y ddadl ynghylch yr achosion Seisnig'. Beth bynnag am y feirniadaeth, nid oedd wedi mennu arno 'mwy na phe buaswn yn clywed bod rhywun yn fy nghablu yng nghanolbarth Affrica', meddai. Nid oedd yn ymddiheuro am bledio achos yr eglwysi Saesneg, ond roedd y ddadl honno, i bob pwrpas, wedi ei hennill, felly 'terfynaf fel y dechreuais, drwy ofyn am drugaredd i'm gelynion, a thrwy ddiolch i'm cyfeillion'.[77]

O dan unrhyw amgylchiadau eraill byddai hwn wedi bod yn air terfynol, ond nid mor bell ag yr oedd Emrys ap Iwan yn y cwestiwn. Roedd ei ymateb yn Y *Faner* ar 27 Hydref 1880, os rhywbeth, yn llymach nag o'r blaen, a'r gwir yw iddo golli pob mantais trwy ei gyhoeddi. 'Credaf mai gofal am ei enw da ei hun yn hytrach nag am lwyddiant yr achosion Saesneg a barodd i Dr Edwards osod taw ar ei bleidwyr', meddai.[78] Nid syrthio ar ei fai a wnaeth y prifathro ond galw am derfyn ar y ddadl, a hynny er ei fantais ei hun. 'Y mae y Dr Edwards yn ddigon o *ddiwinydd* i wybod ddarfu iddo lithro yn Nolgellau, ond y mae yn ormod o *ddyn* i addef ddarfod iddo lithro.'[79] Roedd yr holl bwyntiau a wnaed yn erbyn y Doctor yn sefyll: iddo bledio yr achosion Saesneg yn y lle cyntaf, fod yr achosion hyn yn Seisnigo Cymru yn hytrach nag yn hwyluso'r genhadaeth Gristionogol, iddo alw ar ei wrthwynebwyr i gael eu hysgymuno ac iddo ddefnyddio'i statws fel oracl i wneud hynny. 'Pa mor anffaeledig bynnag y byddo diwinydd yn ei olwg ei hun ar ôl cyrraedd trigain oed', meddai, wrth ateb un o sylwadau Edwards yn y llythyr gwreiddiol, 'yr wyf yn ardystio yn erbyn i neb ei lindagu'.[80] Roedd hyd yn oed cyfeillion Emrys ap Iwan yn gwingo wrth ddarllen y coegni hwn. Roedd Thomas Gee, wrth gwrs, a olygai *Y Faner*, yn ddigon bodlon i weld statws Lewis Edwards yn cael ei danseilio, ond erbyn diwedd 1880 roedd y darllenwyr wedi blino ar y ffrae. Roedd y ddadl, fodd bynnag, heb ddod i ben. Câi ei gwyntyllu o leiaf unwaith yn rhagor, a hynny yn 'un o'r oriau mwyaf angerddol yng ngyrfa Emrys ap Iwan ac yn awr bwysig cenedlaetholdeb Cymreig a hanes Cymru',[81] sef helynt ordeinio Emrys yn sasiwn Llanidloes yn 1881. Roedd a wnelo Lewis Edwards â'r helynt hwnnw hefyd.

Trwy gydol yr amser hwn roedd Emrys ap Iwan yn ffyddlon i gyfarfod misol Dyffryn Clwyd ac yn gymeradwy yn yr eglwysi fel pregethwr sylweddol, er nid yn un poblogaidd. Cafodd ei gymeradwyo i fynd ymlaen i'w ordeinio gan y sasiwn, ac ymddangosodd ger ei bron yng nghapel China Street, Llanidloes, ddiwedd Mehefin 1881. Ymhlith y *dramatis personae* yr oedd arweinwyr trymaf Methodistiaeth y gogledd ar y pryd. Y llywydd oedd Daniel Rowlands, Bangor, un o ddisgyblion eiddgaraf Lewis Edwards a gŵr gradd o Gaeredin. Holwyd y cwestiynau ar y Gyffes Ffydd gan brifathro y Bala, fe'i cwestiynwyd ef ynghylch ei brofiad crefyddol, gyda bodlonrwydd mawr, gan y pregethwr ffraeth hwnnw Joseph Thomas, Carno, a'i holi ynglŷn â daliadau'r Cyfundeb gan Owen Thomas. Roedd Dr John Hughes, Fitzclarence Street, Lerpwl, hefyd yn bresennol, a J. J. Roberts, 'Iolo Carnarvon'. Gwynn Jones, yn seithfed bennod y *Cofiant*, a droes yr achlysur yn ddrama, 'drama nid cwbl annhebyg i ddrama Antigone', fel y sylwodd Saunders Lewis, ac yn rhan o fytholeg cenedlaetholdeb modern gyda 'mwyafrif a oedd yn agos at fod yn unfryd, yn baetio ac yn y diwedd yn gwrthod yn drahaus yr unigolyn a safai'n gyndyn a dewr dros ei egwyddorion'.[82] 'A ydych yn cymeradwyo trefn bresennol Corff y Methodistiaid yng Nghymru?' oedd cwestiwn cyntaf Owen Thomas.[83] Atebodd Emrys yn gadarnhaol, ond cododd Thomas fater yr ohebiaeth a fu yn y wasg. Er i Emrys oedi rhag ateb, fe'i gwthiwyd i wneud gan Lewis Edwards: 'Y mae y gŵr ieuanc hwn wedi bod yn dwedyd pethau budr amdanaf fi',[84] sylw a barodd i'r llywydd ffromi yn erbyn Emrys mewn cydymdeimlad â'r prifathro.

Petai'r stori wedi parhau ar hyd y trywydd hwnnw, byddai Gwynn Jones wedi bod yn deg i alw sylw at y camwri, ond fel y darganfu Saunders Lewis ar sail tystiolaeth papurau Owen Thomas, ei daid, prif anesmwythyd y sasiwn oedd syniadau anarferol Emrys ynghylch sylwedd crefydd ac nid mater yr 'Inglis Côs'. Mewn cyfarfod eglwysig rywbryd yn 1880, mynnodd Emrys fod y dosbarth beiblaidd a'r Ysgol

Sul yn sefydliadau pwysicach na'r cyfarfod gweddi, a thrwy hynny rhoes yr argraff ei fod yn ddibris o gyfarfodydd o'r fath ac o weddi ei hun fel cyfrwng gras. Nid dyna oedd ei fwriad na'i gred mewn gwirionedd, oherwydd dywedodd yn ddifloesgni gerbron sasiwn Llanidloes, 'Credaf y dylai dyn weddïo, a bod Duw yn wrandawr gweddi – am mai gweddi ydyw y moddion a ordeiniodd Duw i bechadur dderbyn yr iachawdwriaeth drwyddo.'[85] Fodd bynnag, paratôdd bapur ar y pwnc, a'i ddarllen yn y cyfarfod dosbarth ym mis Ionawr 1881.[86] Roedd cryn sôn am ei farn eisoes, a chrybwyllwyd hi yn un o eisteddiadau sasiwn Abergele yn yr hydref 1880, er nad oedd Emrys yn bresennol ar y pryd i'w esbonio'i hun. Roedd y cyfarfod dosbarth yn hen gyfarwydd ag Emrys, yn gwybod am ei ddiffuantrwydd ac yn parchu ei farn, er nad yn cytuno â hi. Roedd Emrys yn ddig fod y mater wedi dod dan sylw'r sasiwn, a mynnodd, yn groes i gyngor y cyfarfod dosbarth, fynd ymlaen i'r sasiwn nesaf er mwyn achub ei gam. Y sasiwn hwnnw, wrth gwrs, a fyddai'n trafod cais cyfarfod dosbarth Dyffryn Clwyd i'w ordeinio i gyflawn waith y weinidogaeth.

Beth bynnag am fater yr achosion Saesneg, mae'n amlwg nad hynny ond mater gweddi oedd prif asgwrn y gynnen, yn sicr yn nhyb John Hughes, Lerpwl, a Iolo Carnarvon. Roedd Emrys, mewn gwirionedd, yn pledio safbwynt a oedd yn ddieithr i'r Cyfundeb ac yn anuniongred yn ôl pob canon arferol. 'Y mae gennyf i lawer o barch i Mr Ambrose Jones', meddai John Williams, un o flaenoriaid y Rhyl a alwyd i dystio drosto, 'y mae ei gymeriad yn ddilychwin, y mae yn ŵr ieuanc sydd yn meddu llawer o nerth meddyliol, ac y mae yn ddefnyddiol iawn gyda'r ieuenctid gartref; ond rhaid addef fod rhyw anhyblygrwydd anhapus yn perthyn iddo'.[87] Er i'r sasiwn gael bodlonrwydd yn ei atebion i Lewis Edwards ar gynnwys y Gyffes Ffydd ac yn cytuno â Jospeh Thomas ar ddilysrwydd ei grefydd bersonol, roedd syniadau Emrys ynghylch gweddi yn dal i'w hanesmwytho. Y canlyniad oedd i'r cynrychiolwyr gytuno i beidio â'i ordeinio am y tro. Bu rhaid aros tan 1883 cyn cael ei dderbyn yn weinidog cyflawn gyda'r Methodistiaid Calfinaidd. Fel y dywedodd Saunders Lewis, 'bu'n bensaer ei gwymp ei hun'.[88]

Y *Blynyddoedd Olaf*

Roedd Lewis Edwards yn 72 oed adeg helynt ordeinio Llanidloes ac Emrys ap Iwan yn 33. Roedd safle freiniol y prifathro ymhlith ei gydgrefyddwyr wedi'i nodi yn Awst 1877 pan ddadorchuddiwyd portread olew mawreddog ohono, saith troedfedd wrth bedair, o waith Jerry Barratt, un o bortreadwyr bourgeoisie Llundain, yn y coleg yn y Bala. 'The unveiling of the Dr.'s picture was a scene of awful seboni'[89] oedd sylw un o gyfeillion O. M. Edwards a oedd yn bresennol ar yr achlysur, gyda phwysigion y cyfundeb yno yn lleng. Seboni neu beidio, roedd Edwards yn dra ymwybodol o wagedd anrhydeddau'r byd yn wyneb gwasgedd tragwyddoldeb. 'Next Monday I will be 70 years of age', meddai wrth Thomas Charles ar 25 Hydref 1879. 'I grieve to think how useless my life has been. For the future I cannot expect to do much good. All I can aim at is to prepare myself for another world by daily growth in holiness.'[90] Bu farw David Charles, ei gyfaill a'i frawd-yng-nghyfraith a chydweithiwr o ddyddiau cynharaf Coleg y Bala, yn 66 oed, ar 13 Rhagfyr 1878, a gwyddai nad oedd ganddo yntau ormod o amser ar ôl. 'O'r nefoedd y daeth crefydd Dr Charles', meddai yn ei bregeth goffa, 'nid o ddysgeidiaeth, ond o'r nefoedd . . . I ble yr aeth ef? Yr oedd yr afon yn cychwyn o rywle, mae hi yn myned i rywle. Mae yntau eto yn bod yn y nefoedd.'[91] Roedd iechyd Lewis Edwards, at ei gilydd, yn dda. Cafodd bwl o froncitis yn 1877 a'i gwanychodd, a chafodd godwm ar orsaf Corwen wrth fynd i'w gyhoeddiad yn yr un flwyddyn, a adawodd ei ôl arno, ond mynnodd fynd ymlaen â'i waith. Yn ôl adroddiadau yn *Y Goleuad*, bu'n pregethu yng nghymanfa gyffredinol Ffestiniog yng Ngorffennaf 1879 ac yng Nghaer ddeufis yn ddiweddarach, ac yn ôl ei fab bu'n annerch ym Methesda, Rhyl, Manceinion, Treffynnon, Porthaethwy a chymanfa gyffredinol Caerdydd rhwng hynny ac 1880.[92]

Pwnc canolog ei fyfyrdod yn y cyfnod hwn oedd athrawiaeth Person Crist. Roedd argoelion eisoes yn ei gyfrol *Athrawiaeth yr Iawn* (1860) iddo sylweddoli bod angen gwreiddio athrawiaeth yr iawn yn fwy solet yn athrawiaeth yr ymgnawdoliad, ac roedd ei gyfres o erthyglau rhwng 1879 ac 1881 yn *Yr Arweinydd*, cylchgrawn Methodistiaid Ceredigion a olygid gan Llewelyn, ei fab, cystal â dim a ysgrifennodd erioed. Y cysyniad am y Logos tragwyddol neu'r Gair oedd testun yr ysgrif gyntaf, lle bu'n cyfuno'r sôn am yr ailenedigaeth a geir yn Efengyl Ioan ag athrawiaeth Paul am gyfiawnhad trwy ffydd. Symudodd ymlaen yn yr ail ysgrif i drafod cynfodolaeth y Mab a dirgelwch y cenhedliad tragwyddol:

> Gellir ymofyn, os gwneir hynny gyda gostyngeiddrwydd priodol, pa fodd mae hyn yn bod? Ateb yr eglwys yn gyffredinol, yr hwn y bernid ei fod yn sylfaenedig ar dystiolaeth yr Ysgrythur, ydyw ei fod yn bod

trwy un weithred hanfodol dragwyddol arhosol o eiddo y Tad, yn achosi, gyda golwg ar y Mab, fod yr holl hanfod dwyfol yn bod byth mewn ail Berson. Y weithred annirnadwy hon a feddylir wrth y geiriau 'tragwyddol genhedliad', a hynny sy'n rhoi ystyr i'r enw 'uniganedig Fab'.[93]

Roedd difrifoldeb diwinyddol Edwards a'i awydd i oleuo'i ddisgyblion ynghylch hanfodion ffydd gatholig yr eglwys, a'i hyder yn nilysrwydd y dehongliadau mwyaf uniongred o wirionedd y drindod sanctaidd, yn amheuthun. Roedd ei bennod yn esbonio athrawiaeth y Drindod – Awstin Fawr yw ei feistr, a'r traddodiad gorllewinol gyda'i bwyslais ar undod yr hanfod dwyfol a'r gwahaniaeth rhwng y personau – ynghyd â'r bennod nesaf ar hanes athrawiaeth Person Crist, yn dangos diwinydd meistrolgar wrth ei grefft. Yr ymdeimlad a geir o ddarllen y penodau cyfoethog hyn yw bod Edwards, yn ei henaint, yn ailbrofi'r cynnwrf deallusol ac ysbrydol a gafodd yn ddyn ifanc pan ddarganfu'r gwirioneddau hyn hanner canrif ynghynt. Wrth annerch y pregethwyr ifainc yn sasiwn Corwen yn 1883, fe'u cymhellodd i ddarllen yn eang ac yn ddwfn ac i beidio â chyfyngu eu hunain i lyfrau cyfoes, nac i'r Piwritaniaid ychwaith, ond i fynd yn ôl at gewri'r canrifoedd cynnar, Athanasiws ac Awstin yn arbennig: 'Ar ôl dyddiau yr Apostolion, nid oes awdurdod uwch nac Awstin yn bod.'[94]

Trwy gydol yr amser hwn aeth gwaith y coleg yn ei flaen. 'This term', meddai wrth William James, gweinidog Manceinion, ar 5 Mawrth 1884, 'we shall go through the whole of the Epistle to the Galatians and probably the first half of Jonathan Edwards on *The Freedom of the Will*',[95] ond deufis yn ddiweddarach dirywiodd ei iechyd yn sylweddol. Ar ei ffordd adref o un o sesiynau cymanfa gyffredinol Lerpwl yng nghapel Anfield Road, ar 30 Mai, fe'i trawyd yn glaf ac aed ag ef i gartref ei fab, Dr James Edwards, a oedd erbyn hynny yn feddyg yn y ddinas. Arhosodd yno am gyfnod yn ceisio ymadfer, ac erbyn mis Gorffennaf roedd yn ôl yn y Bala. Mynnai fynd i mewn i'r coleg o hyd, ond roedd hi'n boenus o amlwg i bawb erbyn hynny na allai bara fawr yn hwy. 'My co-professors will not let me do what I could in the work of the college', meddai wrth Mrs Davies, Treborth, ar 13 Medi 1884, 'but I still insist on giving all the young men one lesson every day'.[96] Roedd yn 75 oed erbyn hynny, yn benderfynol ei ysbryd er yn llesg o gorff. Buasai'n dysgu yn y Bala ers 47 o flynyddoedd gan hyfforddi cannoedd lawer o fyfyrwyr a oedd wedi sicrhau fod ei ddylanwad, ers dwy genhedlaeth bron, wedi lefeinio holl froydd Cymru a'r tu hwnt. 'Mae yn rhydd i mi ddweud wrthych', meddai D. M. Davies, Nantglyn, ar 5 Gorffennaf 1884, 'fod llawer ohonom ni, eich hen efrydwyr, er fod y gwaith wedi ein gwasgaru oddi wrthych i bob cyfeiriad, yn eich caru yn ddyfnach nac y meiddiwn ddweud wrth neb'.[97] Erbyn 1885 roedd ei iechyd wedi torri, a gorfu i'r gwaith ddysgu ddod i ben. 'Y tro diwethaf i mi alw', meddai William Hobley, Caernarfon, a fu'n eistedd wrth ei draed rhwng 1878 ac 1881,

> nid oedd ef ond rhith ohono'i hun. Fe eisteddai yn ei gadair gyn sythed ag erioed, ac yr oedd yr hen osgo urddasol yno. Daliai ei wefusau yn dynn wrth ei gilydd, ond yr oedd llewyrch athrylith wedi cilio o'r llygaid, ac yr oedd wedi ei ddifuddio o'r awdurdod a arferai orffwys arno ym mhob ysgogiad.[98]

Yr achlysur olaf iddo weinyddu yn gyhoeddus oedd pan fedyddiodd ei wyres, plentyn ei fab David Charles Edwards, yng nghapel y Bala ar 28 Mai 1886. Cafodd ergyd o'r parlys ar 15 Gorffennaf 1887 a'i gadawodd yn ddiffrwyth ac yn fud, ac ymhen pedwar diwrnod, ar ddydd Mawrth 19 Gorffennaf am dri o'r gloch y bore, bu farw. Roedd dri mis yn brin o gyrraedd yr oedran o 79.

Roedd yr angladd, a gynhaliwyd ar y dydd Gwener canlynol, yn ymdebygu fwy i arwyl brenin neu dywysog nag i gladdedigaeth pregethwr Ymneilltuol. Roedd y tiroedd o gwmpas y coleg yn ddu gan bregethwyr, cannoedd ohonynt o bob rhan o'r wlad, heb sôn am flaenoriaid ac aelodau eglwysig cyffredin. Roedd athrawon a phrifathrawon holl golegau diwinyddol Cymru yn bresennol, colegau'r Bedyddwyr yn Llangollen, Hwlffordd a Regent's Park, Llundain, Michael D. Jones o Goleg Annibynnol y Bala, staff Coleg Aberhonddu a chynrychiolaeth o Drefeca (oherwydd marwolaeth William Howells ychydig ynghynt, roedd Trefeca ar y pryd yn ddibrifathro). Roedd pendefigion cyfundeb y Methodistiaid Calfinaidd yn cymryd rhan flaenllaw yn y gweithgareddau: Owen Thomas, John Hughes, Fitzclarence Street, Lerpwl, Griffith Parry, Aberystwyth, Carno yn ddiweddarach, David Saunders a William Williams, Abertawe (bu farw Roger Edwards flwyddyn ynghynt). Cariwyd y teulu, Jane Edwards, y meibion a'r merched, eu gwŷr a'u gwragedd a'r wyrion, i fynwent Llanycil mewn rhes o gerbydau sgleiniog a'r ceffylau yn eu pluf a'u lifrai duon, ac yn dilyn yn eu cerbydau hwy roedd Richard Davies, yntau erbyn hynny yn Arglwydd Raglaw Môn, ac Anne, merch Henry Rees, ei wraig, Uchel Siryf Meirionnydd, ac R. J. Price, sgweier Rhiwlas. Roedd lluoedd wedi dilyn yr elor i lawr o fryncyn y coleg, eraill yn ymuno ar hyd stryd fawr y

Bala ac i ymyl Llyn Tegid, yn un orymdaith fawreddog a phrudd. Yno y daearwyd gweddillion Lewis Edwards wrth ochr ei dair merch ac yn ymyl beddrod urddasol Thomas Charles o'r Bala.[99] Byddai Jane, ei wraig, yn cael ei chladdu yno dair blynedd yn ddiweddarach, yn Ionawr 1891. Yr ymdeimlad cyffredinol oedd bod cyfnod euraidd yn dirwyn i ben, ac er gwaethaf llewyrch Methodistiaeth, ei grym cymdeithasol di-ymwad a'r ffaith ei bod hi wedi hen hawlio'i lle ym mhriffordd bywyd y genedl, bod rhywbeth bregus, pryderus yn ei nodweddu er gwaethaf y cwbl.

Ymhlith y cannoedd lawer o negeseuon a gafodd y teulu yn ystod y cyfnod hwn roedd un o'r Inner Temple, Llundain, gan Morgan Lloyd o Drawsfynydd gynt. Yn un o fyfyrwyr cynharaf Coleg y Bala ac yn gyd-efrydydd yng Nghaeredin gydag Owen Thomas a John Parry, roedd ef wedi hen wneud ei enw nid fel pregethwr ond fel gwleidydd a bar-gyfreithiwr. 'I shall always revere the memory', meddai wrth Jane Edwards, 'of one of the greatest and best men that Wales has ever produced'.[100] Nid dyn perffaith oedd Lewis Edwards ond pechadur a gafodd ras. Bu'n benderfynol hyd at styfnigrwydd, roedd ei uchelgais ar adegau yn ormesol, gallai fod yn bigog ac yn ddiamynedd ac weithiau yn gas. Roedd ganddo gyfoeswyr o athrylith, Owen Thomas a Dr John Thomas, ei frawd, Gwilym Hiraethog a Dr Rowland Williams, Llanbedr Pont Steffan, ond nid oedd ef yn ail i neb ohonynt. Roedd ei farn ynghylch y Gymraeg yn nodweddiadol o'i oes ond, a chymryd popeth i ystyriaeth, roedd yn ddyn mawr iawn. Ef, yn bendifaddau, oedd deallusyn mwyaf Cymru'r bedwaredd ganrif ar bymtheg, ei phrif ddiwinydd ac arloeswr ym maes crefydd a llên. 'Yr oedd, o'i ysgwyddau i fyny yn uwch na phawb', meddai William Roberts, Gors-lwyd. 'Yr oedd y bobl yn cydnabod hyn, ac yr oedd ei ddylanwad yn ysgubol.'[101]

Ni fyddai'n hir, ysywaeth, cyn i'r dylanwad hwnnw ballu ac i enw Lewis Edwards fynd dan gwmwl.

10 ᴄ℈ Lewis Edwards, ei Edmygwyr a'i Feirniaid

Gyda marw Lewis Edwards roedd ymdeimlad cyffredinol fod tywysog a gŵr mawr wedi syrthio yn Israel. 'In the estimation of many of his countrymen', meddai newyddiadur mwyaf dylanwadol Ymneilltuwyr y deyrnas, *The British Weekly*, ar y pryd, 'Dr. Edwards was the greatest Welsh scholar and theologian of this century'.[1] Yn ôl Thomas Levi, llywydd sasiwn y de y flwyddyn honno a gweinidog y Tabernacl, Aberystwyth, Edwards oedd 'y dyn mwyaf, a gosod popeth at ei gilydd, a roddodd y nefoedd erioed i Fethodistiaeth Cymru . . . Fel ysgolor a diwinydd safai ar ben y rhes . . . ac fel arweinydd yr oedd y mwyaf llygatcraff a diogel.'[2] Roedd eraill hefyd, ymhell o fod yn ansad eu barn, yr un mor bendant eu golygon. '[N]is gellid edrych arno un amser heb deimlo ein bod ym mhresenoldeb dyn anghyffredin iawn, un oedd wedi ei eni i fod yn frenin ac un oedd wedi cynefino â bod yn feistr' meddai John Morgan, yr Wyddgrug.[3] 'Creodd gyfnod newydd yn hanes ei wlad, ac ni fu neb o'i flaen nac ar ei ôl yn fwy llwyddiannus nag ef fel arweinydd ei gyfundeb, nac yn ddyfnach ei ddylanwad ar feddwl ei oes.'[4] Edwards, meddai John Pryce Davies, gweinidog Caer, oedd 'un o'r meddylwyr mwyaf galluog ac athrylithgar a welodd Cymru erioed',[5] tra bo Griffith Parry, gweinidog Seilo Aberystwyth a golygydd *Y Drysorfa* yn haeru ar ei ben: 'Credu nad ydym yn arfer gormodiaith wrth ddywedyd mai Dr Edwards, a chymeryd popeth at ei gilydd [oedd] y dyn mwyaf a gynhyrchodd Cymru yn yr oes hon, a'r mwyaf a ymddangosodd yn ein cyfundeb o'i dechreuad. O edrych arno yn ei gyfanswm . . . yr oedd yn sefyll ar ei ben ei hun.'[6]

Y Teyrngedau Cynharaf

Er bod y teyrngedau adeg ei farw yn hynod, nid oeddent yn brin o grebwyll nac ymhell o fynegi'r gwir. Roeddent yn sicr yn adlewyrchiad teg o werthfawrogiad ei gyfoeswyr o gyfraniad un a oedd, yn ôl safonau unrhyw oes, yn ffigur eithriadol iawn. Cymharodd golygydd *Y Drysorfa* ef i un o'r tadau eglwysig cynnar: 'Creodd gyfnod newydd yn addysg a llenyddiaeth, yng nghrefydd a diwinyddiaeth Cymru. Bu yn offeryn i roddi symudiad *mawr* ymlaen i deyrnas Dduw yn ei gyfundeb a'i wlad.'[7] Roedd ynddo gyfuniad unigryw o dreiddgarwch ac o grebwyll, ac roedd ei alluoedd academaidd a threfniadol wedi'u cynysgaeddu â dynoliaeth ac â gras. 'Yr oedd yn gweled *o dan* y gweledig *yn y presennol* ac yr oedd yn gweled y *tu hwnt* i'r gweledig *i'r dyfodol*.'[8] Gwelodd yn well na neb yn ei oes wir anghenion ei gyfnod, ac aeth ati yn gwbl benderfynol i ddarparu ar eu cyfer. Sylweddolodd nad oedd profiad crefyddol ohono'i hun yn ddigonol heb i'r ffyddloniaid, a'r pregethwyr, gael eu trwytho yn hanfodion y ffydd, a bod gofyn i'r pulpud, a'r Ysgol Sul, fynegi holl rychwant y gwirionedd, yn hanesyddol ac yn athrawiaethol, yn hytrach na bodloni ar grefyddolder anghymesur a thameidiog. Aeth ati i greu'r strwythurau a fyddai'n cyflawni'r anghenion hyn. Nid peth hunanol oedd yr ysfa am addysg a'i cymerodd o ysgolion bychain sir Aberteifi i Brifysgol Llundain ac yna i Gaeredin at Thomas Chalmers a 'Christopher North', ond penderfyniad i ddwyn pob athrylith a feddai dan lywodraeth Crist a cheisio'r gorau ar gyfer Methodistiaid dirmygedig ei wlad. Roedd sefydlu Coleg y Bala er mwyn gwireddu ei freuddwyd yn symudiad cwbl allweddol yn hanes y genedl. 'Pwy a all draethu dyfnder ac ehangder y dylanwad a gerddodd o ysgol y proffwydi yn y Bala, trwy o saith gant i fil o bregethwyr, o holl siroedd gogledd Cymru, am hanner can mlynedd?'[9] Byddai creu sefydliad ohono'i hun yn annigonol onibai fod pennaeth y sefydliad, fel Chalmers yn yr Alban, yn ddyn o bersonoliaeth gref a chanddo weledigaeth enillgar. Cafwyd cyfuniad yn Lewis Edwards o weledigaeth eglur, cymeriad pwerus a glân, a gallu eithriadol i drwytho cenhedlaeth ar ôl cenhedlaeth o ddynion ifainc yng nghyfoeth y ffydd.

Ond nid dyn duwiol, galluog yn syml oedd Lewis Edwards, ond gŵr a fynnai wareiddio ei bobl yn ogystal â'u goleuo, a thrwy lenydda yn bennaf y gwnaeth hyn. 'Nis gellir pwyso na mesur y dylanwad a gafodd *Y Traethodydd* ar Gymru. Creodd gyfnod newydd yn llenyddiaeth ein gwlad.'[10] Cyn 1835 roedd y Cymry, er yn grefyddol, yn anwybodus ac yn ddi-ddysg ac o dan arweiniad pregethwyr grymus megis Ebenezer Richard a John Elias, roedd y werin yn ddibris o wybodaeth ac yn amheus o ddysg. Milwriodd Edwards yn erbyn y culni diddiwylliant hwn, a chafodd ei glwyfo wrth wneud. Ond ef, yn bendifaddau, oedd yn iawn. 'Credwn nad gormod yw dweud fod Dr Edwards wedi agor cyfnod newydd mewn dysgeidiaeth yng Nghymru', meddai Griffith Parry drachefn. 'Cyfrifid dyn yn ddysgedig os byddai yn lled hylithr yn Saesneg, yn astudio y papurau newyddion [ac] yn darllen yr *Evangelical Magazine*',[11] ond bellach ni wnâi hynny mo'r tro. Cenhadaeth Edwards oedd goleuo ei gyd-grefyddwyr, ehangu eu gorwelion, puro eu chwaeth a'u hargyhoeddi nad gelyn i dduwioldeb oedd diwylliant ond cyfrwng i fuddioli dyn a chlodfori Duw. Trwy ei lafur llenyddol daeth y Cymry 'i ddeall er eu syndod fod rhywbeth yn bod heblaw, a llawer mwy na Chymru a'i beirdd a'i heisteddfodau a'r pedwar-mesur-ar-hugain a chyhoeddiadau misol yr enwadau a dadleuon ar y pum pwnc'.[12] Mewn gair, fe'u gwareiddiwyd, a hynny heb iddynt gefnu ar eu traddodiadau gorau na llygru eu crefydd bur:

> Darfu i'r *Traethodydd* buro chwaeth cannoedd o ddarllenwyr Cymru, a dyrchafu safonau llenyddiaeth. Nid gormod yw dywedyd iddo osod i fyny safon newydd o ragoriaeth, a dwyn i mewn *code* newydd o gyfreithiau beirniadol. Dysgodd ei ddarllenwyr i roddi mwy o werth ar sylwedd nag ar sŵn, ar feddyliau nag ar eiriau, ac i wahaniaethu rhwng gwir ddysgeidiaeth a'i rhith. Agorodd llygaid llawer ar brydferthwch symledd a phurdeb arddull . . . Daeth llawer o dan ei addysg i ddechrau gwerthfawrogi gwybodaeth wirioneddol . . . a syniadau gwir ddwfn ac arddunol wedi eu gwisgo mewn iaith ddirodres, mewn arddull bur a syml, glir a chref, ac i ffieiddio geiriau hirion ac arddull chwyddedig, heb fod yn llawn o ddim ond gwacter.[13]

Athro cenedl oedd Lewis Edwards, ac am ddeng mlynedd a mwy *Y Traethodydd* oedd ei ystafell ddosbarth.

Yn ogystal â bod yn llenor, roedd y dysgawdwr gwâr hwn yn ddiwinydd yn bennaf dim. Gellid sôn am ei waith yn sefydlu'r fugeiliaeth, yn hybu'r achosion Saesneg, yn creu'r drysorfa gynorthwyol ac yn gosod y seiliau ar gyfer y gymanfa gyffredinol, ond uwchlaw'r cwbl ei gyfraniad arhosol fyddai goleuo ei gyd-Gymry ym manylion catholig y ffydd. Newydd-deb y gyfrol *Athrawiaeth yr Iawn* oedd nid ei safbwynt, a oedd yn gwbl ufudd i'r traddodiad Calfinaidd Cymreig, ond ei naws: 'Yr oedd ymdriniaeth mor deg a phwyllog â phwnc dadleuol yn beth newydd yng Nghymru.'[14] Er bod gan Edwards ei safbwynt, ni fynnai fychanu barn neb arall, na diystyru'r cwestiynau dilys a oedd yn cael eu gofyn gan y mwyaf meddylgar o ieuenctid ei oes. Ni wnâi ailadrodd yn ddogmatig hen wirioneddau mo'r tro. Roedd rhaid, yn hytrach, gynnig rheswm am bob barn, a gwneud hynny yn unol â ffydd gyffredin eglwys

Crist ar hyd yr oesau. Roedd myfyrio yn y gyfrol yn addysg ynddi'i hun. Os da oedd *Athrawiaeth yr Iawn*, roedd y gyfres 'Cysondeb y ffydd' yn well. 'Nid oes dadl na ddarfu i'r ysgrifeniadau hyn greu cyfnod newydd yn niwinyddiaeth a phregethu Cymru. Yn lle mân ddadleuon am eiriau a syniadau ar wyneb y mater, torrodd Dr Edwards i lawr i haen ddyfnach o feddwl.'[15] Fel systemateiddiwr, nid rhestru athrawiaethau a wnâi Edwards yn null *Drych Ysgrythurol* George Lewis na *Palas Arian* John Jenkins, Hengoed, ond ymdrechu, yn null *Institutio* John Calvin, i weld gwirionedd pob athrawiaeth yn disgleirio yng ngoleuni'r athrawiaethau eraill, a'r cwbl wedi'i wreiddio yn arfaeth yr un Duw a fynegodd ei hun yn derfynol yn Iesu Grist ei Fab. Yn bendifaddau, hon oedd coron ei athrylith, sef 'y gyfres o'r erthyglau mwyaf meistrolgar y mae'n debyg a ysgrifennwyd yn yr iaith Gymraeg ar ddiwinyddiaeth'.[16] Cynnyrch eu hoes a'u cyfnod eu hun yw'r rhan fwyaf o ddynion, ond roedd prifathro ymadawedig y Bala yn lluniwr cyfnod newydd ac yn grëwr hanes.

Fel ei gyfaill Griffith Parry, roedd Dr John Hughes, gweinidog eglwys Fitzclarence Street, Lerpwl, yr un mor haelionus yn ei sylwadau. Ni chrybwyllodd golygydd *Y Drysorfa* wleidyddiaeth Lewis Edwards, na'i ran yn y symudiadau cymdeithasol mawr a weddnewidiodd Gymru yn ystod ei oes, a hynny am mai addysgwr, llenor a diwinydd oedd Edwards yn bennaf. Ond byth er iddo ei uniaethu ei hun â Rhyddfrydwyr sir Feirionnydd ym mrwydrau etholiadol yr 1860au, roedd ei gyfraniad politicaidd yn fawr. Yn wahanol i *activists* fel Thomas Gee, Gwilym Hiraethog a Michael D. Jones, meddyliwr oedd Edwards, ac fel meddyliwr y chwaraeodd ei ran. 'Ni fyddai yn arfer areithio ar Ddatgysylltiad', meddai John Hughes, 'eto yr erthygl a ysgrifennodd ar yr Eglwys a'r Wladwriaeth ydyw y peth gorau yn yr iaith, ac nid oes mewn un iaith ddim rhagorach ar y pwnc'.[17] Nid ymgyrchydd oedd y prifathro na gwleidydd ymarferol, ond trwy ymroi i'w ddasgau ei hun cyfrannodd y tu hwnt i bob mesur at ddyrchafu'r wlad.

Wrth gyflawni y gwaith o addysgu rhyw ddeugain o fyfyrwyr cafodd y genedl gyfan i eistedd wrth ei draed. Trwy ysgrifennu un llyfr a nifer o draethodau heb fod yn feithion, dihunodd awyddfryd meddyliol lliaws o'r rhai ydynt yn awr yn athrawon ym mhob cymdogaeth. Ac nid y rhan leiaf o'i wasanaeth oedd agoryd llygaid y dosbarth gorau ar y mawr wahaniaeth rhwng y gwir a'r gau, y sylweddol a'r coeg mewn llenyddiaeth.[18]

Fel pregethwr, ac athro i bregethwyr, y gwelodd Lewis Edwards ei hun, a hynny mewn cenedl a gafodd ei moldio, ers canrif a hanner, gan bregethwyr, rhai ohonynt yn ddynion gwirioneddol fawr. Roedd Howell Harris, Daniel Rowland a Williams Pantycelyn yn wŷr o allu a gwybodaeth, felly hefyd y genhedlaeth a ddarfu gyda Thomas Charles o'r Bala a Thomas Jones o Ddinbych. Garw ac annysgedig mewn cymhariaeth oedd y to a ddaeth ar eu hôl, ond yn hynod o ran yr effaith a gawsant ar werin gwlad. Erbyn canol y bedwaredd ganrif ar bymtheg, roedd gan Gymru fwy o bregethwyr nag erioed o'r blaen, llawer ohonynt – Henry Rees, John Jones, Tal-y-sarn, David Jones, Treborth – yn syfrdanol eu dylanwad er lles i'r wlad. Ond cyfyng, braidd, oedd eu gorwelion, a chrintach eu cydymdeimlad ag unrhywbeth y tu hwnt i'r cyfarwydd. 'Derbynient wirionedd Duw fel yr oedd yn cael ei gredu yn yr eglwysi efengylaidd, ac ystyrient mai eu cenadwri fawr oedd ei esbonio a'i gyhoeddi, yr hyn a wnaent gyda llawnder ac ardderchogrwydd oedd bron yn ddihafal. Ond yr oedd Dr Edwards yn wahanol iddynt oll.'[19] Er ei fod yn arddel popeth yr oeddent hwy yn ei fawrygu, mynnai Edwards wreiddio'i genadwri mewn gwirioneddau a oedd yn lletach na Phiwritaniaeth ac yn ddyfnach na phietistiaeth. Trwy ymgydnabod â meddwl gorau yr oesoedd, gallai dafoli ei etifeddiaeth yn deg. Ond nid craffter hanesyddol oedd ganddo yn unig, ond crebwyll athrawiaethol hynod a'r gallu sythweledol i fynd at graidd pob gwir. 'Yr oedd hyn yn ansawdd hynod ar ei feddwl', meddai Hughes. 'Yn awr, credu yr ydym nad oedd neb o'i gyfoeswyr i'w gystadlu am funud ag ef yn y treiddioldeb a'r dwfn-welediad y soniwn amdanynt.'[20] Ganddo ef oedd meddwl mwyaf treiddgar ei oes, a'r crebwyll diwinyddol pennaf. Gwelwyd hyn ym mhopeth a wnaeth, ond ei gampwaith diamheuol oedd 'Cysondeb y ffydd'. 'Er holl ragoriaeth gweithiau eraill Dr Edwards, braidd nad ydym yn rhoddi y flaenoriaeth i *Cysondeb y Ffydd*, ac y mae yn sicr ddarfod iddynt effeithio yn ddwysach ar feddwl y genedl.'[21]

Dyna hefyd farn John Pryce Davies. Wrth dafoli cyfraniad Edwards fel athro, llenor, pregethwr a diwinydd, yr erthyglau 'Cysondeb y ffydd' oedd fwyaf eu gwerth. 'Gallwn fentro dywedyd nad oedd dim o'r blaen wedi ymddangos yn llenyddiaeth ddiwinyddol Cymru a gynhyrchodd argraff ddyfnach ar feddyliau goreugwyr y genedl', meddai. 'Y mae yn anodd gennyf gredu fod sylwadau gwell, mwy treiddgar a dyfnddysg, wedi eu hysgrifennu ar y pwnc mewn unrhyw iaith.'[22] Nid rhywbeth i'w gyfyngu yn fater trafod mewn neuadd ddarlithio neu lyfrgell oedd y ddiwinyddiaeth hon, ond arf i'w ddefnyddio wrth bregethu. 'Nid mewn llais a dawn oedd neilltuolrwydd Dr Edwards fel pregethwr', meddai, 'ond ym mawredd ac arucheledd ei fater, yn eglurder ei feddyliau a'r difrifwch a'r ysbrydolrwydd fyddent yn elfennau mor amlwg yn ei holl bregethau'.[23] Nid oedd yn bregethwr mor rymus â Henry Rees nac mor boblogaidd â'i gyfoeswyr galluog Edward Matthews, Ewenni, ac Owen Thomas, Lerpwl, a phrin byth y byddai'n cynhyrfu nac yn bloeddio hyd yn oed. Ond roedd yn eglur ac yn sylweddol. 'Nid ydym yn cofio ddarfod i ni erioed ei wrando na byddai yn dweud pethau nad allasai neb eu dweud ond perchen athrylith gref . . . Ein barn ostyngedig ni ydyw mai efe ydoedd y pregethwr mwyaf a wrandawsom erioed.'[24]

Fel Griffith Parry a John Hughes, un o bendefigion y mudiad Methodistaidd oedd William Williams, Abertawe. Yn frodor o Fro Morgannwg ac yn arweinydd yr eglwysi Saesneg, bu'n gyfaill i Lewis Edwards ers degawdau.

Yr oeddwn yn fachgenyn yn ardal y Bontfaen, Morgannwg, pan aeth y sôn ar led fod y gŵr ieuanc dysgedig, yr hwn oedd newydd ddychwelyd o brifysgol Edinburgh . . . wedi marchogaeth trwy y dref, ac wedi galw yn nhŷ Mrs Howells, mam y Parchg William Howells Trefecca, lle . . . lletyai nid ychydig o bregethwyr Methodistaidd y dyddiau hynny.[25]

Mentrodd y llanc yrru ysgrif i'r *Traethodydd*, ac o hynny ymlaen, a thrwy gyfrwng cyfarfodydd sasiwn y de, daethant yn gryn ffrindiau. Lledneisrwydd Edwards a'i natur fonheddig a adawodd yr argraff drymaf ar y gŵr o Forgannwg: 'Yr oedd yn athronyddu heb gymeryd arno ei fod yn athronyddu ac heb adael i'r gair "athroniaeth" lithro dros ei wefusau', meddai.

Yr oedd yn profi cydnabyddiaeth â meddylwyr mwyaf yr oesoedd heb enwi yr un ohonynt. Yr oedd yn dysgu pobl heb gymeryd arno ei fod yn gwybod mwy na hwy eu hunain, ac yn eu llywodraethu heb gymeryd arno ei fod yn meddu un awdurdod arnynt.[26]

Fel pregethwr yr oedd yn eglur yn hytrach na chynhyrfus, ac yn hynny o beth roedd am y pegwn â Matthews Ewenni, tywysog pulpud Morgannwg. Ond pan ddeuai'r eneiniad arno gallai fod yn ysgubol. 'Nid peroriaeth swynol ydoedd, na sŵn rhaeadr, ond daeargryn. Crynai ef ei hun, crynai y pulpud, crynai y lle, a chrynem ninnau . . . Minnau a gofiaf tra fyddwyf ar y ddaear o leiaf, am ysgydwadau Llanilar, Aberdâr a Llanilltud Fawr.'[27] Ond roedd y pregethwr hwn yn ddiwinydd yn ogystal, a'i Galfiniaeth yn gwbl ddi-sigl.

Parhaodd dros ei oes o'r un farn am athrawiaethau mawrion Cristionog-
aeth. Darllener ei erthyglau galluog ar 'Gysondeb y Ffydd' ar gychwyniad
Y Traethodydd, dair blynedd a deugain yn ôl, a chymharer hwy â'i
ysgrifeniadau diweddaf, ac fe welir nad oedd efe wedi gwneuthur yr
hyn a elwir 'myned yn y blaen gyda'r amseroedd' . . . Dealler ei bod yn
flynyddoedd o ddarllen diwinyddiaeth pob gwlad ac oes, ac o feddwl
di-dor a diorffwys, ond ni lwyddodd dim i siglo ei ffydd ef yn yr hen
wirioneddau.[28]

Rhwng popeth, roedd Edwards, yng ngolwg ei gyfoeswyr, yn gawr. Ef,
yn ôl R. S.Thomas, ac yntau wedi ei addysgu wrth draed y Calfinydd
mawr Americanaidd Charles Hodge yn Princeton, oedd y gwir dywysog:
'Yr hybarch Ddr Edwards o'r Bala, tywysog diwinyddion Cymru.'[29]
Barn unfryd ei genhedlaeth oedd na chododd Cymru erioed athraw-
iaethwr mwy nag ef, ac roedd ef bellach yn ei fedd.

Y *Canmlwydd*

Rhwng ei farw a chanmlwyddiant ei eni yn 1909 cyhoeddwyd dau
gofiant i Lewis Edwards, y cyntaf gan G. Tecwyn Parry yn 1896 yn
ffrwyth cystadleuaeth yn yr Eisteddfod Genedlaethol, a'r ail, a oedd yn
fwy sylweddol o lawer, gan Thomas Charles Edwards yn 1901. Crynodeb
236 o dudalennau oedd eiddo Parry, yn ddisgrifiadol ei naws ac yn lled
anfeirniadol. Edmygydd o bell oedd yr awdur, mae'n amlwg, heb fod
ganddo adnabyddiaeth bersonol o'r gwrthrych na gwir grebwyll
ynghylch sylwedd ei waith.[30] Roedd cyfrol Thomas Charles Edwards
ar y llaw arall mewn dosbarth ar wahân. Roedd y mab wedi bod yn
casglu defnyddiau at fywgraffiad ei dad ers blynyddoedd, a'r hyn a
geir, fel yr awgryma'r teitl, yw *Bywyd a Llythyrau y Diweddar Barch.
Lewis Edwards DD*, gyda'r pwyslais ar y llythyrau. Yn 700 o
dudalennau o hyd a'i ran fwyaf yn ddefnyddiau crai, mae'n cynnwys
350 o lythyrau at Lewis Edwards, 90 ganddo ef a thua dau ddwsin
amdano. Nid oes fawr o ddehongli rhagor bod y mab yn cynnwys cyd-
destun a oedd yn goleuo'r rhannau a fyddai fel arall yn dywyll, a bod
edmygedd Thomas Charles o'i dad yn tywynnu trwy'r cwbl. Mae'n
ddogfen anhepgor i'r neb a fynn ddeall Lewis Edwards a gwerth-
fawrogi holl hanes Methodistiaeth Galfinaidd ei oes. 'Thomas Charles
Edwards', meddai R. Buick Knox, 'showed his regard for his father in
preparing a remarkable biography which is one of the indispensible

textbooks for the story of his time'.[31] Yr un ffynhonnell anhepgor na chynhwysir mohoni yw'r casgliad helaeth o'i lythyrau at Owen Thomas, ei gyfaill pennaf, casgliad a fu ym meddiant Saunders Lewis ac a ddaeth yn sail i gofiant diweddarach D. Ben Rees ar 'Bregethwr y Bobl'.[32] Afraid dweud i Thomas Charles beidio â chynnwys unrhyw ddefnyddiau a fyddai'n dangos ei dad mewn goleuni gwael. Nid oes dim yma gan Thomas Gee, er enghraifft, ac ni chrybwyllir helynt Emrys ap Iwan. Un rheswm am natur afrosgo y gyfrol oedd y ffaith i'r awdur a'r golygydd farw cyn iddi hi weld golau dydd. Wedi bron i ugain mlynedd yn brifathro Coleg Prifysgol Cymru, Aberystwyth, ymddiswyddodd Thomas Charles er mwyn cymryd lle ei dad fel prifathro Coleg y Bala. Dyna, yn 1891, pryd y troes Coleg y Bala o fod yn goleg a oedd yn cyfrannu gwybodaeth gyffredinol i fod yn goleg diwinyddol penodol. Tra oedd yn y Bala dirywiodd ei iechyd, ac ni allai, yn ei wendid, wneud fawr mwy na chasglu'r defnyddiau ynghyd. Er i'w enw ef ymddangos ar glawr a meingefn y cofiant, Llewelyn Edwards, ei frawd, a lywiodd y peth trwy'r wasg. Bu farw Thomas Charles ar 22 Mawrth 1900 yn 63 oed.[33]

Pan gyhoeddodd J. Vyrnwy Morgan ei *Welsh Religious Leaders in the Victorian Era* (1905) roedd hi'n amlwg fod pob crebwyll wedi caregu a'r ysbryd beirniadol ynghylch Oes Victoria wedi ffosileiddio. Mae'r ddwy ysgrif ar Lewis Edwards, y naill gan Evan Jones, Caernarfon, a'r llall gan Barrow Williams yn ystrydebol ac yn ailadroddus: roedd hi fel petai prifathro diweddar y Bala wedi troi'n graig. Amheuthun, felly, yw troi at gyfres fywiog o ysgrifau gan William Hobley a ymddangosodd yn *Y Drysorfa* yn 1906. Un o Gaernarfon oedd Hobley a raddiodd yn Aberystwyth o dan Thomas Charles Edwards cyn symud i'r Bala i hyfforddi ar gyfer y weinidogaeth. Gŵr yn ei henaint oedd Edwards y tad pan ddaeth Hobley i gysylltiad ag ef. Trwy gyfrwng pregeth o eiddo'r prifathro, yn sasiwn Caernarfon yn 1875, y daeth Hobley, ac yntau'n llanc, o hyd i sicrwydd ffydd: 'O'r holl bregethau a wrandewais hon oedd yr unig un a greodd gyfnod newydd pendant yn fy mhrofiad.'[34] Bu'n wrandawr astud arno o hynny ymlaen, a chafodd gyfarfod ag ef yn bersonol yn 1878. Traflyncodd ei lyfrau: 'Nid oedd dim ynddynt, mi dybiwn, nad oeddwn wedi ei ddarllen rhyw deir-gwaith drosodd . . . Fe ddeuai brawddegau ohonynt i'm meddwl y pryd hwnnw mor rwydd braidd ag adnodau o'r Beibl.'[35] Rhyw arswydus barch oedd ganddo at y dyn mawr pan gyrhaeddodd y Bala yn 1879, fel pawb arall yn ei ddosbarth: 'Ni welais neb un amser yn dangos unrhyw hyfdra yn ei ŵydd . . . Yr oedd ganddo bersonoliaeth fawreddus . . . a diau bod barn corff ei ddisgyblion yn cael eu llethu i fesur tan ddylanwad y bersonoliaeth honno.'[36] Ychydig oedd yn medru tynnu gwên ohono ond yn eu plith yr oedd y myfyriwr ffraeth David O'Brien Owen. Pan fyddai'r prifathro yn chwerthin, byddai'n gwneud hynny gydag afiaith. 'Fe chwarddai, fel y clywais Thomas Hughes o Fachynlleth yn ei ddisgrifio, nid fel John Elias "yn ei wddf", ond fel Christmas Evans "o waelod ei fol".'[37]

Trwy'r dull socratig, neu ddull yr Ysgol Sul, y byddai Edwards yn dysgu.

> Y peth y dibynnai efe yn llwyraf arno yn ei ddosbarth ydoedd holi cwestiynau . . . Ein dysgu i feddwl ar y pryd ydoedd ei amcan ef yn hytrach na'n llwytho â nodiadau . . . Yr oeddwn i yn ei gael ar y cyfan, mor bell ag yr oedd fy anghenion neilltuol i yn myned, yr athro gorau a gefais.[38]

'Fe'n cymhellai i ofyn cwestiynau ein hunain, ac arferai ddweud mai'r peth nesaf i fedru rhoi ateb da oedd gofyn cwestiwn da.'[39] O'Brien Owen neu beidio, ni oddefai ffyliaid yn llawen: 'Weithiau fe droai'r tu min arnom, a byddai ei frath eiriau yr adegau hynny agos â bod yn anioddefol.'[40] Dal i drwytho'i fyfyrwyr mewn athroniaeth, diwinyddiaeth ac esboniadaeth feiblaidd a wnâi yn ystod y ddwy flynedd y bu Hobley yn y Bala gyda *Gwladwriaeth* Platon, *Cyfatebiaeth* Butler, Efengyl Ioan, y Llythyr at yr Hebreaid ac Epistol Cyntaf Paul at Timotheus yn llyfrau gosod. Calfiniaeth glasurol oedd y maen prawf ac iawn Crist yn aberth digonol i'r holl fyd. Roedd yn llym yn erbyn 'some insane, some half-cracked Calvinists'[41] na fynnent bregethu'r efengyl ond i'r etholedigion yn unig. Roedd neges Crist ar gyfer byd cyfan. Roedd hyd yn oed John Elias yn credu hynny: 'I never heard a man pressing more urgently upon every man that heard him to believe in Christ. All his sermons were vehemently earnest in this respect.'[42] Roedd yr etifeddiaeth Galfinaidd nid yn unig yn werthfawr gan y prifathro ond yn sail dysgeidiaeth y coleg cyfan. I Edwards Crist ei hun oedd swm yr efengyl a sail yr arfaeth dragwyddol.

> Y mae yn ymddangos i mi oddi wrth y Beibl fod Duw Dad wedi rhoddi pob awdurdod ar y greadigaeth i law y Mab. Y Mab sy'n llywodraethu yn ein natur ni; y mae y Tad wedi rhoddi y cwbl iddo. Y mae y Tad yn gweithio yn y greadigaeth i ddyrchafu y Mab. Dyma mae y Tad yn ei wneud – darostwng popeth i'r Mab. Y mae y Tad wedi rhoddi bri ar ddyrchafu y Mab.[43]

Sefydlwyd Hobley yn weinidog yn sir y Fflint yn 1881 a phan alwai ar y prifathro wedi hynny, ei gyngor cyson iddo oedd: 'Give them some tough doctrine.'[44]

Erbyn dathliadau'r canmlwydd roedd Lewis Edwards wedi bod yn ei fedd ers dros ugain mlynedd a Thomas Charles Edwards wedi marw ers bron i ddegawd. Roedd y cof am y tad yn dechrau breuo. Roedd hi'n naturiol, ond eto'n arwyddocaol, mai'r sawl oedd fwyaf brwd i ddathlu'r achlysur oedd yr hynafgwyr. Roedd yr hinsawdd ddeallusol wedi newid yn ddirfawr, ac roedd hi'n well gan y genhedlaeth iau edrych ymlaen yn hytrach na syllu tuag yn ôl. Fodd bynnag, cyhoeddodd T. R. Jones, Tywyn, gofiant bychan yn 1909 a oedd yn tafoli Edwards yn gytbwys ac yn deg, ond roedd hyd yn oed ei ieithwedd yn anadlu cyfnod a oedd wedi mynd heibio: 'Yr oedd efe yn ddiwinydd o ran dyhewyd, a'r ffurf gyfundrefnol ar ddiwinyddiaeth a apeliai rymusaf ato.'[45] Soniodd amdano yn cychwyn yr holl symudiadau a oedd o bwys i Fethodistiaeth y ganrif o'r blaen: y coleg, y fugeiliaeth, y gronfa gynhaliol, y drysorfa gynorthwyol, yr eglwysi Saesneg a'r gymanfa gyffredinol. 'Tystiolaeth uchel i gywirdeb ei ddealltwriaeth o amgylchiadau ei wlad yw y ffaith na throes un o'i gynlluniau allan yn fethiant.'[46] Ond fel pregethwr a diwinydd y gwnaeth ei gyfraniad pennaf. 'Y wedd Galfinaidd ar athrawiaethau crefydd a gymeradwyai ei hun iddo; yr oedd yn Galfin o argyhoeddiad personol yn ogystal â dygiad i fyny. A thra'n rhoddi pwys ar benarglwyddiaeth Duw a graslonrwydd yr efengyl . . . Person Crist oedd canolbwynt ei ddiwinyddiaeth.'[47] 'Calfiniaeth oedd cyfundrefn ddiwinyddol Dr Edwards'[48] meddai John Owen Jones, y Bala, mewn dwy ysgrif ddigon deheuig, tra bo John Owen, Lerpwl, yn honni mai 'i Dr Edwards yr ydym yn bennaf yn ddyledus am osod y gyfundrefn Galfinaidd ar linellau ehangach ac yn fwy unol ag egwyddorion moesol a dysgeidiaeth yr *oll* o Air Duw'.[49] Hyn oedd barn unfryd y sylwebyddion, er i o leiaf un o'r hynafgwyr, W. Morris Lewis o Ddyddewi, a fu'n fyfyriwr yn y Bala mor bell yn ôl ag 1853, deimlo mai anfantais oedd hyn. 'Y mae ei olygiadau diwinyddol yn dilyn eiddo yr Ysgol Orllewinol, neu y Lladinaidd, a gynrychiolir gan Awstin, Anselm a Chalfin. Y mae yn clymu ei farn wrth eu golygiadau hwy, a throstynt y dadleua.'[50] Er ei fod bron yn bedwar ugain oed, credai Morris Lewis fod yr ugeinfed ganrif yn hawlio rhywbeth amgenach nag uniongrededd Awstinaidd.

Y mae yn dra thebyg ped ymgydnabyddasai Dr Edwards yn fwy â'r Tadau Groegaidd [Athanasius, Origen, Grigor o Nyssa a Basil Fawr] y buasai ei ddiwinyddiaeth mewn rhai cyfeiriadau yn llai anhyblyg. Y cerddasai yn fwy rhydd ac y cawsid ychwaneg nag a geir yn awr yn ei ysgrifeniadau i gyfarfod â gogwyddiadau y dyddiau hyn.[51]

Ond barn leiafrifol oedd hon. Y teimlad cyffredinol oedd bod pwyslais Edwards yn ysgrythurol, yn eang, yn berthnasol ac yn iach. Cydddigwyddiad hapus, i J. Cynddylan Jones o leiaf, oedd i ganmlwyddiant Edwards ddigwydd ar yr un adeg â phedwarcanmlwyddiant geni John Calvin: 'Diwinyddion mawr ein Cyfundeb ni yw, Thomas Charles o'r Bala, Thomas Jones o Ddinbych, a Dr Lewis Edwards, y tri hyn; a'r mwyaf o'r rhai hyn yw Dr Edwards.'[52] Ac nid ailadrodd yn ddifeddwl ystrydebau marw a wnaeth ond estyn ac ireiddio traddodiad byw. 'O flaen dyddiau Dr Edwards', meddai Evan Davies, Trefriw, golygydd *Y Lladmerydd* ac un a fu yn y Bala rhwng 1868 ac 1872, 'nid oes lle i feddwl fod neb o ddiwinyddion Cymru, oddigerth Thomas Jones o Ddinbych, wedi darllen gwaith y Tadau; nis gellir casglu ar ddim a ysgrifennodd Mr Charles ei fod yntau wedi darllen dim ond gwaith y Piwritaniaid'.[53] Un o gymwynasau mawr Lewis Edwards oedd rhoi dyfnder a chyd-destun i'r traddodiad Methodistaidd a'i uno â phrif ffrwd yr oesoedd. 'Ni phetruswn ddweud', meddai John Owen eto,

mai y meddwl mwyaf catholigaidd yng Nghymru y ganrif ddiwethaf oedd prifathro athrofa syml y Bala, ac i'w ddylanwad ef yr ydym yn priodoli ffyddlondeb Cymru i'r athrawiaethau efengylaidd, uniongred, ac ar yr un pryd yr ehangder a'r parodrwydd i dderbyn goleuni ychwanegol, os ceir ef yn unol â chysondeb 'y ffydd a roddwyd unwaith i'r saint'.[54]

Barn yr hen genhedlaeth, ysywaeth, oedd hon. Gan John Owen Jones, a fu'n fyfyriwr yn y Bala rhwng 1880 ac 1884 cyn graddio ym Mhrifysgol Llundain, y seinir y nodyn pryderus amlycaf. Fel ei athro, cyfunodd Jones ysgolheictod beirniadol gydag ymlyniad diwyro wrth y ffydd efengylaidd. 'Pa faint, tybed, y sydd o ddarllen yn awr o weithiau Dr Edwards? . . . Ofnwn fod rhy ychydig . . . a llawer llai nag a fu.'[55] Arall oedd diddordeb y to iau, yn lleygwyr ac yn weinidogion, ac roedd yr holl bethau a gymerwyd gynt yn ganiataol – trosgynnedd Duw a'i sancteiddrwydd, pechadurusrwydd trwyadl dyn, dwyfoldeb unigryw Crist a'r angen am iawn gwrthrychol – bellach yn cael eu cwestiynu er nad eto eu gwrthod yn agored. 'Onid y perygl y rhybuddia efe rhagddo yw un o beryglon mawr Cymru heddiw? Onid o syniadau isel, anysgrythurol am Berson y Gwaredwr y cyfyd yr olwg a gymer llawer am natur pechod, y wedd unochrog ar y gwirionedd am Dduw fel Duw cariad, a'r golygiadau amrwd ar athrawiaeth fawr yr Iawn?'[56] Ni waeth pa mor ddysgedig oedd y prifathro gynt, ac er gwaethaf ei ddiddodeb ysol mewn athroniaeth a diwylliant, yr Ysgrythurau Sanctaidd oedd ei faen prawf o hyd.

> Yr oedd ei gred yn y Beibl yn ddiysgog. Dyma'r llys apel diwethaf iddo ef gyda phob pwnc mewn athrawiaeth a buchedd. Llyfr Duw i ddyn y cyfrifai ef, llyfr a holl awdurdod Duw y tu cefn i'w ddysgeidiaeth. Pan y methai a chysoni golygiadau a ddelid yn gadarn gan athronwyr neu ddiwinyddion â dysgeidiaeth y Beibl, y Beibl a gâi'r flaenoriaeth.[57]

Bellach, gyda'r uwchfeirniadaeth yn ysgubo popeth o'i blaen, roedd y Beibl yn plygu i fympwy dyn. Roeddent yn ddyddiau pryderus i warcheidwaid y ffydd, ac etifeddiaeth y prifathro mewn dirfawr berygl o gael ei herydu a'i hesgeuluso yn llwyr. Geiriau sobrwydd oedd eiddo John Owen Jones, ond nid oes amheuaeth eu bod yn eiriau cywir.

Yr Adwaith Rhyddfrydol

Cefndeuddwr mawr hanes diweddar Cymru oedd y Rhyfel Byd Cyntaf. Er i Oes Victoria ddarfod yn ffeithiol yn 1901, nid tan 1914, mewn gwirionedd, y ffarweliwyd yn derfynol â safonau, gwerthoedd a bydolwg y bedwaredd ganrif ar bymtheg. Ac un o'r creiriau a daflwyd ar y goelcerth y pryd hynny oedd y Galfiniaeth y gwnaeth Lewis Edwards a'i gyfoeswyr gymaint i'w hymgeleddu a'i bywhau. Roedd yr argyhoeddiadau athrawiaethol a unodd Gwilym Hiraethog, Owen Thomas, John Thomas, Lerpwl, Thomas Rees, Abertawe, ac Anglicaniaid gwlatgar fel David Howell, 'Llawdden', heb sôn am filoedd lawer o Gymry cyffredin, yn perthyn bellach i'r cynoesoedd. Mewn cenhedlaeth aethant yr un mor ddieithr â sgolastigiaeth yr Oesoedd Canol. 'Cynrychiola *Traethodau Diwinyddol* Dr Lewis Edwards y gorau o lenyddiaeth ddiwinyddol Cymru hyd drydedd chwarter y ganrif ddiwethaf', meddai Thomas Rees, prifathro Coleg Bala-Bangor yn 1924, 'ond o ran dylanwad beirniadaeth a gwyddoniaeth arnynt, gallasent fod wedi eu hysgrifennu unrhyw adeg rhwng y ddeuddegfed ganrif a'r ddeunawfed, ag eithrio'r ymosodiadau ar Annibyniaeth'.[58]

Roedd rhagdybiaethau'r rhyddfrydiaeth ddiwinyddol a ddisodlodd yr hen Galfiniaeth yn amlwg mewn traethawd a ysgrifennwyd ar y cyd gan Griffith Arthur Edwards, gweinidog y Tabernacl, Bangor, a John Morgan Jones, Bala-Bangor, yn yr un flwyddyn â chyhoeddi sylwadau pigog Thomas Rees. Cangen o athroniaeth crefydd yw diwinyddiaeth, yn eu tyb hwy, yn seiliedig nid yn gymaint ar Dduw a'r datguddiad ohono ond ar ymwybyddiaeth grefyddol dyn. 'Yn union fel y rhydd y ddaear y ffeithiau neu'r *data* y rhaid i'r daeáregwr eu dehongli, gwna crefydd yr un peth i'r diwinydd.'[59] Pa fodd bynnag am egwyddor diwinyddiaeth gynt, rhagdybiaeth pob diwinyddiaeth bellach yw ei bod yn ddarostyngedig i ddeddfau datblygiad: 'Y syniad yma (*evolution*) sydd erbyn hyn wrth wraidd holl wyddoniaeth ein cyfnod, a rhoes fod i ddull newydd o drin diwinyddiaeth.'[60] Y maen prawf, mae'n amlwg, oedd nid hawliau mewnol yr wyddor ddiwinyddol ei hun neu unrhyw wirionedd trosgynnol o'r tu hwnt ond yn hytrach ffeithiau diymwad yr wyddoniaeth ddiweddaraf. Roedd yr un peth yn wir am y Beibl. Nid Gair gwrthrychol oedd yr Ysgrythur yn tystio i natur unigryw y datguddiad dwyfol, ond dogfen ffaeledig yn tystio i athrylith crefyddol dyn. 'Y mae'n amlwg bod syniadau newydd am y Beibl wedi gweddnewid llawer ar ddiwinyddiaeth ac yn arbennig ar y defnydd a wneir o'r Beibl gan ddiwinyddion.'[61]

Wedi gosod allan eu stondin yn daclus, â'r awduron i gryn hwyl wrth gystwyo obsgiwrantiaeth y genhedlaeth gynt: 'Aeth dyddiau'r hen athrawiaethau haearnaidd ac ofergoelus o ysbrydoliaeth ac awdurdod anffaeledig llythyren y Beibl heibio am byth, ac nid oes athro diwinyddol yng Nghymru heddiw a'i cyfarch o hirbell.'[62] Un o freintiau'r oes oleuedig hon oedd achub crefyddwyr rhag arswyd dychrynllyd yr hen goelion. 'Ymfalchïwn yn . . . y waredigaeth a ddaeth inni . . . oddi wrth hunllef yr hen gredoau haearnaidd a draddodwyd i ni gan ein tadau',[63] y syniad o bechod gwreiddiol a'r farn yn fwyaf arbennig, ond roedd hi'n amlwg fod y credoau catholig ac ecwmenaidd ynghylch y Drindod a Pherson Crist, ac athrawiaeth yr iawn, yr un mor wrthun ganddynt. 'Yn onest, gwell gennym fod heb yr un gyfundrefn ddiwinyddol na phlygu o dan awdurdod yr hen gyfundrefnau yn eu hen ffurfiau.'[64] Er gwaethaf y ffaith fod Cymru wedi codi crefyddwyr wrth y miloedd, ynghyd â *data* digonol i foddhau cywreinrwydd yr athrawiaethwr mwyaf diwyd, ni chynhyrchodd ddiwinydd gwerth sôn amdano erioed. '[R]haid i ni gydnabod na chyfranasom ddim bron at drysorau diwinyddol y byd ac na chododd eto ysgol Gymreig o ddiwinyddiaeth gwerth yr enw.'[65] Felly, beth bynnag am Thomas Charles, Thomas Jones a Lewis Edwards a'i fab, amaturiaid di-ddawn oeddent mewn gwirionedd, ond bod sefydlu Cyfadran Ddiwinyddol Prifysgol Cymru ar linellau gwyddonol a chyhoeddi'r campwaith hwnnw y *Geiriadur Beiblaidd* arfaethedig yn nodi gwawr oes newydd gyda'r gobaith y gallai hyd yn oed y Cymry gerdded yn eofn ar lwyfannau'r byd.

Prif arwyddocâd y pamffled gwachul a thruenus hwn oedd nid dangos pa mor bell yr oedd Cymru wedi symud o'i gwreiddiau clasurol, ond naïfrwydd hollol ei awduron ynghylch gwendidau eu safbwynt eu hunain. Nid dynion ffôl oeddent, ond cynnyrch disgleiriaf addysg eu cenhedlaeth. Roedd John Morgan Jones wedi graddio gydag anrhydedd yn y dosbarth cyntaf ym mhrifysgolion Cymru a Rhydychen ac wedi eistedd wrth draed diwinydd rhyddfrydol mwyaf y bedwaredd ganrif ar bymtheg, sef Adolf von Harnack, yn Berlin.[66] Roedd gwreiddiau Methodistaidd Griffith Arthur Edwards yn ddwfn ym mhridd Penllyn, a chafodd yntau addysg ragorol yn Aberystwyth ac yn Rhydychen.[67] Mewn byr o dro byddai'n hyfforddi gweinidogion ei gyfundeb o dan gronglwyd Lewis Edwards ei hun ac yn syllu yn feunyddiol ar gerfddelw y dyn mawr, ar ei fwyaf pendefigaidd, ar y lawnt islaw. Ond roedd yr hollt rhwng ei argyhoeddiadau ef ac eiddo ei ragflaenydd wedi troi'n affwys amhontadwy a dwfn. Roedd hi'n berygl mai dyna fyddai'n wir hefyd am y rhan fwyaf o'i gyfoeswyr.

Sail ddeallusol y gyfundrefn a ddisodlodd uniongrededd erbyn y 1920au oedd Idealaeth Hegelaidd, a chafwyd mewn un gyfres o ysgrifau arweiniad hwylus i'w theithi a'u heffaith ar ddiwinyddiaeth y wlad. 'Theology', meddai Philip Josiah Jones (1895–1934), brodor o Foncath, sir Benfro, a gweinidog eglwys Saesneg y Methodistiaid Calfinaidd ym Mhontnewynydd, Mynwy, oedd 'an attempt on the part of men to give articulation to religious experience'.[68] Yr unig ddehongliad diwinyddol o Gristionogaeth a oedd yn bosibl i'r dyn cyfoes yn nhyb Jones oedd moderniaeth Brotestannaidd, ac yn sgil hynny '[m]odern theology can be most satisfactorily gauged by taking as the point of our departure the movement commonly known as Philosophical Idealism of the absolute type'.[69] Beth bynnag am lwyddiannau Immanuel Kant, tad yr Aroleuo, yn dadansoddi'r meddwl dynol a chynnig arweiniad ym myd syniadau, nid Kant ond ei ddisgybl, George Friedrich Hegel, oedd wedi gwneud y gwaith yn derfynol.

What Kant actually did was to make possible the reduction of the whole of life into a unity in which Spirit and Mind predominate, but owing to his failure to emancipate himself from the fetters of the past . . . it was left to others to enter into the larger freedom which was potential in his philosophy.[70]

Os 'yr Absoliwt' oedd yn hydreiddio pob dim, 'the conception of the Absolute – an all-containing and all-pervading Spirit – which is imminent in all Reality',[71] yr ail gysyniad angenrheidiol oedd esblygiad neu gynnydd: 'The other conception which dominates this metaphysic is that of Development, a concept which was destined to be supported and reinforced by discoveries made by scientists in the realms of biology and anthropology.'[72] Yr Absoliwt, felly, o gymhwyso'r athroniaeth hon at Gristionogaeth, oedd Duw, ond roedd Duw bellach yn fewnfodol yn ei greadigaeth ac ar waith ynddi nid trwy wyrth, ymyrraeth a rhagluniaeth ond trwy broses esblygiad a oedd yn gwneud categori y goruwchnaturiol yn ddiangen.

Roedd Jones yn ymwybodol pa mor bellgyrhaeddol fyddai effaith cymhwyso'r acsiomau hyn at y deunydd Cristionogol; byddai'n troi pob un o'r athrawiaethau o'r tu chwith allan ac o fyny tuag i lawr. Byddai'r pwyslais bellach ar fewnfodaeth Duw, nid ei drosgynnedd, byddai dyn yn cael ei ystyried nid yn bechadur ond yn ffrwyth esblygiad i lefel uwch o fodolaeth: 'Fall from innocence into sin is a fall upwards and onwards, and every stage of sin contributes to the ultimate realization of perfect goodness'.[73] Nid Gwaredwr unigryw fyddai Crist a dorrodd i mewn i hanes o du Duw ond yr esiampl bennaf o berffeithrwydd moesol dyn, gyda'r iawn yn rhywbeth a ddigwyddodd nid unwaith ac am byth ar Galfaria ond a oedd yn rhan eto o broses fwy: 'Again, Atonement is, according to this teaching, a cosmic process',[74] tra bo'r syniad o atgyfodiad yn gorfod ildio i ryw wedd o anfarwoldeb yr enaid, 'the loss of self by death implies the finding of self in the larger life of union in God'.[75] 'Whatever may be the actual implications of this challenging and attractive teaching', meddai, 'there can be but no doubt that it gives rise to questions of great importance for theology'.[76] Nid oedd hi'n syndod i Jones olrhain dylanwad y syniadaeth hon ar feddylwyr rhyddfrydol fel David Adams, Ebenezer Griffith-Jones, D. Miall Edwards a Thomas Rees, Bangor, ond iddo fynnu dechrau ei gyfres gyda'r Hegelydd enwog hwnnw o Goleg y Bala, sef Lewis Edwards ei hun.

Fel y gellid disgwyl, egwyddor y gwrthgyferbyniadau o'r gyfres ysgrifau 'Cysondeb y ffydd' gyda'i thebygrwydd ymddangosiadol i ddull Hegel o drin realiti yn nhermau gosodiad, gwrthosodiad a chyfosodiad a dynnodd sylw'r awdur blaengar o Foncath. 'Anyone conversant with movements of thought from the time of Kant and Hegel until about 1845 must be compelled to speculate as to the origins of this principle in the Welshman's mind.'[77] Wedi olrhain hanes rhyddfrydiaeth ddiwinyddol yn yr Almaen, gyda *Bywyd Iesu* David Strauss a gwaith F. C. Baur ac ysgol Tübingen ar y Testament Newydd yn cael sylw arbennig, mae Jones yn trafod ei derbyniad yn Lloegr ac yn yr Alban trwy sôn am Jowett, F. D. Maurice a McLeod Campbell (nad oedd, mewn gwirionedd, yn rhyddfrydwr diwinyddol o fath yn y byd). Yr unig ffordd i ddeall darganfyddiad Edwards o egwyddor y cyferbyniadau, yn ôl Jones, oedd trwy ei briodoli i Hegel trwy ddylanwad S. T. Coleridge. Er, mae Lewis Edwards, fel mae'n digwydd, yn gwadu hyn ar ei ben:

> Ymysg amryw bethau nad oeddwn yn eu deall pan ddarllenais Coleridge y tro cyntaf nid oedd dim yn ymddangos yn dywyllach na'r hyn a ddywedir ganddo am y gwrthgyferbyniad angenrheidiol rhwng gwahanol rannau o'r un drychfeddyliau, y *thesis* a'r *antithesis* yn cyfarfod mewn *synthesis*.[78]

Mae'r sylwebydd Hegelaidd, fodd bynnag, yn gwbl argyhoeddedig na allai egwyddor y cyferbyniadau fod wedi dod o unman arall. Arwydd o flaengarwch rhyfeddol Lewis Edwards oedd iddo godi uwchlaw Calfiniaeth adweithiol ei oes i gymhwyso i grefydd Cymru ddullwedd mor ffres. Ond mae Jones, heb yn wybod, yn tynnu'r tir o dan ei draed ei hun trwy gyhuddo Edwards o fethu defnyddio'r ddullwedd hon pan oedd hanfod y ffydd yn y cwestiwn. Yn ei ysgrif ar 'Yr arfaeth', mae'n syrthio yn brin o greu'r synthesis angenrheidiol am y byddai'n rhaid iddo gysoni deubeth nad oedd modd eu cysoni fyth, sef bwriad Duw a phechod dyn. 'Our author found himself confronted with unsurmountable difficulty when it happened that his antitheses contained elements which were not in harmony with his own personal conception of what was religiously good.'[79]

Y gwir yw nad oedd a wnelo egwyddor Edwards â'r ymgais i amodi neu lygru datguddiad terfynol Duw o gwbl, ond yn hytrach â gwneud cyfiawnder â natur amlochrog y gwirionedd. Ar hyd hanes yr eglwys, yr hereticiaid, a geisiai symlrwydd deallusol ar draul derbyn dirgelwch amlweddog datguddiad, sydd wedi arddel rhai gwirioneddau gan wrthod y rhai ymddangosiadol wrthgyferbyniol er mwyn creu system ddeallusol gyflawn a thaclus. Hwy sydd wedi syrthio i gyfeiliorni tra bo deiliaid uniongrededd wedi mynnu dal ynghyd mewn tensiwn parhaus y gwirioneddau hynny a oedd yn ymddangos yn groes i'w gilydd, ac o bosibl *yn* groes i'w gilydd yn ôl unrhyw reolau rhesymegol, am fod gofynion y ffydd yn hawlio hynny. 'Perhaps it is too much to expect that even this great Welshman', meddai Philip Jones yn nawddoglyd iawn, 'should have been able to dispense completely with the notions of his day'.[80] Nid oedd amheuaeth, fodd bynnag, nad Idealaeth Hegelaidd oedd y gwirionedd eithaf yn Nghymru 1927, 'a system of thought so challenging, so attractive and so strongly correlative of the ideas and experience of men',[81] a'i bod yn gweddu'n berffaith â sylwedd y ffydd. 'Hegelianism', meddai gyda hyder anorchfygol, 'is the most potent vindication of Christianity and Christian doctrines which has as yet been offered to human intelligence'.[82]

R. T. Jenkins

Peth cwbl amheuthun, wedi ffwlbri mor noeth, yw troi at anerchiad gwaraidd a chaboledig R. T. Jenkins ar y pwnc. Cyhoeddodd J. Cynddylan Jones yr ysgrif bortread orau ar bersonoliaeth Lewis Edwards yn 1914;[83] traddododd Jenkins y byr-ddadansoddiad mwyaf treiddgar ohono yn 1931. Fel y digwyddodd roedd cynseiliau Jenkins yn debyg iawn i eiddo Thomas Rees, Griffith Arthur Edwards a Philip J. Jones: moderniaeth Brotestannaidd. Mwy nag unwaith soniodd amdano'i hun yn cefnu ar Galfiniaeth ei fagwraeth Fethodistaidd yn y Bala lle'i maged gan ei daid a'i nain yn yr 1890au, ac arddel, trwy gyfrwng cyfrol athrawiaethol ddiniwed y Deon Farrar *The Life of Christ*, gredo fwy dyneiddiol.[84] 'Nid am inni "wrthbrofi" Calfiniaeth y mae hi wedi colli ei gafael ar y rhan fwyaf ohonom heddiw', meddai yn 1931, 'ond am ei bod yn gorwedd ar syniadau am Dduw, ac am berthynas dyn â Duw, na allwn ni mo'u derbyn'.[85] Roedd gwybodaeth ffeithiol Jenkins, fodd bynnag, yn fwy eang, ei ddychymyg hanesyddol yn helaethach a'i gydymdeimlad seicolegol yn fwy sensitif ganwaith nag eiddo ei gyd-sylwebwyr. Gwyddai fwy na neb am Gymru'r bedwaredd ganrif ar bymtheg o ran ei bywyd crefyddol a deallusol, a rhoes y ffaith iddo gael ei fagu yn y Bala pan oedd mab Lewis Edwards yn teyrnasu yno fantais aruthrol iddo allu tafoli dylanwad ei dad yn iawn.

Ni wnaeth Edwards y tad nemor ddim cyfraniad politicaidd, yn ôl R. T. Jenkins, ac nid oedd yn genedlaetholwr o fath yn y byd: '[Y] mae'n amheus dros ben a fuasai'n codi un bys i "achub" y Gymraeg. Iddo ef, yr oedd y Gymraeg *yno* – doedd mo'r help am hynny – a heb bregethu ac ysgrifennu yn Gymraeg ni ellid dylanwadu ar feddwl nac ysbryd y bobl.'[86] Arall oedd natur ei gyfraniad: 'Ym myd y meddwl, ac yn bennaf ym myd diwinyddiaeth, y mae dylanwad Lewis Edwards ar y genedl yn fwyaf amlwg.'[87] Er nad oedd yn radical yng ngwir ystyr y gair, roedd gogwydd ei waith yn hynod radicalaidd am iddo godi'r

Cymry o'u rhigolau deallusol cyfyng, dysgu iddynt safonau rhyng-wladol ac ymestyn eu gorwelion ymhell. '[Y]mddengys i mi [fod 1815 hyd 1845 yn] un o'r cyfnodau tywyllaf yn hanes meddwl Cymru ar ei ochr ddiwinyddol'[88] meddai, cyfnod y trai deallusol rhwng dau lanw; roedd Williams Pantycelyn a Thomas Charles yn eu bedd a Lewis Edwards heb ddod i'w etifeddiaeth. Gan fod Jenkins, fel rhyddfrydwr diwinyddol, yn barnu gwerth crefydd yn ôl ansawdd ei phrofiad, peth damweiniol, yn ei dyb ef, oedd y ffurf athrawiaethol y gwisgid y ffurf ynddi. Nid athrylith Pantycelyn oedd ei Galfiniaeth, ond yn hytrach y defnydd dychmyglawn a wnaeth o ansawdd ei brofiad o Dduw. 'Am fod Williams Pantycelyn yn Galfin, credid bod profiad aruchel Williams yn hanfodol gysylltiedig â Chredo Westminster.'[89] Ni fynnai hyd yn oed Jenkins awgrymu mai Hegelydd cudd oedd Lewis Edwards, Calfin ydoedd yn ôl pob rheswm, ond nid trwy gynnal traddodiad Genefa yng Nghymru y gwnaeth ei farc ond trwy gymathu ei Galfiniaeth ag elfen-nau newydd. Yn un peth, gŵr prifysgol ydoedd ac nid un a ddysgwyd yn un o'r hen academïau; mynnodd fynd yn uniongyrchol i Brifysgol Caeredin, un o ffynhonnau gorau dysg. Yna, roedd ganddo ddiddordeb ysol mewn llenyddiaeth, llên glasurol a llên seciwlar, yn ei hawl a'i gwerth ei hun. Ac yn olaf, ac fel Pantycelyn o'i flaen, nid anwybyddodd, ond yn hytrach cymathodd, i'w gyfundrefn elfennau cydnaws y syniad-aeth newydd, nid Idealaeth fel y cyfryw, ond ffrwyth aeddfetaf yr Aroleuo Ewropeaidd. Dyma, i Jenkins, a agorodd ei ddychymyg i'r dull cyferbyniadol fel y'i dehonglwyd yn ei gyfres 'Cysondeb y ffydd'. Nid oedd a wnelo â Hegel o gwbl, ond yn hytrach â chanfyddiad naturiol dyn o ehangder gweledigaeth a diwylliant dwfn fod y gwirionedd yn aml-ochrog ac na allai'r un system feidrol, pa mor aruchel bynnag, wneud llawn gyfiawnder ag ef.

Hanesydd oedd R. T. Jenkins ac nid diwinydd, ac er bod ei grebwyll diwinyddol yn rhagorach na nemor neb o'r diwinyddion proffesiynol ar y pryd, roedd hi'n ormod disgwyl iddo ddygymod ag athrawiaethau nad oedd ganddo ddim cydymdeimlad â hwy. Wedi gweithredu egwyddor y gwrthgyferbyniadau, meddai, 'rhoes ef ei hun, a'i gydwladwyr o ran hynny, lawer mwy o sylw i'r pwnc o Berson Crist. Ar y tir isaf, y mae dadlau ar y pwnc hwnnw'n noblach gwaith, yn debycach o wneuthur lles i ysbryd dyn, na mwydro yngylch y *Plan of Salvation*.'[90] Colli ymhell oedd y sylw hwn ar ran dyn call. Beth bynnag arall oedd y dadleuon y rhydd Owen Thomas sylw manwl iddynt ym mhennod fwyaf *Cofiant y Parchedig John Jones Talsarn*, nid 'mwydro' oeddent, ac nid oes dim sy'n gynhenid fwy nobl mewn ymdrechu i wneud cyfiawnder â Gwaith

Crist nag ymgeisio i ddeall ystyr ei Berson. Fodd bynnag, roedd sylwadau Jenkins ar ddiddordeb Edwards yn saer deallusol Eglwys Loegr, sef Richard Hooker, yn drwyadl wych:

> Nid wyf yn gwybod am unrhyw eglurhad a roes Lewis Edwards i neb am roi Hooker o flaen ei ddisgyblion, ond ymddengys i mi ein bod yma yn cael golwg ar ei gred mewn Hanes. Yr oedd Ymneilltuaeth, yn unswydd felly, wedi troi ei chefn ar Hanes, ar y gorffennol a orweddai rhwng Ioan y Difinydd a Martin Luther; yr oedd Methodistiaeth nid yn gymaint wedi troi ei chefn arno ond yn hytrach wedi colli gafael arno, yn llwyrach fyth, yn y bwlch rhwng Thomas Jones a Lewis Edwards, gan fyw ar ddiwinyddiaeth eilradd a thlawd. Yr oedd yn hen bryd ein hadfer i gymundeb y saint y tu allan i'n hoes a'n gwlad ni ein hunain.[91]

Mewn geiriau eraill, diwinydd catholig oedd Lewis Edwards nad oedd a fynno â sectyddiaeth ddim. Ni wnaeth neb fwy i adfer y cyfanrwydd catholig hwn i Gristionogaeth ei wlad.

Cefndir yr ymateb rhyddfrydol i etifeddiaeth Lewis Edwards oedd y Comisiwn Ad-drefnu yn dilyn y Rhyfel Byd Cyntaf a'r dadleuon chwerw ynghylch newid y Gyffes Ffydd.[92] Mae'n drawiadol fod y gyfrol orau ar natur Methodistiaeth i ymddangos yn y cyfnod, sef *Darlith Davies* gan John Roberts, *Methodistiaeth Galfinaidd Cymru: Ymgais at Athroniaeth ei Hanes* (1931), yn osgoi diwinyddiaeth yn llwyr gan ganoli ar faterion hanes ac eglwysig. Ni sonnir am athrawiaeth Lewis Edwards, ond dywedir llawer am ei eglwysyddiaeth. Er gwaethaf grym Calfiniaeth ddoe, nid oedd yn gweddu i anghenion heddiw a'r cwestiwn oedd, a oedd digon o ruddin yn yr Idealaeth ffasiynol ar gyfer yfory. 'Cyhoeddwyd *Athrawiaeth yr Iawn* yn agos i drigain mlynedd yn ôl', meddai D. D. Williams yn ei *Lawlyfr Hanes y Cyfundeb*.

> Yn ystod y cyfnod hwn daeth newid mawr dros y wyddor o ddiwinyddiaeth, mwy na thros odid un wyddor. Ac oherwydd y newid hwn a'r goleuni newydd a ddaeth gydag ef, mae'r golygiadau a goleddir heddiw am yr Iawn gryn lawer yn wahanol i'r hyn a geir yn llyfr Dr Edwards.[93]

Fel y digwyddodd roedd newid eto ar y gorwel, a lleisiau o'r cyfandir, o bentref Safenwil yn y Swistir ac o brifysgolion Göttingen, Münster ac yna Bonn yn yr Almaen ymhlith mannau eraill, a fyddai'n siarad yn eglur o blaid trosgynnedd y Gair a'r angen nid i gladdu Calfiniaeth ond i'w hadfer i fri drachefn. Erbyn yr 1940au cododd rhywrai a fyddai'n gwerthfawrogi gwaith Lewis Edwards ac nid ei gablu na'i ystyried yn un o greiriau Cymru fu.

Y Gwerthfawrogiad Newydd

Wrth i gysgodion rhyfel grynhoi uwchben Ewrop, roedd rhai crefyddwyr eisoes wedi sylweddoli pa mor anghydnaws oedd yr athroniaeth Idealaidd â gwir deithi'r ffydd Gristionogol, a pha mor annigonol ydoedd i ddygymod â chyfoeth a chymhlethdod bywyd, yn enwedig yn ei gweddau mwy tywyll. Roedd sŵn 'y bom a ddisgynnodd ar faes chwarae'r diwinyddion' yn 1919, sef esboniad Karl Barth ar lythyr Paul at y Rhufeiniaid, yn parhau i ddiasbedain yng Nghymru, yn bennaf trwy ladmeryddiaeth yr Annibynnwr ifanc J. E. Daniel, ac yna, ymhlith y Methodistiaid Calfinaidd, trwy gyfryngod disgybl uniongyrchol Barth, Ivor Oswy Davies, heb sôn am lu o ddarllenwyr awchus eraill.[94] Rhywsut nid oedd brawdoliaeth dyn a thadolaeth Duw yn gwneud y tro mwyach ac roedd y categorïau beiblaidd – pechod, gwaredigaeth, gras a barn – yn dod yn drydanol fyw drachefn. Os oedd Protestaniaeth glasurol yn ymadnewyddu, roedd to arall o Gristionogion yn cael ei llithio oddi wrth ryddfrydiaeth at Gatholigiaeth, naill ai yn ei gwedd Anglicanaidd neu yn ei gwedd Rufeinig – 1932 oedd y flwyddyn pan dderbyniwyd Saunders Lewis i gymdeithas yr Eglwys Babyddol – ac erbyn diwedd yr 1930au nid uniongrededd ond rhyddfrydiaeth oedd dan warchae. Galarodd R. T. Jenkins yn 1942 fod '*Liberal Christianity*' fel y galwodd ef hi, dan gabl yng Nghymru a bod 'pregethwyr ifainc yr oes hon yn ei ffieiddio odid fwy nag oedd fy nghenhedlaeth i yn ffieiddio Uchel-Galfiniaeth'.[95] Ac yntau'n '*modernist* pendant ac anedifeiriol',[96] siglo'i ben yn anghrediniol a wnâi wrth ystyried pa mor anoleuedig a gwrth-ddyneiddiol oedd y to a oedd yn codi.

Ymhlith y genhedlaeth hon, fel y gellid disgwyl, y cafwyd y gwerthfawrogi newydd o gyfraniad Lewis Edwards a dealltwriaeth finiocach o'i wir arwyddocâd. Gan yr Eglwyswr H. Islwyn Davies a oedd yn 1945, blwyddyn canmlwyddiant *Y Traethodydd*, ar staff Coleg Dewi Sant, Llanbedr Pont Steffan, ond a fu wedyn yn ddeon Bangor, y caed y ddamcaniaeth fwyaf diddorol. Mewn tair ysgrif gynhwysfawr tafolodd ddylanwad tri symudiad pwysig yng nghrefydd y bedwaredd ganrif ar bymtheg ar Edwards: uchel-eglwysyddiaeth Mudiad Rhydychen, efengyleiddiaeth Caer-grawnt a gwyddor fodern beirniadaeth feiblaidd. O ran y symudiad olaf, er bod Edwards ac Owen Thomas yn gyfarwydd â datblygiadau yn y maes, ni fynnent wneud dim byd ag ef. Roedd rhagdybiaethau'r symudiad yn rhy naturiolaidd a'i natur yn rhy wrth-glasurol i ennyn unrhyw gydymdeimlad ynddynt. Yn hynny o beth roeddent yn gwbl wahanol i'r un Cymro arall a oedd o gyffelyb faint-ioli â hwy, sef Rowland Williams, Llanbedr Pont Steffan. '[P]an ddaeth cwestiwn beirniadaeth feiblaidd i'r golwg, symudodd Lewis Edwards i un cyfeiriad a Rowland Williams i gyfeiriad arall.'[97] Digwyddodd rhywbeth tebyg yn achos rhyddfrydiaeth Caer-grawnt. Perthynai Williams, a oedd yn gymrawd yng Ngholeg y Brenin cyn ei benodi yn is-brifathro Coleg Llanbedr Pont Steffan, i ddosbarth o feddylwyr blaengar, llydan-eglwysig ar lannau Cam a gynhwysai Connop Thirlwall, esgob Tyddewi yn ddiweddarach, Julius Hare, Henry Hart Milman ac eraill. Roedd ganddynt ddiddordeb mawr yn seicoleg crefydd, credent fod y credoau eglwysig yn fynegiant o brofiad yr eglwys yn hytrach nag o wir-ioneddau datguddiedig, a thueddent i ddehongli crefydd yn nhermau profiad a moesoldeb. Er iddo dafoli eu syniadau yn ofalus '[g]wrthododd Lewis Edwards . . . y ddiwinyddiaeth newydd, a gafaelodd nid yn niwin-yddiaeth Biwritanaidd ei ddydd yng Nghymru, ond yn nysgeidiaeth yr hen ddiwinyddion'.[98]

Nid y llydan-eglwyswyr oedd yr unig ddosbarth i wneud Caer-grawnt y bedwaredd ganrif ar bymtheg yn lle pwysig yn natblygiad y meddwl crefyddol cyfoes. Yno roedd William Paley, cymrawd Coleg Crist, wedi argyhoeddi pawb fod diwinyddiaeth naturiol yn cydweddu i'r dim â diwinyddiaeth datguddiad ac yn gynsail ar gyfer cymeradwyo'r ffydd Gristionogol i'r di-gred, ac yno hefyd roedd canolfan efengyleiddwyr fel Richard Watson a Charles Simeon. Ar un wedd dyma'r dosbarth a oedd yn cydweddu orau â gwerthoedd ac argyhoeddiadau Lewis Edwards. Credent yng ngoruchafiaeth y Gair, egwyddor *sola scriptura*, a'u newyddiadur oedd *The Record*, sef wythnosolyn Protestannaidd John Elias. Ond, fel y dadleuodd Islwyn Davies, 'cofier . . . bod Lewis Edwards yn ysgolhaig, ac felly ni allasai fodloni ar ffydd bietistaidd yn ôl patrwm llawer o'i gyfoeswyr yng Nghymru'.[99] Er ei fod yn credu'n ddiysgog yn anffaeledigrwydd yr Ysgrythur, roedd cylch ei ddiddordeb yn amgenach na'r Ysgrythur yn unig. Credai fod angen cysegru pob dysg i Dduw a chydnabod ôl y ddelw ddwyfol ar gynnyrch holl ddiwyll-iant gorau dyn. 'Gellir edrych ar *Y Traethodydd* . . . fel protest yn erbyn y bietistiaeth honno sy'n troi i mewn arni hi ei hun gan godi mur o wahaniaeth rhwng y profiad crefyddol a phrofiadau eraill.'[100] Diwin-ydd efengylaidd oedd Edwards, yn ymfalchïo yn ei grefydd ac yn mawrygu ei dras, ond gwyddai fod Methodistiaeth ei ddydd yn hawlio rhywbeth amgenach nag obsgiwrantiaeth meddwl. 'Yn y farn hon . . . y gwelir cymhwyster Lewis Edwards fel diwinydd y mudiad efengylaidd; dangosodd i'w genedl sut i wisgo'r profiad efengylaidd mewn diwyg deilwng.'[101]

O ddarllen ysgrifau hanesyddol Edwards yn ei ddwy gyfrol *Traethodau Llenyddol* a *Traethodau Duwinyddol*, ac o sylwi'n fanwl ar ei ddefnydd o waith Richard Hooker yn *Athrawiaeth yr Iawn* a'i gyfrol ar hanes diwinyddiaeth yr oesoedd, prin y gellir gwadu rhediad dadl yr Eglwyswr Islwyn Davies. 'Y mae'r erthyglau diwinyddol, o'u darllen yn ofalus', meddai, 'yn dangos Lewis Edwards yn datblygu ei safbwynt gyda chysondeb cymesur'.[102] Nid diwinydd Piwritanaidd mohono, ac nid diwinydd y Gair yn unig, ond catholigwr Protestannaidd yn y traddodiad clasurol: 'Diwinydd yn yr hen draddodiad clasurol, sydd yn ymestyn yn ôl trwy Sant Tomos o Acwin a'r Tadau Eglwysig oedd Lewis Edwards.'[103] Fel diwinyddion Rhydychen, sef John Henry Newman, John Keble ac Edward Bouverie Pusey, mynnai fynd yn ôl i'r prif oesoedd am ei ysbrydiaeth gan gredu mai yn y fan honno, o dan reolaeth y Gair, roedd awdurdod i'w gael. Y prif wahaniaeth − a hwnnw'n wahaniaeth sylfaenol − rhyngddo a diwinyddion Mudiad Rhydychen oedd iddo fynnu fod Luther, Calvin a'r Diwygwyr Protestannaidd wedi ymestyn a phuro yr etifeddiaeth gatholig yn hytrach na'i dileu. Ar wahân i Owen Thomas ac, o bosibl, Rowland Williams, ni wyddai neb yng Nghymru fwy am ddatblygiad Cristionogaeth yr oesoedd nag ef. 'Hyd yn oed wedi cyfrif y Cymry hynny oedd yn ddisgyblion Mudiad Rhydychen, ni cheir yn y ganrif ddiwethaf un Cymro oedd yn gymaint meistr ar ddysgeidiaeth y Tadau Eglwysig a'r Canol Oesoedd na Lewis Edwards.'[104] Methodist efengylaidd o Brotestant diedifar ydoedd ond, yn groes i'w gyd-Fethodistiaidd, roedd ganddo ymwybyddiaeth â llif datblygiad hanesyddol y ffydd ac ymdeimlad eglwysig a chatholig. 'Gwŷr eglwysig oedd ef ac Owen Thomas, ac os mynnir gwybod beth yw osgo meddwl gwŷr eglwysig, darllener y traethawd ar "Grefydd ac Athrawiaeth" yn y gyfrol *Hanes Diwinyddiaeth*.'[105] 'Camsyniad dybryd', meddai, 'a beirniadaeth ddiog ydyw ei osod yn ffrâm mân ddadleuon diwinyddol Cymru, a chamsynied dybryd ydyw ei wneud yn ddiwinydd Piwritanaidd'.[106] Cyffelybodd Davies ef i'r meddylwyr Anghydffurfiol a oedd wedi ailddarganfod uniongrededd clasurol yn ail chwarter yr ugeinfed ganrif, rhai fel Bernard Lord Manning, Nathaniel Micklem a disgyblion 'ysgol Genefa' ymhlith Annibynwyr Lloegr.[107] 'Gellir galw Lewis Edwards', meddai, 'yn "uchel-Ymneilltuwr". Perthyn i'r un ysgol â P. T. Forsyth yn yr oes o'r blaen neu J. S. Whale yn ein dyddiau ni.'[108] Roedd hynny'n beth cwbl newydd a syfrdanol yng Nghymru gapelog Oes Victoria.

Wrth drwytho'r Cymry yn hanes yr athrawiaethau rhwng y Testament Newydd a dyddiau Thomas Charles o'r Bala, mynnai Edwards ddod o hyd i ateb i'r cwestiwn, beth yw 'cysondeb y ffydd'? Beth oedd ei chydbwysedd hi a'i natur y tu hwnt i ryfel yr adnodau a pholemig y safbwyntiau? 'Hwn . . . oedd cwestiwn Lewis Edwards, a'r cwestiwn hwn a drosglwyddwyd ganddo mewn gwedd newydd i werin Cymru.'[109] Roedd yr ateb i'w gael yn y Beibl, wrth reswm, ond nid y Beibl noeth, yn ddidraddodiad ac yn ddigyfrwng, ond y Beibl fel y'i deallwyd gan eglwys gatholig Duw ar hyd yr oesoedd, yn Babyddion ac yn Brotestaniaid, yn Anglicaniaid ac yn Ymneilltuwyr. Trwy ddiddymu traddodiad roedd y Piwritaniaid wedi colli'r cydbwysedd hwn. Athrylith Edwards oedd ei ddarganfod o'r newydd heb fradychu ei etifeddiaeth ei hun. 'Llwyddodd Lewis Edwards mewn ychydig flynyddoedd i arwain gwerin Cymru i fyd diwinyddiaeth eang glasurol.'[110] Os oedd Thomas Charles a Thomas Jones, George Lewis ac Edward Williams yn mynnu aros gyda'r Ysgrythur yn unig heb gyfrif traddodiad dehongliadol holl ganrifoedd cred, nid felly ddiwinydd y Bala. 'Ni allwn lai na chredu', meddai H. Islwyn Davies, 'mai ef yw'r un diwinydd mawr yn y traddodiad clasurol a godwyd yng Nghymru'.[111]

Y *Gwerthfawrogiad Ymneilltuol*

Os dehongliad eglwysig neu gatholig oedd eiddo yr awdur o Goleg Llanbedr Pont Steffan, erbyn yr 1940au a'r 1950au roedd mwy a mwy o Ymneilltuwyr yn dynodi eu gwerthfawrogiad o safle ac athrylith Lewis Edwards. Addysgwyd yr Annibynnwr T. Hywel Hughes yng Ngholeg Coffa, Aberhonddu a Phrifysgol Llundain, a threuliodd ei yrfa academaidd y tu allan i Gymru gan wasanaethu am ysbaid fel prifathro coleg diwinyddol yn Glasgow.[112] Mewn cyfrol Saesneg bwysig ar athrawiaeth yr iawn a gyhoeddwyd, wedi ei farwolaeth, yn 1949, mynnodd restru Edwards ymhlith meddylwyr mor allweddol â P. T. Forsyth, R. W. Dale, James Denney a J. K. Mozeley. 'This book', meddai am *Athrawiaeth yr Iawn*, 'in its Welsh form was for many years regarded as the standard Welsh treatment on the subject, and it still has influence among Welsh Presbyterians'.[113] Er bod yr awdur, a fu farw yn 1945, yn perthyn i ddosbarth yr Idealwyr, roedd ymhell o fod yn ddibris o waith a chyfraniad y Calfinydd o'r Bala. '[Edwards's *Doctrine of the Atonement*]', meddai, 'shows considerable scholarship, much spiritual insight and philosophical acumen'.[114] Yr oedd ei syniadau ynghylch lle'r iawn yn aruchel: '[h]is idea of the place of the atonement in life is noble and of great elevation'.[115] Fel Idealydd Edwardaidd, ni ddylanwadwyd ar Hughes gan yr adfywiad athrawiaethol a gafodd y fath effaith ar y to iau ond, er gwaethaf ei anesmwythyd â'r categorïau cosbol a ddefnyddiodd Edwards i ddehongli ystyr marwolaeth Crist, roedd ei werthfawrogiad yn gynnes a'i dafoli yn dra chadarnhaol.

Un arall o fyfyrwyr y Coleg Coffa, Aberhonddu, oedd Glyn Richards, ond perthynai i genhedlaeth iau na T. Hywel Hughes a chyfrannodd yn helaeth at yr adfywiad athrawiaethol ymhlith dilynwyr Karl Barth a brofwyd yn yr 1950au. Parhaodd Richards â'i efrydiau yng Ngholeg Mansfield, Rhydychen, a chanddo ef, mewn astudiaeth a gyflwynwyd yn 1957, y caed yr ymdriniaeth lawnaf â datblygiad yr athrawiaethau Cristionogol yng Nghymru'r bedwaredd ganrif ar bymtheg.[116] Wrth ystyried dylanwad Idealaeth ar ddiwinyddiaeth Cymru, cydnabu Richards fod tebygrwydd arwynebol rhwng schema Hegel ac eiddo Edwards yn 'Cysondeb y ffydd', ond o'u harchwilio'n fanwl roedd hi'n amlwg fod y ddwy yn dra gwahanol i'w gilydd. Roedd hi'n ddiau bod Edwards wedi elwa o ddullwedd Coleridge yn ei *Aids to Reflection*, ond ildiodd pantheistiaeth gynnar y rhamantydd i uniongrededd drindodaidd gyfoethog maes o law. Beth bynnag arall oedd dull triphlyg Lewis Edwards o drin y gwirioneddau Cristionogol, nid Hegeliaeth ydoedd: 'It is extremely doubtful whether Lewis Edwards made true use of the Hegelian principle of thesis, antithesis and synthesis in his essay on the consistency of the faith', meddai.[117] Os gwrthdaro rhwng y pegynau yn diddymu'r eithafion gan greu realiti newydd oedd gan yr Almaenwr, cyfuno'r elfennau cadarnhaol mewn gwirioneddau a oedd yn ymddangos yn groes i'w gilydd a wnaeth y Cymro, heb beryglu dim o'u natur awdurdodol a datguddiedig.

> What the author did was to combine in one idea what he regarded as being of positive value in the doctrines under consideration . . . It cannot be maintained that this was a strict Hegelian use of the principle, and it is clear that the triple rhythm of thought was not the essence of reality for him as it was for Hegel.[118]

Nid oedd a fynno ddim â goddrychedd profiad na theimlad, ond â gwrthrychedd y datguddiad dwyfol yng Nghrist y Gair. 'Throughout his essay', meddai,

Lewis Edwards was concerned with presenting the objective, scriptural and revelatory basis for divine truth, and although he did not deny the creative power of the mind he opposed every attempt to place theology on a subjective basis. He saw clearly that a theology which concerned itself with descriptions of subjective conditions could not possibly be justified as a science.[119]

I Richards, felly, nid Hegelydd oedd Edwards, na chrypto-Hegelydd ychwaith, ond Calfinydd clasurol. 'He was first and foremost a Calvinist . . . The Calvinistic influence is clearly manifested in his writings, and it was his adherence to the Calvinistic creed which prompted him to reject the subjective theology of the continent.'[120] Yng ngwaith Glyn Richards, heb amheuaeth, y cafwyd y gwerthuso tecaf, goleuaf a mwyaf cyfrifol o seiliau athronyddol cyfundrefn diwinyddiaeth Lewis Edwards.

Gan Trebor Lloyd Evans, fodd bynnag, y cafwyd yr ymdriniaeth lawnaf â'i fywyd a'i waith. Brodor o'r Bala oedd Evans, yn Annibyn-nwr blaenllaw a oedd hefyd, o ochr ei dad, wedi etifeddu traddodiad cyfoethog Methodistiaeth Penllyn.[121] 'Gadawyd argraff arnom ni, blant y Bala, yn ystod chwarter cyntaf y ganrif hon', meddai, 'mai Lewis Edwards oedd y pennaf o'n diwinyddion, y diwinydd mwyaf a gododd Cymru erioed, a dyn y dylid sôn amdano yn yr un anadl ag Origen neu Athanasius, Thomas o Acwin neu John Calfin'.[122] Gormodiaith neu beidio, dysgodd Evans mewn cyfres o erthyglau[123] a chofiant caboledig a ymddangosodd yn 1967[124] fod prifathro y Bala yn ysgolhaig syl-weddol, yn feddyliwr o bwys ac yn un a chanddo lawer i'w gynnig i Gymry canol yr ugeinfed ganrif. Fel Glyn Richards, roedd Evans wedi yfed yn helaeth o'r ffynnon neo-Galfinaidd a agorwyd, yn ei achos ef, gan ei athro J. E. Daniel yng Ngholeg Bala-Bangor. Er yn grintach ei farn ar wreiddioldeb Edwards fel diwinydd, mae'n fawr ei glod iddo am gymryd yr Ysgrythur o ddifrif, am iddo osod ei waith yng nghyd-destun dehongliadol yr oesoedd ac am agor y pyrth deallusol ym mhob peth a wnâi: 'Rhoddai ei safbwynt a'i ymagwedd gytbwysedd a sadrwydd i ddiwinyddiaeth yng Nghymru eto.'[125] Mae'n arbennig o gryf wrth ddarlunio personoliaeth ei wrthrych: '[Y] mae dilyn ei yrfa gyhoeddus yn ein hargyhoeddi ein bod yng nghwmni cawr o ddyn.'[126] Yn bell o fod yn ymarferiad mewn arwraddoliaeth, mae'r darlun yn un cytbwys a chraff. Fel addysgwr, yn ôl Evans, y gwnaeth Edwards ei waith mwyaf: 'Ystyriwn mai ei brif gyfraniad i fywyd y bedwaredd ganrif ar bymtheg yng Nghymru oedd y bri a roddodd ar addysg iddo'i hun ac i eraill.'[127] Mynnodd ddyrchafu safonau i bawb, ac nid i'r *élite*

yn unig, a hynny yn yr Ysgolion Sul, yr ysgolion dyddiol ac yn y brif-
ysgol genedlaethol pan ddaeth. 'Gresyn', fodd bynnag, 'na bâi Lewis
Edwards, ac eraill o oreugwyr y bedwaredd ganrif ar bymtheg, wedi
credu bod hyn oll yn bosibl yn Gymraeg'.[128]

Arwyddocâd Cymreig a Chymraeg oedd i Lewis Edwards, ac er i
David Charles Edwards gyfieithu *Athrawiaeth yr Iawn* i'r Saesneg a
chael gan un o brif weisg crefyddol Llundain ei gyhoeddi yn 1888,[129]
ychydig y tu allan i Gymru a wyddai am ei gyfraniad i grefydd, diwyll-
iant ac ysgolheictod ei ddydd. Ac felly y byddai'n parhau. Ar wahân i'r
bennod arno yn *The Atonement: Modern Theories of the Doctrine*
(1949) gan T. Hywel Hughes, bu ysgolhaig mawr y Bala yn anhysbys
gan Saeson yr ugeinfed ganrif tan i R. Buick Knox ddod ag ef i'w
golwg yn 1964. Presbyterydd o Wyddel oedd Knox, a wasanaethodd
rhwng 1957 ac 1968 fel athro Hanes yr Eglwys yng Ngholeg Diwin-
yddol Aberystwyth gan feistroli'r Gymraeg yno a chyfrannu gweithiau
pwysig i lenyddiaeth ei gyfundeb mabwysiedig.[130] Mewn ysgrif fywiog
yn *The London Quarterly and Holborn Review* ym 1964, dangosodd
Knox ei feistrolaeth ar fywyd a gwaith sylfaenydd Coleg y Bala, yn
seiliedig fwyaf ar gofiant a llythyrau ei fab, a darluniodd ei gyfraniad i
ffyniant y Methodistiaid Calfinaidd fel addysgwr, gwladweinydd eglwys-
ig a llenor. '[T]here can be no doubt of the width of vision, the depth
of concern and the power of leadership which he displayed as an edu-
cational pioneer'[131] meddai, tra bo'r holl fentrau a gryfhaodd dystiolaeth
ei gyfundeb megis y gronfa gynnal, y fugeiliaeth sefydlog, y gymanfa
gyffredinol, ei waith gyda'r *Traethodydd* heb sôn y cysylltiadau gyda'r
Cynghrair Efengylaidd ac eglwysi Presbyteraidd yr Alban a Lloegr,
wedi ei osod mewn dosbarth ar ei ben ei hun.

I Knox, sail y cwbl oedd ei ymroddiad a'i ffydd.

> Underlying the achievements of Edwards as a teacher and administrator
> there was a man of great humanity and humility. If at times he seems to
> have been unduly astringent in his criticisms, he was above all severe in
> his judgements of himself, and he could be a prince of counsellors in a
> time of trouble.[132]

Yn hyn adleisiodd farn T. I. Ellis yn ei astudiaeth o ohebiaeth blynydd-
oedd dechreuol Coleg Prifysgol Cymru, Aberystwyth, a gyhoeddwyd
ddegawd ynghynt. 'Dr Lewis Edwards stands out clearly in the corres-
pondence', meddai. 'First and foremost, there is his radiant Christian
faith . . . [and] in addition to this, there is his very shrewd judgement

of persons.'[133] Wedi darlunio personoliaeth holl ohebwyr cynnar hanes y brifysgol, gan gynnwys un Thomas Charles Edwards, y prifathro cyntaf, meddai: 'In fine, the impression one receives from reading the letters of Dr Lewis Edwards and the references to him in the remainder of the correspondence is of a noble, tender-hearted, firm Christian scholar.'[134] Yr urddas, y boneddigeiddrwydd ac yn bennaf oll y duwioldeb a drawodd Buick Knox: 'During his life and in all his works Lewis Edwards was sustained by a deep and humble faith whose radiance still shines through many of his writings.'[135] Teimlodd y Gwyddel hwn, yn 1964, ei bod hi'n bwysig i rai o'r tu allan i Gymru wybod am un a haeddai ei le yn hanes yr eglwys lydan. 'It can safely be said that in the three quarters of a century since Edwards's death, the Presbyterian Church of Wales has owed an inestimable debt to him for the equipment, organization and vision bequeathed to the church by one whose great gifts of heart and mind and action were devoted to its service.'[136] Erbyn canol yr 1960au roedd pethau wedi symud ymhell iawn oddi wrth ddifaterwch a diystyrwch hanner canrif ynghynt. Roedd y rhod, ysywaeth, ar fin troi eto.

R. M. *Jones* a'r Odium Theologicum

Yn ôl Trebor Lloyd Evans, yn ysgrifennu yn 1970, roedd Lewis Edwards 'yn ŵr sydd fel pe wedi ei dynghedu i gael ei gamfarnu gan rai diwinyddion a chenedlaetholwyr ac ysgolheigion'.[137] Yr un a aeth â'r camfarnu hwnnw ymhellach na neb erioed o'r blaen oedd y llenor a'r beirniad llenyddol R. M. Jones, a ddangosodd animus tuag ato a ymylai ar fod yn obsesiynol ar dro. 'Rydw i'n credu y gellid rhoi bys yn ddiogel ar y bradwyr dylanwadol cyntaf mwyaf amlwg yn y cyfnod diweddar', meddai, sef y rhai a barodd gwymp 'yr hen gaerau diwinyddol Cymreig fel ceilys o flaen pelen ar ddechrau'r ganrif hon a diwedd y ganrif ddiwethaf, a sut y trowyd mor unochrog o ryddfrydol at ffasiynau Seisnigaidd gan gefnu ar holl hanes diwinyddol ein cenedl'.[138] I Bobi Jones nid cynheiliad y traddodiad oedd Edwards ond ei danseiliwr, a pheth simsan ar y naw oedd ei Galfiniaeth. Ei wir grefydd, fe ymddengys, oedd relatifiaeth Hegelaidd ddiabsoliwt. Ef, ynghyd â Thomas Charles Edwards, a lygrodd ffynhonnau ysbrydol Cymru a fu gynt yn loyw, ac o'i ganolfan yn y Bala a wenwynodd yn derfynol awyr bur y ffydd. 'Addoliad Lewis Edwards o ddysg ddynol' a fu wrth wraidd dirywiad Ymneilltuaeth fodern, meddai yn ei gyfrol bolemig *Sioc o'r*

Gofod, a defnydd ei fab o'i 'achau aruthrol i arwain cenedlaethau o fyfyrwyr i ddilyn y chwiwiau llacaf Seisnig a Saesneg'.[139] Mewn gair, dihirod diwinyddol pennaf Oes Victoria oedd Lewis Edwards a'i fab, a chenhadaeth Bobi Jones oedd hysbysu Cymru o'r ffaith.

Yn y gyfrol *Llên Cymru a Chrefydd* (1977) y daw'r animus hwn i'r golwg fwyaf, ond mae'n bresennol yn holl weithiau'r 1970au a'r 1980au, gan gynnwys 'Tri mewn llenyddiaeth', sef darlith sefydlu Jones fel athro'r Gymraeg ym Mhrifysgol Cymru, Aberystwyth yn 1981. Er gwaethaf camp y gweithiau hyn, a'u hathrylith ddisglair mewn mannau, eu hideoleg reolaethol yw'r Galfiniaeth ddeddf-ganolog a ddatblygwyd gan yr ysgolheigion Kuyper a Dooyweerd o'r Iseldiroedd a'r Americanwr Cornelius Van Til, ac mae eu rhagdybiaethau athronyddol hwy yn llywio'r drafodaeth ar ddatblygiad hanes ein llên.[140] Tra bo hyn, yn fynych iawn, yn goleuo'r testun, yn achos Hegeliaeth dybiedig Lewis Edwards, mae'n arwain yr awdur i gryn rysedd. Nodwedd llawer o lenyddiaeth fodern Cymru, yn ôl Bobi Jones, yw iddi fynd yn ysglyfaeth i ddifyg pwrpas a thrwy hynny golli ei rhuddin a'i nod. Digwyddodd hyn am fod y Gristionogaeth a fu'n ei chynnal gyhyd wedi breuo ac iddi gael ei bradychu gan ddiwinyddiaeth heresïol a ffug. 'Yng Nghymru daeth [damcaniaeth y cyfosodiad] i mewn drwy gyfrwng Lewis Edwards a chreu cryn hafog ymhlith y diwinyddion', meddai.[141] Lledodd relatifiaeth o'r pulpudau i blith y gwrandawyr, a daeth amheuaeth ac anghrediniaeth grefyddllyd yn norm. Yn unol â blaenoriaethau yr Aroleuo, daethpwyd i ystyried addysg ddynol yn foddion gwaredigaeth, ac er i ffurfiau crefydd barhau, roedd seciwlariaeth yn prysur ysigo pren praff yr Ymneilltuaeth hanesyddol. Esgorodd pwyslais ysgolheigaidd Lewis Edwards ar 'snobyddiaeth a balchter ynghylch gallu dysg ddynol i ddatrys materion sydd y tu hwnt i gylch a dimensiwn dysg' (t. 418), a bu 'tueedd i ollwng gafael ar yr absoliwt, ac i fath o Hegeliaeth ymorseddu, gan ddechrau gyda "Chysondeb y Ffydd" Lewis Edwards' (t. 421). Edwards, felly, a neb arall, oedd 'arloeswr y dirywiad modernaidd' (t. 482), gŵr a lastwreiddiodd Galfiniaeth ei fagwraeth 'a llunio neges eclectig a oedd heb egwyddor ganolog, heb system na threfn, heblaw'r egwyddor o gyfaddawd' (t. 483). Ei garn dros haeru hyn yw dyfyniad ar ddylanwad Hegeliaeth yn y bedwaredd ganrif ar bymtheg gan y poblogeiddiwr efengylaidd Francis Schaeffer, tadmaeth yr adfywiad ceidwadol ymhlith crefyddwyr yr Unol Daleithiau yn yr 1980au ac un o gefnogwyr mwyaf brwd yr Arlywydd Reagan. Yn unol â dadansoddiad simplistig Schaeffer o ddatblygiad syniadaeth Ewrop,[142] mynnodd Bobi Jones fod 'parchusrwydd

[a] bri addysg ar draul gwybodaeth rasol unplyg a phrofiad ysbrydol' wedi deillio o'r Bala, ynghyd â 'snobyddiaeth dysg ddynol: balchder y bachgen galluog o Ben-llwyn' (ibid.), ac nid Cristionogaeth ond 'hiwmanistiaeth y traddodiad Groegaidd-Rufeinig paganaidd' (t. 484) oedd sail cwricwlwm y coleg yno. Roedd yr hyn a ddysgid yn y Bala yn 'fodd i sefydlu addysg ffurfiol yn lle Cristionogaeth fel petai yn ateb i broblemau byw' (ibid.).

Nid ysgrifennu hanes oedd amcan Bobi Jones, wrth reswm, ond rhoi'r cyfrif am y gwendidau pwrpas a welodd yn ansawdd llên gyfoes. Gellid olrhain y cwbl, yn ei farn ef, i Goleg y Bala rhwng 1845 a 1900 o dan oruchwyliaeth Edwards a'i fab: 'Roedd balchder naïf Lewis Edwards ynghylch dysg, a hygoeledd di-eneiniad ei fab Thomas Charles Edwards yntau, yn ein harwain yn naturiol ddigon at dlodi difrifol ein diwinyddiaeth ddi-weledigaeth ac eilradd yn y ganrif hon' (t. 528), meddai. Wrth grynhoi ei gyhuddiad, mynnai fod 'dyfodiad Hegeliaeth trwy Lewis Edwards i'r meddylfryd Cymraeg' wedi arwain at ddyfodiad 'yr abswrd a ffug gyfriniaeth, pornograffiaeth ddiegwyddor a mewnddrychaeth swrealaidd i fyd llenyddiaeth, diffyg gweithredoedd absoliwt i foesoldeb, a bri ar anarchiaeth ac ar osgoi gwaith i mewn i'r meddylfryd cymdeithasol' heb sôn am 'eciwmeniaeth . . . a seciwlariaeth . . . i fyd crefydd' (ibid.). Mewn geiriau eraill, esgorodd gweithgarwch y Methodist enwog o Ben-llwyn ar drychineb ysbrydol anaele a thrasiedi ffurfiannol y Gymru fodern.

Cyflwynwyd *Llên Cymru a Chrefydd* i Geoffrey Thomas a'i wraig. Cefnder Bobi Jones oedd Geoffrey Thomas, ac un a fu'n gymydog iddo ac yn weinidog ar eglwys y Bedyddwyr Saesneg yn Aberystwyth.[143] Mewn ysgrif o dan y teitl 'Rhai agweddau ar y dirywiad diwinyddol Cymreig' gan Thomas a gyhoeddwyd yn yr un flwyddyn â chyfrol Jones, ac sy'n codi paragraffau cyfain ohoni, ailadroddir yr un thema gyda mwy byth o bŵer ideolegol. Yn ôl fersiwn Thomas o fyth yr oes aur, 'erbyn traean cyntaf y ganrif ddiwethaf yr oedd crefydd yng Nghymru yn blodeuo. Yr oedd y capeli'n llawn, y weinidogaeth yn uniongred, a chyfiawnder yn dyrchafu'r genedl.'[144] Cyfrinach llwyddiant ysbrydol Cymru oedd y ddiwinyddiaeth Biwritanaidd neu Galfiniaeth 'y pum pwnc': llygredigaeth y natur ddynol trwy bechod; sofraniaeth ddiamod Duw mewn etholedigaeth; iawn cyfyngedig Crist dros yr etholedigion yn unig; natur anorchfygol gras; a pharhad y saint mewn gras. Chwalwyd yr iwtopia hon gan dair athroniaeth wrth-Galfinaidd: Arminiaeth dilynwyr John Wesley, rhyddfrydiaeth ddiwinyddol a diwygiadaeth disgyblion Cymreig yr Americanwr Charles Finney adeg Diwygiad

1859. Tad rhyddfrydiaeth yng Nghymru, ym marn y dehonglydd hwn, oedd Lewis Edwards ei hun.

Roedd prifathro cyntaf Coleg y Bala, yn ôl Geoffrey Thomas, 'yn Blatonydd ac yn Hegelydd a oedd yn gwbl ddiffygiol mewn materion athronyddol',[145] a hynny er gwaethaf ei lwyddiannau yn y pwnc pan yn fyfyriwr yng Nghaeredin. Oherwydd y diffyg hwn creodd ei athroniaeth ei hun, 'ychydig o Blaton, darn o Aristotlys, mymryn o Hegel',[146] gyda dogn o Galfiniaeth ei fagwraeth bid siŵr. Y gymysgedd eclectig hon oedd ei etifeddiaeth i'w fyfyrwyr ac i'r sawl a ddaeth ar ei ôl. 'Dyma lle y gwnaeth ei gamgymeriad mawr, oherwydd y mae meddwl dyn, os ydyw i fod o unrhyw werth, yn gorfod bod yn systematig.'[147] I Thomas, y system sydd ymhlyg yn yr efengyl yw'r Galfiniaeth sgolastigaidd a ddysgodd wrth draed Cornelius Van Til pan oedd yn fyfyriwr yng Ngholeg Westminster, Philadelphia, yn nechrau'r 1960au, etifedd resymoliaethol Piwritaniaeth 'y pum pwnc'. 'Methodd Lewis Edwards â deall nad yw'r Beibl yn gasgliad o ddefnyddiau y gellid ei dywallt i fframwaith a chateogorïau meddwl Platoniaeth', meddai, 'a bod y datguddiad yng Nghrist y Gair yn rhywbeth *cyflawn* ynddo'i hun, yn uned berffaith gyda'i fframwaith ei hun'.[148] Yr eironi, wrth gwrs, yw bod Thomas yn euog o'r union beth y mae'n cyhuddo Edwards o'i wneud, sef troi Cristionogaeth yn system, yn gyfundrefn athronyddol gaeëdig, sy'n cyfystyru ffydd â chydsynio ag amodau y gyfundrefn honno.

Nid digon oedd bod Edwards wedi llunio ei gredo eclectig ei hun, ond gwaethygodd y sefyllfa trwy sefydlu coleg i'w hyrwyddo. 'Nid oedd wedi bod gartref am un flwyddyn pan sefydlodd Goleg y Bala. Yr oedd ar y pryd yn wyth ar hugain oed, a gallwn amau ei aeddfedrwydd i ymgymryd â'r gwaith.'[149] Nid oedd *'liberal education'* y Bala yn ddim namyn dyneiddiaeth yr Aroleuo, y Dadeni Dysg a'r traddodiad clasurol, a oedd yn gwadu Crist ac yn dyrchafu dysg ddynol ar draul Gair anffaeledig Duw. 'Mae'n amlwg i Lewis Edwards a David Charles . . . dderbyn hefyd holl draddodiad meddwl yr hyn a elwir yn feddwl Groegaidd-Rufeinig paganaidd'[150] meddai, a chyda sefydlu *Y Traethodydd* yn 1845, cawsant gyfrwng delfrydol i daenu'r syniadaeth syncretistig hon ar led, ac nid lleiaf ei arwyddocâd ynddo oedd yr ysgrif gyfaddawdus 'Cysondeb y ffydd', gyda'i chymysgu difrifol rhwng y gau a'r gwir. 'Y trasiedi yng Nghymru', meddai,

oedd i bwyslais pendant a chlir ar y gwirionedd gael ei symud ac i ddialectig Hegel gymryd ei le – a'r cyfan dan nawdd Cristnogaeth hanesyddol. Y cyhoeddiad oedd yn gyfrifol am y trawsnewid hwn yn anad dim oedd *Y Traethodydd*, a phenseiri'r broses oedd David Charles, Lewis Edwards a'i fab, Thomas Charles Edwards.[151]

Prin y cafwyd yn ein beirniadaeth ddiweddar gyhuddo mor ysgubol, na drwgfarnu mor llym. Ar ddiwedd yr 1970au roedd yr *odium theologicum*, 'y casineb diwinyddol', i'w glywed ar ei waethaf ymhlith sgolastigiaid Calfinaidd Aberystwyth a ystyriai eu hunain yn warcheidiaid y wir ffydd.

Erbyn 1981 roedd yr haeriad ynghylch Hegeliaeth Edwards wedi caregu'n ddogma, yn acsiom anwadadwy a oedd yn sylfaen yr holl wir. 'Prif arweinydd y chwyldro' a arweiniodd at 'chwalfa'r ffydd Gristnogol fel crefydd genedlaethol tua 1850',[152] meddai R. M. Jones yn ei ddarlith sefydlu yn y Coleg ger y Lli oedd Lewis Edwards, a chafwyd golwg unigryw ar y broses ar waith yn nofelau un o'r mwyaf athrylithgar o'i fyfyrwyr, sef Daniel Owen, awdur *Rhys Lewis* ac *Enoc Huws*. 'Yr oedd ganddo destun mawr a dwys. Ac nid yw heb arwyddocâd ei fod ef wedi eistedd wrth draed Lewis Edwards am ddwy flynedd a chlywed cryn dipyn am y driolaeth Hegelaidd . . . cyn iddo ddechrau "dweud y gwir" yn y nofelau hyn'.[153] Y gwrthbwynt rhwng yr hen Fari Lewis dduwiol, un o greadigaethau mwyaf cofiadwy y nofelydd, a Bob, ei mab, cynrychiolydd y seciwlariaeth amheugar a ddaeth i mewn i grefydd a chymdeithas Cymru erbyn yr 1860au, oedd Rhys, y mab iau, y gweinidog goddefol, rhyddfrydig, diddrwg didda, a ymgorfforai 'y dogma o ansicrwydd'[154] ac a dyfasai'n safon ymhlith pobl y capeli maes o law. 'Yn yr hyfforddiant Hegelaidd hwnnw a gawsai Daniel Owen . . . gan Lewis Edwards',[155] troes yr eglurder argyhoeddiad a fu'n egwyddor gyfannol y Gymru Galfinaidd, Cymru Mari Lewis, Abel Huws a glewion eu cenhedlaeth, yn niwlogrwydd cred, yn llacrwydd athrawiaeth ac, yn waeth byth, yn rhagrith wynebgaled. 'Yr oedd y gwrthwynebu neu'r cyferbynnu yn esgor ar gyfaddawd neu gyfuniad.'[156] Os creadigaeth Daniel Owen, y nofelydd, oedd Richard Trefor, rhagrithiwr perffeithedig *Enoc Huws* ac un o ddihirod enbytaf llenyddiaeth Gymraeg, creadigaeth Lewis Edwards oedd y Gymru a gynhyrchodd wŷr o'i fath. Cawsai Hegeliaeth y Bala berffaith fuddugoliaeth ar y ffydd a roddwyd gynt i'r saint.

Yr hyn sy'n peri mwyaf o ofid ynghylch *animus* pwerus R. M. Jones, ar wahân i'w sylfaen deallusol dyfalus ac amheus, yw ei ddiffyg tosturi. Mae'r caricatur yn grotésg, ac ni cheir unrhyw ymgais ganddo i ddynoli Lewis Edwards, i gydnabod ei integriti, i gydymddwyn â'i weledigaeth o ddiwyllio, dyrchafu a goleuo ei gyd-grefyddwyr, a'r ffaith iddo wneud hynny gan gadw ei dduwioldeb yn iraidd a'i ysbryd yn lân. Pan ysgrifennodd at Roger Edwards ar 26 Gorffennaf 1844 ynghylch *Y Traethodydd*, 'It is my fervent prayer that the Lord would bless this new attempt of ours to be the means of promoting a more spiritual as well as a more intellectual religion in Wales',[157] nid ffalsio yr oedd, a'r un modd pan gynghorodd Thomas Charles Edwards, ac yntau yn fyfyriwr yn Rhydychen, i beidio â drwgdybio cymhellion neb na dweud yn gas amdanynt, nid oes lle i amau ei gywirdeb: 'Every contemptious saying, even when read, is calculated to leave a taint behind it. You must never permit yourself to indulge in anything of the sort. Be always courteous and kind. And above all you must be sincere.'[158] Gwyddai Lewis Edwards yn ddyn ifanc, a gwyddai'r goreuon o blith ei gyfoeswyr, nad oedd ymestyn oes Cymru gulfarn, lem, ddidostur a rhagfarnllyd Ebenezer Richard a John Elias yn ddewis. Gwyddent hefyd y byddai'n rhaid i'r efengyl Gristionogol wynebu her ddeallusol y byd Ewropeaidd modern petai hi am ffynnu, ac nad cyfaddawd difaol oedd 'cysondeb y ffydd', llai fyth Hegeliaeth ffroenfalch, ond cyswllt byw rhwng duwioldeb ei bobl a chyfoeth dihysbydd canrifoedd cred. Fel y mynnwyd o'r blaen:

> Os y ffrwd Awstinaidd-Galfinaidd sydd wedi ireiddio'r traddodiad llenyddol Cymraeg ar hyd ei hanes a rhoi iddo ei ymdeimlad neilltuol o ystyr, nod a phwrpas, nid gwenwyno'r ffrwd honno a wnaeth y diwinydd mawr o Ben-llwyn ond cyfrannu'n sylweddol tuag at ei phuro a'i glanhau.[159]

Dyma farn na allodd Bobi Jones fyth mo'i derbyn.

Yn Ôl i'r Golau

Erbyn dechrau'r unfed ganrif ar hugain ac yn niffyg unrhyw werthuso mwy cadarnhaol, dehongliad negyddol Bobi Jones, ysywaeth, a gariodd y dydd. Yn ei ddadansoddiad meistraidd o grefydd a chymdeithas yng Nghymru rhwng 1890 ac 1914 a gyhoeddwyd yn 1982, crybwyllodd R. Tudur Jones, wrth fynd heibio, 'gyfraniad Lewis Edwards at danseilio'r traddodiad Calfinaidd' gan nodi R. M. Jones fel ei sail,[160] er bod ei sylwadau ar Thomas Charles Edwards yn syndod o adeiladol. Roedd ôl ideoleg *Llên Cymru a Chrefydd* ar ddwy gyfrol a gyhoeddwyd yn 2002, sef *Golau Gwlad: Cristnogaeth yng Nghymru, 200–2002* gan yr efengyleiddiwr Gwyn Davies, a rhagarweiniad John Aaron i'w gyfieithiad Saesneg o *Gofiant* John Jones, Tal-y-sarn, sef *The Atonement Controversy in Welsh Theological Literature and Debate, 1707–1841*. Er i Davies gymedroli ei sylwadau ac addef cymhlethdod y sefyllfa yng Nghymru, fel yn y gwledydd Protestannaidd eraill ar y pryd, eto o dan bennawd 'Dirywiad' y daw Edwards wrth adrodd hanes y ffydd. Yn wahanol i R. M. Jones a Geoffrey Thomas, cydnebydd 'ei dduwioldeb, ei unplygrwydd a'i ddysg',[161] ond eto caiff ei awydd i roi lle i athroniaeth ac ysgolheictod ei chollfarnu, a'i 'amharodrwydd i lynu wrth wirioneddau absoliwt y Beibl, i raddau dan ddylanwad Hegel, yr athronydd o'r Almaen'.[162] Amheuthun oedd gweld yr 'i raddau' yn y dyfyniad uchod, yn arwydd, o bosibl, fod yr animus annymunol yn gwanhau.

> Dim ond y dechreuadau a welwyd yn Lewis Edwards, ac roedd hen ddigon o agweddau iach yn ei gred i wrthbwyso'r elfennau eraill. Ond i raddau oherwydd ei ddylanwad aruthrol ar feddwl y Cymry, cododd rhywrai ar ei ôl a gwthio ei syniadau lawer ymhellach.[163]

Dilyn y weledigaeth a oedd yn angenrheidiol ar y pryd a wnaeth Edwards. Prin y gellid ei ddal yn gyfrifol am gyfeiliorni y sawl a ddaeth ar ei ôl.

Roedd rhagymadrodd John Aaron i'w fersiwn Saesneg o bennod fawreddog Owen Thomas ar y dadleuon diwinyddol yn *Cofiant John Jones Talsarn* (1874), fodd bynnag, yn dwyn holl nodweddion negyddiaeth eithafol damcaniaeth R. M. Jones. Er mai Owen Thomas yw gwrthrych ei feirniadaeth, caiff Lewis Edwards ei gollfarnu am yr un rhesymau: iddo ymhyfrydu yn y llacio gafael mewn uchel-Galfiniaeth a ddigwyddodd wedi dyddiau John Elias, iddo ddangos diffyg crebwyll yn wyneb symudiadau deallusol yr oes ac iddo balmantu'r ffordd ar gyfer buddugoliaeth rhyddfrydiaeth ddiwinyddol. 'Thoroughly orthodox himself', meddir, 'his efforts on behalf of the theological training of the denomination were instrumental in introducing German higher criticism and eclectic Hegelian philosophies to the pulpits of Wales'.[164] Mwy difrifol na'r sylwadau ar Edwards yw'r gollfarn ar Owen Thomas, un o'r haneswyr diwinyddiaeth gwybodusaf a gafodd Cymru erioed ac un nad oedd trwch asgell gwybedyn rhwng ei argyhoeddiadau ac eiddo Lewis Edwards:

> For all his great knowledge of theology and historical theology . . . Owen Thomas was not as discerning a theologian as some of the previous

generation . . . These earlier men might not have been so widely read nor such fine philosophical debaters but these disadvantages were more than outweighed by the depths of their understanding of biblical teaching and their knowledge of the human heart. [165]

Mewn geiriau eraill, nid oedd Calfiniaeth gyffesiadol Thomas yn ddigon iach i Aaron, a meincnod y gwirionedd oedd nid uniongrededd catholig yr eglwys fel y'i deallwyd ar hyd y canrifoedd ond crebwyll cyfyng John Elias a'i oes.

Rhan o amcan yr astudiaeth hon wrth i ddaucanmlwyddiant geni Lewis Edwards gyrraedd, yw ei symud allan o'r cysgodion y cafodd ei fwrw iddynt genhedlaeth a mwy yn ôl, a'i ddwyn drachefn i'r golau. O ystyried maint aruthrol ei gyfraniad i Gymru ei oes, a'r rhan a chwaraeodd i gynnal y gwareiddiad Cristionogol poblogaidd a ddatblygasai yn rhannol o dan ei gyfarwyddyd, mae'n haeddu nid ein cerydd ond ein clod. Rhestrwyd eisoes ei gyfraniad: ymorol am ddysg glasurol a rhyngwladol o'r safon uchaf, a'i gwneud yn bosibl i'w gydwladwyr fanteisio arni trwy goleg a chylchgrawn; troi sect yn eglwys a rhoi iddi hi eglwysyddiaeth foddhaol ac urddas tras; trwy bregethu a llenydda wreiddio gwerin amrwd Gristionogol yn athrawiaethau catholig y ffydd; ehangu gorwelion pobl heb fygu eu duwioldeb na gwenwyno'u ffydd, a gwneud hynny, er gwaethaf pob amwysedd, trwy gyfrwng y Gymraeg. Fel llenor mae iddo le allweddol yn natblygiad y meddwl modern, ac mae ei ryddiaith feirniadol yn *Y Traethodydd* ac yn ei gyfrolau *Athrawiaeth yr Iawn* a *Hanes Duwinyddiaeth yr Oesoedd* yn lân, yn dreiddgar ac mewn mannau yn wironeddol athrylithgar.[166] Nid da yw bod ffigur cawraidd fel hwn wedi ei esgeuluso a'i gamliwio gyhyd. 'Ni ellir gwadu nad Cymru *fechan* yw hen wlad ein tadau, yn llenyddol yn ogystal ag yn ddaearyddol', meddai Emrys ap Iwan yn 1894, '. . . ond tra bo gennym y Gododdin, y Mabinogion, a chaniadau Dafydd ap Gwilym, ynghyd â thrysorau eraill nid ychydig o'i amser ef hyd amser Lewis Edwards, na ddyweded neb am Gymru ei bod, o ran ei thir na'i llenyddiaeth, yn Gymru fechan *dlawd*'.[167]

Nodiadau

Pennod 1

[1] Thomas Charles Edwards (gol.), *Bywyd a Llythyrau Lewis Edwards DD* (Lerpwl, 1901), t. 2.

[2] Ibid., t. 1.

[3] Ibid., t. 3.

[4] [Thomas Edwards], 'Pregethwyr Cymru 1: Y Parch. Lewis Edwards DD, Bala', *Trysorfa y Plant*, 5 (1866), 36–40 (36).

[5] Edwards (gol.), *Bywyd a Llythyrau Lewis Edwards*, t. 3.

[6] [Edwards], 'Pregethwyr Cymru 1', 36.

[7] Edwards (gol.), *Bywyd a Llythyrau Lewis Edwards*, tt. 3–4.

[8] Gomer M. Roberts, 'Methodistiaeth gynnar gwaelod sir Aberteifi', *Ceredigion*, 5 (1964), 1–13; idem (gol.), *Hanes Methodistiaeth Galfinaidd Cymru*, cyfrol 1, *Y Deffroad Mawr* (Caernarfon, 1974), tt. 119–61.

[9] Geraint H. Jenkins, 'The established church and dissent in eighteenth-century Cardiganshire', yn Ieuan Gwynedd Jones a Geraint H. Jenkins (goln), *Cardiganshire County History*, cyfrol 3 (Cardiff, 1998), tt. 452–77 (469).

[10] D. Percival, 'An inventory of Nonconformist chapels and Sunday schools in Cardiganshire', yn Ieuan Gwynedd Jones a Geraint H. Jenkins (goln), *Cardiganshire County History*, cyfrol 3, tt. 508–39.

[11] J. Morgan Jones, *Ordeiniad 1811 Ymysg y Methodistiaid Calfinaidd* (Caernarfon, 1911), D. E. Jenkins, *Calvinistic Methodist Holy Orders* (Caernarfon, 1911), tt. 152–223, Gomer M. Roberts (gol.), *Hanes Methodistiaeth Galfinaidd Cymru*, cyfrol 2, *Cynnydd y Corff* (Caernarfon, 1978), tt. 281–336.

[12] D. E. Jenkins, *The Life of Thomas Charles of Bala*, cyfrol 3 (Denbigh, 1908), t. 313.

[13] Ibid., t. 313.

[14] [Edwards], 'Pregethwyr Cymru 1', 36.

[15] Edwards (gol.), *Bywyd a Llythyrau Lewis Edwards*, t. 6.

[16] Lewis Edwards, 'Atgofion II: fy athrawon', *Y Goleuad* (11 Medi 1875), 9–10 (9).

[17] Am y cefndir addysgol gw. W. Gareth Evans, 'Education in Cardiganshire, 1700–1974', yn Ieuan Gwynedd Jones a Geraint H. Jenkins (goln),

Cardiganshire County History, cyfrol 3, tt. 540–69; ceir sylw i Edward Richard ac Ystradmeurig, tt. 545–7.

18 Edwards (gol.), *Bywyd a Llythyrau Lewis Edwards*, t. 7.

19 [Edwards], 'Pregethwyr Cymru 1', 37.

20 Ibid.

21 Gw. M. H. Jones, 'Some of the historical associations of Penllwyn', *Transactions of the Cardiganshire Antiquarian Society*, 5 (1927), 37–47 (45).

22 Edwards (gol.), *Bywyd a Llythyrau Lewis Edwards*, tt. 7–8.

23 Lewis Edwards, 'Atgofion III: dwyrain Meirionnydd', *Y Goleuad* (18 Medi 1875), 9–10 (9); cyfeirio a wna at Thomas Charles, *Geiriadur Ysgrythurol* (Bala, 1805), Thomas Jones, *Diwygwyr, Merthyron a Chyffeswyr Eglwys Loegr, ynghyd â'r prif ddiwygwyr yn Scotland a gwledydd tramor* (Dinbych, 1813); John Bunyan, *Taith y Pererin*, o leiaf deuddeg o argraffiadau Cymraeg rhwng 1699 ac 1812; John Bunyan, *Y Rhyfel Ysbrydol* (Caerfyrddin, 1812); William Gurnall, *Y Cristion mewn Cyflawn Arfogaeth* (Rhuthun, 1809); William Huntington, *Yr Ysgerbwd Arminaidd, neu yr Arminiad wedi ei agor a'i fanwl chwilio* (Dolgellau, 1807); Eliseus Cole, *Traethawd ar Benarglwyddiaeth Duw* (Caerfyrddin, ail arg. 1809).

24 Edwards (gol.), *Bywyd a Llythyrau Lewis Edwards*, t. 9.

25 Ibid.

26 [Edwards], 'Pregethwyr Cymru 1', 37.

27 Evans, 'Education in Cardiganshire, t. 551.

28 Edwards, 'Atgofion II', 9.

29 Ibid.

30 Gw. Gomer M. Roberts, *Y Ddinas Gadarn: Hanes Eglwys Jewin, Llundain* (Llundain, 1974), tt. 72–3.

31 Edwards, 'Atgofion II', 10.

32 Ibid.

33 Gw. Edwards (gol.), *Bywyd a Llythyrau Lewis Edwards*, t. 10.

34 Ibid., t. 9.

35 Edwards, 'Atgofion II', 10.

36 Edwards (gol.), *Bywyd a Llythyrau Lewis Edwards*, t. 9.

37 Edwards, 'Atgofion II', 10.

38 [Edwards], 'Pregethwyr Cymru 1', 37.

39 Edwards (gol.), *Bywyd a Llythyrau Lewis Edwards*, t. 12.

40 Ibid., t. 13.

41 Ibid.

42 Ibid.

43 [Edwards], 'Pregethwyr Cymru 1', 37.

44 Amdano gw. Evans, 'Education in Cardiganshire', t. 548; E. G. Bowen, *A History of Llanbadarn Fawr* (Llandysul, 1979), t. 85.

45 Edwards, 'Atgofion II', 10.

46 Ibid.

47 Ibid.

48   Ibid.

49   Ibid.

50   Edwards (gol.), *Bywyd a Llythyrau Lewis Edwards*, t. 17.

51   Ibid., t. 22.

52   Edward Matthews, *Bywgraffiad y Parch. Thomas Richard, Abergwaun* (Abertawe, 1863), t. xvi.

53   [Edwards], 'Pregethwyr Cymru 1', 38.

54   Owen Thomas, *Cofiant y Parchedig John Jones, Talsarn* (Wrecsam, 1874), tt. 204–5.

55   Brodor o Ddyffryn Nantlle oedd John Roberts (1753–1834) a symudodd i Langwm, Meirionnydd, ac a ordeiniwiyd yn gynrychiolydd y sir honno yn y neilltuo yn 1811; ordeiniwyd John Evans (1779–1847), Llwynffortun, Dyffryn Tywi, yn ddiacon gan esgob Llandaf yn 1809 a'i neilltuo ymhlith to cyntaf y pregethwyr Methodistiaid yn 1811 er gwaethaf ei urddau Anglican-aidd; roedd William Roberts (1784–1864) yn gyfoeswr iau i John Elias, ac yn arweinydd diogelaf Methodistaidd Môn yn rhan gyntaf y bedwaredd ganrif ar bymtheg; John Jones (1796–1857) Dolwyddelan, Tal-y-sarn, Dyffryn Nantlle, yn ddiweddarach, oedd pregethwr grymusaf gogledd Cymru yn ei genhedlaeth.

56   [Edwards], 'Pregethwyr Cymru 1', 38.

57   Edwards (gol.), *Bywyd a Llythyrau Lewis Edwards*, tt. 23–4.

58   Ibid., t. 15.

59   Ibid., t. 31.

60   Ibid., tt. 32–3.

61   Ibid., t. 24.

62   Ibid., t. 31

63   Ibid., t. 27.

64   Ibid., t. 36.

65   Ibid. Pwyslais yn y gwreiddiol.

66   Owen Thomas, *Cofiant John Jones, Talsarn*, t. 893.

67   Ibid., t. 896; 'Yr oedd Ebenezer yn fwy tawel a gwaraidd a gochelgar, a Thomas yn fwy agored a rhydd a phrysur ac anwyliadwrus', t. 897.

68   Edward a Henry Richard, *Bywyd y Parch. Ebenezer Richard* (Llundain, 1839), t. 40.

69   Ibid., t. 42.

70   Jenkins, *The Life of Thomas Charles of Bala*, t. 313.

71   Lewis Edwards, 'Atgofion I: Ebenezer Richard', *Y Goleuad* (4 Medi 1875), 8–10 (9). Pwyslais yn y gwreiddiol.

72   Matthews, *Bywgraffiad y Parch. Thomas Richard*, t. 280.

73   Edwards, 'Atgofion I', 9.

74   Howell Powell, *Cofiant y Diweddar Barch. William Rowlands DD* (Utica, Efrog Newydd, 1873), t. 99.

75   Ibid., t. 222.

76   Ibid., t. 227.

[77]   Ceir gwerthfawrogiad haelionus, bywiog a chraff o'r ddau ohonynt gan Owen Thomas, *Cofiant John Jones, Talsarn*, tt. 893–903.

[78]   Edwards, 'Atgofion I', 9.

[79]   [Edwards], 'Pregethwyr Cymru 1', 39.

[80]   Edwards, 'Atgofion I', 9.

[81]   Thomas Charles Edwards, 'Amlinelliad o hanes bywyd yr awdur', yn Lewis Edwards, *Athrawiaeth yr Iawn* (Wrecsam, d.d.), tt. iii–viii (t. iv).

[82]   Edwards (gol.), *Bywyd a Llythyrau Lewis Edwards*, t. 37.

[83]   Ibid., t. 36.

[84]   Ibid., t. 38.

[85]   Ibid., t. 37.

Pennod 2

[1]   Thomas Charles Edwards (gol.), *Bywyd a Llythyrau Lewis Edwards DD* (Lerpwl, 1901), t. 36.

[2]   Lewis Edwards, 'Atgofion IV: John Elias', *Y Goleuad* (25 Medi 1875), 9–11 (10).

[3]   Ibid., 10.

[4]   Ibid.

[5]   Thomas Charles Edwards, 'Amlinelliad o hanes bywyd yr awdur', yn Lewis Edwards, *Athrawiaeth yr Iawn* (Wrecsam, d.d.), tt. iii–viii (t. iv).

[6]   Edwards (gol.), *Bywyd a Llythyrau Lewis Edwards*, t. 41.

[7]   Ibid., t. 37.

[8]   Ibid., t. 43.

[9]   Ibid., t. 44.

[10]   Ibid.

[11]   Ibid., t. 46.

[12]   Ibid.

[13]   Gw. David Taylor, *The Godless Students of Gower Street* (London, 1968), tt. 9–17; Negley Harte a John North, *The World of University College London, 1828–1990* (London, 1991), tt. 12–25.

[14]   Edwards, 'Amlinelliad o hanes bywyd yr awdur', t. v.

[15]   Edwards (gol.), *Bywyd a Llythyrau Lewis Edwards*, t. 46.

[16]   Gw. Gomer M. Roberts, *Y Ddinas Gadarn: Hanes Eglwys Jewin Llundain* (Llundain, 1974), t. 54.

[17]   Gw. Robert Rhys, *James Hughes, 'Iago Trichrug'*, cyfres Llên y Llenor (Caernarfon, 2007).

[18]   Gw. William Evans, *Cofiant y Parchedig William Evans, Tonyrefail* (Casnewydd, 1892), tt. 122–5.

[19]   Edwards (gol.), *Bywyd a Llythyrau Lewis Edwards*, t. 56.

[20]   Ibid., t. 53.

[21]   Hugh Hughes (gol.), *Sermons by the late Rev. David Charles of Caermarthen . . . with a Memoir* (London, 1846), t. 46.

[22]   Gw. J. C. D. Clark, *English Society 1688–1832* (Cambridge, 1985), tt. 199–276, 408–20.

[23]   Matthew Cragoe, *Culture, Politics and National Identity in Wales, 1822–1886* (Oxford, 2004), t. 32.

[24]   Gw. Edward Norman, *The English Catholic Church in the Nineteenth* Century (Oxford, 1978), tt. 29–68.

[25]   Gw. R. Tudur Jones, *Hanes Annibynwyr Cymru* (Abertawe, 1966), tt. 204–10; idem, 'The origins of the Nonconformist disestablishment campaign', *Journal of the Historical Society of the Church in Wales*, 20 (1970), 39–76.

[26]   Hughes (gol.), *Sermons . . . with a Memoir*, tt. 46–7.

[27]   [Hugh Hughes], *Y Trefnyddion a'r Pabyddion: Rhyddid Gwladol ac Eglwysig cyfeiriedig at y Cymry, y Trefnyddion Calvinaidd a Mr John Elias* (Llundain, 1829), tt. 46–7.

[28]   Hughes (gol.), *Sermons . . . with a Memoir*, t. 48.

[29]   Am fanylion yr hanes gw. Roberts, *Y Ddinas Gadarn*, tt. 58–68, a Peter Lord, *Hugh Hughes, Arlunydd Gwlad* (Llandysul, 1995), tt. 156–72.

[30]   *Seren Gomer*, 13 (1831), 360.

[31]   [Hughes], *Y Trefnyddion a'r Pabyddion*, t. 54.

[32]   Dyfynnir llythyr Elias ar ei hyd yn Roberts, *Y Ddinas Gadarn*, tt. 63–4 (t. 63). Pwyslais yn y gwreiddiol.

[33]   Ibid, tt. 63–4. Pwyslais yn y gwreiddiol.

[34]   [Hughes], *Y Trefnyddion a'r Pabyddion*, t. 48. Pwyslais yn y gwreiddiol.

[35]   Ibid., t. 50.

[36]   Ibid., t. 52.

[37]   Ibid., tt. 42–3.

[38]   R. Tudur Jones, *John Elias: Pregethwr a Phendefig* (Pen-y-bont ar Ogwr, 1974), t. 48.

[39]   Hughes (gol.), *Sermons . . . with a Memoir*, t. 48.

[40]   *Lleuad yr Oes*, 2 (1828), t. 7.

[41]   Edwards (gol.), *Bywyd a Llythyrau Lewis Edwards*, t. 22.

[42]   Ibid., t. 58.

[43]   Edwards, 'Atgofion IV', 10.

[44]   Ibid.

[45]   Ibid.

[46]   Evans, *Cofiant William Evans*, t. 120.

[47]   Edwards (gol.), *Bywyd a Llythyrau Lewis Edwards*, t. 63.

[48]   Ibid., t. 64.

[49]   Ibid., t. 68.

[50]   Ibid., t. 80.

[51]   Dyfynnwyd yn [Roger Edwards], 'Y diweddar Barch. John Phillips', *Y Drysorfa*, 21 (1867), 441.

[52]   Edwards (gol.), *Bywyd a Llythyrau Lewis Edwards*, t. 66.

[53]   Ibid.

[54]   Ibid.

[55]   Ibid., t. 67.

[56] Ibid.
[57] Ibid., t. 68.
[58] Ibid., t. 69.
[59] Ibid., t. 66.
[60] Ibid., t. 74.
[61] Ibid., t. 75.
[62] [Edwards], 'Y diweddar Barch. John Phillips', 442.
[63] Ibid., 443.
[64] Gw. Harri Williams, *John Phillips: Arloeswr Addysg* (Llandysul, 1987), tt. 8–16.
[65] Gwilym Glan Mawddach, 'Pregethwr poblogaidd', *Y Dysgedydd*, 12 (1833), 122.
[66] 'Iorwerth', yn *Y Dysgedydd*, 12 (1833), 216.
[67] 'Adolygydd o Dretrafferth', yn *Y Dysgedydd*, 12 (1833), 242.
[68] Edwards (gol.), *Bywyd a Llythyrau Lewis Edwards*, t. 82.
[69] [Edwards], 'Y diweddar Barch. John Phillips', 442.
[70] Llyfrgell Genedlaethol Cymru (LlGC), Archif y Methodistiaid Calfinaidd, llsg 7440.
[71] Ibid.
[72] Edwards (gol.), *Bywyd a Llythyrau Lewis Edwards*, t. 73.
[73] LlGC, Archif y Methodistiaid Calfinaidd, llsg 7442.
[74] Edwards (gol.), *Bywyd a Llythyrau Lewis Edwards*, t. 74.
[75] New College Edinburgh, Chalmers MS 4.204.13.
[76] Edwards (gol.), *Bywyd a Llythyrau Lewis Edwards*, t. 82.
[77] LlGC, Archif y Methodistiaid Calfinaidd, llsg 7969.
[78] Ibid., llsg 7970.
[79] Ceir crynswth yr ohebiaeth rhyngddo a Matthews, gan gynnwys y llythyrau na chynhwyswyd yn Edwards (gol.), *Bywyd a Llythyrau Lewis Edwards*, yn LlGC, Archif y Methodistiaid Calfinaidd, llsgau 7436–58 a Chasgliad Thomas Charles Edwards, llsgau 2132–41.
[80] Edwards (gol.), *Bywyd a Llythyrau Lewis Edwards*, t. 82.
[81] Ibid., tt. 82–3.
[82] Ibid., t. 88.
[83] Ibid., t. 89.
[84] Ibid., t. 90.
[85] [Edwards], 'Y diweddar Barch. John Phillips', 442.
[86] Ibid.

Pennod 3

[1] Gw. Evan Roberts, 'Hanes plwyf Llandderfel', *Yr Haul*, cyfres newydd 1 (1938), 230–3; cf. Peter Roberts, 'The Merioneth gentry and local government, 1650–1838', *Cylchgrawn Hanes Sir Feirionnydd*, 5 (1965), 21–38 (36–7 am Davies).

²   Gw. Lewis Edwards, 'Mr Williams, Ivy House, Dolgellau', *Y Goleuad* (14 Tachwedd 1874), 11.

³   Thomas Charles Edwards (gol.), *Bywyd a Llythyrau Lewis Edwards DD* (Lerpwl, 1901), t. 96.

⁴   Ibid., t. 95.

⁵   Ibid.

⁶   Ibid., t. 128.

⁷   Llyfrgell Genedlaethol Cymru (LlGC), Archif y Methodistiaid Calfinaidd, llsg 5482; cf. Harri Williams, *John Phillips: Arloeswr Addysg* (Llandysul, 1987), t. 22.

⁸   Edwards (gol.), *Bywyd a Llythyrau Lewis Edwards*, t. 97.

⁹   Dyfynnwyd yn [Roger Edwards], 'Y diweddar Barch. John Phillips', *Y Drysorfa*, 21 (1867), 442.

¹⁰   Ibid.; cf. R. A. Watson ac E. S. Watson, *George Gilfillan: Letters and Journals, with a Memoir* (London, 1892).

¹¹   LlGC, Archif y Methodistiad Calfinaidd, Casgliad Coleg y Bala 193; cf. Williams, *John Phillips*, t. 22.

¹²   Edwards (gol.), *Bywyd a Llythyrau Lewis Edwards*, t. 98.

¹³   Ibid., t. 104.

¹⁴   Dyfynnwyd yn Stewart J. Brown, *Thomas Chalmers and the Godly Commonwealth in Scotland* (Oxford, 1982), t. 110.

¹⁵   [J. G. Lockhart], 'To the Rev. Thomas Chalmers', *Blackwood's Edinburgh Magazine*, 2 (1818), 110.

¹⁶   Brown, *Thomas Chalmers and the Godly Commonwealth*, t. 106.

¹⁷   Ibid., t. 60.

¹⁸   Ibid., t. 183.

¹⁹   Edwards (gol.), *Bywyd a Llythyrau Lewis Edwards*, t. 104.

²⁰   Ibid., tt. 104–5.

²¹   Ibid., t. 104.

²²   Dyfynnwyd yn Brown, *Thomas Chalmers and the Godly Commonwealth*, t. 181.

²³   Ibid., t. 148.

²⁴   Dyfynnwyd yn ibid.

²⁵   Edwards (gol.), *Bywyd a Llythyrau Lewis Edwards*, t. 114.

²⁶   Gw. Stewart J. Brown a Michael Fry, *Scotland in the Age of the Disruption* (Edinburgh, 1993), tt. 1–30 yn arbennig.

²⁷   Edwards (gol.), *Bywyd a Llythyrau Lewis Edwards*, t. 98.

²⁸   J. Roxborough, 'Chalmers, Thomas', yn Timothy Larsen (gol.), *Biographical Dictionary of Evangelicals* (Leicester, 2003), tt. 138–41 (t. 140).

²⁹   Brown, *Thomas Chalmers and the Godly Commonwealth*, t. 216.

³⁰   Lewis Edwards, 'Byr hanes o fywyd Robert Morgan, Aberyffrwd, Swydd Aberteifi', *Y Drysorfa*, 2 (1832), 227–9.

³¹   Lewis Edwards, 'Ysbrydolrwydd gwŷr crefydd', *Y Drysorfa*, 4 (1834), 4–5 (4), a 'Llygredigaeth y natur ddynol', *Y Drysorfa*, 4 (1834), 42–4;

adargraffwyd yr ysgrif gyntaf fel 'Ychydig feddyliau am fywyd crefydd', yn idem, *Traethodau Duwinyddol* (Wrecsam, [1872]), tt. 412–15.

[32]   Edwards, 'Ychydig feddyliau am fywyd crefydd', *Traethodau Duwinyddol*, t. 415.

[33]   Ibid.

[34]   [Lewis Edwards], 'Pa ham? Pa fodd?', *Y Drysorfa*, 4 (1834), 110–12, 143–5, 173–4; 'Pa ham? Pa fodd?', *Y Drysorfa*, 5 (1835), 42–5, 75–8; idem, 'Pa ham? Pa fodd?', *Ysgrifau Llenyddol* (Wrecsam, [1867]), tt. 436–57.

[35]   Edwards, 'Pa ham? Pa fodd?', *Ysgrifau Llenyddol*, t. 437.

[36]   Ibid.

[37]   Gw. S. A. Grave, *The Scottish Philosophy of Common Sense* (Oxford, 1960); M. Dalgarno (gol.), *The Philosophy of Thomas Reid* (Dordrecht, 1989).

[38]   Edwards, 'Pa ham? Pa fodd?', *Ysgrifau Llenyddol*, t. 439.

[39]   Ibid., t. 437.

[40]   Ibid., t. 443.

[41]   Ibid., t. 444.

[42]   Ibid., t. 437.

[43]   Ibid., t. 457.

[44]   Ibid., t. 452.

[45]   Ibid., t. 450.

[46]   Ibid., t. 455.

[47]   Llewelyn Ioan Evans, 'Adolygiad', *Y Cyfaill o'r Hen Wlad*, 55 (1892), 220–3 (220).

[48]   Edwards (gol.), *Bywyd a Llythyrau Lewis Edwards*, t. 124.

[49]   Gw. Griffith Ellis, 'Y Parchedig Richard Lumley', *Geninen Gŵyl Ddewi* (1898), 1–9; John Morgan Jones, 'Richard Lumley', *Y Drysorfa*, 90 (1919), 245–50.

[50]   Edwards (gol.), *Bywyd a Llythyrau Lewis Edwards*, t. 101.

[51]   Ibid., t. 108.

[52]   Ibid., t. 100.

[53]   Ibid.

[54]   Ibid., t. 102.

[55]   Ibid., t. 112.

[56]   Ibid., t. 114.

[57]   Ibid., t. 117.

[58]   Ibid., t. 118.

[59]   Ibid., tt. 118–19.

[60]   Ibid., t. 128.

[61]   Ibid., t. 129.

[62]   Ibid.

[63]   Ibid., t. 128.

[64]   Ibid., t. 129.

[65]   'Hamilton a Mill', yn Edwards, *Ysgrifau Llenyddol* (Wrecsam, [1867]), tt. 636–59 (tt. 636–7).

66   Ibid., t. 637.

67   M. H. Gordon, *'Christopher North': A Memoir of John Wilson* (Edinburgh, 1862), tt. 214–15.

68   Elsie Swann, *'Christopher North': John Wilson* (Edinburgh, 1934), t. 166.

69   Watson a Watson, *George Gilfillan*, t. 38.

70   Gw. J. H. Alexander (gol.), *The Tavern Sages: Selections from the 'Noctes Ambrosianae'* (London, 1992).

71   Watson a Watson, *George Gilfillan*, t. 38.

72   Edwards (gol.), *Bywyd a Llythyrau Lewis Edwards*, t. 123.

73   Ibid.

74   Ibid., t. 124.

75   Ibid., t. 126.

76   Ibid.

77   Ibid.

78   Ibid.

79   Ibid., t. 127.

80   Ibid., t. 131.

81   Ibid.

82   Ibid., t. 132.

83   Ibid., t. 134.

84   J. Cynddylan Jones, *Arthylith a Gras* (Caernarfon, 1925), t. 11.

85   Edwards (gol.), *Bywyd a Llythyrau Lewis Edwards*, t. 135.

86   Ibid.

87   Lewis Edwards, 'Y Mab yn hysbysu'r Tad', *Y Pregethwr*, 1 (1836–7), 7–12; adargraffwyd yn idem, *Traethodau Duwinyddol*, tt. 416–26.

88   Lewis Edwards, 'Y gorchymyn cyntaf: 1', *Y Pregethwr*, 1 (1836–7), 187–92, 'Y gorchymyn cyntaf: 2', *Y Pregethwr*, 1 (1836–7), 192–201; adargraffwyd yn idem, *Traethodau Duwinyddol*, tt. 427–51.

89   Edwards, 'Y gorchymyn cyntaf: 1', *Traethodau Duwinyddol*, t. 451.

90   Ibid.

91   Edwards (gol.), *Bywyd a Llythyrau Lewis Edwards*, t. 137.

92   Ibid.

93   Ibid., t. 136.

94   Ibid., t. 138.

95   [Edwards], 'Y diweddar Barch. John Phillips', 442.

96   Gw. Harri Williams, *John Phillips*, *passim*.

97   [Edwards], 'Y diweddar Barch. John Phillips', 442.

98   Edwards (gol.), *Bywyd a Llythyrau Lewis Edwards*, t. 140.

99   Ibid., t. 146.

100   Ibid.

101   Ibid., t. 157.

102   [Thomas Edwards], 'Pregethwyr Cymru 1: y Parch. Lewis Edwards DD, Bala', *Trysorfa y Plant*, 5 (1866), 36–40 (39–40).

Pennod 4

[1]   Thomas Charles Edwards (gol.), *Bywyd a Llythyrau Lewis Edwards DD* (Lerpwl, 1901), t. 192.

[2]   Owen Thomas, *Cofiant y Parchedig Henry Rees*, cyfrol 1 (Lerpwl, 1891), t. 218.

[3]   R. Tudur Jones, *Thomas Charles o'r Bala: Gwas y Gair a Chyfaill Cenedl* (Caerdydd, 1979), t. 11.

[4]   J. J. Morgan, *Cofiant Edward Matthews Ewenni* (Yr Wyddgrug, 1922), t. 60.

[5]   Ibid., t. 62.

[6]   Derec Llwyd Morgan, 'Thomas Charles: "Math newydd ar Fethodist"', *Pobl Pantycelyn* (Llandysul, 1986), t. 85.

[7]   Edwards (gol.), *Bywyd a Llythyrau Lewis Edwards*, t. 155.

[8]   Gw. Joseph Evans, 'Y Parch. David Charles DD', *Y Traethodydd*, 49 (1893), 45–57, 131–8, 265–71.

[9]   Lewis Edwards, 'Atgofion I: Ebenezer Richard', *Y Goleuad* (4 Medi 1875), 8–10 (9).

[10]   Gw. [Robert Roberts], 'Athrofa y Methodistiaid Calfinaidd', *Y Drysorfa*, 11 (1842), 117–18.

[11]   New College Edinburgh (NCE), Chalmers MS 4.249.73.

[12]   Edwards (gol.), *Bywyd a Llythyrau Lewis Edwards*, t. 162.

[13]   Ibid.

[14]   Ibid., t. 164

[15]   Ibid., t. 167.

[16]   Ibid.

[17]   Gw. E. Wynne Parry, *Cofiant a Phregethau David Charles Davies MA* (Wrecsam, 1896).

[18]   Gw. J. J. Roberts ('Iolo Carnarvon'), *Cofiant y Parchg Owen Thomas DD* (Caernarfon, 1912); D. Ben Rees, *Owen Thomas: Pregethwr y Bobl* (Lerpwl, 1979).

[19]   Edwards (gol.), *Bywyd a Llythyrau Lewis Edwards*, t. 156.

[20]   Ibid., t. 523.

[21]   Ibid., t. 83.

[22]   Lewis Edwards, *Am Natur Eglwys* (Y Bala, 1839), t. iii; adargraffwyd yn idem, *Traethodau Duwinyddol* (Wrecsam, [1872]), tt. 247–70; cynhwysir rhif y tudalen yn fersiwn *Ysgrifau Duwinyddol* yn y testun.

[23]   Gw. A. Tudno Williams, *Mudiad Rhydychen a Chymru* (Dinbych, 1983).

[24]   Dyfynnwyd yn Gomer M. Roberts (gol.), *Hanes Methodistiaeth Galfinaidd Cymru*, cyfrol 2, *Cynnydd y Corff* (Caernarfon, 1978), t. 294.

[25]   Edwards (gol.), *Bywyd a Llythyrau Lewis Edwards*, t. 464.

[26]   Edwards, *Am Natur Eglwys*, tt. 14–15; *Traethodau Duwinyddol*, t. 255.

[27]   Edwards, *Am Natur Eglwys*, t. 15; *Traethodau Duwinyddol*, t. 255.

[28]   Llyfrgell Genedlaethol Cymru (LlGC), Archif y Methodistiaid Calfinaidd, llsg 7969; gw. Trebor Lloyd Evans, *Lewis Edwards, ei Feddwl a'i Waith* (Abertawe, 1967), t. 135.

[29]   Samuel Roberts, *Annibyniaeth a Henaduriaeth: Adolygiad y Parch. Lewis Edwards AC ar Natur Eglwys* (Dolgellau, 1840), t. 5.

[30]   Ibid., t. 7.

[31]   Ibid., t. iii.

[32]   Am yr amrywiaeth ymhlith yr Annibynwyr cynnar ar gwestiwn perthynas eglwysi unigol a chymanfaoedd, gw. R. Tudur Jones, 'Yr eglwys a'r eglwysi: trefniadaeth ryng-eglwysig yr Annibynwyr, *c.*1639–1850', yn D. Densil Morgan (gol.), *Grym y Gair a Fflam y Ffydd: Ysgrifau ar Hanes Crefydd yng Nghymru* (Bangor, 1998), tt. 51–90; ceir crynodeb hwylus o ddadl 'S.R.' yn yr ymryson yn E. Pan Jones, *Cofiant y Tri Brawd o Lanbryn-mair a Conwy* (Bala, 1892), tt. 239–47.

[33]   John Mills, *Adolygiad ar waith y Parch. Samuel Roberts ar Annibyniaeth a Henaduriaeth* (Llanidloes, 1840).

[34]   Robert John Pryse, *Adolygiad John Mills (Ieuan Glan Alarch) ar waith y Parch. Samuel Roberts ar Annibyniaeth a Henaduriaeth, yn cael ei adolygu* (Llanrwst, 1841).

[35]   William Williams, *Annibyniaeth, sef Sylwadau ar ba beth yw Annibyniaeth* (Caernarfon, 1842).

[36]   Lewis Edwards, *Ar Undeb Eglwysig* (Bala, 1841), t. 7; adargraffwyd yn idem, *Traethodau Duwinyddol* (Wrecsam, [1872]), tt. 271–314 (t. 275).

[37]   Edwards, *Ar Undeb Eglwysig*, t. iv; *Traethodau Duwinyddol*, t. 272.

[38]   Ibid.

[39]   Edwards, *Ar Undeb Eglwysig*, t. iii; *Traethodau Duwinyddol*, t. 271.

[40]   Evans, *Lewis Edwards*, t. 79.

[41]   Edwards (gol.), *Bywyd a Llythyrau Lewis Edwards*, t. 423.

[42]   Ibid., t. 297.

[43]   Gw. David Cornick, *Under God's Hand: a History of . . . the United Reformed Church* (London, 1998), tt. 123–30.

[44]   *Methodistiaeth Cymru . . . mewn cyfres o lythyrau gan . . . y Parch. Mr Hamilton, o Lundain* (Y Drenewydd, [1844]), t. 6.

[45]   Stewart J. Brown, 'The ten years' conflict and the disruption of 1843', yn Stewart J. Brown a Michael Fry, *Scotland in the Age of the Disruption* (Edinburgh, 1993), tt. 1–27 (t. 2).

[46]   Gw. Matthew Cragoe, *Culture, Politics and National Identity in Wales, 1822–1886* (Oxford, 2004), *passim*.

[47]   Edwards (gol.), *Bywyd a Llythyrau Lewis Edwards*, t. 150.

[48]   Roger Edwards, 'Y tri brawd a'u teuluoedd' (1866), yn T. M. Jones, *Cofiant y Parch. Roger Edwards, yr Wyddgrug* (Wrecsam, 1908), tt. 301–526 (t. 462).

[49]   Llyfrgell Genedlaethol Cymru (LlGC), Casgliad T. C. Edwards, llsg 1376.

[50]   Ibid.

[51] Ibid.

[52] Edwards (gol.), *Bywyd a Llythyrau Lewis Edwards*, t. 59.

[53] Ibid.

[54] Ibid.

[55] Gw. Stewart J. Brown, *Thomas Chalmers and the Godly Commonwealth in Scotland* (Oxford, 1982), *passim*.

[56] Brown, 'The ten years' conflict and the disruption of 1843', t. 9.

[57] Roberts, *Cofiant Owen Thomas DD*, t. 97.

[58] Edwards (gol.), *Bywyd a Llythyrau Lewis Edwards*, t. 414.

[59] LlGC, Casgliad T. C. Edwards, llsg 2766.

[60] Lewis Edwards, 'Yr Eglwys Rydd', *Y Traethodydd*, 1 (1845), 432–6 (432); adargraffwyd yn idem, *Traethodau Llenyddol* (Wrecsam, [1867]), tt. 340–5 (t. 340).

[61] William Hanna, *Memoirs of Dr Chalmers*, cyfrol 4 (Edinburgh, 1852), tt. 438–9; dyfynnwyd yn Brown, *Thomas Chalmers and the Godly Commonwealth*, t. 337.

[62] Brown, *Thomas Chalmers and the Godly Commonwealth*, t. 344.

[63] NCE, Chalmers MS 4.308.3.

[64] Edwards, 'Yr Eglwys Rydd', *Traethodau Llenyddol*, t. 343.

[65] Ibid., t. 344.

[66] Ibid., t. 345.

[67] Lewis Edwards, 'Atgofion IV: John Elias', *Y Goleuad* (25 Medi 1875), 9–11 (9).

[68] Lewis Edwards, 'Adolygiad pregethau y diweddar Barch. David Charles, Caerfyrddin', *Y Drysorfa*, 6 (1837), 366–9 a 7 (1838), 49–50 (50); adargraffwyd yn idem, *Traethodau Llenyddol*, tt. 458–74 (t. 460).

[69] Lewis Edwards, 'Atgofion I: Ebenezer Richard', *Y Goleuad* (4 Medi 1875), 8–10 (9).

[70] Edwards, 'Atgofion IV', 10.

[71] Ibid.

[72] Ibid.

[73] Edwards (gol.), *Bywyd a Llythyrau Lewis Edwards*, t. 183.

[74] E. G. Millward, *Detholion o Ddyddiadur Eben Fardd* (Caerdydd, 1968), t. 142.

[75] Lewis Edwards, 'Atgofion III: Dwyrain Meirionnydd', *Y Goleuad* (18 Medi 1875), 9–10 (10).

[76] Edwards (gol.), *Bywyd a Llythyrau Lewis Edwards*, t. 202.

[77] Ibid., t. 206.

[78] Ibid., tt. 172–3.

[79] Ibid., t. 187.

[80] Ibid., t. 188.

[81] Ibid., t. 189.

[82] Evans, 'Y Parch. David Charles DD', 134.

[83] Ibid.

Pennod 5

1   Llyfrgell Genedlaethol Cymru (LlGC), Casgliad T. C. Edwards, llsg 2337.

2   Daniel Owen, *Gwen Tomos, Merch y Wernddu* (Wrecsam, 1894; arg. cyflawn newydd, 1992), t. 67.

3   Ibid.

4   Ibid., t. 68.

5   E. G. Millward, *Detholion o Ddyddiadur Eben Fardd* (Caerdydd, 1968), t. 142.

6   Thomas Charles Edwards (gol.), *Bywyd a Llythyrau Lewis Edwards DD* (Lerpwl, 1901), t. 567.

7   Gw. Harri Williams, *John Phillips: Arloeswr Addysg* (Llandysul, 1987), tt. 70–124.

8   Owen Thomas, 'Rhagymadrodd', yn J. Parry (gol.), *Y Gwyddoniadur Cymreig*, cyfrol 1 (Dinbych, 1878), tt. xx–xxi.

9   Ibid., tt. xxi–xxii.

10   J. Roberts ('Iolo Carnarvon'), *Cofiant y Parchg Owen Thomas DD* (Caernarfon, 1912), t. 96.

11   Edwards (gol.), *Bywyd a Llythyrau Lewis Edwards*, tt. 340–1.

12   Cf. R. Tudur Jones, 'Diwylliant colegau ymneilltuol y bedwaredd ganrif ar bymtheg', yn J. E. Caerwyn Williams (gol.), *Ysgrifau Beirniadol*, 5 (Dinbych, 1970), tt. 112–49.

13   Dyfynnwyd gan Thomas, 'Rhagymadrodd', t. xxxii.

14   Ibid., t. xxxv.

15   [Roger Edwards], 'Y diweddar Barch. John Parry DD, Y Bala', *Y Drysorfa*, 44 (1874), 108–11, 151–5 (111).

16   Thomas, 'Rhagymadrodd', tt. xxv.

17   Gw. Roger Edwards (gol.), *Pregethau Henry Rees*, cyfrol 3 (Treffynnon, 1881), tt. 294–323.

18   Henry Rees at Lewis Edwards, 29 Awst 1843; Edwards (gol.), *Bywyd a Llythyrau Lewis Edwards*, t. 220.

19   Thomas, 'Rhagymadrodd', t. xxviii.

20   Ibid., t. xxvii.

21   William Evans, *An Outline of the History of Welsh Theology* (London, 1900), t. 195.

22   Thomas Charles Edwards, 'Religious thought in Wales', yn D. D. Williams, *Thomas Charles Edwards* (Liverpool, 1921), tt. 103–12 (t. 106).

23   Edwards (gol.), *Bywyd a Llythyrau Lewis Edwards*, t. 212.

24   J. E. Caerwyn Williams, 'Hanes cychwyn *Y Traethodydd*', *Llên Cymru*, 14 (1981–2), 111–42 (116).

25   Glyn Richards, 'A study of the theological developments among Nonconformists in Wales during the nineteenth century' (traethawd B.Litt anghyhoeddedig Prifysgol Rhydychen, 1957), 147.

26   Edwards (gol.), *Bywyd a Llythyrau Lewis Edwards*, t. 218.

[27] Prifysgol Bangor, Belmont MS 13; Caerwyn Williams, 'Hanes cychwyn *Y Traethodydd*', 114.

[28] T. M. Jones, *Cofiant y Parch. Roger Edwards, Yr Wyddgrug* (Wrecsam, 1908), t. 74.

[29] Edwards (gol.), *Bywyd a Llythyrau Lewis Edwards*, t. 219.

[30] Ibid., t. 221.

[31] T. Gwynn Jones, *Cofiant Thomas Gee* (Dinbych, 1913), t. 106.

[32] LlGC, Casgliad T. C. Edwards, llsg 2336; cf. Williams, *John Phillips: Arloeswr Addysg*, t. 54.

[33] LlGC, Casgliad T. C. Edwards, llsg 2336.

[34] LlGC, Casgliad T. C. Edwards, llsg 1116; cf. Caerwyn Williams, 'Hanes cychwyn *Y Traethodydd*', 129.

[35] Edwards (gol.), *Bywyd a Llythyrau Lewis Edwards*, t. 217.

[36] Ibid., t. 221.

[37] Thomas Gee at Lewis Edwards, 15 Hydref 1844; Edwards (gol.), *Bywyd a Llythyrau Lewis Edwards*, t. 226.

[38] Lewis Edwards, 'Cyhoeddiadau cyfnodol y Cymry', *Y Traethodydd*, 4 (1848), 361–72, 453–72, *Y Traethodydd*, 5 (1849), 58–72, 191–204; ad-argraffwyd yn idem, *Traethodau Llenyddol* (Wrecsam, [1867]), tt. 505–85.

[39] Edwards (gol.), *Bywyd a Llythyrau Lewis Edwards*, tt. 219–20.

[40] Edwards, 'Cyhoeddiadau cyfnodol y Cymry', *Y Traethodydd*, 4 (1848), 453; *Traethodau Llenyddol*, t. 523.

[41] Edwards, 'Cyhoeddiadau cyfnodol y Cymry', *Traethodau Llenyddol*, t. 523.

[42] Ibid.

[43] Edwards (gol.), *Bywyd a Llythyrau Lewis Edwards*, t. 224.

[44] Ibid., t. 237.

[45] Ibid., t. 222.

[46] Fe'i diarddelwyd gan Gapel Jewin, bu'n bygwth cyfraith ar ei gyd-aelodau cyn ei garcharu yn Newgate yn 1849 am dwyll ariannol; gw. Gomer M. Roberts, *Y Ddinas Gadarn: Hanes Eglwys Jewin Llundain* (Llundain, 1974), tt. 99–107, 255–8.

[47] Edwards (gol.), *Bywyd a Llythyrau Lewis Edwards*, t. 229.

[48] Ibid.

[49] Ibid., t. 228.

[50] Lewis Edwards at Morris Davies, 27 Tachwedd 1844; Edwards (gol.), *Bywyd a Llythyrau Lewis Edwards*, t. 236.

[51] Lewis Edwards at Roger Edwards, 18 Tachwedd 1844; Edwards (gol.), *Bywyd a Llythyrau Lewis Edwards*, t. 232.

[52] Edwards (gol.), *Bywyd a Llythyrau Lewis Edwards*, t. 240.

[53] Lewis Edwards, 'Barddoniaeth y Cymry', *Y Traethodydd*, 8 (1852), 94–103 (94); adargraffwyd yn *Traethodau Llenyddol*, tt. 153–66 (t. 153).

[54] Edwards, 'Barddoniaeth y Cymry', *Traethodau Llenyddol*, t. 153.

[55] Edwards (gol.), *Bywyd a Llythyrau Lewis Edwards*, t. 243.

[56] Ibid., t. 260.

[57]   Evan Jones at Lewis Edwards, 23 Mehefin 1846; Edwards (gol.), *Bywyd a Llythyrau Lewis Edwards*, t. 296.

[58]   Lewis Edwards at Owen Thomas, 17 Ebrill 1847; Edwards (gol.), *Bywyd a Llythyrau Lewis Edwards*, t. 308.

[59]   Edwards (gol.), *Bywyd a Llythyrau Lewis Edwards*, t. 280.

[60]   Lewis Edwards at Owen Thomas, 6 Ionawr 1846; Edwards (gol.), *Bywyd a Llythyrau Lewis Edwards*, t. 312.

[61]   Lewis Edwards at Owen Thomas, 12 Mai 1852; Edwards (gol.), *Bywyd a Llythyrau Lewis Edwards*, t. 330.

[62]   Edwards (gol.), *Bywyd a Llythyrau Lewis Edwards*, t. 308.

[63]   Lewis Edwards at Morris Davies, 24 Mai 1849; Edwards (gol.), *Bywyd a Llythyrau Lewis Edwards*, t. 321.

[64]   Gw. Atodiad.

[65]   'Adroddiad Coleg y Bala', *Y Goleuad* (19 Mehefin 1875), 5.

[66]   Lewis Edwards, 'Llenyddiaeth a gwyddiant', *Traethodau Llenyddol*, tt. 586–97 (t. 96).

[67]   Lewis Edwards, 'Ysgrifeniadau Morgan Llwyd', *Y Traethodydd*, 4 (1848), 30–44 (31); adargraffwyd yn *Traethodau Llenyddol*, tt. 133–52 (t. 134).

[68]   Edwards, 'Ysgrifeniadau Morgan Llwyd', *Traethodau Llenyddol*, t. 137.

[69]   Lewis Edwards, 'Llyfr *Hanes y Ffydd*', *Y Traethodydd*, 8 (1852), 120–5 (120); adargraffwyd yn *Traethodau Llenyddol*, tt. 190–7 (t. 190).

[70]   Edwards, 'Llyfr *Hanes y Ffydd*', *Traethodau Llenyddol*, t. 196.

[71]   Lewis Edwards, 'Llyfr *Yr Ymarfer o Dduwioldeb*', *Y Traethodydd*, 4 (1848), 409–22 (415); adargraffwyd yn *Traethodau Llenyddol*, tt. 292–309 (t. 297). Pwyslais yn y gwreiddiol.

[72]   Edwards, *Traethodau Llenyddol*, t. 166.

[73]   Lewis Edwards, 'Dafydd Ionawr', *Y Traethodydd*, 8 (1852), 94–103 (94–5); adargraffwyd fel 'Barddoniaeth y Cymry', yn *Traethodau Llenyddol*, tt. 153–66 (t. 154).

[74]   Edwards, 'Barddoniaeth y Cymry', *Traethodau Llenyddol*, t. 154.

[75]   Alun Llywelyn-Williams, 'Lewis Edwards ac urddas cenedl', yn J. E. Caerwyn Williams (gol.), *Ysgrifau Beirniadol*, 2 (Dinbych, 1966), tt. 109–22 (t. 112).

[76]   Edwards, 'Barddoniaeth y Cymry', *Traethodau Llenyddol*, t. 155.

[77]   *Ibid.*, tt. 155–6.

[78]   *Ibid.*, t. 156.

[79]   *Ibid.*, t. 157.

[80]   *Ibid.*

[81]   Gw. Edwards, 'Cyhoeddiadau cyfnodol y Cymry', *Traethodau Llenyddol*, t. 534.

[82]   Lewis Edwards, 'Cyfnewidwyr hymnau', *Y Traethodydd*, 6 (1850), 316–22 (321); adargraffwyd yn *Traethodau Llenyddol*, tt. 198–206 (t. 206).

[83]   Edwards, 'Barddoniaeth y Cymry', *Traethodau Llenyddol*, t. 157.

[84]   *Ibid.*, t. 163.

[85]   *Ibid.*, t. 164.

[86] Ibid., t. 165.
[87] Edwards, 'Llenyddiaeth a gwyddiant', *Traethodau Llenyddol*, t. 590.
[88] Edwards, 'Cyfnewidwyr hymnau', *Traethodau Llenyddol*, t. 199.
[89] Lewis Edwards, '*Coll Gwynfa*', *Y Traethodydd*, 6 (1850), 5–20 (8); adargraffwyd yn *Traethodau Llenyddol*, tt. 50–71 (t. 54).
[90] Edwards, '*Coll Gwynfa*', *Traethodau Llenyddol*, t. 54.
[91] Ibid.
[92] Edwards (gol.), *Bywyd a Llythyrau Lewis Edwards*, t. 302.
[93] Edwards, 'Llenyddiaeth a gwyddiant', *Traethodau Llenyddol*, t. 588.
[94] Ibid.
[95] Ibid., t. 586.
[96] Lewis Edwards, 'Ysgolion ieithyddol i'r Cymry', *Y Traethodydd*, 5 (1849), 347–56 (351); adargraffwyd yn *Traethodau Llenyddol*, tt. 20–31 (t. 24). Pwyslais yn y gwreiddiol.
[97] Edwards, 'Ysgolion ieithyddol i'r Cymry', *Traethodau Llenyddol*, t. 23.
[98] Ibid., t. 29.
[99] Ibid., t. 26.
[100] Ibid., t. 28.
[101] Ibid., tt. 30–1. Pwyslais yn y gwreiddiol.
[102] Lewis Edwards, 'Mr. Gladstone', *Traethodau Llenyddol*, tt. 167–75 (t. 175).
[103] Ceri Davies, 'Lewis Edwards, Oes Victoria, a'r byd clasurol', *Y Traethodydd*, 142 (1987), 115–30 (126).
[104] Edwards, 'Mr. Gladstone', *Traethodau Llenyddol*, t. 175.
[105] Davies, 'Lewis Edwards, Oes Victoria, a'r byd clasurol', 127; cf. idem, *Welsh Literature and the Classical Tradition* (Cardiff, 1995), tt. 112–14.
[106] Edwards, 'Ysgolion ieithyddol i'r Cymry', *Traethodau Llenyddol*, t. 28.
[107] Saunders Lewis, 'Lewis Edwards, Edward Anwyl a'r gyfundrefn addysg' (1949), *Meistri a'u Crefft* (Caerdydd, 1981), tt. 97–101 (t. 100).
[108] Lewis Edwards, 'Dysgeidiaeth fel cymhwyster i'r weinidogaeth', *Y Traethodydd*, 6 (1850), 290–4 (291); adargraffwyd yn *Traethodau Llenyddol*, tt. 622–8 (t. 624).
[109] Edwards, 'Dysgeidiaeth fel cymhwyster i'r weinidogaeth', *Traethodau Llenyddol*, t. 622.
[110] Ibid., t. 624.
[111] Edwards, 'Llenyddiaeth a gwyddiant', *Traethodau Llenyddol*, t. 592.
[112] Gw. D. Densil Morgan, *O'r Pwll Glo i Princeton: Bywyd a Gwaith R. S. Thomas, Abercynon (1844–1923)* (Bangor, 2005), tt. 58–61.
[113] Gw. David W. Bebbington, *Evangelicalism in Modern Britain: a History from the 1730s to the 1980s* (London, 1989), tt. 80–1.
[114] Lewis Edwards, 'Athroniaeth a diwinyddiaeth Coleridge', *Y Traethodydd*, 2 (1846), 331–42 (333); adargraffwyd yn *Traethodau Llenyddol*, tt. 32–49 (t. 34).
[115] Edwards, 'Athroniaeth a diwinyddiaeth Coleridge', *Traethodau Llenyddol*, t. 34.
[116] Ibid., t. 35.
[117] Ibid., t. 38.

[118] Lewis Edwards, 'Hamilton a Mill', *Traethodau Llenyddol*, tt. 636–59 (t. 645).

[119] Ibid, tt. 645–6.

[120] Lewis Edwards, 'Athroniaeth Kant: 1', *Y Traethodydd*, 9 (1853), 67–77 (68–9); adargraffwyd yn *Traethodau Llenyddol*, tt. 240–53 (t. 242); gw. hefyd 'Athroniaeth Kant: 2', *Y Traethodydd*, 9 (1853), 208–16, *Traethodau Llenyddol*, tt. 254–65.

[121] Edwards, 'Athroniaeth Kant: 1', *Traethodau Llenyddol*, t. 253.

Pennod 6

[1] 'Hanes Eglwys Genefa', *Y Traethodydd*, 1 (1845), 54–9, 'Dadleuon diwinyddol yn Sgotland', *Y Traethodydd*, 1 (1845), 325–6, 431–2, 'Yr Eglwys Rydd', *Y Traethodydd*, 1 (1845), 432–6, 'Yr Undeb Efengylaidd', *Y Traethodydd*, 2 (1846), 105–9.

[2] 'Bywyd a barnau Dr Arnold', *Y Traethodydd*, 1 (1845), 221–4, 'Addysg cyffredinol', *Y Traethodydd*, 3 (1847), 121–3, 'Crefydd wladol a chrefydd bersonol', *Y Traethodydd*, 3 (1847), 372–86.

[3] 'Maynooth', *Y Traethodydd*, 1(1845), 327–37, 'Deddf yr yd a'r weinyddiaeth wladol', *Y Traethodydd*, 2 (1846), 221–4.

[4] Edwards, 'Bywyd a barnau Dr Arnold' (1845), 221–4 (221); adargraffwyd dan y teitl 'Dr Arnold', yn idem, *Traethodau Llenyddol* (Wrecsam, [1867]), tt. 364–6 (t. 364).

[5] Edwards, 'Crefydd wladol a chrefydd bersonol', t. 337; adargraffwyd o dan y teitl 'Yr eglwys a'r wladwriaeth', yn *Traethodau Llenyddol*, tt. 93–112 (t. 112).

[6] Edwards, 'Maynooth', 337; adargraffwyd yn *Traethodau Llenyddol*, tt. 422–35 (t. 431).

[7] Gw. Prys Morgan (gol.), *Brad y Llyfrau Gleision: Ysgrifau ar Hanes Cymru* (Llandysul, 1991); Ieuan Gwynedd Jones, '1848 and 1868: "Brad y Llyfrau Gleision" and Welsh politics', *Mid-Victorian Wales: the Observers and the Observed* (Cardiff, 1992), tt. 103–65.

[8] *Hansard*, 3edd gyfres, 86, tt. 845–60; dyfynnwyd yn Jones, '1848 and 1868', tt. 125–6.

[9] Dyfynnwyd yn Jones, '1848 and 1868', t. 126.

[10] Ibid., t. 112.

[11] Iorwerth Jones, *David Rees y Cynhyrfwr* (Abertawe, 1971), tt. 273–5.

[12] Lewis Edwards, 'Addysg yng Nghymru: *Reports of the Commissioners of Inquiry into the State of Education in Wales*', *Y Traethodydd*, 4 (1848), 112–35 (112); adargraffwyd yn *Traethodau Llenyddol*, tt. 374–405 (t. 374).

[13] Edwards, 'Addysg yng Nghymru', *Traethodau Llenyddol*, t. 375.

[14] Ibid., t. 377.

[15] Ibid., t. 378.

[16] Ibid., t. 385.

[17] Ibid., t. 393.

[18] Ibid.

[19] Ibid., t. 402.

[20] Ibid., t. 403.

[21] Ibid.

[22] Ibid., t. 404.

[23] *Reports of the Commissioners of Inquiry into the State of Education in Wales, Part III, Brecknock, Cardigan, Radnor and Monmouth* (London, 1847), t. 301.

[24] *Cardiff and Merthyr Guardian* (7 Tachwedd 1846); dyfynnwyd yn Roger Lee Brown, *John Griffith: The Unmitred Bishop?* (Welshpool, 2006), t. 33.

[25] Am dystiolaeth Griffith gw. *Reports of the Commissioners of Inquiry into the State of Education in Wales, Part I, Carmarthen, Glamorgan and Pembroke* (London, 1847), t. 485; cf. Jones, '1848 and 1868', tt. 147–8; disgrifir yr ymateb chwyrn i sylwadau'r ficer ym mhlwyf Aberdâr gan Brown, *John Griffith: The Unmitred Bishop?*, tt. 52–66.

[26] Lewis Edwards, 'Adroddiadau y dirprwywyr', *Y Traethodydd*, 4 (1848), 240–51 (242); adargraffwyd yn *Traethodau Llenyddol*, tt. 406–21 (t. 409).

[27] Edwards, 'Adroddiadau y dirprwywyr', *Traethodau Llenyddol*, t. 409.

[28] Ibid., t. 410.

[29] Ibid., t. 412.

[30] Ibid., t. 413.

[31] Ibid.

[32] Ibid., t. 421.

[33] Ibid., t. 414.

[34] Ibid., t. 416.

[35] Ibid., t. 419.

[36] Ibid.

[37] Ibid.

[38] Ibid., tt. 419–20.

[39] Jones, '1848 and 1868', t. 157.

[40] Edwards, 'Adroddiadau y dirprwywyr', *Traethodau Llenyddol*, t. 420.

[41] Ibid. Pwyslais yn y gwreiddiol.

[42] Jones, '1848 and 1868', t. 160.

[43] Thomas Charles Edwards (gol.), *Bywyd a Llythyrau Lewis Edwards DD* (Lerpwl, 1901), t. 262.

[44] Ibid., t. 261.

[45] Ibid., t. 269.

[46] Ibid.

[47] Llyfrgell Genedlaethol Cymru (LlGC), Casgliad T. C. Edwards llsg 1154; dyfynnwyd yn Philip Henry Jones, 'Y Traethodydd, 1845–1995: ychydig o hanes masnachol y degawd cyntaf', *Y Traethodydd*, 635 (1995), 133–47 (134).

[48] LlGC, Casgliad T. C. Edwards, llsg 3251.

[49] Edwards (gol.), *Bywyd a Llythyrau Lewis Edwards*, t. 322.

[50]   Gw. yr ysgrifau gan Nigel Yates, Frances Knight, Gerald Parsons a D. Densil Morgan yn *The Welsh Journal of Religious History/Cylchgrawn Hanes Crefydd Cymru*, 1 (2006), rhifyn arbennig ar Rowland Williams.

[51]   Lewis Edwards, 'Mr Johnes, Syr Thomas Phillips a'r *Quarterly Review*', *Y Traethodydd*, 6 (1850), 376–86 (384–5); adargraffwyd yn *Traethodau Llenyddol*, tt. 113–26 (t. 124).

[52]   Owen Thomas, 'Duwinyddiaeth Rhydychain', *Y Traethodydd*, 1 (1845), 400–23, 'Yr olyniaeth apostolaidd', *Y Traethodydd*, 4 (1848), 309–44; cf. A. Tudno Williams, *Mudiad Rhydychen a Chymru* (Dinbych, 1983), tt. 109–11.

[53]   Lewis Edwards, 'Y Puseiaid Cymreig', *Y Traethodydd*, 8 (1852), 254–7 (255); adargraffwyd yn *Traethodau Llenyddol*, tt. 598–602 (599).

[54]   Edwards (gol.), *Bywyd a Llythyrau Lewis Edwards*, t. 308.

[55]   Ibid., t. 327.

[56]   Ibid., t. 333.

[57]   Ibid., t. 338.

[58]   Lewis Edwards at Roger Edwards, 5 Mai 1862, LlGC, Casgliad T. C. Edwards, llsg 3245.

[59]   LlGC, Casgliad Coleg y Bala, llsg 641.

[60]   Edwards (gol.), *Bywyd a Llythyrau Lewis Edwards*, tt. 338–9.

[61]   J. H. Symond, 'Atgofion am Dr Edwards', *Y Traethodydd*, 65 (1910), 67–73 (68).

[62]   Edwards (gol.), *Bywyd a Llythyrau Lewis Edwards*, t. 483.

[63]   Ar wahân i'r llythyrau yn Edwards (gol.), *Bywyd a Llythyrau Lewis Edwards*, ceir toreth o lythyrau teuluol anghyhoeddedig yn LlGC, Casgliad T. C. Edwards, llsgau 998–91, 1056–87, 1088–1102.

[64]   Edwards (gol.), *Bywyd a Llythyrau Lewis Edwards*, t. 477.

[65]   Ibid., t. 480.

[66]   Ibid., t. 580.

[67]   Ibid., tt. 580–1.

[68]   Ibid., t. 581.

[69]   Ibid., t. 481.

[70]   Ibid., t. 479.

[71]   Ibid., tt. 490–1.

[72]   Ibid., t. 491.

[73]   Ibid., t. 427.

[74]   Ibid., t. 428.

[75]   John Burnett a Huw Glyn Williams (goln), *A Wandering Scholar: the Life and Opinions of Robert Roberts* (arg. gwreiddiol 1923; Cardiff, 1991), tt. 191–2.

[76]   Ibid., t. 192.

[77]   Lewis Edwards, 'Cysylltiad gweddi a gweinidogaeth y Gair', *Y Drysorfa*, 22 (1852), 401–5; adargraffwyd yn idem, *Traethodau Duwinyddol* (Wrecsam, [1872]), tt. 523–31 (t. 525).

[78]   Edwards (gol.), *Bywyd a Llythyrau Lewis Edwards*, t. 428.

[79] Llythyr at Thomas Charles Edwards, 27 Mai 1894; Edwards (gol.), *Bywyd a Llythyrau Lewis Edwards*, t. 201.

[80] Edwards (gol.), *Bywyd a Llythyrau Lewis Edwards*, t. 199.

[81] J. J. Roberts ('Iolo Carnarvon'), *Cofiant y Parchg Owen Thomas DD* (Caernarfon, 1912), t. 99.

[82] Edwards (gol.), *Bywyd a Llythyrau Lewis Edwards*, t. 207. Pwyslais yn y gwreiddiol.

[83] Burnett a Williams (goln), *A Wandering Scholar*, t. 133; nodir rhif y tudalen o hyn allan yn y testun.

[84] Gw. D. Densil Morgan, 'Llewelyn Evans, Wales and the "Broadening Church"', *Journal of Presbyterian History*, 81 (2003), 221–41; idem, 'Llewelyn Ioan Evans a brwydr y Beibl', *Y Traethodydd*, 163 (2008), 25–38.

[85] Symond, 'Atgofion am Dr Edwards', 72.

[86] Benjamin Hughes, 'Atgofion am Dr Edwards a Dr Parry, Bala', *Y Drysorfa*, 67 (1897), 485–93 (491).

[87] Ibid., 491.

[88] Ibid., 492.

[89] Edwards (gol.), *Bywyd a Llythyrau Lewis Edwards*, t. 206.

[90] Lewis Edwards at Owen Thomas, 20 Mawrth 1858; Edwards (gol.), *Bywyd a Llythyrau Lewis Edwards*, t. 491.

[91] Robert Rhys, *Daniel Owen* (Caerdydd, 2000), t. 32.

[92] Daniel Owen, *Hunangofiant Rhys Lewis, Gweinidog Bethel* (Wrecsam, 1885; arg. cyflawn newydd 1993), t. 342.

[93] Ibid.

[94] Ibid., t. 387.

[95] Ibid., t. 393.

[96] Ibid., t. 388.

[97] Ibid., t. 400.

[98] Ibid.

Pennod 7

[1] Thomas Charles Edwards (gol.), *Bywyd a Llythyrau Lewis Edwards DD* (Lerpwl, 1901), t. 307.

[2] Lewis Edwards, 'Y feddyginiaeth', *Y Traethodydd*, 7 (1852), 5–12 (5); adargraffwyd yn idem, *Traethodau Llenyddol* (Wrecsam, [1867]), tt. 9–19 (t. 9). Pwyslais yn y gwreiddiol.

[3] Thomas Charles Edwards, 'Amlinelliad o hanes bywyd yr awdur', yn Lewis Edwards, *Athrawiaeth yr Iawn* (Wrecsam, d.d.), tt. iii–viii (t. vii); am enghraifft o fanylrwydd ei esboniadaeth, gw. Lewis Edwards, 'Awyddfryd y creadur yn disgwyl am ddatguddiad meibion Duw (Rhuf. 8: 19–23)', *Y Traethodydd*, 7 (1851), 183–8, a 'Llyfr y Proffwyd Eseia', *Y Traethodydd*, 10 (1854) 251–6; adargraffwyd yn idem, *Traethodau Duwinyddol* (Wrecsam, [1872]), tt. 560–7, 398–407.

[4]   Thomas Bowen, *Dinas Caerdydd a'i Methodistiaeth Galfinaidd* (Caerdydd, 1927), t. 54.

[5]   Lewis Edwards, 'Traethawd ar hanes duwinyddiaeth y gwahanol oesoedd', rhaglith i George Lewis, *Drych Ysgrythurol, neu Gorph o Dduwinyddiaeth* (Wrecsam, d.d.), tt. i–cxxx (t. v).

[6]   Lewis Edwards, 'Ysbrydoliaeth yr ysgrythur', *Y Traethodydd*, 1 (1845), 82–8 (83); adargraffwyd yn idem, *Traethodau Duwinyddol*, tt. 551–9 (t. 553).

[7]   Edwards, 'Ysbrydoliaeth yr ysgrythur', *Traethodau Duwinyddol*, t. 553

[8]   Ibid.

[9]   Edwards (gol.), *Bywyd a Llythyrau Lewis Edwards*, t. 509. Pwyslais yn y gwreiddiol.

[10]   Edwards, 'Ysbrydoliaeth yr ysgrythur', *Traethodau Duwinyddol*, t. 559.

[11]   Edwards (gol.), *Bywyd a Llythyrau Lewis Edwards*, t. 507.

[12]   R. O. Rees, *Cysondeb y Pedair Efengyl, yn nghyda thraethawd agoriadol gan . . . L. Edwards* (Dolgellau, 1855); adargraffwyd fel 'Traethawd arweiniol ar y Pedair Efengyl', *Traethodau Duwinyddol*, tt. 221–46 (t. 221).

[13]   Edwards, 'Traethawd arweiniol ar y Pedair Efengyl', *Traethodau Duwinyddol*, t. 222.

[14]   Ibid., t. 235.

[15]   Cf. Stephen Neill a Tom Wright, *The Interpretation of the New Testament, 1861–1986* (Oxford, 1988), tt. 13–29; Karl Barth, *Protestant Theology in the Nineteenth Century* (London, 2001), tt. 485–93, 527–54.

[16]   Edwards (gol.), *Bywyd a Llythyrau Lewis Edwards*, t. 461.

[17]   Griffith Parry, 'Y diweddar Barchedig Dr Edwards, Y Bala', *Y Drysorfa*, 57 (1887), 321–7 (326–7).

[18]   Gw. R. Tudur Jones, *Ffynonellau Hanes yr Eglwys: Y Cyfnod Cynnar* (Caerdydd, 1979) am y deunydd patristig, a Griffith T. Roberts, *Dadleuon Methodistaidd Cynnar* (Abertawe, 1970) am astudiaeth ddisglair o'r dadleuon diweddarach.

[19]   Lewis Edwards, 'Nodiadau ychwanegol: cysondeb y ffydd', *Traethodau Duwinyddol*, tt. 701–3 (t. 701).

[20]   Ibid., t. 701.

[21]   Lewis Edwards, 'Cysondeb y ffydd 1: sylwadau rhagarweiniol', *Y Traethodydd*, 1 (1845), 15–25 (17); adargraffwyd yn idem, *Traethodau Duwinyddol*, tt. 124–36 (t. 126).

[22]   Edwards, 'Cysondeb y ffydd 1', *Traethodau Duwinyddol*, t. 125.

[23]   Ibid.

[24]   Ibid., t. 126.

[25]   Llewelyn Ioan Evans, 'Adolygiad', *Y Cyfaill o'r Hen Wlad*, 55 (1892), 220–3 (220).

[26]   Edwards, 'Cysondeb y ffydd 1', *Traethodau Duwinyddol*, t. 134.

[27]   Ibid., t. 135.

[28]   Ibid., t. 136.

[29]   Lewis Edwards, 'Yr arfaeth', *Y Traethodydd*, 9 (1853), 129–39 (130); adargraffwyd fel 'Cysondeb y ffydd: III', yn idem, *Traethodau Duwinyddol*, tt. 147–59 (t. 148).

[30]   Edwards, 'Cysondeb y ffydd: III', *Traethodau Duwinyddol*, t. 148.

[31]   Ibid.

[32]   Ibid.

[33]   Ibid., t. 149.

[34]   Ibid.

[35]   Ibid., t. 150.

[36]   Ibid.

[37]   Cf. Charles Edwards, *Y Ffydd Ddi-ffuant, sef Hanes y Ffydd Gristianogol a'i Rhinwedd* (1677), arg. newydd (Caerdydd, 1936), tt. 259–99; John Jenkins, *Gwelediad y Palas Arian, neu Gorph o Dduwinyddiaeth*, ail arg. (Merthyr Tudful, 1820), tt. 130–48; George Lewis, *Drych Ysgrythurol, neu Gorph o Dduwinyddiaeth*, gol. Lewis Edwards (Wrecsam, d.d.), tt. 74–91.

[38]   Edwards, 'Cysondeb y ffydd: III', *Traethodau Duwinyddol*, t. 151.

[39]   Ibid.

[40]   Ibid., t. 156.

[41]   Karl Barth, *Church Dogmatics*, II/2 (Edinburgh, 1957), tt. 3–449.

[42]   Edwards, 'Cysondeb y ffydd: III', *Traethodau Duwinyddol*, t. 159.

[43]   Am ymdriniaeth fwy cyflawn gw. D. Densil Morgan, 'Lewis Edwards ac Athrawiaeth yr Iawn', *Cylchgrawn Hanes Eglwys Bresbyteraidd Cymru*, 31 (2007), 52–75.

[44]   Lewis Edwards, 'Cysondeb y ffydd II: angenrheidrwydd a natur yr iawn', *Y Traethodydd*, 2 (1846), 71–82, a 'Cysondeb y ffydd III: helaethrwydd yr iawn', 442–55; adargraffwyd yn *Traethodau Duwinyddol*, tt. 182–96, 196–213.

[45]   Edwards, 'Cysondeb y ffydd II', *Traethodau Duwinyddol*, t. 192.

[46]   Ibid.

[47]   Gw. W. T. Owen, *Edward Williams DD: His Life, Thought and Influence* (Cardiff, 1963).

[48]   [Owen Thomas], 'Nodiadau llenyddol', *Y Traethodydd*, 12 (1856), 505–16 (513).

[49]   Gw. B. A. Gerrish, *Tradition and the Modern World: Reformed Theology in the Nineteenth Century* (Chicago, 1978), tt. 71–98; y disgrifiad panoramig gorau o waith Erskine, Edward Irving a McLeod Campbell yn yr Alban, a Coleridge, Mudiad Rhydychen, F. D. Maurice ac eraill yn Lloegr yw John Tulloch, *Movements of Religious Thought in Britain during the Nineteenth Century* (1885), arg. newydd gyda rhagymadrodd gan A. C. Cheyne (Leicester, 1971).

[50]   [Thomas], 'Nodiadau llenyddol', 513.

[51] Cf. George M. Tuttle, *So Rich a Soil: John McLeod Campbell on Christian Atonement* (Edinburgh, 1986); Michael Jinkins, *Love is of the Essence: An Introduction to the Theology of John McLeod Campbell*

(Edinburgh, 1993): T. F. Torrance, *Scottish Theology from John Knox to John McLeod Campbell* (Edinburgh, 1996), tt. 287–317; James C. Goodloe, *John McLeod Campbell: the Extent and Nature of the Atonement* (Princeton, 1997).

[52]   Ieuan Ellis, *Seven against Christ: A Study in Essays and Reviews* (Leiden, 1980).

[53]   V. F. Storr, *The Development of English Theology in the Nineteenth Century, 1800–60* (London, 1913), dyfynnwyd yn Boyd Hilton, *The Age of Atonement: The Influence of Evangelicalism on Social and Economic Thought, 1785–1865* (Oxford, 1986), t. 5.

[54]   Hilton, *The Age of Atonement*, t. 273.

[55]   Ibid., t. 281.

[56]   Lewis Edwards, *Athrawiaeth yr Iawn* (Wrecsam, [1860]), t. 10. Nodir rhif y tudalen o hyn allan yn y testun.

[57]   Benjamin Jowett, *The Epistles to the Thessalonians, Galatians, Romans, with critical notes and dissertations*, volume 2 (London, 1855); gw. Morgan, 'Lewis Edwards ac Athrawiaeth yr Iawn', 61–4.

[58]   Gw. Tulloch, *Movements of Religious Thought in Britain* (1971), tt. 260–94; A. M. Ramsey, F. D. *Maurice and the Conflicts of Modern Theology* (Cambridge, 1951); Bernard M. G. Reardon, *Religious Thought in the Victorian Age* (London, 1980), tt. 158–215; Morgan, 'Lewis Edwards ac Athrawiaeth yr Iawn', 67–9.

[59]   Edwards (gol.), *Bywyd a Llythyrau Lewis Edwards*, t. 556.

[60]   John Moses, '*Athrawiaeth yr Iawn*: I', *Y Cyfaill o'r Hen Wlad* (1887), 180–2 (180).

[61]   John Moses, '*Athrawiaeth yr Iawn*: II', *Y Cyfaill o'r Hen Wlad* (1887), 224–6 (225–6).

[62]   Lewis Edwards, 'Cysylltiad gweddi a gweinidogaeth y Gair', *Y Drysorfa*, 22 (1852), 401–5; adargraffwyd yn *Traethodau Duwinyddol*, tt. 523–31 (t. 525).

[63]   Edwards, 'Cysylltiad gweddi a gweinidogaeth y Gair', *Traethodau Duwinyddol*, t. 525.

[64]   Edwards (gol.), *Bywyd a Llythyrau Lewis Edwards*, t. 456.

[65]   Thomas Rees, *History of Protestant Nonconformity in Wales* (London, 1861), t. 462.

[66]   Edwards (gol.), *Bywyd a Llythyrau Lewis Edwards*, tt. 456–7.

[67]   Lewis Edwards, 'Yr Ysgol Sabbothol a'r diwygiad', *Yr Ymwelydd*, 5 (1860), 1–3; adargraffwyd yn *Traethodau Duwinyddol*, tt. 505–8 (t. 507).

[68]   Edwards (gol.), *Bywyd a Llythyrau Lewis Edwards*, t. 432.

[69]   Ibid., t. 442.

[70]   *North Wales Chronicle* (22 Mai 1858), dyfynnwyd gan Ieuan Gwynedd Jones, 'Merioneth politics in mid-nineteenth century', *Explorations and Explanations: Essays in the Social History of Victorian Wales* (Llandysul, 1981), tt. 83–164 (t. 102).

[71]   Jones, 'Merioneth politics in mid-nineteenth century', t. 108.

[72]   *North Wales Chronicle* (27 Mawrth 1858).

[73]   Gw. Ieuan Gwynedd Jones (gol.), *The Religious Census of 1851: a Calendar of the Returns Relating to Wales*, cyfrol 2 (Cardiff, 1981), tt. 248–57.

[74]   Jones, 'Merioneth politics in mid-nineteenth century', t. 106.

[75]   Gw. *North Wales Chronicle* (22 Ionawr 1859).

[76]   Jones, 'Merioneth politics in mid-nineteenth century', t. 111.

[77]   Ibid., t. 117.

[78]   Gw. J. Wynne Williams, *Father Jones of Cardiff: a Memoir* (London, 1907), tt. 12–22; A. Tudno Williams, *Mudiad Rhydychen a Chymru* (Dinbych, 1983), tt. 58–9.

[79]   Jones, 'Merioneth politics in mid-nineteenth century', t. 109.

[80]   Ibid., t. 129.

[81]   *Baner Cymru* (4 Mai 1859).

[82]   Ibid.

[83]   Ibid.

[84]   Ibid.

[85]   Jones, 'Merioneth politics in mid-nineteenth century', t. 133.

[86]   Ibid., t. 140.

[87]   *Baner Cymru* (24 Awst 1859).

[88]   Ibid.

[89]   Edwards (gol.), *Bywyd a Llythyrau Lewis Edwards*, t. 342; cf. 'Athrofa y Bala' (1856), yn *Traethodau Duwinyddol*, tt. 452–65.

[90]   Edwards (gol.), *Bywyd a Llythyrau Lewis Edwards*, tt. 343–4.

[91]   Ibid., t. 344.

[92]   Gw. [Humphrey Gwalchmai], *Gweithred Gyfreithiol, hysbysol o amcanion a threfniadau Cyfundeb y Methodistiaid Calfinaidd Cymreig, a ddyddiwyd 10 Awst 1826* (Llangollen, 1843).

[93]   Griffith Ellis, *Cofiant y Parchedig Edward Morgan Dyffryn* (Dinbych, 1906), t. 87.

[94]   Ibid., t. 101.

[95]   Ibid., t. 102.

[96]   Ibid., t. 105.

[97]   Ibid.

[98]   Lewis Edwards at Mrs Richard Davies, 11 Mehefin 1858; Edwards (gol.), *Bywyd a Llythyrau Lewis Edwards*, t. 348.

[99]   Ellis, *Cofiant Edward Morgan*, t. 311.

[100]   Ibid.

[101]   Ibid., t. 318.

[102]   Ibid., t. 319.

[103]   Ibid., t. 321.

[104]   Ibid., t. 351.

[105]   Ibid., t. 346.

Pennod 8

[1]   D. D. Williams, *Llawlyfr Hanes y Cyfundeb* (Caernarfon, [1926]), t. 216.

[2]   Gw. Gomer M. Roberts, *Y Can Mlynedd Hyn: Hanes Dechreuad a Datblygiad Cymanfa Gyffredinol Eglwys Bresbyteraidd Cymru* (Caernarfon, 1958), tt. 7–8.

[3]   Thomas Charles Edwards (gol.), *Bywyd a Llythyrau Lewis Edwards DD* (Lerpwl, 1901), t. 435.

[4]   John Roberts, *Methodistiaeth Galfinaidd Cymru: Ymgais at Athroniaeth ei Hanes* (Llundain, 1931), tt. 101–2.

[5]   Lewis Edwards, 'Trem ar sefyllfa bresennol y Methodistiaid', *Y Drysorfa*, 28 (1858), 1–10 (6); adargraffwyd yn idem, *Traethodau Duwinyddol* (Wrecsam, [1872]), tt. 378–88 (tt. 383–4).

[6]   Edwards, *Traethodau Duwinyddol*, t. 384.

[7]   Ibid., t. 380.

[8]   Edwards, 'Y fugeiliaeth eglwysig', *Traethodau Duwinyddol*, tt. 466–72 (t. 467).

[9]   Gw. Griffith Ellis, *Cofiant y Parchedig Edward Morgan Dyffryn* (Dinbych, 1906), t. 124.

[10]   Lewis Edwards, 'Anerchiad 1850', *Traethodau Duwinyddol*, tt. 631–4 (t. 634).

[11]   Edwards (gol.), *Bywyd a Llythyrau Lewis Edwards*, t. 534.

[12]   Gw. Stewart J. Brown, *Thomas Chalmers and the Godly Commonwealth in Scotland* (Oxford, 1982).

[13]   Lewis Edwards, 'Chalmers ac Irving', *Traethodau Llenyddol* (Wrecsam, [1867]), tt. 355–68 (t. 362).

[14]   Ibid., t. 363.

[15]   J. J. Roberts (Iolo Carnarvon), *Cofiant Owen Thomas DD, Liverpool* (Caernarfon, [1913]), t. 347.

[16]   Ellis, *Cofiant y Parchedig Edward Morgan Dyffryn*, t. 230.

[17]   Roberts, *Methodistiaeth Galfinaidd Cymru*, t. 140.

[18]   Edwards (gol.), *Bywyd a Llythyrau Lewis Edwards*, t. 502.

[19]   Ibid., t. 505.

[20]   Ibid., tt. 352–3.

[21]   Ibid., t. 359.

[22]   J. J. Morgan, *Cofiant Edward Matthews Ewenni* (Yr Wyddgrug, 1922), t. 123.

[23]   Edwards (gol.), *Bywyd a Llythyrau Lewis Edwards*, t. 363.

[24]   Ibid., t. 352.

[25]   Ibid.

[26]   Ibid., t. 369.

[27]   Ibid., t. 366.

[28]   Ibid., t. 368. Pwyslais yn y gwreiddiol.

[29] Ibid. Pwyslais yn y gwreiddiol.

[30] Roberts, *Cofiant Owen Thomas*, t. 199.

[31] Edwards (gol.), *Bywyd a Llythyrau Lewis Edwards*, t. 493.

[32] Ibid., t. 495.

[33] Ibid., t. 386.

[34] Gw. J. Puleston Jones, 'Principal Thomas Charles Edwards MA DD', yn J. Vyrnwy Morgan (gol.), *Welsh Religious Leaders of the Victorian Era* (London, 1905), tt. 357–77 (t. 356).

[35] Edwards (gol.), *Bywyd a Llythyrau Lewis Edwards*, t. 389.

[36] Mynegir yr argyfwng yn ingol gan Pattison yn ei hunangofiant, *Memoirs of an Oxford Don* (London, 1885; arg. newydd, 1988).

[37] Edwards (gol.), *Bywyd a Llythyrau Lewis Edwards*, t. 390.

[38] Ibid., t. 395.

[39] Trebor Lloyd Evans, *Lewis Edwards, ei Feddwl a'i Waith* (Abertawe, 1967), t. 125.

[40] Edwards (gol.), *Bywyd a Llythyrau Lewis Edwards*, t. 539.

[41] Ibid., t. 401.

[42] Lewis Edwards, 'Ysgrifeniadau Morgan Llwyd', *Y Traethodydd*, 4 (1848), 30–44 (30); adargraffwyd yn idem, *Traethodau Llenyddol*, tt. 133–52 (t. 133).

[43] Lewis Edwards, 'Cyhoeddiadau cyfnodol y Cymry: 1', *Y Traethodydd*, 4 (1848), 361–72, 453–72 (469); adargraffwyd yn idem, *Traethodau Llenyddol*, tt. 505–85 (t. 520).

[44] Lewis Edwards, 'Mr Johnes, Syr Thomas Phillips a'r *Quarterly Review*', *Y Traethodydd*, 6 (1850), 376–86 (377); adargraffwyd yn idem, *Traethodau Llenyddol*, tt. 113–26 (t. 114).

[45] Edwards, 'Y fugeiliaeth eglwysig', *Traethodau Diwinyddol*, t. 470.

[46] Thomas Bowen, *Dinas Caerdydd a'i Methodistiaeth* (Caerdydd, 1927), tt. 54–5.

[47] Ibid., t. 55.

[48] Edwards (gol.), *Bywyd a Llythyrau Lewis Edwards*, t. 394.

[49] Lewis Edwards, 'Ein gwaith fel cyfundeb', *Y Drysorfa*, 37 (1867), 321–8 (323); adargraffwyd yn idem, *Traethodau Duwinyddol*, tt. 366–77 (tt. 368–9).

[50] Edwards (gol.), *Bywyd a Llythyrau Lewis Edwards*, t. 402.

[51] Ibid.

[52] Edwards, 'Ein gwaith fel cyfundeb', *Traethodau Duwinyddol*, t. 368.

[53] 9 Ebrill 1869; Edwards (gol.), *Bywyd a Llythyrau Lewis Edwards*, t. 418.

[54] Lewis Edwards, 'Yr hen brifysgolion a'r brifysgol i Gymru', *Y Traethodydd*, 20 (1865), 133–43 (140); adargraffwyd yn idem, *Traethodau Llenyddol*, tt. 176–89 (t. 184).

[55] Edwards (gol.), *Bywyd a Llythyrau Lewis Edwards*, t. 543.

[56] Edwards, 'Yr hen brifysgolion', *Traethodau Llenyddol*, tt. 184–5.

[57] Edwards (gol.), *Bywyd a Llythyrau Lewis Edwards*, t. 370.

[58] Ibid.

[59] Ibid.

[60] Ibid., t. 540. Pwyslais yn y gwreiddiol.

[61]   Ibid., t. 543.

[62]   Ibid., t. 544.

[63]   Ibid., t. 543.

[64]   Ibid., t. 429.

[65]   Lewis Edwards, 'Ychydig sylwadau ar ragrith', *Y Drysorfa*, 32 (1862), 1–6; adargraffwyd yn *Traethodau Duwinyddol*, tt. 389–97.

[66]   Lewis Edwards, 'Pa fodd i wneuthur daioni', *Y Drysorfa*, 33 (1863), 175–7; adargraffwyd yn *Traethodau Duwinyddol*, tt. 539–45.

[67]   Edwards, 'Ychydig sylwadau ar ragrith', *Traethodau Duwinyddol*, t. 391.

[68]   Edwards (gol.), *Bywyd a Llythyrau Lewis Edwards*, tt. 374–5.

[69]   Ibid., t. 398.

[70]   Ibid., t. 399.

[71]   Ibid., t. 400.

[72]   Ibid., t. 435.

[73]   Evans, *Lewis Edwards, ei Feddwl a'i Waith*, tt. 219–20.

[74]   Gw. Lewis Edwards, 'Shedd ar hanes yr athrawiaeth', *Y Traethodydd*, 20 (1865), 251–4; adargraffwyd yn *Traethodau Llenyddol*, tt. 289–91.

[75]   Am y Ddiwinyddiaeth Ffederal, gw. R. Tudur Jones, 'Athrawiaeth y cyfamodau', *Grym y Gair a Fflam y Ffydd: Ysgrifau ar Hanes Crefydd yng Nghymru*, gol. D. Densil Morgan (Bangor, 1998), tt. 9–16; cf. Karl Barth, *Church Dogmatics*, IV/1 (Edinburgh, 1956), tt. 54–66.

[76]   Gw. R. T. Jenkins, *Hanes Cynulleidfa Hen Gapel, Llanuwchllyn* (Y Bala, 1937), tt. 117–30.

[77]   Lewis Edwards, 'Traethawd ar hanes diwinyddiaeth y gwahanol oesoedd', rhaglith i George Lewis, *Drych Ysgrythurol, neu Gorph o Ddifinyddiaeth* (Wrecsam, d.d.), tt. cxxviii–ix; nodir rhif y tudalennau o hyn allan yn y testun.

[78]   Evans, *Lewis Edwards, ei Feddwl a'i Waith*, t. 216.

[79]   Lewis Edwards, *Athrawiaeth yr Iawn* (Wrecsam, [1860]), t. 38.

[80]   Lewis Edwards, 'Yr Hyfforddwr', *Charles o'r Bala*, 1 (1859), 1–15; adargraffwyd yn *Traethodau Duwinyddol*, tt. 617–30 (tt. 627–8).

[81]   Lewis Edwards, *Person Crist*, gol. T. C. Edwards (Y Bala, 1904), t. 11.

[82]   Ibid., t. 14.

[83]   Edwards, *Athrawiaeth yr Iawn*, t. 58.

[84]   Edwards, 'Mr Johnes, Syr Thomas Phillips a'r *Quarterly Review*', *Traethodau Llenyddol*, tt. 113–26 (t. 125).

[85]   Edwards, 'Yr Hyfforddwr', *Traethodau Duwinyddol*, t. 628.

[86]   Ibid.

[87]   Edwards (gol.), *Bywyd a Llythyrau Lewis Edwards*, t. 512.

[88]   Gw. Jenkins, *Hanes Cynulleidfa Hen Gapel*, tt. 131–72; W. T. Owen, *Edward Williams DD, his Life, Thought and Influence* (Cardiff, 1963); R. Tudur Jones, *Hanes Annibynwyr Cymru* (Abertawe, 1966), tt. 171–6.

[89]   Gw. E. Pan Jones, *Oes a Gwaith y Prif Athraw y Parch. Michael Daniel Jones* (Bala, 1903), tt. 49–75.

90   Dafydd Tudur, 'The life, work and thought of Michael Daniel Jones (1822–1898)' (traethawd Ph.D. anghyhoeddedig, Prifysgol Bangor, 2006), 57.

91   Gw. R. Tudur Jones, *Grym y Gair a Fflam y Ffydd*, tt. 213–16.

92   Tudur, 'The life, work and thought of Michael Daniel Jones', 74.

93   Ibid., 59.

94   Ibid., 74.

95   Llyfrgell Genedlaethol Cymru (LlGC), Archif y Methodistiaid Calfinaidd, Lewis Edwards at Owen Thomas, cyfrol llythyrau 1862–82, rhif 5. Pwyslais yn y gwreiddiol.

96   Am yr helynt gw. R. Tudur Jones, *Hanes Annibynwyr Cymru*, tt. 253–8.

97   Rhianydd Morgan, 'John Peters (Ioan Pedr) 1833–77: ei fywyd ac agweddau ar ei waith' (traethawd M.Phil anghyhoeddedig, Prifysgol Aberystwyth, 1989), 299.

98   Ibid., 305; ceir crynodeb byr o'r gwaith helaeth hwn gan yr awdur yn *Ioan Pedr*, cyfres Llên y Llenor (Caernarfon, 1999).

99   Ieuan Gwynedd Jones, 'Merionethshire politics in mid-nineteenth century', *Explorations and Explanations: Essays in the Social History of Victorian Wales* (Llandysul, 1981), tt. 83–164 (t. 150); ceir crynodeb o'r araith tt. 150–3.

100   *Baner Cymru* (3 Hydref 1866).

101   Gw. Jones, 'Cardiganshire politics in the mid-nineteenth century', *Explorations and Explanations*, tt. 165–92.

102   Edwards (gol.), *Bywyd a Llythyrau Lewis Edwards*, t. 442.

103   Ibid.

104   Ibid., t. 443.

105   Owen Thomas, *Cofiant y Parchedig Henry Rees*, cyfrol 2 (Wrecsam, 1891), t. 682.

106   Am y cefndir gw. Matthew Cragoe, *Culture, Politics and National Identity in Wales, 1832–86* (Oxford, 2004), tt. 20, 67–71.

107   Jones, 'Merionethshire politics in mid-nineteenth century', t. 145.

108   Dyfynnwyd yn Edward Davies, 'Etholiad '59', *Cymru*, 36 (1909), 77–99 (99).

109   Edwards (gol.), *Bywyd a Llythyrau Lewis Edwards*, t. 444.

110   Cragoe, *Culture, Politics and National Identity in Wales*, t. 71.

Pennod 9

1   Thomas Charles Edwards (gol.), *Bywyd a Llythyrau Lewis Edwards DD* (Lerpwl, 1901), tt. 470–1.

2   Ibid., tt. 495–6.

3   Glanmor Williams, 'The fire on Cambria's altar', *The Welsh and their Religion: Historical Essays* (Cardiff, 1991), tt. 1–72 (t. 68).

4   Cynhwyswyd sylwadau Edwards yn nheyrnged Roger Edwards, 'Y diweddar Barch. John Phillips', *Y Drysorfa*, 252 (1857), 441–2.

⁵ Lewis Edwards, 'Pregeth angladdol y diweddar Barch. Henry Rees', *Y Drysorfa*, 59 (1889), 361–6 (363).

⁶ Ibid., 363.

⁷ Ibid., 364.

⁸ Edwards (gol.), *Bywyd a Llythyrau Lewis Edwards*, t. 524.

⁹ Ceir cofnod amdano yn *Y Goleuad* (30 Medi 1871), 8–9.

¹⁰ 'Cymdeithasfa Llanfair Caereinion', *Y Goleuad* (1 Gorffennaf 1871), 5.

¹¹ Lewis Edwards, 'Pregeth angladdol i'r diweddar Barch. Ddr Parry', *Y Goleuad* (31 Ionawr 1874), 6–7 (6).

¹² Ibid., 7.

¹³ Ibid.

¹⁴ Gw. G. A. Edwards, 'Efrydwyr Coleg y Bala', *Cylchgrawn Cymdeithas Hanes y Methodistiaid Calfinaidd*, 24 (1939), 29–35, 62–74.

¹⁵ T. R.Jones, *Lewis Edwards DD, y Bala: Penodau o'i Hanes a'i Waith* (Y Bala, 1909), tt. 84–5.

¹⁶ Ibid., t. 85.

¹⁷ W. Hobley, 'Atgofion am y Dr Lewis Edwards: 4', *Y Drysorfa*, 76 (1906), 178–83 (181).

¹⁸ Jones, *Lewis Edwards: Penodau o'i Hanes a'i Waith*, t. 86.

¹⁹ Hobley, 'Atgofion am y Dr Lewis Edwards: 4', 181.

²⁰ Ibid., 183.

²¹ William Roberts, *Trem yn Ôl: Penodau o Atgofion am Grefydd ac Addysg* (Dolgellau, 1929), t. 18.

²² R. T. Jenkins, 'Rabbi Saunderson', yn *Ymyl y Ddalen* (Wrecsam, 1957), tt. 43–63 (t. 51). Pwyslais yn y gwreiddiol.

²³ Ibid., t. 53. Pwyslais yn y gwreiddiol.

²⁴ Jenkins, 'Rabbi Saunderson', t. 54.

²⁵ Roberts, *Trem yn Ôl*, tt. 26–7.

²⁶ Dyfynnwyd gan J. E. Hughes, 'Yr Athro Hugh Williams MA DD, y Bala', yn William Morris (gol.), *Deg o Enwogion* (Caernarfon, 1959), tt. 24–32 (t. 31).

²⁷ Roberts, *Trem yn Ôl*, t. 28.

²⁸ Morris (gol.), *Deg o Enwogion*, t. 29.

²⁹ 'Cymanfa y Sulgwyn yn Lerpwl', *Y Goleuad* (11 Mehefin 1870), 8–10 (9).

³⁰ Lewis Edwards, 'Yr Ysgol Sabothol', *Traethodau Duwinyddol* (Wrecsam, [1872]), tt. 473–88 (t. 478).

³¹ Cf. T. Gwynn Jones, *Cofiant Thomas Gee* (Dinbych, 1913), tt. 306–35; T. I. Ellis (gol.), *Thomas Charles Edwards Letters*, cyfrol 1 (Aberystwyth, 1952), tt. 48–55.

³² Lewis Edwards, 'The grounds upon which Nonconformists can accept a general system of national education', *Traethodau Duwinyddol* (Wrecsam, [1872], tt. 573—80 (tt. 575–6).

³³ W. Hobley, 'Atgofion am y Dr Lewis Edwards: 4', *Y Drysorfa*, 76 (1906), 178–83 (179).

34 Ibid., 179.

35 'Cymdeithasfa Abergele', Y *Goleuad* (1 Ebrill 1871), 3–6 (4).

36 Lewis Edwards, 'Crefydd ysbrydol', *Traethodau Duwinyddol*, tt. 602–6 (t. 605).

37 Lewis Edwards, 'Cymdeithasfa Corwen', *Traethodau Duwinyddol*, tt. 643–5 (t. 644).

38 'Cymanfa y Sulgwyn yn Lerpwl', Y *Goleuad* (30 Mai 1874), 5–6 (5).

39 Am y genhadaeth, gw. John Kent, *Holding the Fort: Studies in Victorian Revivalism* (London, 1978), tt. 134–68; Janice Holmes, *Religious Revivals in Britain and Ireland, 1859–1905* (Dublin, 2000), tt. 69–98.

40 William Pritchard, *Cofiant y Parch. Richard Owen, y 'Diwygiwr'* (Amlwch, 1899), t. 99.

41 Lewis Edwards, 'Ystyriaethau ar adfywiad crefyddol', Y *Drysorfa*, 45 (1875), 241–5, 281–4, 321–4.

42 Gw. J. Gwynn Williams, *The University Movement in Wales* (Cardiff, 1993), tt. 33–5.

43 Lewis Edwards, 'Yr hen brifysgolion a'r brifysgol i Gymru', Y *Traethodydd*, 20 (1865), 133–43 (42); adargraffwyd yn idem, *Traethodau Llenyddol* (Wrecsam, [1867]), tt. 176–89 (t. 188).

44 Cf. sylwadau John Davies, *Hanes Cymru* (Llundain, 1990), tt. 400–6, ar y pwnc hwn.

45 Edwards (gol.), *Bywyd a Llythyrau Lewis Edwards*, t. 403.

46 Gw. J. E. Caerwyn Williams, 'T. C. Edwards a'i gyfraniad i ddiwinyddiaeth Cymru', *Diwinyddiaeth*, 25 (1974), 3–28.

47 Ellis (gol.), *Thomas Charles Edwards Letters*, cyfrol 1, t. 4; yr esgob ar y pryd oedd Joshua Hughes, Cymro Cymraeg ac un o arweinwyr y blaid efengylaidd; gw. Roger L. Brown, *In Pursuit of a Welsh Episcopate: Appointments to Welsh Sees, 1840–1905* (Cardiff, 2005), tt. 116–55.

48 Ellis (gol.), *Thomas Charles Edwards Letters*, cyfrol 1, t. 11.

49 Ibid., t. 5.

50 Ibid., t. 8.

51 Edwards (gol.), *Bywyd a Llythyrau Lewis Edwards*, tt. 549–50. Pwyslais yn y gwreiddiol.

52 J. Puleston Jones, 'Principal Thomas Charles Edwards MA DD', yn J. Vyrnwy Morgan (gol.), *Welsh Religious Leaders of the Victorian Era* (London, 1905), tt. 357–77 (t. 362).

53 'Cyflwyno tysteb i Dr Edwards', Y *Goleuad* (19 Medi 1875), 5–6 (5).

54 Ibid., 5.

55 Ellis (gol.), *Thomas Charles Edwards Letters*, cyfrol 1, t. 110.

56 'Cymdeithasfa Llanfair Caereinion', Y *Goleuad* (1 Gorffennaf 1871), 7.

57 Yn 1848 y ganed Emrys, ac nid 1851 fel y nododd ei gofiannydd T. Gwynn Jones a phawb a'i dilynodd. Nid oedd ynddo waed Ffrengig ychwaith, peth a ychwanegodd at *mystique* Emrys i Gwynn Jones ac eraill; gw. Bill Wynne-Woodhouse, 'The ancestry and early childhood of Emrys ap Iwan: a test of tradition', *Hel Achau*, 21 (1987), 15.

[58]   Ezra Roberts (gol.), *Homilïau Emrys ap Iwan: Cyfrol 1* (Dinbych, 1907), t. 234.

[59]   Gw. Gwilym Arthur Jones, 'Teithi meddwl Emrys ap Iwan', yn *Tair Darlith Goffa; Cymdeithas Emrys ap Iwan* (Abergele, 1991), tt. 45–6 yn arbennig.

[60]   T. Gwynn Jones, *Cofiant Emrys ap Iwan* (Caernarfon, 1912), t. 24.

[61]   Saunders Lewis, 'Emrys ap Iwan', *Ysgrifau Dydd Mercher* (Aberystwyth, 1945), tt. 74–83 (t. 80).

[62]   D. Myrddin Lloyd (gol.), *Detholiad o Erthyglau a Llythyrau Emrys ap Iwan II: Llenyddol a Ieithyddol* (Llundain, 1939), t. xvi.

[63]   Dyfynnwyd yn T. Gwynn Jones, *Cofiant Emrys ap Iwan*, t. 63. Pwyslais yn y gwreiddiol.

[64]   Ibid., t. 62.

[65]   Ibid., t. 64.

[66]   Iwan Trevithick, 'Y llo arall', *Baner ac Amserau Cymru* (11 Ebrill 1877); dyfynnwyd yn D. Myrddin Lloyd (gol.), *Detholiad o Erthyglau a Llythyrau Emrys ap Iwan I: Gwlatgar, Cymdeithasol, Hanesiol* (Llundain, 1937), tt. 51–61 (t. 59).

[67]   Iwan Trevithick, 'Y llo arall', 59.

[68]   Y bregeth 'Y ddysg newydd a'r hen', yn *Homilïau Emrys ap Iwan: Cyfrol 1*, tt. 41–58, oedd sail Gristionogol cenedlaetholdeb Cymru trwy gydol yr ugeinfed ganrif; cf. D. Densil Morgan, 'Basel, Bangor a Dyffryn Clwyd: mater y genedl yng ngwaith Karl Barth ac eraill', yn Gareth Lloyd Jones (gol.), *Cyfamod a Chenadwri: cyfrol Deyrnged i'r Athro Gwilym H. Jones* (Dinbych, 1995), tt. 149–73.

[69]   Lewis Edwards, 'Dyletswydd ein cyfundeb i gefnogi yr achosion Saesneg', *Y Goleuad* (12 Hydref 1878), 11.

[70]   'Cymdeithasfa Dolgellau', *Y Goleuad* (3 Gorffennaf 1880), 6–7 (7).

[71]   Ibid., 7.

[72]   T. Gwynn Jones, *Cofiant Thomas Gee* (Dinbych, 1913), t. 365.

[73]   Codir y dyfyniadau canlynol o T. Gwynn Jones, *Cofiant Emrys ap Iwan*, tt. 89–97; cf. Trebor Lloyd Evans, *Lewis Edwards, ei Fywyd a'i Waith* (Abertawe, 1967), tt. 162–7.

[74]   Ellis (gol.), *Thomas Charles Edwards Letters*, cyfrol 1, t. 40.

[75]   Ibid., t. 26.

[76]   R. Tudur Jones, 'Ymneilltuaeth a'r iaith Gymraeg yn y bedwaredd ganrif ar bymtheg', yn Geraint H. Jenkins (gol.), *'Gwnewch Bopeth yn Gymraeg': yr Iaith Gymraeg a'i Pheuoedd, 1801–1911* (Caerdydd, 1999), tt. 229–50 (t. 249).

[77]   Lewis Edwards, 'Yr achosion Seisnig', *Y Goleuad* (9 Hydref 1880), 12.

[78]   T. Gwynn Jones, *Cofiant Emrys ap Iwan*, t. 101.

[79]   Ibid., t. 102. Pwyslais yn y gwreiddiol.

[80]   Ibid.

[81]   Saunders Lewis, 'Emrys ap Iwan yn 1881', yn R. Geraint Gruffydd (gol.), *Meistri'r Canrifoedd* (Caerdydd, 1974), tt. 371–6 (t. 372).

[82]   Lewis, 'Emrys ap Iwan yn 1881', t. 372.

83   T. Gwynn Jones, *Cofiant Emrys ap Iwan*, t. 105.
84   Ibid., t. 108.
85   Ibid., t. 116.
86   Gw. 'Y cwrdd gweddi', yn D. Myrddin Lloyd (gol.), *Detholiad o Erthyglau a Llythyrau Emrys ap Iwan III: Crefyddol* (Llundain, 1942), tt. 73–9.
87   T. Gwynn Jones, *Cofiant Emrys ap Iwan*, t. 112.
88   Lewis, 'Emrys ap Iwan yn 1881', t. 376.
89   Dyfynnwyd yn Peter Lord, *Delweddu'r Genedl* (Caerdydd, 2000), t. 348; cf. 'Dadorchuddio darlun Dr. Edwards', *Y Goleuad* (29 Medi 1877), 13.
90   T. I. Ellis (gol.), *Thomas Charles Edwards Letters*, cyfrol 2 (Aberystwyth, 1953), t. 174.
91   'Marwolaeth a chladdedigaeth Dr Charles', *Y Goleuad* (21 Rhagfyr 1878), 1–12 (12).
92   R. Buick Knox, *Wales and 'Y Goleuad'* (Caernarfon, 1969), t. 16; Edwards (gol.), *Bywyd a Llythyrau Lewis Edwards*, t. 623.
93   Llewelyn Edwards (gol.), *Person Crist gan Lewis Edwards DD* (Bala, 1905), tt. 34–5.
94   Lewis Edwards, 'Y pwysigrwydd o ddarllen hanes yr eglwys', *Y Goleuad* (22 Rhagfyr 1883), 5.
95   Edwards (gol.), *Bywyd a Llythyrau Lewis Edwards*, t. 627.
96   Ibid., t. 631.
97   Ibid., t. 630.
98   W. Hobley, 'Atgofion am y Dr Lewis Edwards: 6', *Y Drysorfa*, 76 (1906), 267–71 (270–1).
99   'Claddedigaeth Dr Edwards', *Y Goleuad* (30 Gorffennaf 1887), 9–11.
100 Edwards (gol.), *Bywyd a Llythyrau Lewis Edwards*, t. 634.
101 Roberts, *Trem yn Ôl*, t. 33.

Pennod 10

1   'Dr Lewis Edwards', *The British Weekly* (22 Gorffennaf 1887).
2   Thomas Levi, 'Dr Edwards o'r Bala', *Trysorfa y Plant*, 26 (1887), 226–9 (227).
3   Thomas Charles Edwards (gol.), *Bywyd a Llythyrau Lewis Edwards DD* (Lerpwl, 1901), t. 573.
4   Ibid., t. 574.
5   John Pryce Davies, 'Dr Edwards o'r Bala', *Y Traethodydd*, 43 (1888), 124–32 (132).
6   Griffith Parry, 'Y diweddar Barchedig Dr. Edwards, Bala', *Y Drysorfa*, 57 (1887), 321–7, 361–8 (321).
7   Ibid., 322. Pwyslais yn y gwreiddiol.
8   Ibid. Pwyslais yn y gwreiddiol.
9   Ibid., 324.
10 Ibid., 325.

[11]   Ibid., 366.

[12]   Ibid., 325.

[13]   Ibid., 325–6.

[14]   Ibid., 326.

[15]   Ibid.

[16]   Ibid.

[17]   John Hughes, 'Y diweddar Barch. Lewis Edwards DD: rhai sylwadau ar ei wasanaeth', *Y Geninen*, 6 (1888), 1–8 (1).

[18]   Ibid., 2.

[19]   Ibid., 6.

[20]   Ibid.

[21]   Ibid., 7.

[22]   Davies, 'Dr Edwards o'r Bala', 131.

[23]   Ibid., 128.

[24]   Ibid., 129.

[25]   William Williams, 'Y Parchedig Lewis Edwards DD', *Y Geninen*, 6 (1888), 99–102 (99).

[26]   Ibid., 100.

[27]   Ibid., 102.

[28]   Ibid., 101.

[29]   R. S. Thomas, 'Perthynas rhesymegol cyfiawnhad ac ailenedigaeth: II', *Y Cyfaill o'r Hen Wlad*, 53 (1890), 297–300 (298); cf. D. Densil Morgan, *O'r Pwll Glo i Princeton: Bywyd a Gwaith R. S. Thomas, Abercynon 1844–1923* (Bangor, 2005).

[30]   G. Tecwyn Parry, *Y Diweddar Barch. Lewis Edwards MA DD, Y Bala, a'i Weithiau* (Llanberis, 1896).

[31]   R. Buick Knox, 'A Welsh pioneer: Dr Lewis Edwards (1809–87)', *The London Quarterly and Holborn Review*, 33 (1964), 1–8 (7).

[32]   D. Ben Rees, *Pregethwr y Bobl: Bywyd a Gwaith Owen Thomas* (Lerpwl a Phontypridd, 1979).

[33]   Gw. D. D. Williams, *Thomas Charles Edwards* (Lerpwl, 1921).

[34]   William Hobley, 'Atgofion am y Dr Lewis Edwards', *Y Drysorfa*, 60 (1906), 22–5, 68–71, 119–26, 178–83, 219–24, 267–71 (68).

[35]   Ibid., 119.

[36]   Ibid., 121.

[37]   Ibid., 123.

[38]   Ibid., 123.

[39]   Ibid., 124.

[40]   Ibid.

[41]   Ibid., 179.

[42]   Ibid.

[43]   Ibid., 221.

[44]   Ibid., 270.

[45]   T. R. Jones, *Lewis Edwards DD, y Bala: Penodau o'i Hanes a'i Waith* (Y Bala, 1909), t. 34.

46 Ibid., t. 56.

47 Ibid., t. 43.

48 John Owen Jones, 'Dr Lewis Edwards fel diwinydd', *Y Traethodydd*, 55 (1910), 22–32, 123–34 (123).

49 John Owen, 'Y Dr Lewis Edwards fel diwinydd', *Y Geninen*, 28 (1910), 46–8 (47).

50 W. Morris Lewis, 'Canmlwyddiant Dr Lewis Edwards', *Y Traethodydd*, 54 (1909), 464–75 (473).

51 Ibid., 474.

52 J. Cynddylan Jones, 'Calfiniaeth yng Nghymru' (1909), yn *Athrylith a Gras* (Caernarfon, 1925), tt. 182–96 (t. 194).

53 Evan Davies, 'Ein dyled fel cenedl i'r diweddar Barch. Lewis Edwards DD', *Y Traethodydd*, 54 (1909), 404–14 (411).

54 Owen, 'Y Dr Lewis Edwards fel diwinydd', 47–8.

55 Owen Jones, 'Dr Lewis Edwards fel diwinydd', 32.

56 Ibid., 127.

57 Ibid., 24–4.

58 E. Keri Evans a W. Pari Huws, *Cofiant y Parch. David Adams 'Hawen'* (Lerpwl, 1924), t. 181.

59 G. A. Edwards a J. Morgan Jones, *Traethodau'r Deyrnas: Diwinyddiaeth yng Nghymru* (Wrecsam, [1924]), t. 2.

60 Ibid., t. 3.

61 Ibid.

62 Ibid., t. 7.

63 Ibid.

64 Ibid., t. 8.

65 Ibid., t. 3.

66 Gw. Robert Pope, *Seeking God's Kingdom: the Nonconformist Social Gospel in Wales, 1906–39* (Cardiff, 1999), tt. 67–82, 130–49.

67 Gw. William Morris (gol.), *Deg o Enwogion: Ail Gyfres* (Caernarfon, 1965), tt. 77–84; hefyd E. D. Jones a Brynley F. Roberts (goln), *Y Bywgraffiadur Cymreig, 1951–71* (Llundain, 1997), tt. 43–4.

68 Philip J. Jones, 'Theology in Wales during the last eighty years', *The Treasury*, 15 (1927), 8–10, 43–5, 74–5, 106–9, 137–40, 173–4 (8).

69 Ibid., 8.

70 Ibid.

71 Ibid.

72 Ibid.

73 Ibid., 9.

74 Ibid., 10.

75 Ibid.

76 Ibid., 9.

77 Ibid., 74.

78 Lewis Edwards, *Traethodau Duwinyddol* (Wrecsam, [1872]), t. 701.

79 Jones, 'Theology in Wales', 75.

[80]   Ibid., 107.

[81]   Ibid., 43.

[82]   Ibid.

[83]   J. Cynddylan Jones, 'Dr Lewis Edwards' (1914), *Athrylith a Gras* (Caernarfon, 1925), tt. 7–27.

[84]   R. T. Jenkins, *Edrych yn Ôl* (Llundain, 1968), tt. 55–7.

[85]   R. T. Jenkins, 'Dylanwad Dr Lewis Edwards ar feddwl Cymru'(1931), *Ymyl y Ddalen* (Wrecsam, 1957), tt. 190–207 (t. 207).

[86]   Ibid., t. 192. Pwyslais yn y gwreiddiol.

[87]   Ibid., t. 193.

[88]   Ibid., t. 195.

[89]   Ibid., t. 197.

[90]   Ibid., t. 203.

[91]   Ibid., tt. 203–4.

[92]   Gw. D. Densil Morgan, *The Span of the Cross: Christian Religion and Society in Wales, 1914–2000* (Cardiff, 1999), tt. 107–30.

[93]   D. D. Williams, *Llawlyfr Hanes y Cyfundeb* (Caernarfon, [1926]), t. 279.

[94]   Gw. D. Densil Morgan, *Cedyrn Canrif: Crefydd a Chymdeithas yng Nghymru'r Ugeinfed Ganrif* (Caerdydd, 2001), tt. 105–57; idem, 'The early reception of Karl Barth's theology in Britain: a supplementary view', *Scottish Journal of Theology*, 54 (2001), 504–27.

[95]   R. T. Jenkins, 'Y tri Beibl', *Y Traethodydd*, cyfrol newydd, 7 (1942), 60–73 (62); adargraffwyd yn *Cwpanaid o De a Diferion Eraill* (Dinbych, 1997), tt. 180–92.

[96]   Jenkins, 'Y tri Beibl', 63.

[97]   H. Islwyn Davies, 'Y Dr Lewis Edwards a beirniadaeth feiblaidd', *Y Traethodydd*, cyfrol newydd, 9 (1945), 120–8 (127); am yr ymateb i safbwynt Williams gw. D. Densil Morgan, 'Owen Thomas (1812–91) and the Welsh Nonconformist response to "the Lampeter Theology"', *The Welsh Journal of Religious History/Cylchgrawn Hanes Crefydd Cymru*, 1 (2006), 27–49.

[98]   H. Islwyn Davies, 'Y Dr Lewis Edwards a diwinyddiaeth Caergrawnt', *Y Traethodydd*, cyfrol newydd, 9 (1945), 31–42 (37).

[99]   Davies, 'Y Dr Lewis Edwards a beirniadaeth feiblaidd', 123.

[100] Davies, 'Y Dr Lewis Edwards a diwinyddiaeth Caergrawnt', 33.

[101] Ibid., 34.

[102] H. Islwyn Davies, 'Y Dr Lewis Edwards a diwinyddiaeth Caergrawnt', *Y Traethodydd*, 9 (1945), 5–14 (6).

[103] Ibid., 5.

[104] Ibid., 6.

[105] Ibid., 13.

[106] Ibid., 9.

[107] Gw. R. Tudur Jones, *Congregationalism in England, 1662–1962* (London, 1962), tt. 352–4, 450–7.

[108] Davies, 'Y Dr Lewis Edwards a diwinyddiaeth', 5.

[109] Ibid., 12.
[110] Ibid.
[111] Ibid., 13.
[112] Gw. Robert Pope, 'Thomas Hywel Hughes (1875–1945): a forgotten theologian', *The Welsh Journal of Religious History*, 5 (2005), 9–35.
[113] T. Hywel Hughes, *The Atonement: Modern Theories of the Doctrine* (London, 1949), t. 95.
[114] Ibid.
[115] Ibid., t. 96.
[116] Glyn Richards, 'A study of the theological developments among Non-conformists in Wales during the nineteenth century' (traethawd B.Litt anghyhoeddedig, Prifysgol Rhydychen, 1957).
[117] Ibid., 160.
[118] Ibid., 161.
[119] Ibid., 163–4.
[120] Ibid., 164.
[121] Gw. y sylwadau hungofiannol yn Trebor Lloyd Evans, *Y Cathedral Anghydffurfiol Cymraeg* (Abertawe, 1972), tt. 122–36.
[122] Trebor Lloyd Evans, *Lewis Edwards, Ei Fywyd a'i Waith* (Abertawe, 1967), t. 264.
[123] Trebor Lloyd Evans, 'Lewis Edwards a'r Annibynwyr', *Y Dysgedydd* (1945), 87–91; idem, 'Lewis Edwards ac athroniaeth', *Efrydiau Athronyddol*, 14 (1951), 29–36; idem, 'Rhyddiaith Lewis Edwards', yn Geraint Bowen (gol.), *Y Traddodiad Rhyddiaith* (Llandysul, 1970), tt. 367–80.
[124] Seiliwyd *Lewis Edwards, Ei Fywyd a'i Waith* ar draethawd anghyhoeddedig 'Bywyd a gwaith Lewis Edwards' a gyflwynwyd ar gyfer gradd MA, Prifysgol Bangor, yn 1949.
[125] Evans, *Lewis Edwards, Ei Fywyd a'i Waith*, t. 267.
[126] Ibid., t. 251.
[127] Ibid., t. 272.
[128] Ibid., t. 274.
[129] Lewis Edwards, *The Doctrine of the Atonement* (London, 1888).
[130] Gw. R. Buick Knox, *Voices from the Past: A History of the English Conference of the Presbyterian Church of Wales, 1889–1938* (Llandysul, 1969); idem, *Wales and 'Y Goleuad': 1869–1879* (Caernarfon, 1970).
[131] Knox, 'A Welsh pioneer', 33.
[132] Ibid., 36.
[133] T. I. Ellis (gol.), *Thomas Charles Edwards Letters*, cyfrol 3 (Aberystwyth, 1953), t. xi.
[134] Ibid., t. xii.
[135] Knox, 'A Welsh pioneer', 37.
[136] Ibid., 37–8.
[137] Evans, 'Rhyddiaith Lewis Edwards', t. 375.
[138] Bobi Jones, *Sioc o'r Gofod* (Dinbych, 1971), t. 58.

[139] Ibid., t. 49.

[140] Gw. D. Densil Morgan, 'Gweledigaeth gyfannol Bobi Jones: gwerth-fawrogiad beirniadol', *Llên Cymru*, 20 (1997), 120–37.

[141] R. M. Jones, *Llên Cymru a Chrefydd* (Llandybïe, 1977), t. 98; nodir rhif y tudalen yn y testun o hyn ymlaen.

[142] Am ddylanwad hynod Schaeffer ar Gristionogion efengylaidd yr 1970au a'r 1980au, ynghyd â beirniadaeth lem o'r diffygion yn ei waith, gw. Ronald W. Ruegsegger (gol.), *Reflections on Francis Schaeffer* (Grand Rapids, 1986).

[143] Gw. John Emyr, *Bobi Jones: Writers of Wales* (Cardiff, 1991), tt. 11–12.

[144] Geoffrey Thomas, 'Rhai agweddau ar y dirywiad diwinyddol Cymreig', yn E. Wyn James (gol.), *Cwmwl o Dystion* (Abertawe, 1977), tt. 114–29 (t. 114).

[145] Ibid., t. 115.

[146] Ibid.

[147] Ibid.

[148] Ibid., t. 117. Pwyslais yn y gwreiddiol.

[149] Ibid., t. 118.

[150] Ibid., t. 116.

[151] Ibid., t. 121.

[152] R. M. Jones, 'Tri mewn llenyddiaeth', *Llên Cymru*, 14 (1981–2), 92–110 (105).

[153] Ibid., t. 105.

[154] Ibid., t. 106.

[155] Ibid., t. 107.

[156] Ibid., t. 108.

[157] Thomas Charles Edwards (gol.), *Bywyd a Llythyrau Lewis Edwards DD* (Lerpwl, 1901), t. 225.

[158] Ibid., t. 397.

[159] Morgan, 'Gweledigaeth gyfannol Bobi Jones', 136.

[160] R. Tudur Jones, *Ffydd ac Argyfwng Cenedl: Hanes Crefydd yng Nghymru, 1890–1914*, cyfrol 2; *Dryswch a Diwygiad* (Abertawe, 1982), t. 47.

[161] Gwyn Davies, *Golau Gwlad: Cristnogaeth yng Nghymru, 200–2000* (Penybont-ar-Ogwr, 2002), t. 95.

[162] Ibid.

[163] Ibid.

[164] John Aaron, rhagymadrodd a nodiadau yn Owen Thomas, *The Atonement Controversy in Welsh Theological Literature and Debate, 1707–1841* (Edinburgh, 2002), t. 368.

[165] Ibid., tt. xxvii–iii.

[166] Am ei emynau, ei gyfeithiadau a'i farddoniaeth, gweler yr Atodiad.

[167] Emrys ap Iwan, 'Y clasuron Cymraeg', *Y Geninen*, 12 (1894), 1–12 (12); gw. D. Myrddin Lloyd (gol.), *Llythyrau Emrys ap Iwan II: Llenyddol a Ieithyddol* (Llundain, 1939), tt. 1–44 (t. 44). Pwyslais yn y gwreiddiol.

Atodiad

Cyfieithiad Lewis Edwards o emyn William Cowper (1731–1800) 'God moves in a mysterious way/His wonders to perform', *Y Drysorfa*, 47 (1834), 35.

> Trwy ddirgel ffyrdd mae'r uchel Iôr
> Yn dwyn ei waith i ben;
> Ei ystafelloedd sy yn y môr,
> Mae'n marchog gwynt y nen.
>
> Ynghudd mewn dwfn fwyngloddiau pur
> Doethineb wir ddi-wall,
> Trysori mae fwriadau clir:
> Cyflawnir hwy'n ddi-ball.
>
> Y saint un niwed fyth ni chânt;
> Cymylau dua'r nen
> Sy'n llawn trugaredd, gwlawio wnânt
> Fendithion ar eu pen.
>
> Na farna Dduw â'th reswm noeth,
> Ond cred ei addewid rad;
> Tu cefn i len rhagluniaeth ddoeth
> Mae'n cuddio gŵyneb Tad.
>
> Bwriadau dyfnion arfaeth gras
> Ar fyr aeddfeda'n llawn;
> Gall fod y blodau'n chwerw eu blas,
> Ond melys fydd y grawn.
>
> Ond gwyro mae dychymyg dyn
> Heb gymorth dwyfol ffydd;
> Gadawn i Dduw esbonio'i hun,
> Efe dry'r nos yn ddydd.

Cyfieithiad Lewis Edwards o emyn Martin Luther (1483–1546), 'Ein feste Burg ist inser Gott', *Y Traethodydd*, 5 (1850), 45–6.

> Ein cadarn dŵr yw Duw a'i rad,
>   Ein tarian a'n hamddiffyn:
> Efe a'n gwared rhag pob brad,
>   Er maint yw llid y gelyn.
> Hen frenin uffern ddu
> A ddaeth â'i ffyrnig lu;
> Mewn nerth a dichell mawr,
> Mae'n ymarfogi'n awr;
>   Ni fedd y byd ei gydradd.
>
> Gwan lewyrch ddaw o allu dyn,
>   Mewn trallod blin mae'n diffodd:
> Ond drosodd mae'r addasaf Un,
>   A Duw ei hun a'i trefnodd.
> Pwy yw? medd calon drist;
> Ei enw yw Iesu Grist,
> Llywiawdwr lluoedd nef,
> Ac nid oes neb ond Ef,
>   A lwydda yn yr ymdrech.
>
> A phe bai'r byd yn ddiafliaid oll,
>   Yn gwylied i'n traflyncu,
> Ni raid i'n hyder fyn'd ar goll,
>   Nis gallant ein gorchfygu.
> Tywysog y byd hwn
> Sy'n llawn cynddaredd, gwn;
> Ond niwed o un rhyw
> Nis gall – ei ddedfryd yw,
>   Mai gair ein Duw a'i trecha.
>
> Y gair er gwaethaf uffern gref
>   Un funud nid yw'n oedi;
> Ond llwydda wna amcanion nef,
>   Bys Duw sydd yn mynegi.
> Ein bywyd rhown yn rhwydd,
> A gwraig a phlant o'n gwydd;
> Yn hir nis caem hwynt mwy,
> O'u cael ni elwant hwy;
>   Ond dinas Duw a erys.

Cyfieithiad Lewis Edwards o emyn Henry Francis Lyte (1793–1847), 'Abide with me, fast falls the even tide', yn J. D. Jones ac E. Stephen, *Llyfr Emynau a Thonau* (Wrecsam, 1868), t. 163.

O! aros gyda mi, y mae'n hwyrhau;
    Tywyllwch, Arglwydd, sydd o'm deutu'n cau;
Pan gilia pob cynhorthwy, O! bydd Di,
    Cynhorthwy pawb, yn aros gyda mi.

Cyflym ymgilia dydd ein bywyd brau,
    Llawenydd, mawredd daear sy'n pellhau;
Newid a darfod y mae'r byd a'i fri:
    O!'r Digyfnewid, aros gyda mi.

Nid fel ymdeithydd, Arglwydd, ar ei daith,
    Ond aros gyda mi dros amser maith;
Fel dy ddisgyblion gynt, oes wel'd dy wedd
    Yn llawn tiriondeb pur a dwyfol hedd.

Mae arnaf eisiau th'ŵyneb ar bob awr,
    'Does ond dy ras a ddrysa'r temtiwr mawr:
Pwy all fy arwain, Arglwydd, fel Tydi?
    Bob dydd a nos, O! aros gyda mi.

Nid ofnaf neb pan fyddi di gerllaw;
    Ni theimlaf ddim o ingoedd poen a braw;
Pa le mae colyn angau? P'le mae'r bedd?
    Gorchfygaf hwynt ond im gael gwel'd dy wedd.

O! dal dy groes o flaen fy llygaid llaith;
    Rho'r llewyrch nefol imi ar fy nhaith:
Mae'r wawr yn torri: cyll y bryd ei fri;
    Wrth fyw, wrth farw, O! bydd gyda mi.

Detholiad o Lewis Edwards, 'Cysgod a sylwedd', *Traethodau Duwinyddol* (Wrecsam, [1872]), tt. 489–504.

> . . . Iesu tirion, edrych arnaf
>   Mewn iselder, poen a chur.
> Dyro i'm dy ddwyfol Ysbryd,
>   A'i ddiddanwch sanctaidd, pur.
> Pan f'och ti yn rhoi dy wyneb
>   Y mae llewyrch yn dy wedd,
> Sy'n gwasgaru pob amheuaeth
>   Ac yn trechu ofnau'r bedd.
>
> Edrych arnaf mewn tosturi
>   Pan fo cysur byd yn ffoi:
> Yng nghyfyngder profedigaeth
>   Atat ti dy hun 'rwy'n troi.
> Pan fo natur wan yn methu,
>   Pan fo t'wyllwch o bob tu,
> Pan ddiffoddo lampau'r ddaear,
>   Dyro lewyrch oddi fry.
>
> . . . Geiriau Iesu yw y deddfau,
>   Cariad Iesu yw eu grym;
> Cariad sydd yn llywio'r stormydd
>   A holl lid gelynion llym:
> Cariad Iesu greodd natur,
>   Cariad sy'n ei chadw'n fyw;
> Cariad rodia ar y dyfnfor
>   Ac a ddywed, 'Myfi yw'.
>
> . . . Yma nid wyf ond pererin,
>   Cartre' f'enaid ydyw'r nef,
> Lle caf aros gyda'r Iesu,
>   Minnau'n debyg iddo Ef.
> Yna boed fy ymarweddiad,
>   Yno boed fy serch a'm bryd,
> Nes rhyw ddydd caf finnau orffwys
>   Fry uwchlaw holl boen y byd . . .

Cyfiethiad Lewis Edwards o emyn Sabine Baring-Gould (1834–1924),
'Onward Christian soldiers', *Cronicl yr Ysgol Sabothol*, 5 (1883), 12–13.

Rhagom filwyr Iesu
Awn i'r gad yn hyf:
Gwelwn groes ein Prynwr –
Hon yw'n cymorth cryf;
Crist, frenhinol Arglwydd
Yw'n harweinydd mad;
Chwifio mae ei faner,
Geilw ni i'r gad.

Arwydd buddugoliaeth
Wna i Satan ffoi;
Filwyr ffyddlon Iesu
Dowch yn ddiymdroi:
Seiliau uffern grynant
Gan y nerthol floedd.
Frodyr floeddiwch eto
Molwch Ef ar goedd.

Fel rhyw fyddin arfog
Symud eglwys Dduw!
Frodyr, lle y troediwn
Llwybr y seintiau yw:
Nid ŷm ni'n rhanedig
Ond un corff di-goll –
Un mewn ffydd a gobaith,
Un mewn cariad oll.

Llawer teyrnas gyfyd
Yna rhywbeth syrth
Ond am eglwys Iesu,
Byth y saif ei phyrth.
Er pob brad ni lwydda
Dyfais uffern ddu,
Gan i'r Iesu addo
Byddaf fi o'ch tu.

Dowch gan hynny, bobloedd –
  Dyma'r dedwydd lu;
Y fuddugol anthem
  Seiniwch gyda ni:
Moliant ac anrhydedd
  Byth i'r Iesu glân;
Dynion ac angylion
  Unant yn y gân.

Emyn Lewis Edwards, 'O Iesu'r bugail mwyn', Y *Lladmerydd*, 3 (1887), 286.

O! Iesu'r bugail mwyn,
Cymer dy dyner ŵyn
  I'th fynwes gu;
I'r borfa nefol ryw,
At ffrydiau dyfroedd byw,
Sy'n tarddu o orsedd Duw
  Dwg hwy yn llu.

Nes d'od o gyrraedd ofn
Y byd ac uffern ddofn,
  Bydd di yn blaid;
Ymhob tymhestlog hin,
Yng nghanol bleiddiaid blin
Ac yn y crasdir crin
  Rho help wrth raid.

Gan i Ti eu caru'n rhad
A'u prynu â dy waed,
  O cynnal hwy:
O'th ras gad iddynt fod
O dan dy nefol nod,
A'u bywyd i Ti'n glod
  Heb grwydro mwy.

Detholiad o awdl Lewis Edwards, 'Trefn Duw i gadw dyn', *Y Geninen*, 8 (1890), 233–4.

> . . . Ei gariad sy'n rhagori – yn yr Iawn
> Mewn rhinwedd daioni;
> Yr Iawn sy'n llawn goleuni
> Daw â'r nef i'n daear ni.

> . . . Yng nghroes ac angau'r Iesu – y cafwyd
> Iawn cyfan o'r ddeutu;
> Iawn perffaith i'r gyfraith gu,
> Yn cynnwys trefn i'n cannu.

> . . . O lawn hedd ymlonydda – yr enaid
> Trwy rinwedd Calfaria:
> O'r Prynwr i'r cyflwr câ
> Rhyw hoffusfawr orffwysfa . . .

Mynegai